DIALOGUES

SOURCES CHRÉTIENNES

Fondateurs : H. de Lubac, s. j., et † J. Daniélou, s. j.
Directeur : C. Mondésert, s. j.
N° 265

GRÉGOIRE LE GRAND

DIALOGUES

TOME III

(Livre IV)

TEXTE CRITIQUE ET NOTES

PAR

Adalbert de VOGÜÉ

MOINE DE LA PIERRE-QUI-VIRE

TRADUCTION

PAR

Paul ANTIN

MOINE DE LIGUGÉ

INDEX ET TABLES

Cet ouvrage est publié avec le concours
du Centre National des Lettres

LES ÉDITIONS DU CERF, 29, BD DE LATOUR-MAUBOURG, PARIS
1980

La publication de cet ouvrage a été préparée
avec le concours de l'Institut des Sources Chrétiennes
(E. R. A. 645 du Centre National de la Recherche Scientifique)

ISBN 2-204-01543-1

CONSPECTVS SIGLORVM

Editiones :

b Benedictinorum ed., Parisiis 1705.

b^t Tituli capitulorum medio textui inserti in *b*.

m U. Moricca ed., Romae 1924.

m^o Codicum in *m* adhibitorum lectiones ab editore omissae.

r R. Mittermüller ed., Ratisbonae 1880 (Liber II).

w G. Waitz ed., Hanovriae 1878 (Excerpta).

z Zachariae uersio graeca, saec. VIII, a Benedictinis edita.

(*z*) Zachariae testimonia incompleta aut incerta.

b^v m^v r^v w^v z^v Variae lectiones in notis seu apparatu critico ab editoribus positae.

Codices :

G Sangallensis 213, saec. VIII med.

H Augustodunensis 20, saec. VIII^2.

L'astérisque qui suit certaines notes renvoie aux *Notes complémentaires*.

Incipivnt Capitvla Libri Qvarti

I. Quod aeterna spiritalia ideo a carnalibus minus credantur quia ea quae audiunt per experimentum minime nouerunt.
II. Quod sine fide neque infidelis uiuat.
III. Quod tres uitales spiritus sint creati.
IIII. De quaestione Salomonis qua dicitur : *Vnus interitus est hominis et iumentorum.*
V. De quaestione animae inuisibiliter exeuntis an sit quae uideri non possit.
VI. Quod uita animae manentis in corpore sicut deprehenditur ex motu membrorum sic uita animae post corpus in sanctis pensanda est ex uirtute miraculorum.
VII. De egressibus animarum.
VIII. De egressu animae Germani episcopi Capuani.
VIIII. De egressu animae Speciosi monachi.
X. De anima inclausi cuiusdam.
XI. De egressu animae Spei abbatis.
XII. De egressu animae presbiteri Nursini.
XIII. De anima Probi Reatinae ciuitatis episcopi.

IV Cap bmz Incipiunt — Quarti *m*^{v} : libri quarti inc. *m* libri quarti capita *b* || I aeterna *m* : ac *add.* *bm*^{v} || III sint *m* : sunt *b* || V possit *m* : possunt *m*^{v} potest *b* || VIII (VII *secundo b*) De — Capuani *bmz* : *om.* *b*^{t} || X (IX *b*) cuiusdam *m* : *post* inclausi *transp.* *bm*^{v} *om.* *z* || inclausi *m* : inclusi *bm*^{v} || XI (X *b*) animae *b*^{t}*mz* : *om.* *b* || XII (XI *b*) presbiteri *m* : *post* Nursini *transp.* *bm*^{v} (*z*) || Nursini *b*^{t}*m*^{v}*z* : Vrsini *bm*

Table des chapitres. A partir du chapitre VIII, la capitulation diffère selon les éditions. A notre numérotation, qui suit celle de Moricca, nous joignons entre parenthèses, dans la traduction, les numéros de l'édition bénédictine reproduite par Migne.

TABLE DES CHAPITRES DU LIVRE IV

I. L'éternel et le spirituel ne sont pas crus par les gens charnels, car ils ne connaissent pas par expérience ce qu'on leur en dit.
II. Sans une foi, l'infidèle même ne peut vivre.
III. Trois sortes d'esprits vivants ont été créés.
IIII. Question de Salomon où il est dit : « Identique, la fin de l'homme et des bêtes. »
V. Question de l'âme sortant invisiblement : existe-t-elle, si l'on ne peut la voir ?
VI. La vie de l'âme dans le corps se reconnaît aux mouvements corporels ; de même la vie posthume de l'âme chez les saints doit être conclue de la puissance miraculeuse qu'ils déploient.
VII. Les sorties des âmes.
VIII (VII). Sortie de l'âme de Germain, évêque de Capoue.
VIIII (VIII). Sortie de l'âme du moine Speciosus.
X (IX). L'âme d'un reclus.
XI (X). Sortie de l'âme de l'abbé Spes.
XII (XI). Sortie de l'âme d'un prêtre de Nursie.
XIII (XII). L'âme de Probus, évêque de la ville de Rieti.

I. Le caractère particulier du Livre IV, où les exposés doctrinaux abondent, impose l'adoption d'une formule qui ne s'était rencontrée que deux fois dans les titres des Livres précédents (II, 36 ; III, 34).

VIII-XVIII. Type rappelant les titres du Livre III. Il alternera désormais avec les énoncés de thèses.

XII. Au lieu de *Nursinus*, on trouve *Vrsinus* dans les deux meilleurs manuscrits de Moricca, qui a reproduit cette faute évidente, comme l'avait déjà fait la table de l'édition bénédictine. Cet « Ursin » se rencontre çà et là dans les ouvrages qui utilisent les Dialogues, à commencer par ceux que cite Moricca (p. 243, n. 1). En réalité, le nom de ce prêtre de Nursie est inconnu.

XIIII. De transitu Gallae ancillae Dei.
XV. De transitu Seruuli paralytici.
XVI. De transitu Romulae ancillae Dei.
XVII. De transitu Tarsillae sacrae uirginis.
XVIII. De transitu Musae puellae.
XVIIII. Quod quibusdam paruulis regni caelestis aditus a parentibus clauditur cum ab eis male nutriuntur et de puero blasphemo.
XX. De transitu Stephani serui Dei.
XXI. Quod aliquando animae meritum non in ipso suo egressu ostenditur et postmodum declaratur.
XXII. De duobus monachis Valentionis abbatis.
XXIII. De transitu Surani abbatis.
XXIIII. De transitu diaconi ecclesiae Marsorum.
XXV. De morte uiri Dei qui missus Bethel fuerat.
XXVI. Si ante restitutionem corporum recipiantur in caelo animae iustorum.
XXVII. Quibus modis morientes aliqua praedicant et de morte Cumquodei aduocati et de reuelatione Gerontii ac Melliti monachi et de morte pueri Armentarii et diuersitate linguarum.
XXVIII. De morte Theophanii comitis.
XXVIIII. Quod sicut perfectorum animae in caelo ita post dissolutionem corporis iniquorum animae in inferno esse credendae sunt.
XXX. Qua ratione credendum sit ut incorporeos spiritus tenere ignis corporeus possit.
XXXI. De morte Theodorici regis arriani.

XX (XIX *b*) serui *m* : uiri *b* || XXI (XX *b*) postmodum *m* : post mortem uerius *b* postea *m*v || XXIII (XXII *b*) Surani *bm*v*z* : Sor- *m* || XXVI (XXV *b*) corporum *m* : -ris *bm*v || XXVII (XXVI *b*) praedicant *m* : -cunt *bm*v || morte Cumquodei aduocati *m* : Godeo [quodam *b*t] aduocato *b* || et de2 *m* : de *b*t *om.* *bz* || reuelatione — Melliti *mz* : Gerontio ac Mellito *b* || monachi *m* : -chis *b* -chorum *z* || de morte pueri Armentarii *mz* : Armentario puero *b* || et diuersi-

XIIII (XIII). Trépas de la servante de Dieu Galla.
XV (XIV). Trépas du paralytique Servulus.
XVI (XV). Trépas de la servante de Dieu Romula.
XVII (XVI). Trépas de la vierge sacrée Tarsilla.
XVIII (XVII). Trépas de la jeune Musa.
XVIIII (XVIII). Certains enfants se voient fermer la porte du royaume des cieux par leurs parents qui les élèvent mal. Un enfant blasphémateur.
XX (XIX). Trépas du serviteur de Dieu Étienne.
XXI (XX). Parfois le mérite de l'âme ne paraît pas à sa sortie, et c'est seulement plus tard qu'il se manifeste.
XXII (XXI). Deux moines de l'abbé Valentio.
XXIII (XXII). Trépas de l'abbé Soranus.
XXIIII (XXIII). Trépas d'un diacre de l'Église des Marses.
XXV (XXIV). Mort de l'homme de Dieu qui avait été envoyé à Bethel.
XXVI (XXV). Si les âmes des saints sont reçues au ciel avant d'avoir recouvré leur corps.
XXVII (XXVI). De quelles manières les mourants font des prédictions. Mort de l'avocat Cumquodeus. Révélation aux moines Gerontius et Mellitus. Mort de l'esclave Armentarius, un polyglotte.
XXVIII (XXVII). Mort du comte Théophane.
XXVIIII (XXVIII). De même que l'âme des parfaits va au ciel, il faut croire que les âmes des pervers vont en enfer après que la mort les a séparées de leur corps.
XXX (XXIX). Comment croire qu'un feu corporel peut retenir des esprits incorporels.
XXXI (XXX). Mort du roi arien Théodoric.

tate linguarum *bm* : *om.* *b*^t^*z* || XXVIII (XXVII *b*) Theophanii *bm*^v^ : Theofani *m* || XXXI (XXX *b*) Theodorici *b*^t^*m* : Theoder- *bm*^v^

XXVII. Les divers épisodes contenus dans ce chapitre sont tous notés, et pas seulement le premier comme en II, 8, etc. Il en sera de même aux chapitres 36-37 et 49.

XXXII. De morte Reparati.
XXXIII. De morte curialis cuius sepultura incensa est.
XXXIIII. Si boni bonos in regno et mali malos in supplicio agnoscunt.
XXXV. De quodam religioso moriente qui prophetas uidit.
XXXVI. Quod se etiam ignotae animae nonnumquam in exitu recognoscunt quae uel pro culpis tormenta uel pro bonis actibus similia sunt praemia recepturae et de morte Iohannis et Vrsi, Eumorphii et Stephani.
XXXVII. De his qui quasi per errorem educi uidentur e corpore et de uocatione et reuocatione Petri monachi et de morte et resuscitatione Stephani ac de uisione cuiusdam militis.
XXXVIII. De Deusdedit cuius domus sabbato uisa est aedificari.
XXXVIIII. De poena Sodomorum.
XL. Quod quorumdam animae adhuc in corpore positae poenale aliquid de spiritalibus uident et de Theodoro puero ac de morte Crisaurii et monachi cuiusdam Isaurii.
XLI. An post mortem purgatorius ignis sit.
XLII. De anima Paschasii diaconi.
XLIII. Cur in extremis temporibus tam multa de animabus clarescunt quae ante latuerunt.
XLIIII. Vbi esse infernus credendus est.
XLV. Vtrum unus gehennae ignis sit an diuersi.
XLVI. Si semper ardeant qui gehennae incendio deputantur.

XXXV (XXXIV *b*) moriente qui prophetas *m* : qui prophetas moriens *b* ‖ XXXVII (XXXVI *b*) resuscitatione *b*[t]*m* : de *praem.* *bm*[v] ‖ XXXVIII (XXXVII *b*) De *mz* : quid sibi uult in amoenis locis domus constructio et *praem.* *b* ‖ uisa est *m* : uidebatur *b* ‖ XXXVIIII (XXXVII *b*) De *mz* : et de *b* ‖ XL (XXXVIII *b*) Crisaurii *m* : Chrysaorii *bz* Chrisaurii *m*[v] Crusarii *m*[v] ‖ Isaurii *mz* :

XXXII (XXXI). Mort de Reparatus.
XXXIII (XXXII). Mort d'un curiale dont le tombeau fut brûlé.
XXXIIII (XXXIII). Si les bons reconnaissent les bons dans le royaume et les méchants les méchants dans les supplices.
XXXV (XXXIV). Un dévôt qui vit les prophètes en mourant.
XXXVI (XXXV). Parfois des âmes qui s'ignoraient se reconnaissent à la sortie au moment de recevoir soit mêmes tourments pour leurs fautes, soit mêmes récompenses pour leurs bonnes actions. Morts de Jean et d'Ursus, d'Eumorphius et d'Étienne.
XXXVII (XXXVI). Ceux qui paraissent retirés de leur corps comme par erreur. Appel et renvoi du moine Pierre. Mort et résurrection d'Étienne. Vision d'un soldat.
XXXVIII (XXXVII). Deusdedit, dont on vit la maison se bâtir le samedi.
XXXVIIII (XXXVII). La peine des Sodomites.
XL (XXXVIII). Les âmes de certains, encore dans leur corps, voient au spirituel des choses affligeantes. Le jeune Théodore. Mort de Chrysaurius et d'un moine d'Isaurie.
XLI (XXXIX). Si après la mort il y a un feu purificateur.
XLII (XL). L'âme du diacre Paschase.
XLIII (XLI). Pourquoi dans les derniers temps s'éclairent tant de choses, au sujet des âmes, qui auparavant étaient cachées.
XLIIII (XLII). Où faut-il croire qu'est l'enfer ?
XLV (XLIII). Y a-t-il dans la géhenne un feu unique ou des feux divers ?
XLVI (XLIV). Si ceux qui sont envoyés à l'incendie de la géhenne brûlent éternellement.

Iconii *b* ‖ XLIII (XLI *b*) ante *m* : antea *bm*ᵛ ‖ XLIIII (XLII *b*) est *m* : sit *b* ‖ XLVI (XLIV *b*) incendio *m* : -diis *b*

XLVII. Quomodo anima inmortalis dicitur si constat quod mortis damnatione puniatur.

XLVIII. De quodam sancto uiro qui ad mortem ueniens expauit.

XLVIIII. Quod quidam ne in morte timeant reuelatione roborantur et de Antonio ac Merulo et Iohanne monachis.

L. An obseruanda sint somnia et quot sint modi somniorum.

LI. De eo cui per somnium longa spatia uitae promissa sunt in tempore breui morituro.

LII. An prosit animabus si mortuorum corpora in ecclesia fuerint sepulta.

LIII. De quadam sanctimoniali femina in ecclesia beati Laurentii martyris sepulta quae dimidia apparuit incendi.

LIIII. De Valeriani patricii sepultura.

LV. De corpore Valentini defuncti ab ecclesia post mortem proiecto.

LVI. De tinctoris corpore in ecclesia sepulto et postmodum non inuento.

LVII. Quid sit quod post mortem ualeat ad absolutionem animas adiuuare et de Centumcellensi presbitero qui a cuiusdam spiritu petitus est ut per sacram hostiam post mortem potuisset adiuuari et de anima Iusti monachi.

LVIII. De uita et transitu Cassii episcopi.

LVIIII. De quodam ab hostibus capto cuius uincula oblationis hora soluebantur et de Varaca nautico per salutarem hostiam a naufragio liberato.

XLVIIII (XLVII *b*) ac *m* : et *b* ‖ LI (XLIX *b*) eo *m* : quodam uiro *b* ‖ spatia uitae *m* : uitae spatia *b* ‖ in tempore breui *m* : et in breui temp. *b* ‖ morituro *m* : morte resecata *b* ‖ LIII (LI *b*) beati

XLVII (XLV). Comment peut-on parler d'une âme immortelle, s'il est établi qu'elle est punie de la peine de mort ?
XLVIII (XLVI). Un saint pris de peur à sa mort.
XLVIIII (XLVII). Certains, à la mort, sont encouragés par une révélation pour qu'ils n'aient pas peur. Les moines Antoine, Merulus et Jean.
L (XLVIII). S'il faut tenir compte des songes. Combien y a-t-il de catégories de songes ?
LI (XLIX). Un qui s'était vu promettre en songe une longue vie et qui devait mourir peu après.
LII (L). Est-il avantageux aux âmes d'avoir leur cadavre enseveli dans une église ?
LIII (LI). Une moniale enterrée dans l'église Saint-Laurent-Martyr apparaît à moitié brûlée.
LIIII (LII). Le tombeau du patrice Valérien.
LV (LIII). Le corps de feu Valentin jeté hors de l'église après décès.
LVI (LIV). Le corps d'un teinturier enseveli à l'église et ensuite introuvable.
LVII (LV). Ce qui peut aider à libérer les âmes après la mort. Le prêtre de Centumcellae qui fut prié par l'esprit d'un homme de l'aider après la mort en offrant la sainte hostie. L'âme du moine Justus.
LVIII (LVI). Vie et trépas de l'évêque Cassius.
LVIIII (LVII). Un prisonnier de guerre dont les liens se détachaient à l'heure de l'oblation. Le marin Varaca sauvé du naufrage par l'hostie salutaire.

Laurentii martyris *m* : sancti Laur. *bz* ‖ incendi *m* : incensa *bm*v(*z*) ‖ LV (LIII *b*) defuncti *m* : defensoris *m*v*z* *om.* *bm*v ‖ LVII (LV *b*) qui — adiuuari *m* : *om.* *bz* ‖ LVIII (LVI *b*) episcopi *mz* : Narniensis ep. *b* ep. Narniensis *m*v ‖ LVIIII (LVII *b*) Varaca *m*v : Baraca *bm* Varica *m*v *om.* *z* ‖ nautico *m* : nauta *b*

LIII. Dans le texte, Grégoire n'indique pas le saint patron de cette église, qui reste anonyme. Où le rédacteur a-t-il pris le nom de S. Laurent ? Serait-ce l' « incendie » qui lui a suggéré de mettre l'église sous le patronage d'un saint martyrisé par le feu ?

LX. De uirtute ac mysterio uictimae salutaris.
LXI. De adfligendo corde inter sacra mysteria et de mentis custodia post conpunctionem.
LXII. De relaxandis culpis alienis ut nostrae laxentur.

EXPLICIT CAPITVLA LIBRI QVARTI

LXII (LX *b*) laxentur *m* : nobis lax. *b* relaxentur *m*v ‖ Explicit — Quarti *m* : *om. bz* ‖ Explicit : -ciunt *m* ‖ Quarti *m*v : Dialogorum Gregorii papae urbis Romae libri nomero quattuor de miraculis patrum Italicorum *add. m*

LX (LVIII). La vertu mystérieuse de la victime du salut.

LXI (LIX). Il faut affliger son cœur pendant les saints mystères et surveiller son esprit après la componction.

LXII (LX). Il faut pardonner aux autres leurs fautes pour que nos fautes nous soient pardonnées.

FIN DE LA TABLE DES CHAPITRES DU LIVRE IV

INCIPIT LIBER QVARTVS

I. Postquam de paradisi gaudiis, culpa exigente, pulsus est primus humani generis parens, in huius exilii atque caecitatis quam patimur aerumnam uenit, quia peccando extra semetipsum fusus iam illa caelestis patriae gaudia, quae prius contemplabatur, uidere non potuit. In paradiso quippe homo adsueuerat uerbis Dei perfrui, beatorum angelorum spiritibus cordis munditia et celsitudine uisionis interesse. Sed postquam huc cecidit, ab illo quo implebatur mentis lumine recessit.

2. Ex cuius uidelicet carne nos in huius exilii caecitate nati, audimus quidem esse caelestem patriam, audimus eius ciues angelos Dei, audimus eorundem angelorum socios spiritus iustorum perfectorum, sed carnales quique, quia illa inuisibilia scire non ualent per experimentum, dubitant utrumne sit quod corporalibus oculis non uident. Quae nimirum dubietas primo parenti nostro esse non potuit, quia et exclusus a paradisi gaudiis, hoc quod amiserat, quoniam uiderat, recolebat. Hi autem sentire uel recolere audita non possunt, quia eorum

I bmz GH Incipit *m GH* : *om. bz* ‖ Quartus *bmz H* : de aliquorum *add. G* dialogi Gregorii papae *add.* m^v ‖ 1 Postquam *m GH* : Gregorius *praem. bz* ‖ 2 pulsus *m* : expulsus *b*m^v *GH* ‖ 2-3 exilii atque caecitatis *mz GH* : caec. atque ex. *b* ‖ 3 aerumnam uenit *mz GH* : uen. aer. *b* ‖ 6 homo adsueuerat *m GH* : ass. homo *b* ‖ 11 audimus *mz H* : audiuimus *b*m^v *G* ‖ esse caelestem *m GH* : cael. esse *b*(*z*) ‖ 12 audimus[1] *m H* : audiuimus *b*m^v *G* *om. z* ‖ audimus[2] *mz H* : audiuimus *b*m^v *G* ‖ 13 perfectorum *mz GH* : et perf. *b* perfectorumque m^v ‖ carnales *b*m^v*z* *GH* : -lis *m* ‖ 16 primo *m GH* : in primo *bz* ‖ 17 et exclusus *m*(*z*) : excl. *b*m^v *GH* ‖ 18 quoniam *m GH* : quia *b*

I, 1. Postquam — parens : cf. Gn 3 ; uerbis — perfrui : cf. Gn **2**, 16-17.

LIVRE IV

I. Quand le premier père du genre humain eut été chassé des joies du paradis en raison de sa faute, il vint au chagrin de l'exil et de la cécité que nous endurons, car en se répandant hors de lui-même par le péché, il ne fut plus capable de voir les joies de la céleste patrie qu'il contemplait auparavant. Dans son paradis, l'homme avait pris l'habitude de savourer les paroles de Dieu, d'être présent aux esprits des bienheureux anges grâce à sa pureté de cœur et à l'altitude de sa vision ; mais quand il fut tombé ici-bas, il dut quitter cette lumière spirituelle qui l'emplissait.

2. Nés de sa chair dans la cécité de cet exil, nous entendons bien parler de la céleste patrie, de ses citoyens les anges de Dieu, des esprits des justes parfaits qui vivent avec eux, mais tous ceux qui sont charnels sont dans le doute sur l'existence de ce qui échappe à leurs yeux corporels, car ils ne peuvent connaître l'invisible par expérience. Ce doute n'a pu exister chez notre premier père. Expulsé des joies du paradis, il se rappelait ce qu'il avait perdu, parce qu'il l'avait vu. Mais les charnels ne peuvent avoir dans leur pensée, dans leur mémoire ce qu'ils ont entendu, car nul d'entre eux n'est comparable au pre-

I, 1. Cette chute du genre humain, qui rappelle celle de Grégoire lui-même (I, *Prol.* 3-5), est décrite de même dans *Mor.* 5, 61 ; 16, 32 ; 24, 4 ; 34, 5 ; *Hom. Eu.* 2, 1 et 36, 1. La première phrase reparaît dans *In Cant.* 1 : *Postquam a paradisi gaudiis expulsum est genus humanum, in istam peregrinationem uitae praesentis ueniens caecum cor ab spiritali intellectu habet.* Ensuite cf. *Mor.* 15, 52 (*mens... extra semetipsam fusa*) et 16, 33 (*interesse angelicis spiritibus*). « Pureté du cœur » et « vision » font penser à Mt 5, 8.

2. L'homme naît en exil : *Mor.* 8, 49 ; *Hom. Eu.* 36, 1. Il est aveugle : *Mor.* 5, 61 et 27, 7 ; *Hom. Eu.* 2, 1. Exil et cécité réunis : *Mor.* 16, 32. Patrie céleste, anges, esprits des justes parfaits : voir He 12, 22-23.

nullum, sicut ille, saltem de praeterito experimentum tenent.

3. Ac si enim praegnans mulier mittatur in carcerem ibique puerum pariat, qui natus puer in carcere nutriatur et crescat ; cui si fortasse mater, quae hunc genuit, solem, lunam, stellas, montes et campos, uolantes aues, currentes equos nominet, ille uero qui est in carcere natus et nutritus nihil aliud quam tenebras carceris sciat, et haec quidem esse audiat, sed quia ea per experimentum non nouit, ueraciter esse diffidat ; ita in hac exilii sui caecitate nati homines, dum esse summa et inuisibilia audiunt, diffidunt an uera sint, quia sola haec infima, in quibus nati sunt, uisibilia nouerunt.

4. Vnde factum est, ut ipse inuisibilium et uisibilium creator ad humani generis redemptionem Vnigenitus Patris ueniret, et sanctum Spiritum ad corda nostra mitteret, quatenus per eum uiuificati crederemus, quae adhuc scire experimento non possumus. Quotquot ergo hunc Spiritum, hereditatis nostrae pignus, accepimus, de uita inuisibilium non dubitamus.

5. Quisquis autem in hac credulitate adhuc solidus non est, debet procul dubio maiorum dictis fidem praebere, eisque iam per Spiritum sanctum inuisibilium expe-

20-21 nullum... tenent *bmz GH* : nullus... tenet *b*[v] ‖ 23 puerum pariat *mz GH* : par. puer. *b* ‖ 31 infima *bm*[v] *GH* : infirma *b*[v]*m* ‖ 33 inuisibilium et uisibilium *bm*[v]*z GH* : uis. et inuis. *m* ‖ 37 experimento *m G* : per experimentum *bm*[v]*z H* *om. m*[v] ‖ 42 Spiritum sanctum *bm*[v] *GH* : sanctum Spir. *mz*

---

3. Allégorie célèbre inventée par Platon, *Resp.* 7, 1-2, et reprise par Aristote, *Fragm.* 12 Rose (Cicéron, *Nat. deor.* 2, 33, 85) ; Grégoire de Nysse, *De mort.*, p. 37-38 Heil ; Syméon le Nouveau Théologien, *Livre d'éthique* I (*SC* 122), p. 296-305. Voir notre article « Un avatar du mythe de la caverne... », dans *Homenaje a Fray Justo Pérez de Urbel*, t. II, Silos 1977, p. 19-24. Ici la mère semble être à la fois l'humanité qui se transmet le souvenir de la félicité primitive (§ 1-2) et l'Église, communauté des saints

mier père, nul ne possède au moins, comme lui, l'expérience du passé.

3. Supposons une femme enceinte, jetée dans un cachot où elle enfante un garçon. Après sa naissance, l'enfant est nourri et grandit dans ce cachot. Si sa mère vient à lui parler du soleil, de la lune, des étoiles, des montagnes et des plaines, des oiseaux qui volent, des chevaux qui courent, lui qui est né et a été nourri au cachot ne connaît que ses ténèbres. Il entend dire que tout cela existe, mais comme il n'en a pas l'expérience, il doute que cela existe vraiment. Ainsi les hommes nés dans la cécité de leur exil, quand ils entendent dire qu'il existe des biens très hauts et invisibles, doutent de leur réalité, car ils ne connaissent que ces pauvres biens visibles parmi lesquels ils sont nés.

4. Voilà pourquoi le Créateur des biens invisibles et visibles, le Fils unique du Père, est venu racheter le genre humain et envoyer le Saint-Esprit dans nos cœurs. Ainsi vivifiés par lui nous croyons ce que nous ne pouvons pas encore savoir par l'expérience. Dans la mesure où nous avons reçu cet « Esprit, promesse de notre héritage », nous ne doutons plus de la vie des êtres invisibles.

5. Mais quiconque n'est pas encore ferme dans cette confiance doit assurément ajouter foi aux paroles des anciens et les croire, parce qu'ils ont déjà une expérience de l'invisible grâce à l'Esprit-Saint. Car l'enfant est in-

qui témoignent, sous l'influence de l'Esprit, de la réalité du monde à venir (§ 4-5).

4. Dans le Symbole de Nicée-Constantinople, le « créateur des choses visibles et invisibles » est le Père. Ce titre est ici donné au Fils unique du Père (Jn 1, 14), par qui tout a été fait (Jn 1, 3). — « L'Esprit est envoyé dans les cœurs » non seulement par Dieu le Père (Ga 4, 6), mais aussi par le Fils (Jn 16, 7). Cet Esprit est « vivifiant » : nouvelle réminiscence du Symbole (cf. Jn 6, 63). — *Quotquot... accepimus* fait penser à Jn 1, 12. « Recevoir l'Esprit » : Rm 8, 15 ; 1 Co 2, 12, etc. *Spiritum hereditatis nostrae pignus* : Ep 1, 13-14.

5. Selon le paragraphe précédent, l'Esprit donne la foi, qui supplée à l'expérience encore impossible. Ici il procure déjà aux *maiores* (ceux qui nous précèdent par le temps et par le savoir) une

rimentum habentibus credere. Nam stultus est puer, si matrem ideo aestimat de luce mentiri, quia ipse nihil aliud quam tenebras carceris agnouit.

6. Petrvs. Placet ualde quod dicis. Sed qui esse inuisibilia non credit, profecto infidelis est. Qui uero infidelis est, in eo quod dubitat, fidem non quaerit, sed rationem.

II. Gregorivs. Audenter dico quia sine fide neque infidelis uiuit. Nam si eundem infidelem percunctari uoluero quem patrem uel quam matrem habuerit, protinus respondet : « Illum atque illam. » Quem si statim requiram, utrumne nouerit quando conceptus sit, uel uiderit quando natus, nihil horum se uel nosse uel uidisse fatebitur, et tamen quod non uidit credit. Nam illum patrem illamque se habuisse matrem absque dubitatione testatur.

2. Petrvs. Fateor quia nunc usque nesciui, quod et infidelis haberet fidem.

Gregorivs. Habent etiam infideles fidem, sed utinam in Deum. Quam si utique haberent, infideles non essent. Sed hinc in sua perfidia redarguendi sunt, hinc ad fidei gratiam prouocandi, quia, si de ipso suo uisibili corpore credunt quod minime uiderunt, cur inuisibilia non credunt, quae corporaliter uideri non possunt ?

3. Nam quia post mortem carnis uiuat anima, patet ratio, sed fidei admixta.

III. Tres quippe uitales spiritus creauit omnipotens Deus : unum qui carne non tegitur ; alium qui carne

43 Nam *mz H* : quia et *bm*^{v} *G* || 44 aestimat *m H* : -met *b G*
II, 1 Audenter *bmz G* : euidenter *b*^{v} || 4 respondet *m*^{v}*z* : -dit *m GH* -debit *bm*^{v} || 9 et *mz GH* : *om. bm*^{v} || 11 infideles *bmz GH* : necesse est *add. b*^{v} || 17-18 *sequenti cap. adnectunt bm*^{v}*z* (*G*)*H*

---

certaine expérience, à laquelle les faibles doivent ajouter foi. Et cette « expérience » anticipée rejoint celle du premier homme (§ 2).

6. Ici comme plus haut (III, 38, 5), Pierre réclame des « raisons ».

II, 1-2. L'homme doit croire les vérités révélées, puisqu'il accepte de croire tant de choses ici-bas, en particulier qu'il a tel

sensé s'il estime que sa mère invente au sujet de la lumière, parce que lui-même ne connaît que les ténèbres du cachot.

6. PIERRE. Ce que vous dites est fort bien. Mais celui qui ne croit pas à l'invisible, eh bien ! c'est un infidèle, et cet homme sans la foi, lorsqu'il doute, ne recherche pas la foi, mais la raison.

II. GRÉGOIRE. J'ose dire que sans la foi l'infidèle même ne peut vivre. Car si je demande à un infidèle qui est son père et qui est sa mère, il me répond immédiatement : un tel et une telle. Je lui demande alors s'il avait pleine connaissance lors de sa conception ou claire vision lors de sa naissance ; il avouera qu'il n'a rien su, rien vu de tout cela, et pourtant il croit ce qu'il n'a pas vu. Il affirme en effet sans hésitation qu'il a eu tel père et telle mère.

2. PIERRE. Je l'avoue : jusqu'ici je ne savais pas que l'infidèle aussi avait la foi.

GRÉGOIRE. Ils l'ont également, les infidèles, la foi, mais je voudrais bien que ce soit en Dieu ! S'ils avaient cette foi, ils ne seraient pas infidèles. C'est par là qu'il faut les attaquer sur leur incrédulité, par là qu'il faut les appeler à la grâce de la foi, car s'ils croient, en ce qui concerne leur corps visible, à des choses qu'ils n'ont pas vues, pourquoi ne croient-ils pas aux choses invisibles, qui échappent à la vue de l'œil corporel ?

3. Que l'âme survive après la mort de la chair, la raison en est évidente, mais si l'on fait appel à la foi.

III. En effet, Dieu tout-puissant créa trois esprits vitaux : un qui n'est pas recouvert par la chair ; un autre

père et telle mère : argument emprunté à AUGUSTIN, *Conf.* 6, 5, 7, qui ne vise pas directement la vie future, mais l'origine divine des Livres saints. Voir aussi ARNOBE, *Adu. nat.* 2, 8-10 ; ÉVAGRE, *Traité prat.* 81 ; AUGUSTIN, *De fide rer. quae non uid.* 1-4. *

3. *Ratio... fidei admixta* : cf. ci-dessous 3, 3 (*rationi fidelium*).

III, 1. *Spiritus* peut signifier « âme » : *Mor.* 11, 7. L'esprit humain fut créé « couvert de chair » : *Mor.* 4, 6 (*tegmen carnis habuit*).

tegitur, sed non cum carne moritur ; tertium qui carne tegitur et cum carne moritur. Spiritus namque est, qui carne non tegitur, angelorum ; spiritus, qui carne tegitur, sed cum carne non moritur, hominum ; spiritus, qui carne tegitur et cum carne moritur, iumentorum omniumque brutorum animalium.

2. Homo itaque, sicut in medio creatus est, ut esset inferior angelo, superior iumento, ita aliquid habet commune cum summo, aliquid commune cum infimo, inmortalitatem scilicet spiritus cum angelo, mortalitatem uero carnis cum iumento, quousque et ipsam mortalitatem carnis gloria resurrectionis absorbeat, et inhaerendo spiritui caro seruetur in perpetuum, quia et ipse spiritus inhaerendo seruatur in Deum. Quae tamen caro nec in reprobis inter supplicia perfecte deficit, quia semper deficiendo subsistit, ut qui spiritu et carne peccauerunt, semper essentialiter uiuentes, et carne et spiritu sine fine moriantur.

3. Petrvs. Rationi fidelium placent cuncta quae dicis. Sed quaeso te, dum spiritus hominum atque iumentorum tanta distinctione discernas, quid est quod Salomon ait : *Dixi in corde meo de filiis hominum, ut probaret eos Deus et ostenderet similes esse bestiis, idcirco unus interitus est hominis et iumentorum, et aequa utriusque condicio* ? Qui adhuc eandem sententiam suam subtiliter exequens, adiungit : *Sicut moritur homo, sic et illa moriuntur. Similiter spirant omnia, et nihil habet homo iumentis*

III, 16 inhaerendo $b^{v}m$ *GH* : carni *add.* bm^{v} Deo *add.* *z* *om.* b^{v} || Deum *bm GH* : Deo $m^{v}z$ || 21 Rationi $bm^{v}z$: -ne *m GH* || 23 distinctione discernas *bmz GH* : discretione distinguas b^{v} || 24 probaret bm^{v} *GH* : -rit *m* || 25 ostenderet bm^{v} *H* : -rit *m G* || similes bm^{v} *G* : -lis *m H* || 27 sententiam suam *m GH* : suam sent. *b*

III, 3. Ec 3, 18-19^{a}.19^{b}.19^{c}-20.

2. L'homme, intermédiaire entre l'ange et la bête : voir Augus-

qui est recouvert par la chair, mais qui ne meurt pas avec la chair ; un troisième qui est recouvert par la chair et meurt avec la chair. Il y a un esprit qui n'est pas couvert de chair, celui des anges; il y a un esprit qui est couvert de chair, mais ne meurt pas avec la chair, celui des hommes ; il y a un esprit qui est couvert de chair et meurt avec la chair, celui des animaux domestiques et de toutes les bêtes brutes.

2. L'homme a donc été créé dans une situation médiane, inférieur à l'ange, supérieur à l'animal ; il a ainsi quelque chose de commun avec celui qui est tout en haut et avec celui qui est tout en bas : l'immortalité de l'esprit avec l'ange, la mortalité de la chair avec l'animal, jusqu'à ce que la résurrection glorieuse absorbe la mort de la chair, et que la chair, en adhérant à l'esprit, soit conservée pour toujours, car l'esprit, en adhérant à Dieu, est conservé pour Dieu. Mais même la chair des réprouvés ne périt pas complètement dans les supplices, car toujours défaillante elle subsiste, pour que ceux qui ont péché par l'esprit et par la chair, vivant toujours quant à l'être, meurent sans fin en chair et en esprit.

3. Pierre. Tout ce que vous dites convient à la raison des fidèles. Mais, je vous prie, si vous établissez une telle distinction entre le souffle des hommes et celui des animaux, pourquoi Salomon dit-il : « J'ai dit en mon cœur des fils d'hommes que Dieu les éprouvait pour les montrer semblables aux animaux. Oui, l'homme et la bête ont la même mort, leur condition est égale. » Et précisant sa pensée, il ajoute : « Comme meurt l'homme, ainsi meurent les animaux. Ils ont tous même souffle, et l'homme n'a

tin, *Ciu.* 12, 22. *Mortalitatem... absorbeat* fait écho à 2 Co 5, 4 (cf. 1 Co 15, 54). *In Deum* caractérisera de nouveau la vie bienheureuse en 47, 2. — Sur la subsistance perpétuelle de l'âme au milieu des tourments de l'enfer, voir IV, 47, 2 et *Mor.* 4, 5. Ici Grégoire associe la chair à l'esprit comme Augustin, *Ciu.* 21, 2-9. Cf. *Mor.* 9, 100 ; 15, 21 : *moritur et uiuit, deficit et subsistit, finitur semper et sine fine est* (l'homme entier).

3. De ces trois textes consécutifs de l'Ecclésiaste, seul le dernier est cité ailleurs (*Mor.* 9, 40).

amplius. Quibus adhuc uerbis generalem definitionem subinfert, dicens : *Cuncta subiacent uanitati, et omnia pergunt ad unum locum. De terra facta sunt, et in terra pariter reuertuntur.*

IIII. Gregorivs. Salomonis liber, in quo haec scripta sunt, Ecclesiastes appellatus est, Ecclesiastes autem proprie concionator dicitur. In concione uero sententia promitur, per quam tumultuosa turbae seditio conprimatur, et cum multi diuersa sentiunt, per concionantis rationem ad unam sententiam perducuntur. Hic igitur liber idcirco concionator dicitur, quia Salomon in eo quasi tumultuantis turbae suscepit sensum, ut ea per inquisitionem dicat, quae fortasse per temptationem inperita mens sentiat. Nam quot sententias quasi per inquisitionem mouit, quasi tot in se personas diuersorum suscepit.

2. Sed concionator uerax, uelut extensa manu, omnium tumultus sedat eosque ad unam sententiam reuocat, cum in eiusdem libri termino ait : *Finem loquendi omnes pariter audiamus : Deum time et mandata eius obserua ; hoc est enim omnis homo.* Si enim in libro eodem per locutionem suam multorum personas non susceperat, cur ad audiendum loquendi finem secum pariter omnes admonebat ? Qui igitur in fine libri dicit : *Omnes pariter audiamus*, ipse sibi testis est, quia in se multorum personas suscipiens, quasi solus locutus non est.

IIII, 2. Ec 12, 13

---

32 terra[2] *m G* : -ram *bm^{v}z H*
IIII, 2 Ecclesiastes[1] *bm^{v} GH* : Aecclesiastis *m* ‖ Ecclesiastes[2] *b GH* : Aecclesiastis *m* ‖ 4 tumultuosa *m GH* : -sae *bm^{v}* ‖ 8 suscepit *bmz GH* : suscipit *m^{v}* ‖ 11-12 personas diuersorum suscepit *m(z) GH* : pers. diu. suscipit *bm^{v}* diuersas suscipit uoces *b^{v}* personarum suscipit uoces *b^{v}* ‖ 15 termino *bm^{v}z GH* : -num *m* ‖ 20 Qui *bm^{v}z* : quia *m H deperd. ap. G*

rien de plus que les animaux. » A ces mots il ajoute cette conclusion globale : « Tout est soumis à ce qui est vain. Tout va vers un même lieu. Tout est à base de terre, et tout également s'en retourne à la terre. »

IIII. Grégoire. Le Livre de Salomon où ces textes sont écrits est appelé l'Ecclésiaste. « Ecclésiaste » signifie proprement « orateur ». Dans son discours, il lance une idée qui apaise une foule violemment soulevée. La multitude est agitée de courants divers : l'orateur, par son argumentation, l'amène à s'unifier autour d'une idée. Ainsi ce livre est appelé *l'Orateur*, parce que Salomon y prend la pensée d'une foule qui conteste : sous forme de questions, il exprime ce que l'homme de la rue est tenté de penser. Toutes les idées qu'il soulève dans sa recherche correspondent à autant de personnages divers qu'il revêt.

2. Mais l'orateur de la Vérité apaise d'un geste ce tumulte général et ramène tout son monde à une même pensée, quand il dit à la fin du livre : « Écoutons tous pareillement la fin du discours : Crains Dieu et observe ses commandements. Voilà tout l'homme ! » En effet, si au cours de ce livre il n'avait pas revêtu divers personnages dans son monologue, pourquoi inviterait-il toute la multitude à écouter avec lui la fin du discours ? Du moment qu'à la fin du livre il dit : « Écoutons tous pareillement », il atteste qu'il a endossé plusieurs personnages et qu'il n'a pas parlé pour lui seul.

IIII, 1. La traduction d'*Ecclesiastes* par *concionator* vient de Jérôme, *Praef. in Libr. Salom.*, *PL* 28, 1242 a. — A la fin, *quot sententias... tot... personas* rappelle l'axiome célèbre *quot homines tot sententiae*, que cite en particulier *RM* 2, 44. *

2. Ce mot final de l'Ecclésiaste, que Grégoire ne cite pas ailleurs, est loué par Augustin, *Ciu.* 20, 3. *

3. Vnde et alia sunt, quae in libro eodem per inquisitionem mouentur, atque alia quae per rationem satisfaciunt ; alia quae ex temptati profert animo atque adhuc huius mundi delectationibus dediti, alia uero in quibus ea quae rationis sunt disserat atque animum a delectatione conpescat. Ibi namque ait : *Hoc itaque mihi uisum est bonum, ut comedat quis et bibat et fruatur laetitia ex labore suo.* Et longe inferius subiungit : *Melius est ire ad domum luctus quam ad domum conuiuii.*

4. Si enim bonum est manducare et bibere, melius fuisse uidebatur ad domum conuiuii pergere quam ad domum luctus. Ex qua re ostenditur quia illud ex infirmantium persona intulit, hoc uero ex rationis definitione subiunxit. Nam ipsas protinus rationis causas edisserit, et de domo luctus quae sit utilitas ostendit, dicens : *In illa enim finis cunctorum admonetur hominum, et uiuens cogitat quid futurus sit.*

5. Rursum illic scriptum est : *Laetare, iuuenis, in adolescentia tua.* Et paulo post subditur : *Adolescentia enim et uoluptas uana sunt.* Qui dum hoc postmodum uanum esse redarguit, quod prius admonuisse uidebatur, patenter indicat quia illa quasi ex desiderio carnali uerba intulit, haec uero ex iudicii ueritate subiunxit.

6. Sicut ergo delectationem prius carnalium exprimens,

25 temptati *bm GH* : -to $b^v z$ tentatione b^v ‖ 27 disserat *m G* : edisserat m^v *H* disserit b^v ‖ atque *m GH* : ut $bm^v z$ ‖ 36 subiunxit $bm^v z$ *GH* : subiungit *m* ‖ 39 futurus *bmz GH* : -rum b^v ‖ 40 Rursum *bm GH* : -sus m^v ‖ 46 delectationem *bmz H* : dilectionem $b^v G$

---

3. Ec 5, 17 ; 7, 3a ‖ 4. Ec 7, 3b ‖ 5. Ec 11, 9-10

---

3. Dans *Mor.* 4, *Praef.* 1, Grégoire confronte pareillement des assertions contradictoires de l'Ecclésiaste. Le premier couple est formé de Ec 2, 24 (*Melius est comedere et bibere*, ici remplacé par Ec 5, 17) et Ec 7, 3a (comme ici). Sans chercher à lever la contradiction comme il le fait ici, Grégoire se contente de la mettre

3. Voilà pourquoi certaines idées, dans ce livre, sont agitées sous forme de question, et certaines donnent satisfaction sous forme de raison ; certaines sont tirées d'un esprit tenté et encore adonné aux plaisirs du monde, et certaines sont exposées selon la raison pour préserver l'âme du plaisir. Dans ce livre, en effet, on dit : « Il m'a paru bon de manger et de boire et d'être en liesse comme fruit de son travail », et beaucoup plus loin on ajoute : « Mieux vaut aller à la maison de deuil qu'à la maison de festin. »

4. Si, en effet, il est bon de manger et de boire, il semble qu'il vaut mieux aller à la maison de festin qu'à la maison de deuil. Ce rapprochement montre que la première sentence est présentée au nom des faibles, la seconde ajoutée en maxime de raison. Car il explique immédiatement ses sages raisons, et il montre quelle est l'utilité de la maison de deuil en disant : « Là on est averti de la fin de tout homme, et le vivant pense à ce qu'il sera. »

5. Il est encore écrit : « Amuse-toi, jeune homme, dans ta jeunesse », et un peu après : « Adolescence et volupté sont choses vaines. » Celui qui bientôt condamne comme vanité ce que d'abord il semblait préconiser montre de façon évidente qu'il a présenté ses premiers propos comme venant d'un désir charnel et qu'il a ajouté les derniers comme jugement selon la vérité.

6. Ainsi, exprimant d'abord le plaisir des charnels, il

en évidence, et il conclut à la nécessité de dépasser la lettre de l'Écriture pour en atteindre le sens grâce à un commerce assidu. *

4. Cf. *Mor.* 4, *Praef.* 1 : *Si enim per electionem bonum est comedere et bibere, procul dubio esse melius debet ad domum gaudii quam ad domum lamenti properare.* — Ec 7, 3^b n'est pas cité ailleurs par Grégoire. *

5. Même couple de propositions opposées dans *Mor.* 4, *Praef.* 1. Alors que la seconde figure seulement là et ici, la première reparaît à quatre reprises, soit pour expliquer *adolescentia* comme le temps des vertus (*Mor.* 24, 8), soit pour établir qu'« adolescence » équivaut à « jeunesse » (*Past.* 3, 25 ; *Hom. Eu.* 13, 5 ; *Hom. Ez.* I, 2, 3). *

6. Des trois phrases qu'a citées Pierre (3, 3), Grégoire retient la fin de la première et la seconde.

curis postpositis denuntiat bonum esse manducare et bibere, quod tamen postmodum ex iudicii ratione reprehendit, cum esse melius dicit ire ad domum luctus quam ad domum conuiuii ; et sicut laetari debere iuuenem in adolescentia sua quasi ex deliberatione carnalium proponit, et tamen postmodum per definitionem sententiae adolescentiam et uoluptatem uana esse redarguit, ita etiam concionator noster uelut ex mente infirmantium humanae suspicionis sententiam proponit, dum dicit : *Vnus interitus est hominis et iumentorum, et aequa utriusque condicio. Sicut moritur homo, sic et illa moriuntur. Similiter spirant omnia, et nihil habet homo iumentis amplius.*

7. Qui tamen ex definitione rationis suam postmodum sententiam profert, dicens : *Quid habet amplius sapiens stulto, et quid pauper, nisi ut pergat illuc, ubi est uita ?* Qui igitur dixit : *Nihil habet homo iumentis amplius*, ipse rursum definiuit quia habet aliquid sapiens non solum amplius a iumento, sed etiam ab homine stulto, uidelicet *ut pergat illuc, ubi est uita*. Quibus uerbis primum indicat quia hic hominum uita non est, quam esse alibi testatur. Habet ergo hoc homo amplius iumentis, quod illa post mortem non uiuunt, hic uero tunc uiuere inchoat, cum per mortem carnis hanc uisibilem uitam consummat.

8. Qui etiam longe inferius dicit : *Quodcumque potest manus tua facere, instanter operare, quia nec opus, nec ratio, nec scientia, nec sapientia erit apud inferos, quo tu properas*. Quomodo ergo unus interitus est hominis et iumenti, et aequa utriusque condicio, aut quomodo nihil habet homo iumentis amplius, cum iumenta post

47 curis postpositis *bmz GH* : *om. b*^{v} ‖ 53 et uoluptatem *bm*^{v} *GH* : ac uol. *m* ‖ 61 stulto *b*^{v}*m H* : a *praem. bm*^{v} *G* ‖ 67 hoc homo *m G* : homo hoc *bz H* ‖ 69 consummat *bm*^{v}(*z*) *H* : consumat *m G* ‖ 75 nihil *bm*^{o} *GH* : nil *m*

---

6. Ec 3, 19^{ab} ‖ 7. Ec 6, 8 ; 3, 19^{b} ‖ 8. Ec 9, 10

déclare qu'il est bon de manger et de boire sans soucis, mais bientôt il désapprouve cela par un jugement de raison, quand il avance qu'il vaut mieux aller à la maison de deuil qu'à la maison de festin. De même il pose comme décision des charnels que le jeune homme doit s'amuser dans sa jeunesse, et bientôt cependant il la contredit par cette sentence lapidaire que la jeunesse et la volupté sont des choses vaines. De même encore notre orateur, se faisant l'interprète des faibles, avance un propos d'hommes superficiels quand il dit : « Elle est identique, la mort, pour l'homme et les animaux ; leur condition est égale. Comme l'homme meurt, ainsi meurent les animaux. Ils ont tous même souffle, et l'homme n'a rien de plus que les animaux. »

7. Pourtant, il profère ensuite une sentence lapidaire que lui inspire la raison : « Quel est l'avantage du sage sur l'insensé, et du pauvre, si ce n'est qu'ils vont où est la vie ? » Celui qui a dit : « L'homme n'a rien de plus que les animaux », déclare par la suite que le sage est mieux loti que l'animal ou même que le sot, puisqu'il va où se trouve la vie. Par ces paroles il montre d'emblée que la vie des hommes n'est point ici-bas, et il atteste qu'elle est ailleurs. L'homme a donc cet avantage sur les animaux que ceux-ci ne survivent pas après la mort, tandis que lui commence à vivre quand, par la mort de la chair, il termine cette vie qu'on avait sous les yeux.

8. Bien plus loin, il dit : « Exécute sans tarder tout ce que ta main peut faire, car il n'y aura ni travail, ni raison, ni science, ni sagesse chez ceux d'en-bas, là où tu vas rapidement. » Comment serait identique la mort pour l'homme et l'animal, et leur condition égale, ou comment l'homme n'aurait-il aucun avantage sur les animaux,

7. Grégoire ne cite pas ailleurs Ec 6, 8. Cette phrase lui sert ici de correctif à Ec 3, 19, dans la ligne des deux antithèses précédentes.

8. Ce mot de l'Ecclésiaste, dont on trouvera plus loin une autre citation (IV, 41, 2) et un écho (IV, 58, 1), est cher à Grégoire, qui le cite exactement comme ici dans *Mor.* 10, 104, et avec diverses variantes textuelles dans *Mor.* 8, 29 ; *Hom. Eu.* 13, 6 ; *Reg.* 1, 33 = *Ep.* 1, 34 ; *In I Reg.* 2, 94.

mortem carnis non uiuunt, hominum uero spiritus, pro malis suis operibus post mortem carnis ad inferos deducti, nec in ipsa morte moriuntur ? Sed in utraque tam dispari sententia demonstratur, quia concionator uerax et illud ex temptatione carnali intulit, et hoc postmodum ex spiritali ueritate definiuit.

9. PETRVS. Libet nescisse quod requisiui, dum me in tanta subtilitate contigit discere quod nesciui. Sed quaeso te ut me aequanimiter feras, si ipse quoque apud te more Ecclesiastis nostri infirmantium in me personam suscepero, ut eisdem infirmantibus prodesse propinquius quasi per eorum inquisitionem possim.

10. GREGORIVS. Cur condescendentem te infirmitati proximorum aequanimiter non feram, cum Paulus dicat : *Omnibus omnia factus sum, ut omnes facerem saluos ?* Quod ipse quoque dum ex condescensione caritatis egeris, in hac re amplius uenerari debes, in qua morem egregii praedicatoris imitaris.

V. PETRVS. Quodam fratre moriente, praesentem fuisse me contigit. Qui repente, dum loqueretur, uitalem emisit flatum, et quem prius mecum loquentem uidebam, subito extinctum uidi. Sed eius anima utrum egressa sit an non egressa sit non uidi, et ualde durum uidetur, ut credatur res esse, quam nullus ualeat uidere.

76 hominum *bmz H* : -nis m^{v} -nes *G* || 85 Ecclesiastis *bm*^{v} *GH* : aec- *m* -tes m^{v}
V, 2 fuisse me *m H* : me fuisse *bm*^{v}*z G* || 4 anima *bm* : -mam *m*^{v}*z GH* || 5 egressa sit *mz GH* : *om. b*

10. 1 Co 9, 22.

9. Pierre « ignorait » vraiment l'explication des propos étranges de l'Ecclésiaste, mais ses prochaines objections exprimeront moins

alors que les animaux après leur mort charnelle ne vivent plus, tandis que les âmes des hommes, après leur mort charnelle, sont menées pour leurs mauvaises actions vers ceux d'en-bas et ne peuvent mourir même dans leur mort ? Mais de ces deux sentences si diverses, on voit que l'orateur véridique a proposé la première comme venant de l'infirmité de la chair, et la seconde comme une thèse de vérité spirituelle.

9. Pierre. Heureuse ignorance qui m'a fait interroger, et ainsi j'ai pu apprendre avec une extrême précision ce que j'ignorais. Mais je vous prie, souffrez sans sourciller qu'à la manière de notre Ecclésiaste je me fasse l'interprète des faibles. Ainsi je pourrai leur être plus sûrement utile en posant pour eux des questions.

10. Grégoire. Pourquoi sourciller devant votre condescendance pour votre prochain qui est faible ? Paul n'a-t-il pas dit : « Je me suis fait tout à tous pour les sauver tous » ? De même votre charitable condescendance mérite un surcroît d'estime, puisque vous imitez l'éminent prédicateur.

V. Pierre. Je me trouvais présent à la mort d'un frère. Soudain, tandis qu'il me parlait, il rendit le dernier soupir. Je venais de le voir s'entretenir avec moi, et brusquement je le vis mort. Mais son âme, était-elle sortie ou non ? Je ne la vis pas, et il me semble vraiment dur de croire à l'existence d'une chose qu'on ne peut pas voir.

ses difficultés personnelles que les doutes de certains faibles. Il se propose de « faire du bien » à d'autres.

10. En imitant l'Ecclésiaste, Pierre agit comme l'Apôtre, dont la « condescendance » est illustrée par la même citation (1 Co 9, 22) dans *Mor.* 6, 54 (cf. *In I Reg.* 2, 51 ; 3, 17 ; 4, 141 ; 5, 112). Grégoire lui-même pratique cette condescendance envers les séculiers (I, *Prol.* 4 ; III, 15, 16).

V, 1. « Frère » peut désigner un ecclésiastique (IV, 53, 2) ou un séculier (I, 10, 18) aussi bien qu'un moine. L'objection de Pierre rappelle celle de la « pensée charnelle » dans *Hom. Eu.* 2, 7 : *Quomodo possum lucem spiritalem quaerere, quam uidere non possum* (cette « lumière spirituelle » est précisément la vie future).

2. GREGORIVS. Quid mirum, Petre, si egredientem animam non uidisti, quam et manentem in corpore non uides ? Numquidnam modo, cum mecum loqueris, quia uidere in me non uales animam meam, idcirco me esse exanimem credis ? Natura quippe animae inuisibilis est, atque ita ex corpore inuisibiliter egreditur, sicut in corpore inuisibiliter manet.

3. PETRVS. Sed uitam animae in corpore manentis pensare possum ex ipsis motibus corporis, quia, nisi corpori anima adesset, eiusdem membra corporis moueri non possent ; uitam uero animae post carnem in quibus motibus quibusue operibus uideo, ut ex rebus uisis esse collegam, quod uidere non possum ?

4. GREGORIVS. Non quidem similiter, sed dissimiliter dico, quia sicut uis animae uiuificat et mouet corpus, sic uis diuina inplet quae creauit omnia, et alia inspirando uiuificat, aliis tribuit ut uiuant, aliis uero solummodo praestat ut sint. Quia uero esse non dubitas creantem et regentem, inplentem et circumplectentem, transcendentem et sustinentem, incircumscriptum atque inuisibilem Deum, ita dubitare non debes hunc inuisibilia obsequia habere. Debent quippe ea quae ministrant ad eius similitudinem tendere, cui ministrant, ut quae inuisibili seruiunt, esse inuisibilia non dubitentur. Haec autem quae esse credimus nisi sanctos angelos et spiritus iustorum ? Sicut ergo motum considerans corporis, uitam ani-

14 Petrus $b^{v}m$ *GH* : *num. cap.* VI *praem. bz* || 15 pensare $bm^{v}z$ *GH* : -ri *m* || 19 collegam *m GH* : colligam bm^{v} || 20 similiter *bm GH* : subtiliter $b^{v}m^{v}$ || dissimiliter *bm GH* : solerter $b^{v}m^{v}$

2-3. Argument analogue dans *Hom. Eu.* 2, 7 : *Nemo animam suam uidet, nec tamen dubitat se animam habere quam non uidet. Ex inuisibili namque anima uisibile regitur corpus. Si autem auferatur quod est inuisibile, protinus corruit hoc quod uisibile stare uidebatur* (même considération dans *RM* 8, 6-16). *Ex inuisibili ergo substantia in hac uita uisibili uiuitur, et esse uita inuisibilis*

2. Grégoire. Qu'y a-t-il de surprenant, Pierre, si vous n'avez pas vu l'âme à sa sortie, puisque vous ne la voyez pas quand elle demeure dans le corps ? Actuellement, pendant que vous me parlez, sous prétexte que vous ne pouvez pas voir mon âme en moi, est-ce que vous me croyez inanimé ? La nature de l'âme est invisible : elle sort du corps invisiblement, comme elle demeure invisiblement dans le corps.

3. Pierre. Mais je puis conclure à la vie de l'âme demeurant dans le corps d'après les mouvements du corps, car si l'âme n'était pas dans le corps, les membres du corps ne pourraient se mouvoir ; tandis que la vie de l'âme, après la mort de la chair, par quels mouvements ou par quels actes puis-je la voir, pour juger par ce que je vois de ce que je ne suis pas en mesure de voir ?

4. Grégoire. Vous le pouvez, non par cette voie d'analogie, mais par une voie opposée. De même que la force de l'âme vivifie et meut le corps, de même la force de Dieu emplit la création entière : ici elle vivifie par inspiration ; là, elle donne la vie ; là enfin, elle donne simplement l'être. Vous n'en doutez pas : Dieu crée et régit, il emplit et entoure, il transcende et soutient, il est incirconscrit et invisible. Vous devez admettre de même qu'il est servi de manière invisible. Tout serviteur doit tendre à ressembler au maître : qui sert un invisible est invisible, sans aucun doute. Ces serviteurs, eh bien ! nous croyons que ce sont les saints anges et les esprits des justes. De même qu'à la vue d'un mouvement corporel,

dubitatur ? Mais ici l'argument est plus serré. De la présence invisible de l'âme au corps on conclut seulement à sa sortie invisible (§ 2), non à son existence en dehors du corps, qui requiert une preuve distincte (§ 3).

4. *Inspirando uiuificat* (cf. Gn 2, 7) vise l'homme, auquel s'opposent ensuite les deux catégories de créatures inférieures. Même énumération, mais en ordre inverse, dans *Hom. Ez.* I, 8, 16 et II, 5, 10. — L'action divine est décrite au moyen de huit verbes, qu'on retrouve presque tous dans les passages parallèles : *Mor.* 2, 20 ; 10, 14 ; 16, 12 et 38 (*circumdare* y remplace *circumplectere*) ; cf. Augustin, *Conf.* 1, 4, 4 et 7, 5, 7. — Anges et esprits des justes : 1, 2 (cf. He 12, 22-23).

mae in corpore manentis perpendis a minimo, ita uitam animae exeuntis a corpore perpendere debes a summo, quia potest inuisibiliter uiuere, quam oportet in obsequio inuisibilis conditoris manere.

5. Petrvs. Recte totum dicitur. Sed mens refugit credere, quod corporeis oculis non ualet uidere.

Gregorivs. Cum Paulus dicat : *Est enim fides sperandorum substantia, rerum argumentum non apparentum*, hoc ueraciter dicitur credi, quod non ualet uideri. Nam credi iam non potest, quod uideri potest.

6. Vt tamen te breuiter reducam ad te, nulla uisibilia nisi per inuisibilia uidentur. Ecce enim cuncta corporea oculus tui corporis aspicit, nec tamen ipse corporeus oculus aliquid corporeum uideret, nisi hunc res incorporea ad uidendum acueret. Nam tolle mentem quae non uidetur, et incassum patet oculus qui uidebat. Subtrahe animam corpori : remanent procul dubio oculi in corpore aperti ; si igitur per se uidebant, cur, discedente anima, nihil uident ? Hinc ergo college, quia ipsa quoque uisibilia nonnisi per inuisibilia uidentur.

7. Ponamus quoque ante oculos mentis aedificari domum, inmensas moles leuari, pendere magnas in machinis columnas. Quis, quaeso te, hoc opus operatur :

33 a minimo $b^{v}m(z)$ H^{ac} : ab imo bm^{v} animo $b^{v}m^{v}$ GH^{pc} in animo b^{v} || uitam bm^{v} *H* : uita *m G* || 38 uidere *bmz GH* : -ri b^{v} || 39-40 sperandorum *m GH* : -darum bm^{v} || 40 apparentum *m G* : -tium *b H* || 43 ad te $bm^{v}z$ *GH* : a te $b^{v}m$ || 46 uideret bm^{v} *GH* : -rit *m* || 47 acueret bm^{v} : -rit *m GH* || 50 aperti *bmz GH* : operti b^{v} || 51 nihil *b GH* : nil *m* || college *m* : collige bm^{v} *GH*

V, 5. He 11, 1.

---

5. De nouveau, l'objection de Pierre ressemble à celle de la pensée charnelle, à propos de la lumière spirituelle, dans *Hom. Eu.* 2, 7 : *Vnde mihi certum est si sit, quae corporeis oculis non infulget ?* — D'après *Mor.* 15, 20 (*est fides rerum argumentum non apparentium*), il semble que Grégoire joigne *rerum* à ce qui suit, ce qui confirme la leçon *sperandorum* (plutôt que *sperandarum*) auparavant. He 11, 1 est cité, avec la même attribution à Paul, dans

à partir de cet élément inférieur vous concluez à la vie de l'âme demeurant dans le corps, de même vous devez conclure à la vie de l'âme sortant du corps à partir du principe supérieur. Elle peut vivre invisiblement, puisqu'elle doit demeurer au service de l'invisible Créateur.

5. PIERRE. Bien dit, tout cela ! Mais l'esprit se refuse à croire ce qu'il ne peut voir de ses yeux corporels.

GRÉGOIRE. Quand Paul dit : « La foi est la substance des biens à espérer, l'argument pour ce qui n'apparaît pas », il déclare en vérité que ce qui est cru ne peut être en même temps vu, car on n'a pas à croire ce qu'on peut voir.

6. Mais pour vous ramener à vous-même en peu de mots, aucune chose visible n'est vue que par de l'invisible. Votre œil corporel aperçoit tous les objets corporels, mais cet œil corporel ne verrait pas un objet corporel si une activité incorporelle ne le rendait apte à la vision. Enlevez l'esprit invisible, et l'œil qui voyait s'ouvre sans résultat. Otez l'âme du corps. Les yeux sans nul doute demeurent ouverts dans le corps. S'ils voyaient par leurs propres forces, pourquoi, l'âme une fois partie, ne voient-ils plus rien ? Concluez de là que les choses visibles ne sont vues que grâce aux choses invisibles.

7. Supposons qu'on bâtisse une maison : on soulève des masses immenses, de grandes colonnes sont suspendues à des machines. Qui donc, je vous le demande, opère

Hom. Eu. 26, 8 (le commentaire joint *rerum* à *non apparentium*) et 32, 7 (vision de la vie future, devenue objet de savoir plutôt que de foi).

6. Même argument, pour conforter la foi au Dieu invisible, dans *Mor.* 15, 52. C'est l'âme qui fait fonctionner le corps : cf. *RM* 8, 6-17. — En montrant que la vue corporelle, dont Pierre est si féru, suppose elle-même l'âme invisible, Grégoire conduit son interlocuteur à dépasser l'expérience sensible, mais la question ne progresse par là qu'indirectement. Déjà Pierre admettait la preuve de l'existence de l'âme à partir des opérations du corps (§ 3). Quant à la vie *future* de l'âme, qui est l'objet du débat, rien n'est prouvé par cet argument, comme Pierre le notera en renouvelant sa demande (§ 9).

7. Reprise de la thèse précédente sous une autre forme. On n'avance guère.

corpus uisibile, quod illas moles manibus trahit, an inuisibilis anima, quae uiuificat corpus ? Tolle enim quod non uidetur in corpore, et mox inmobilia remanent cuncta, quae moueri uidebantur, uisibilia corpora metallorum.

8. Qua ex re pensandum est, quia in hunc quoque mundum uisibilem nihil nisi per creaturam inuisibilem disponi potest. Nam sicut omnipotens Deus, aspirando uel inplendo, ea quae ratione subsistunt et uiuificat et mouet inuisibilia, ita ipsa quoque inuisibilia inplendo mouent atque sensificant carnalia corpora quae uidentur.

9. Petrvs. Istis, fateor, allegationibus libenter uictus, prope nulla iam esse haec uisibilia existimare conpellor, qui prius in me infirmantium personam suscipiens, de inuisibilibus dubitabam. Itaque placent cuncta quae dicis. Sed tamen, sicut uitam animae in corpore manentis ex motu corporis agnosco, ita uitam animae post corpus, apertis quibusdam rebus adtestantibus, agnoscere cupio.

VI. Gregorivs. Hac in re si cor paratum tuae dilectionis inuenio, in allegatione minime laboro. Numquidnam sancti apostoli et martyres Christi praesentem

61 hunc *m H* : hoc bm^{v} *z G* || 62 mundum uisibilem *m GH* : mundo uisibili $bm^{v}z$ || 64 ratione bm^{v} : -ni *m GH* || 66 sensificant $b^{v}m^{v}z$ *G* : significant *H* sensim uiuificant $b^{v}m$ sensum [-su] uiuificant [-cat] $b^{v}m^{v}$ uiuificant bm^{v} uiuificat *etc.* m^{v} || 67 allegationibus *bm G* : allig- $b^{v}m^{v}z$ *H* || 73 agnoscere *m*(*z*) *G* : cognoscere bm^{v} *H*

VI *ita m* : *om.* $bm^{v}z$ *H* VII m^{v} VIIII *G* || 2 allegatione *bm G* : allig- $b^{v}m^{v}z$ *H*

8. Action de Dieu dans le monde par le ministère des créatures spirituelles : voir § 4, où l'on trouvait déjà *inspirando uiuificat* (cf. Gn 2, 7).

9. Par la voix de Pierre, Grégoire marque exactement la portée de son argumentation précédente. Si elle a pu détacher le lecteur du sensible, et par là le disposer à admettre la vie de l'âme dans l'au-delà, la preuve de cette existence future reste à faire.

ce travail ? Le corps visible, qui tire ces masses avec ses mains, ou bien l'âme invisible, qui vivifie le corps ? Enlevez ce qui est invisible dans le corps, et aussitôt tout s'immobilise de ce qu'on voyait en mouvement, ces corps de pierre visibles.

8. Il faut donc penser que, même dans ce monde visible, rien ne peut être agencé que par une créature non visible. De même que Dieu tout-puissant inspire et remplit tout être raisonnable, vivifie et met en branle les esprits invisibles, de même ces êtres invisibles remplissent, mettent en mouvement et dotent de sensibilité les corps charnels que l'on peut voir.

9. Pierre. Volontiers je m'avoue vaincu par vos raisonnements. Je suis presque obligé de compter pour rien le visible, moi qui d'abord, interprète des faibles, doutais de l'invisible. Ainsi, j'approuve tout ce que vous dites, mais de même que je connais la vie de l'âme demeurant dans le corps d'après le mouvement du corps, de même je voudrais connaître la vie de l'âme, après le décès corporel, par quelques preuves éclatantes.

VI. Grégoire. Sur ce point, si votre bonté m'offre un cœur préparé, je n'aurai nulle peine pour la preuve. Les saints Apôtres et martyrs du Christ auraient-ils dédaigné

VI, 1. *Cor paratum* (Ps 56, 8 ; 107, 2) est du langage biblique, ainsi que *animas ponere* (Jn 10, 15.17.18 ; 1 Jn 3, 16). — Les miracles opérés au tombeau des saints attestent leur existence au ciel : voir Grég. de Tours, *Hist. Franc.* 10, 13 (542 a). Ces miracles posthumes sont relativement rares dans les Dialogues (cf. I, 10, 19 et note), où d'ailleurs les saints ne sont pas «Apôtres et martyrs», tandis qu'on en trouve à foison chez Grégoire de Tours. La phrase qui les énumère à la fin du paragraphe, ainsi que la formulation de l'argument qui en est tiré, vient de *Hom. Eu.* 32, 6, où manquaient cependant les deux derniers termes (*leprosi... mundantur... mortui... suscitantur*). Ceux-ci se trouvent dans Mt 11, 5 ; Lc 7, 22. — Parjures punis de possession au tombeau des saints : voir Grég. de Tours, *Glor. mart.* 20.53.58.74.103 ; *Glor. conf.* 33 ; *Mir. S. Iul.* 19. 39 ; *Mir. S. Mart.* 1, 31 ; *Hist. Franc.* 8, 16. Lépreux guéris : Grég. de Tours, *Glor. conf.* 2. Les autres miracles, résurrections comprises, figurent chez Augustin, *Ciu.* 22, 8-9, qui en tire argument en faveur de la résurrection de la chair.

uitam despicerent, in morte carnis animas ponerent, nisi certiorem animarum uitam subsequi scirent ? Tu uero ipse inquies quia uita animae in corpore manentis ex motibus corporis agnoscis. Et ecce hii qui animas in morte posuerunt atque animarum uitam post mortem carnis esse crediderunt, cotidianis miraculis coruscant. Ad extincta namque eorum corpora uiuentes aegri ueniunt et sanantur, periuri ueniunt et daemonio uexantur, daemoniaci ueniunt et liberantur, leprosi ueniunt et mundantur, deferuntur mortui et suscitantur.

2. Pensa itaque eorum animae qualiter uiuunt illic, ubi uiuunt, quorum hic et mortua corpora in tot miraculis uiuunt. Si igitur uitam animae manentis in corpore deprehendis ex motu membrorum, cur non perpendis uitam animae post corpus etiam per ossa mortua in uirtute miraculorum ?

3. PETRVS. Nulla, ut opinor, huic allegationi ratio obsistit, in qua et ex rebus uisibilibus cogimur credere quod non uidemus.

VII. GREGORIVS. Paulo superius questus es morientis cuiusdam egredientem te animam non uidisse. Sed hoc ipsum iam culpae fuit, quod corporeis oculis rem uidere inuisibilem quaesisti. Nam multi nostrorum, mentis oculum fide pura et uberi oratione mundantes, egredientes e carne animas frequenter uiderunt. Vnde mihi nunc necesse est uel qualiter egredientes animae uisae sint, uel quanta ipsae, dum egrederentur, uiderint enarrare,

4 morte *mz H* : -tem *bm*ᵛ *G* ‖ 6 inquies *bm GH* : inquis *m*ᵛ inquiens *m*ᵛ ‖ 7 hii *m G* : hi *bm*ᵛ *H* ‖ 8 morte *mz GH* : -tem *b* ‖ 15 et *m GH* : *om. bz* ‖ 20 allegationi *bm G* : allig- *b*ᵛ*m*ᵛ*z H* ‖ 21 et *mz H* : *om. bm*ᵛ *G*

VII *ita bmz* : VIII *m*ᵛ X *G om. H* ‖ 2 te animam *m GH* : an. te *bm*ᵛ ‖ 3 corporeis *bm*ᵒ*z GH* : corporis *m* ‖ 5 uberi *m*ᵛ *GH* : -re *b* uberiore *m* ‖ oratione [-nem *G*] *bm GH* : ratione *m*ᵛ*m*ᵒ ‖ 6 e *bm G* : a *m*ᵛ *H* ‖ mihi nunc *mz GH* : nunc mihi *b*

la vie présente, jeté leur âme dans la mort de la chair, s'ils n'avaient su qu'une vie plus certaine s'ensuivrait pour leur âme ? Vous me dites que vous connaissez la vie de l'âme demeurant dans le corps d'après les mouvements de ce corps, et voici que ces saints qui ont jeté leur âme dans la mort, qui ont cru à la vie de leur âme après la mort de la chair, chaque jour brillent de miracles ! Auprès de leurs corps éteints des hommes viennent malades et sont guéris ; des parjures se présentent et sont tourmentés par le démon ; des possédés arrivent et sont libérés ; des lépreux se montrent et sont purifiés ; on apporte des morts et ils ressuscitent.

2. Pensez à ce que peut être la vie de leur âme, là où ils vivent, puisque ici-bas leur corps, bien que mort, vit par tant de miracles. Si vous saisissez sur le vif la vie de l'âme demeurant dans le corps d'après un mouvement corporel, pourquoi ne pas reconnaître aussi la vie de l'âme séparée du corps qui se manifeste même dans des ossements morts par le pouvoir d'opérer des miracles ?

3. Pierre. Rien ne s'oppose, me semble-t-il, à votre raisonnement. Le visible nous oblige à croire à l'invisible.

VII. Grégoire. Vous vous êtes plaint, un peu plus haut, de n'avoir pas vu sortir l'âme d'un mourant. Mais c'était déjà une faute de votre part que de chercher à voir avec les yeux du corps une chose non visible. Car beaucoup des nôtres, purifiant l'œil de l'esprit par une foi pure et une prière prolongée, ont vu fréquemment des âmes sortant de leur corps. Me voilà donc amené à dire comment ces âmes à leur sortie ont été

2-3. Début comme en *Hom. Eu.* 32, 6 : *Quomodo ergo uiuunt illic ubi uiuunt, si in tot miraculis uiuunt hic ubi mortui sunt ?* Voici enfin l'argument établissant, au moins pour les saints, la vie dans l'au-delà.

VII. *Superius* : 5, 1. « Voir des yeux du corps » comme en 5, 5. « Voir » l'invisible est le fait des « purs » : Mt 5, 8 (cf. IV, 1, 1). Ces perceptions s'obtiennent par la prière : II, 4, 2 (cf. II, 25, 2). — Les visions d'âmes sortant du corps (IV, 8-11) et les visions accordées à ces âmes elles-mêmes (IV, 12-19 et 27-28) constituent les *animarum exempla* annoncés en III, 38, 5.

quatenus fluctuanti animo, quod plene ratio non ualet, exempla suadeant.

VIII. In secundo namque huius operis libro iam fatus sum quod uir uenerabilis Benedictus, sicut a fidelibus eius discipulis agnoui, longe a Capuana urbe positus, Germani eiusdem urbis episcopi animam nocte media in globo igneo ad caelum ferri ab angelis aspexit. Qui eandem quoque ascendentem animam intuens, mentis laxato sinu, quasi sub uno solis radio cunctum in suis oculis mundum collectum uidit.

VIIII. Eisdem quoque discipulis illius narrantibus, didici quia duo nobiles uiri atque exterioribus studiis eruditi, germani fratres, quorum unus Speciosus, alter uero Gregorius dicebatur, eius se regulae in sancta conuersatione tradiderunt. Quos isdem uenerabilis pater in monasterio, quod iuxta Terracinensem urbem construxerat, fecit habitare. Qui multas quidem pecunias in hoc mundo possederant, sed cuncta pauperibus pro animarum suarum redemptione largiti sunt, et in eodem monasterio permanserunt.

2. Quorum unus, scilicet Speciosus, dum pro utilitate

VIII *ita mz H* : XI *G* *om. b* ‖ 1 iam *bm G* : nam *H* *om. z* ‖ fatus *m*v(z) *H* : fassus *m* fessus *m*v praefatus *bm*v *G* ‖ 7 in suis oculis *bm G* : *post* mundum *transp. H* ‖ 8 collectum *m GH* : *ante* mundum *transp. b*

VIIII *ita mz H* : VII *b* XII *G* *om. m*v ‖ 4 sancta *bmz GH* : sanctae uitae *b*v ‖ 5 isdem *m GH* : idem *bm*v ‖ uenerabilis pater *m GH* : pat. uen. *b*

VIII. Grégoire parle du « second Livre de l'ouvrage », sans trop se soucier de son dialogue supposé avec Pierre (cf. I, *Prol.* 10 ; III, 7, 1 et 38, 5). — Vision nocturne de Benoît : voir II, 35, 2-3, où la vue du monde rassemblé précède celle de l'âme emportée au ciel. *Mentis laxato sinu* : II, 35, 6.

VIIII. 1. Fait non mentionné au L. II, sans doute parce que Benoît n'est pas directement en cause. *Exterioribus studiis eruditi*

vues, ou ce qu'elles ont vu elles-mêmes en sortant : ainsi des exemples convaincront l'esprit hésitant, là où le raisonnement ne suffit pas pleinement.

VIII. Au second Livre de cet ouvrage, j'ai déjà dit que le vénérable Benoît — comme je l'ai appris de ses disciples dignes de foi —, se trouvant loin de Capoue, avait vu au milieu de la nuit l'âme de Germain, évêque de cette ville, portée au ciel par des anges dans un globe flamboyant. Tandis qu'il contemplait cette âme dans son ascension, le sein de son esprit s'élargit et il vit comme sous un seul rayon de soleil l'univers tout entier rassemblé à ses yeux.

VIIII. De la même source, ces disciples du vénérable Benoît, j'ai appris que deux nobles, deux frères, instruits dans les lettres profanes, nommés Speciosus et Grégoire, s'étaient engagés sous sa règle dans la vie religieuse. Le vénérable Père les mit dans le monastère qu'il avait bâti près de Terracine. Ils avaient possédé de grandes richesses dans ce monde, mais ils les donnèrent toutes aux pauvres pour le rachat de leur âme et ils demeurèrent dans ce monastère.

2. Speciosus fut envoyé près de Capoue pour une

comme en III, 1, 2 (rhétorique) ; cf. *Hom. Eu.* 9, 1 (*exteriorum scientia*) et 5 (*exteriorum administrationem*). — Speciosus est-il le *comitiacus* auquel s'adresse Cassiodore, *Var.* 2, 10 (cf. 1, 27) ? Ce rapprochement, proposé par J. Chapman, *St. Benedict*, p. 143-144, paraît bien hasardeux. — Les deux frères se mettent « sous la règle de Benoît » : voir II, 1, 5 (*sub Adeodati patris regula*) ; *Reg.* 1, 40 = *Ep.* 1, 42 (*sui abbatis sub regula*) ; Ferrand, *V. Fulg.* 16 (*sub unius regula*). L'expression désigne simplement l'autorité abbatiale, sans allusion à une règle écrite (cf. II, 36). — Fondation de Terracine : II, 22. Tout donner aux pauvres : Mt 19, 21. *Pro animarum redemptione* : cf. Dn 4, 24.

2. Voyage *pro utilitate monasterii* comme en I, 2, 2 et 11. — Cette histoire ressemble curieusement à la précédente : de part et d'autre un observateur situé au N.-O. voit une âme sortir du corps à Capoue, *germanus* étant le nom propre du défunt dans le premier cas et le terme désignant sa relation à l'observateur (« frère ») dans le second. — On constate que la vision a coïncidé avec le trépas : II, 35, 4.

monasterii iuxta Capuanam urbem missus fuisset, die quadam frater eius Gregorius, cum fratribus ad mensam sedens atque conuescens, per spiritum subleuatus aspexit, et uidit Speciosi germani sui animam tam longe a se positi de corpore exire. Quod mox fratribus indicauit, et cucurrit, iamque eundem fratrem suum sepultum repperit, quem tamen ea hora, qua uiderat, exisse de corpore inuenit.

X. Quidam autem religiosus atque fidelissimus uir adhuc mihi in monasterio posito narrauit, quod aliqui de Siciliae partibus nauigio Romam petentes, in mari medio positi, cuiusdam serui Dei, qui in Samnio fuerat inclausus, ad caelum ferri animam uiderunt. Qui descendentes ad terram causamque an ita esset acta perscrutantes, illo die inuenerunt obisse Dei famulum, quo hunc ad regna caelestia ascendisse cognouerunt.

XI. Adhuc in monasterio meo positus, cuiusdam ualde uenerabilis uiri relatione cognoui quod dico. Aiebat enim quia uenerabilis pater nomine Spes monasteria construxit in loco, cui uocabulum Cample est, qui sexti ferme milliarii

16 exire *bm*ᵛ *GH* : exisse *m*(*z*) ‖ et *m*(*z*) *GH* : atque festinans *bm*ᵛ ‖ 18 ea hora *m H* : hora ea *b* horam *G*

X *ita mz H* : IX *b* XIII *G* *om. m*ᵛ ‖ 1 autem *m H* : *om. bz G* ‖ 3 mari *bm*ᵛ *G* : mare *m H* ‖ 4 inclausus *m*ᵛ *GH* : inclusus *bm* ‖ 6 causamque *bmz G* : causam quae *m*ᵛ *H* ‖ an ita esset acta *bm*ᵛ*z G* : agnita esset acta *H* agnita esset *m*ᵛ ita esse actam *m* ‖ 7 obisse *m GH* : obiisse *bm*ᵛ ‖ hunc *m GH* : eum *b* ‖ regna caelestia *m GH* : cael. regna *b*

XI *ita mz H* : X *b* XIIII *G* *om. m*ᵛ ‖ 2 Aiebat *bm*ᵛ(*z*) *H* : agebat *m G* dicebat *m*ᵛ ‖ 4 uocabulum *bm*ᵛ *GH* : -lo *m*

X. Reclus comme en III, 16, 1. Le Samnium ne borde pas la mer Tyrrhénienne, mais l'Adriatique ; la distance est donc grande. Ame « portée au ciel » : cf. 8. La vérification du décès rappelle II, 35, 4, mais ici c'est seulement le « jour » qui coïncide (cf. IV, 31, 4),

affaire du monastère. Un jour, son frère Grégoire, qui prenait son repas assis à table avec les frères, eut une extase : il regarda et vit l'âme de Speciosus, qui était si loin de lui, sortir de son corps. Il l'annonça aux frères et partit en hâte : il trouva son frère déjà enterré et apprit que son âme était sortie de son corps à l'heure où il l'avait vue.

X. Un homme pieux et très sûr me raconta, lorsque j'étais encore au monastère, que des voyageurs en bateau, au milieu d'une traversée de Sicile à Rome, virent l'âme d'un serviteur de Dieu, reclus dans le Samnium, portée au ciel. Débarqués, ils contrôlèrent le fait soigneusement, et trouvèrent que le serviteur de Dieu était mort le jour où ils avaient connu sa montée vers le royaume des cieux.

XI. J'étais encore dans mon monastère quand j'appris d'un homme fort vénérable ce que je vais raconter. Il disait qu'un vénérable Père nommé Spes construisit des monastères à Cample, localité située à environ

non le « moment ». — Fait semblable chez Jean Moschus, *Pré sp.* 57 : la mort du stylite Siméon d'Égée est vue à distance par son confrère Julien.

XI, 1. Histoire recueillie à la même époque que la précédente et racontée par un informateur également anonyme. — Spes, nom d'homme, se rencontre chez Augustin, *Ep.* 77-78. Les fondations multiples de cet abbé rappellent celles d'Equitius (I, 4, 1) et de Benoît (II, 3, 13). — Cample est le moderne Campi, à une dizaine de kilomètres au N. de Nursie. A quelque 5 km au N.-O. se trouve le monastère d'Euthicius (III, 15, 2). Celui-ci, d'après la tradition locale, serait un de ceux qu'avait fondés Spes. Cependant des objections ont été faites par P. Pirri, *L'Abbazia di S. Eutizio in Valcastoriana presso Norcia*, Castelplanio 1913, p. 9-10 : manque de preuves ; absence ou place insignifiante de Spes dans les textes liturgiques de S. Eutizio ; différence des lieux. Dans son ouvrage de 1960 (cf. note sous III, 15, 2), Pirri s'est rallié à l'opinion courante, mais sans réfuter ses objections antérieures. En tout cas, l'Abbaye de Sant'Eutizio est le seul monastère repérable dans la région. — *Omnipotens et misericors Deus* : formule liturgique romaine. *Flagellando diligeret* : Pr 3, 12 ; He 12, 6 (cf. *Reg.* 11, 18 = *Ep.* 11, 30, etc.).

interiacente spatio a uetusta Nursiae urbe disiungitur. Hunc omnipotens et misericors Deus ab aeterno uerbere flagellando protexit, eique dispensationis suae maximam et seueritatem seruauit et gratiam, quantumque eum prius flagellando diligeret, postmodum perfecte sanando monstrauit. Eius namque oculos per quadraginta annorum spatium continuae caecitatis tenebris pressit, nullum ei lumen uel extremae uisionis aperiens.

2. Sed quia nemo in uerbere illius gratia se destituente subsistit, et nisi isdem misericors Pater, qui poenam inrogat, patientiam praestet, mox per inpatientiam peccatum nobis auget correptio peccatorum, fitque modo miserabili ut culpa nostra, unde sperare debuit terminum, inde sumat augmentum, idcirco nostra Deus infirma conspiciens, flagellis suis custodiam permiscet, atque in percussione sua electis filiis nunc misericorditer iustus est, ut sint quibus postea debeat iuste misereri. Vnde uenerabilem senem, dum exterioribus tenebris premeret, interna numquam luce destituit. Qui cum flagello fatigaretur corporis, habebat per sancti Spiritus custodiam consolationem cordis.

3. Cum uero iam anni quadragesimi fuisset in caecitate tempus exemptum, ei Dominus lumen reddidit, uicinum suum obitum denuntiauit, atque ut monasteriis circumquaque constructis uerbum uitae praedicaret admonuit, quatenus, corporis recepto lumine, uisitatis in circuitu fratribus cordis lumen aperiret. Qui statim iussis obtemperans, fratrum coenobia circuiuit, mandata uitae, quae agendo didicerat, praedicauit.

5 a *bmz H* : *om.* m^v *G* ‖ 8 et seueritatem *mz GH* : seu. *b* et ueritatem m^v serenitatem b^v securitatem $b^v m^v$ ‖ 14 isdem *m GH* : idem *b* ‖ 15 per inpatientiam *bmz GH* : impatientia b^v ‖ 27 exemptum $b^v m$ *GH* : expletum $bm^v(z)$ exactum b^v ‖ 28 uicinum *m GH* : et *praem.* *bz*

2. A demi aveugle, le moine Bonosus, qui persévérera pendant

six milles de la vieille ville de Nursie. Dieu tout-puissant et miséricordieux le protégea du châtiment éternel en le flagellant, et sa Providence lui réserva une extrême sévérité en même temps que des grâces extrêmes. Il lui prouva qu'il le flagellait par amour quand il le guérit enfin parfaitement. Pendant quarante ans il accabla ses yeux d'une cécité perpétuelle, ne lui entrouvrant nulle lumière, par la moindre vision.

2. Mais personne ne peut subsister sous ses coups, si sa grâce fait défaut. Le Père miséricordieux qui inflige la peine doit accorder la patience. Sinon nous sommes impatients, la correction des péchés augmente notre faute, et malheureusement, là où nous pouvions espérer que notre culpabilité serait effacée, elle redouble. C'est pourquoi Dieu, voyant notre infirmité, joint sa sauvegarde à ses fléaux. En les frappant à présent, il est miséricordieusement juste pour ses fils choisis, afin qu'ensuite il puisse leur faire miséricorde justement. Ainsi, en accablant le vénérable vieillard sous les ténèbres extérieures, il ne le priva jamais de la lumière intérieure. Spes était harassé par un fléau corporel, mais il avait par la sauvegarde du Saint-Esprit la consolation du cœur.

3. Au bout de quarante ans de cécité, le Seigneur lui rendit la lumière, lui annonça sa mort prochaine. Il lui commanda de prêcher la parole de vie dans les monastères qu'il avait construits aux environs. Avec son corps illuminé, Spes ferait le tour des frères pour éclairer les cœurs. Aussitôt il obéit, fit le tour des communautés defrères, prêcha les commandements de vie qu'il avait appris en les pratiquant.

40 ans, est invité par Séverin à ne pas se soucier de ses yeux « extérieurs », mais à demander la vue intérieure du cœur (EUGIPPE, *V. Seu.* 35). — *Fitque modo miserabili ut...* : cf. III, 35, 3. Mal reçue, la peine aggrave le péché : voir *Hom. Ez.* I, 9, 32. *Misericorditer iustus... iuste misereri* : ces formules rappellent Augustin. L'Esprit Saint « console » : Jn 14, 16, etc.

3. Dernière tournée de visites aux frères avant de mourir : ainsi fit Antoine (ATHANASE, *V. Ant.* 89). *Verbum uitae* : 1 Jn 1, 1 ; *mandata uitae* : Ba 3, 9. Cf. *In I Reg.* 1, 36 : *ex uitae uerbis*.

4. Quinto decimo igitur die ad monasterium suum, peracta praedicatione, reuersus est, ibique fratribus conuocatis adstans in medio sacramentum dominici corporis et sanguinis sumpsit, moxque cum eis mysticos psalmorum cantus exorsus est. Qui, illis psallentibus, orationi intentus animam reddidit. Omnes uero fratres, qui aderant, ex ore eius exisse columbam uiderunt, quae mox aperto tecto oratorii egressa, aspicientibus fratribus, penetrauit caelum. Cuius idcirco animam in columbae specie apparuisse credendum est, ut omnipotens Deus ex hac ipsa specie ostenderet, ei uir ille quam simplici corde seruisset.

XII. Sed neque hoc sileam, quod uir uenerabilis abbas Stephanus, qui non longe ante hoc in hac urbe defunctus est, quem etiam ipse bene nosti, in eadem prouincia Nursiae contigisse referebat.

2. Aiebat enim quod illic presbiter quidam conmissam sibi cum magno timore Domini regebat ecclesiam. Qui ex tempore ordinis accepti presbiteram suam ut sororem diligens, sed quasi hostem cauens, ad se propius accedere numquam sinebat, eamque sibimet propinquare nulla occasione permittens, ab ea sibi communionem funditus familiaritatis absciderat. Habent quippe sancti

44 ostenderet *GH* : -rit *m* ‖ ei uir ille *m GH* : *post* corde *transp. bz*
XII *ita mz* : XI *b* XV *G* *om.* m^{v} *H* ‖ 2 hoc *m GH* : tempus *add.* bm^{v} huc m^{v} hunc m^{v} *om.* m^{v} ‖ 3 etiam ipse *m* : ipse et. bm^{v} *GH* ‖ 5 Aiebat $bm^{v}z$ *H* : agebat *m G* ‖ 7 ordinis accepti $b^{v}m$ *H* : ordinationis accepti m^{v} ordinationis acceptae *b*

---

4. Le décès de Spes rappelle celui de Benoît (II, 37, 2 : cercle de frères, communion, prière) et surtout celui de Scholastique (II, 34, 1 : vision de colombe). Si ce dernier n'est pas mentionné au L. IV, c'est sans doute qu'il ressemble trop à la mort de Spes. Traits nouveaux : on psalmodie en attendant le trépas (cf. IV, 15, 4) ; la colombe sort de la bouche du mourant (pas seulement « de son corps »), comme dans le martyre d'Eulalie (Prudence, *Perist.* 3,

4. Au bout de quinze jours, il revint à son monastère, sa prédication achevée. Là, il convoqua les frères, et debout au milieu d'eux, il prit le sacrement du corps et du sang du Seigneur et entonna avec eux le chant mystique des psaumes. Pendant qu'ils chantaient, il rendit l'âme, tout às a prière. Tous les frères présents virent une colombe sortir de sa bouche. Elle s'enfuit par une ouverture au toit de l'oratoire, aux yeux des frères, et pénétra le ciel. Si cette âme se montra sous forme de colombe, il faut croire que Dieu tout-puissant la présenta ainsi pour marquer combien Spes l'avait servi d'un cœur simple.

XII. Je ne passerai pas sous silence ce que le vénérable abbé Étienne, mort récemment dans cette ville de Rome (vous l'avez bien connu), disait être arrivé dans ce même district de Nursie.

2. Il racontait que là un prêtre dirigeait l'église qui lui était confiée avec une grande crainte de Dieu. A partir de son ordination, il aima sa femme comme une sœur, mais il s'en gardait comme d'un ennemi : jamais il ne la laissait venir trop près de lui, et ne lui permettant de s'approcher sous aucun prétexte, il avait complètement retranché tout commerce familier entre elle et lui. Les

161-173), et elle s'échappe par le toit ouvert ; elle signifie la simplicité comme dans Mt 10, 16 (cf. *Hom. Eu.* 5, 4 et 30, 5 ; *In I Reg.* 5, 23). *

XII, 1. Cet abbé Étienne (de Nursie ?) pourrait être un provincial réfugié à Rome comme Éleuthère de Spolète (III, 33, 1) et tant d'autres. — Il est piquant de constater que les deux seules Lettres de Grégoire concernant Nursie ordonnent des poursuites contre des prêtres vivant *cum extraneis mulieribus* (*Reg.* 13, 38-39 = *Ep.* 13, 35-36).

2. Sur le nom d'Ursinus donné à cet anonyme, voir IV, *Cap.* 12 et note. Sa femme est appelée *presbitera* : on songe à l'*episcopa* de la mosaïque de Pascal Ier à Ste-Praxède (chapelle de S. Zénon). La chasteté de ce prêtre est célébrée avec une insistance qui rappelle III, 7, 1. Problèmes du prêtre ou de l'évêque marié : cf. GRÉG. DE TOURS, *Hist. Franc.* 1, 39. S'interdire même les *licita* est le fait des pénitents, qu'ils soient pécheurs ou justes, d'après *Hom. Eu.* 34, 4-5 (cf. 34, 16). *

uiri hoc proprium : nam ut semper ab inlicitis longe sint, a se plerumque etiam licita abscidunt. Vnde isdem uir, ne quam per eam incurreret culpam, sibi etiam ministrari per illam recusabat necessaria.

3. Hic ergo uenerabilis presbiter, cum longam uitae inplesset aetatem, anno quadragesimo ordinationis suae inardescente grauiter febre correptus, ad extrema deductus est. Sed cum eum presbitera sua conspiceret, solutis iam membris, quasi in mortem distensum, si quod adhuc ei uitale spiramen inesset, naribus eius adposita curauit aure dinoscere. Quod ille sentiens, cui tenuissimus inerat flatus, quantulo adnisu ualuit ut loqui potuissset, inferuescente spiritu collegit uocem atque erupit, dicens : « Recede a me, mulier. Adhuc igniculus uiuit. Paleam tolle. »

4. Illa igitur recedente, crescente uirtute corporis cum magna cœpit laetitia clamare, dicens : « Bene ueniunt domini mei, bene ueniunt domini mei. Quid ad tantillum seruulum uestrum estis dignati conuenire ? Venio, uenio. Gratias ago, gratias ago. » Cumque hoc iterata crebro uoce repeteret, quibus hoc diceret noti sui qui illum circumsteterant requirebant. Quibus ille admirando respondit, dicens : « Numquid conuenisse hic sanctos apostolos non uidetis ? Beatum Petrum et Paulum primos apostolorum non aspicitis ? » Ad quos iterum conuersus dicebat : « Ecce uenio, ecce uenio. » Atque inter haec

13 abscidunt *mz GH* : abscind- *b* abscidant m^{v} abscedant m^{v} ‖ isdem *m GH* : idem bm^{v} ‖ 14 quam *m* : in aliquam $bm^{v}z$ *G* unquam m^{v} *H* ‖ 19 eum bm^{v} *GH* : eo *m* ‖ 20 in mortem *m* : in morte bm^{v} *H* morte *G* ‖ distensum *m GH* : distentum bm^{v} ‖ 28 ueniunt $b^{v}mz$ *GH* : ueniant *b* ‖ 29 ueniunt $b^{v}m$ *GH* : ueniant *b* *om. z* ‖ 34 hic *mz GH* : huc m^{v} *ante* conuenisse *transp. b* ‖ 35 uidetis *bmz H* : uidistis m^{v} *G*

3. Le pape Sirice, *Ep. ad Himer.* 9, n'autorisait l'ordination presbytérale qu'à 35 ans. Ses quarante années de sacerdoce rap-

saints ont ceci de particulier : pour être toujours loin de l'illicite, ils s'abstiennent même souvent du licite. Pour éviter toute faute avec elle, cet homme refusait jusqu'à une aide indispensable.

3. Ce vénérable prêtre, parvenu à un âge avancé, la quarantième année de son ordination, fut gravement atteint d'une fièvre ardente et réduit à la dernière extrémité. Sa femme, le voyant inerte et comme raidi par la mort, voulut savoir s'il respirait encore et pour cela approcha l'oreille de ses narines. Il s'en rendit compte, et comme il lui restait encore un léger souffle, il rassembla ses dernières forces pour parler, et dans la ferveur de l'esprit, il trouva la voix pour lancer ces mots : « Éloignez-vous de moi, femme ! L'étincelle est encore vivace, ôtez la paille. »

4. Elle s'écarta, et lui, reprenant ses forces, se mit à crier avec une grande joie : « Mes seigneurs sont les bienvenus ! Mes seigneurs sont les bienvenus ! Comment avez-vous daigné venir à un serviteur aussi nul ? Je viens, je viens. Merci, merci ! » Il répéta ces mots plusieurs fois. A qui parlait-il ? Ses amis qui l'entouraient le lui demandèrent. Il répondit, surpris : « Vous ne voyez pas les saints Apôtres qui sont venus ensemble ici ? Les bienheureux Pierre et Paul, les premiers Apôtres, vous ne les voyez pas ? » Et tourné vers eux, il répétait : « Voici, je viens, voici, je viens. » Sur ces paroles, il

prochent ce prêtre de l'abbé Spes (11, 1) : la vigilance de l'un a duré autant que la patience de l'autre. — Le mourant s'indigne d'une dérogation à sa règle de conduite : de même Lupicin (*V. Patr. Iurensium* 116). « Oter la paille » : voir *In I Reg.* 5, 195 (cf. 6, 55), où il s'agit des pensées charnelles qui risquent de s'embraser au contact de la *libido* et de brûler les fleurs des vertus.

4. Voir Athanase, *V. Ant.* 92, 1 : joie d'Antoine mourant à la vue des « amis » venus à lui (de « saints anges » qui vont « emporter son âme », selon Évagre). Cf. Grég. de Tours, *Hist. Franc.* 6, 29 : Disciola mourante demande sa bénédiction à un personnage invisible — sans doute l'archange Michel qui va la porter au ciel — et elle s'excuse de le déranger ; 10, 29 : au témoignage d'une possédée, six grands saints de Gaule sont venus au lit de mort d'Aredius (de même dans *V. Daniel. Styl.* 46). *

uerba animam reddidit, et quia ueraciter sanctos apostolos uiderit, eos etiam sequendo testatus est.

5. Quod plerumque contingit iustis, ut in morte sua sanctorum praecedentium uisiones accipiant, ne ipsam mortis suae poenalem sententiam pertimescant, sed dum eorum menti internorum ciuium societas ostenditur, a carnis suae copula sine doloris et formidinis fatigatione soluantur.

XIII. Qua de re neque hoc sileam, quod Probus omnipotentis Dei famulus, qui nunc in hac urbe monasterio praesto est, quod appellatur Renati, de Probo patruo suo, Reatinae ciuitatis episcopo, mihi narrare consueuit, dicens quia, adpropinquante uitae eius termino, eum grauissima depressit aegritudo. Cuius pater, nomine Maximus, pueris circumquaque transmissis, collegere medicos studuit, si fortasse eius molestiae subuenire potuisset. Sed congregati ex uicinis locis undique medici ad tactum uenae denuntiauerunt eius exitum citius adfuturum.

2. Cum uero iam tempus refectionis incumberet atque diei hora tardior excreuisset, uenerandus episcopus, de illorum potius quam de sua salute sollicitus, eos qui aderant admonuit cum sene patre in superiores episcopii sui partes ascendere, seque post laborem reficiendo

39 uiderit *bm* H^{pc} : -ret m^{v} GH^{ac} ‖ 40 contingit $bm^{v}z$ *H* : contigit *m* contiget *G* contegit m^{v}
XIII *ita mz H* : XII *b* XVI *G* *om.* m^{v} ‖ 3 praesto est *m GH* : praeest $bm^{v}z$ ‖ Renati *bm H* : -tum b^{v} -tae *z* rente G^{ac} renti G^{pc} ‖ 5 adpropinquante *bm G* : prop- m^{v} *H* ‖ 7 collegere [-gire G] *m GH* : collig- bm^{v} ‖ 12 Cum uero *m GH* : sed cum *b* ‖ 15 sene patre $b^{v}m$ *GH* : suo patre *b* suo patre sene $m^{v}(z)$ ‖ superiores $m^{v}z$ *GH* : -ris *bm*

---

5. Pensée analogue en 49, 1 : Dieu accorde parfois des révélations avant la mort pour ôter la crainte de celle-ci. Voir *V. Patrum* 6,

rendit l'âme, et il fournit la preuve qu'il avait vu véritablement les saints Apôtres en les suivant.

5. Oui, il arrive parfois aux justes qu'à leur mort ils voient en vision des saints qui les ont précédés, afin qu'ils ne redoutent pas leur propre sentence de mort. Grâce à la compagnie intérieure des citoyens du ciel qui s'offre à leur âme, ils sont déliés de leur corps sans douleur et sans crainte.

XIII. Sur ce thème, je parlerai encore de ce que Probus, le serviteur de Dieu tout-puissant qui se trouve actuellement au monastère de cette ville dit de Renatus, me racontait volontiers de son oncle Probus, évêque de Rieti. Vers la fin de sa vie, il fut pris d'une très grave maladie. Son père, nommé Maxime, envoya des serviteurs aux alentours pour lui procurer une consultation de médecins qui pourrait remédier à son mal. Les médecins amenés de partout à la ronde lui tâtèrent le pouls et prédirent sa mort pour bientôt.

2. Comme l'heure du repas était venue et qu'il commençait à se faire tard, le vénérable évêque, plus soucieux de leur santé que de la sienne, invita tous ceux qui étaient présents à monter avec son vieux père à l'étage supérieur de l'évêché, pour refaire leurs forces après le tra-

3, 13 : à une âme qui refuse de sortir du corps, le Seigneur envoie David avec sa cithare et un chœur céleste dont la psalmodie la tire de son corps « sans douleur » (cf. ci-dessous, 15, 1).

XIII, 1. Probus : sur ce laïc pieux dont Grégoire fit à l'improviste un abbé, voir *Reg.* 11, 15 = *Ep.*, *App.* 9. Il négociera pour le pape avec les Lombards (*Reg.* 9, 44 et 67 ; cf. 11 = *Ep.* 9, 98 et 43 ; cf. 4). Est-ce lui qu'on trouve à Jérusalem dans *Reg.* 13, 28 = *Ep.* 13, 29 ? Son monastère, appelé *Renati* ou *sanctorum Andreae et Luciae* (*Reg.* 11, 15) — les deux noms sont joints dans *Lib. Pont.* II, 11.24; *Regest. Sublac.*, p. 86. 155. 170. 171 —, se trouvait soit près du Tibre entre S. André *de Marmorariis* (S. Yves) et S. Lucia della Tinta (Duchesne, *Lib. Pont.* II, p. 39, n. 47 ; Kehr I, 89), soit sur l'Esquilin près de S. Eusèbe (C. Huelsen, *Le chiese di Roma nel Medio Evo*, Florence 1927, p. 304 ; G. Ferrari, *op. cit.*, p. 276-280). — Sur Rieti et ses évêques, voir I, 4, 9 et note.

2. Comme en I, 9, 3 et II, 5, 2, un enfant sera le seul témoin du prodige.

reparare. Omnes igitur ascenderunt domum. Vnus ei tantummodo paruulus relictus est puer, quem nunc quoque praedictus Probus adserit superesse.

3. Qui dum lecto iacentis adsisteret, subito aspexit intrantes ad uirum Dei quosdam uiros stolis candidis amictos, qui eundem quoque candorem uestium uultuum suorum luce uincebant. Qui splendoris eorum claritate percussus, quinam illi essent emissa coepit uoce clamare. Qua uoce etiam Probus episcopus conmotus, eos intrantes aspexit et agnouit, atque eundem stridentem uagientemque puerum consolari coepit, dicens : « Noli timere, quia ad me sanctus Iuuenalis et sanctus Eleutherius martyres uenerunt. »

4. Ille autem tantae uisionis nouitatem non ferens, cursu concito extra fores fugit, atque eos quos uiderat patri ac medicis nuntiauit. Qui concite descenderunt, sed aegrum quem reliquerant iam defunctum inuenerunt, quia illi eum secum tulerant, quorum uisionem puer ferre non potuit, qui hic remansit.

XIIII. Interea neque hoc silendum arbitror, quod mihi personarum grauium atque fidelium est relatione conpertum. Gothorum namque temporibus Galla, huius urbis nobilissima puella, Symmachi consulis ac patricii filia, intra adolescentiae tempora marito tradita, in unius anni spatio eius est morte uiduata. Quam dum, feruente mundi copia, ad iterandum thalamum et opes

22 amictos *bm z GH* : -tus *m* ‖ 23 Qui $b^{v}mm^{o}$ *H* : qua bm^{v} *G* ‖ 24 percussus *m* : perculsus bm^{v} *GH* ‖ 25 eos intrantes *m* : in. eos $bm^{v}z$ *GH* ‖ 27 timere *mz GH* : fili *add.* *b* ‖ 31 concito bm^{v} GH^{pc} : -tu *m* GH^{ac}

XIIII *ita* *mz H* : XIII *b* XVII *G ut uid.* *ante* Gothorum *transp.* m^{v} ‖ 2 grauium atque *bmz GH* : ciuium b^{v}

3. Vêtements blancs et visage lumineux comme à la Transfiguration (Mt 17, 2). — Saint Juvénal est aussi appelé « martyr » dans *Hom. Eu.* 37, 9, mais par erreur (cf. III, 19, 2 : Zénon « martyr »), car il s'agit simplement du premier évêque de Narni au IVe s.

vail. Tous montèrent. Seul resta un petit enfant : il est encore vivant, au témoignage de Probus.

3. Il était là près du lit du malade. Soudain il vit entrer et se diriger vers l'homme de Dieu des hommes vêtus de robes blanches. La clarté de leur visage surpassait la blancheur de leur vêtement. Ébloui par l'éclat de cette splendeur, l'enfant cria, demandant qui était là. A ce cri, l'évêque Probus sursauta. Il regarda, reconnut ceux qui étaient entrés, et rassura l'enfant hurlant et sanglotant : « N'aie pas peur ! Saint Juvénal et saint Éleuthère martyrs sont venus à moi. »

4. Mais lui, ne supportant pas l'extraordinaire d'une telle vision, bondit dehors pour faire savoir à son père et aux médecins qui il avait vu. Ils descendirent en hâte, mais trouvèrent mort le malade qu'ils avaient laissé. Il avait été emmené par ceux dont l'enfant ne pouvait supporter la vue, puisque ce petit devait rester ici-bas.

XIIII. Dans ces récits je ne puis omettre ce que j'ai appris par des personnes sérieuses et dignes de foi. Au temps des Goths, une jeune femme de la meilleure noblesse de notre ville, Galla, fille du consul et patrice Symmaque, avait été donnée en mariage adolescente et devint veuve en moins d'un an. Elle avait à foison toutes les ressources du monde ; richesses et jeunesse lui disaient

(F. Lanzoni, *op. cit.*, p. 402-403). Un monastère bâti par Bélisaire à Orte l'avait pour patron (*Lib. Pont.* I, 296). — Éleuthère : martyr enseveli à Rieti (*BHL* 2450). — L'apparition de ces deux saints à l'évêque mourant rappelle celle de Janvier et de Martin à Paulin de Nole (Uranius, *De ob. Paul.* 3). Cf. Callinicus, *V. Hyp.* 51.

4. L'homme mortel ne peut supporter la vue d'un saint : III, 24, 2-3.

XIIII, 1. Ces « personnes graves » semblent être les sœurs du monastère de Galla (§ 5). Celle-ci est sans doute la destinataire d'une Lettre de Fulgence sur le veuvage (*PL* 65, 311-323). Son père Symmaque sera appelé seulement « patrice » en 31, 4, où l'on rappelle sa fin tragique en 526. Elle avait pour sœurs Rusticiana, femme de Boèce, et la vierge Proba, à qui Eugippe, Fulgence et peut-être Denys dédièrent plusieurs ouvrages. — Refus du mariage en vue de noces spirituelles : III, 14, 1 (cf. III, 21, 1).

et aetas uocaret, elegit magis spiritalibus nuptiis copulari Deo, in quibus a luctu incipitur, sed ad gaudia aeterna peruenitur, quam carnalibus nuptiis subici, quae a laetitia semper incipiunt et ad finem cum luctu tendunt.

2. Huic autem cum ualde ignea consparsio corporis inesset, coeperunt medici dicere quia, nisi ad amplexus uiriles rediret, calore nimio contra naturam barbas esset habitura ; quod ita quoque post factum est. Sed sancta mulier nil exterius deformitatis timuit, quae interioris sponsi speciem amauit, nec uerita est si hoc in illa foedaretur, quod a caelesti sponso in ea non amaretur.

3. Mox ergo ut eius coniux defunctus est, abiecto saeculari habitu, ad omnipotentis Dei seruitium sese apud beati Petri apostoli ecclesiam monasterio tradidit, ibique multis annis simplicitati cordis atque orationi dedita, larga indigentibus elemosinarum opera inpendit. Cumque omnipotens Deus perennem iam mercedem reddere eius laboribus decreuisset, cancri ulcere in mamilla percussa est. Nocturno autem tempore ante lectum illius duo candelabra lucere consueuerant, quia uidelicet amica lucis non solum spiritales, sed etiam corporales tenebras odio habebat.

4. Quae dum nocte quadam ex hac eadem iaceret

8 uocaret *mz GH* : -rent *bm*v ‖ 12 consparsio *m GH* : conspersio *bm*v ‖ 16 exterius *m GH* : -rioris *b* ‖ 19 eius coniux *mz H* : ei. maritus *b* ei. uir *m*v *G* con. ei. *m*v ‖ 20-21 seruitium — tradidit *bmz GH* : obsequium in ecclesia b. Petri ap. se conuertit *b*v ‖ 22 simplicitati [-te *m GH*] cordis atque *bmz GH* : simplici corde *b*v ‖ 26 illius *m GH* : eius *b* ‖ 28 spiritales... corporales *bm*v*z H*pc : spiritalis... corporalis *m GH*ac

2. Le tempérament (*consparsio*) de Galla est « ardent », comme celui de Cassius lui donne un visage rougeaud (III, 6, 1). — *Interioris sponsi* fait penser à *internorum ciuium* (12, 5). De part et d'autre, « intérieur » signifie « spirituel ». Quant à *caelesti sponso*, voir III, 14, 1.

3. Ce monastère près S. Pierre semble être S. Étienne Majeur, surnommé au VIIIe s. *cata Galla Patricia* (Bulle d'Étienne II à Fulrade ; *Lib. Pont.* II, 28, etc.). Voir G. FERRARI, *op. cit.*, p. 319-327.

de se remarier. Elle préféra s'unir à Dieu par des noces spirituelles qui commencent dans le deuil pour parvenir à l'éternelle joie : pas de noces charnelles à subir, qui commencent dans la liesse et se terminent dans le deuil.

2. Comme elle était de complexion ardente, les médecins lui dirent que, sans un remariage, il lui pousserait de la barbe, contre sa nature, à cause de son sang trop chaud. Ce qui arriva. Mais la sainte femme ne redouta pas cette disgrâce extérieure, puisqu'elle aimait la beauté de son époux intérieur ; elle n'eut point honte d'être enlaidie dans une partie d'elle-même qui n'était point celle qu'aimait son époux céleste.

3. Peu après la mort de son mari, elle abandonna donc l'habit séculier et se voua au service de Dieu tout-puissant dans le monastère près de l'église Saint-Pierre-Apôtre. Elle y vécut de nombreuses années, adonnée à la prière dans la simplicité de cœur et faisant aux pauvres de larges aumônes. Quand Dieu tout-puissant eut décidé de donner une récompense durable à ses fatigues, elle fut frappée d'un cancer au sein. La nuit, elle avait toujours deux flambeaux allumés devant son lit, car elle aimait la lumière et détestait les ténèbres spirituelles et même physiques.

4. Une nuit qu'elle gisait sur son lit, à bout de force,

Dès 732, l'inscription du synode de Grégoire III suppose qu'il est peuplé d'hommes, ce qu'affirme, pour le pontificat d'Hadrien (772-795), le *Lib. Pont.* I, 806. Quand ce dernier l'appelle *cata Barbara Patricia*, on ne peut s'empêcher de penser à la barbe de Galla. — *Simplicitati... atque orationi dedita* : III, 15, 1 (Florentius). Les aumônes de Galla suggèrent que cette moniale garda la disposition de ses biens. Son mal l'atteint de nouveau dans sa féminité.

4. Au lieu d'être terrifiée comme Théodore (III, 24, 2-3), Galla exulte à la vue de l'Apôtre. Son « amour », qui fait penser à Scholastique (II, 33, 5), lui donne de l'audace : cf. III, 37, 1. Sa question rappelle la voix céleste entendue par Victorin : *Dimissum est peccatum tuum* (*Hom. Eu.* 34, 18). Cf. IV, 49, 3 ; *Reg.* 7, 22 = *Ep.* 7, 25 : Gregoria veut être sûre que ses péchés sont remis, alors que de telles assurances ne doivent être reçues qu'à l'heure de la mort. — Comment Grégoire sait-il que Pierre a un visage bienveillant ? Par Ps.-Clément, *Recogn.* 1, 13 (*benignissimus Petrus*) ? Par l'iconographie, qui de fait — à S. Cosme et Damien notamment — donne à Pierre une expression aimable, à Paul un visage plus sévère ? *

infirmitate fatigata, uidit beatum Petrum apostolum inter utraque candelabra ante suum lectulum constitisse. Nec perterrita timuit, sed ex amore sumens audaciam exultauit, eique dixit : « Quid est, domine meus ? Dimissa sunt mihi peccata mea ? » Cui ille, benignissimi ut est uultus, inclinato capite annuit, dicens : « Dimissa. Veni. » Sed quia quandam sanctimonialem feminam in eodem monasterio prae ceteris diligebat, ilico Galla subiunxit : « Rogo ut soror Benedicta mecum ueniat. » Cui ille respondit : « Non, sed illa talis ueniat tecum. Haec uero, quam petis, die te erit trigesimo secutura. » His igitur expletis, uisio apostoli adsistentis et conloquentis ablata est.

5. At illa protinus cunctae congregationis adsciuit matrem, eique quid uiderit quidue audierit indicauit. Tertio autem die cum ea, quae iussa fuerat, sorore defuncta est. Illa uero, quam ipsa poposcerat, die est trigesimo subsecuta. Quod factum nunc usque in eodem monasterio manet memorabile, sicque hoc a praecedentibus matribus traditum narrare illic subtiliter solent iuueniores, quae nunc sunt, sanctimoniales uirgines, ac si illo in tempore huic tam grandi miraculo et ipsae adfuissent.

XV. Sed inter haec sciendum est, quia saepe animabus exeuntibus electorum dulcedo solet laudis caelestis erumpere, ut, dum illa libenter audiunt, dissolutionem carnis ab anima sentire minime permittantur.

32 lectulum *mz GH* : lectum *b* || constitisse *m GH* : consistentem *b* || 34 meus *m GH* : mi *b* || 37 sanctimonialem *bm*^{v} *GH* : sanctaem- *m* || 41 te *mz GH* : *om.* *bm*^{v} || 42 conloquentis *m GH* : si *add.* *bz* || 44 At *bm*^{v} *GH* : ast *m* || adsciuit *m H* : asc- *m*^{v} acciuit *bm*^{v} arciuit *G* || 50 subtiliter solent *m GH* : sol. subt. *b* || 51 iuueniores *m H* : iuniores *bm*^{v} *G* || sanctimoniales *bm*^{v} *G* : sanctaem- *m H*

XV *ita mz H* : XIV *b* *deperd. ap. G* || 2 dulcedo solet *bm GH* : dulces solent *b*^{v} || laudis caelestis *bm* : laudes caelestes *b*^{v}*m*^{v} *GH* || 3 illa *m G* : illam *bm*^{v} *H* illas *b*^{v} || dissolutionem *bm*^{v}*z* *GH* : -ne *m*

elle vit le bienheureux Apôtre Pierre debout devant son lit entre les flambeaux. Elle ne fut pas effrayée, mais son amour la rendit audacieuse et, débordant de joie, elle dit : « Qu'en est-il, ô mon seigneur ? Est-ce que mes péchés sont pardonnés ? » Et lui, avec son air de grande bonté, inclina la tête affirmativement en disant : « Oui, viens. » Mais comme il y avait dans ce monastère une religieuse qu'elle aimait entre toutes, elle ajouta : « Je demande que Sœur Benedicta vienne avec moi. » Il répondit : « Non, mais une telle viendra avec toi. Celle que tu demandes suivra dans trente jours. » A ces mots, la vision de l'Apôtre debout près d'elle et lui parlant disparut à ses yeux.

5. Alors Galla fit mander la mère de la communauté et lui décrivit ce qu'elle avait vu et entendu. Trois jours après, elle mourut avec la sœur qui lui avait été assignée. Celle qu'elle avait postulée suivit au bout de trente jours. On se rappelle ces événements dans ce monastère. Les mères anciennes les ont racontés à la génération suivante de religieuses qui vivent à présent et celles-ci les racontent avec force détails, comme si elles avaient assisté à un si grand miracle.

XV. Il faut savoir que souvent, quand les âmes des élus quittent leur corps, des chants de louange céleste se font entendre. Les mourants écoutent cette douceur avec joie et ainsi ne perçoivent point la rupture entre l'âme et la chair.

5. Morts en série comme dans I, 8, 2-4 ; IV, 27, 4-5 et 6-8. Galla a appris d'un saint qu'elle va mourir : cf. PALLADE, *Hist. Laus.* 60 = *HP* 48, 332 b. Elle annonce la mort d'autrui, comme Oyend celle du diacre Valentin (*V. Patr. Iurensium* 165).

XV, 1. Thèse parfaitement illustrée par *V. Patr.* 6, 3, 13 (cf. note sous 12, 5, où les visions jouent le rôle ici attribué à la psalmodie).

2. Vnde in omeliis quoque euangelii iam narrasse me memini, quod in ea portico, quae euntibus ad ecclesiam beati Clementis est peruia, fuit quidam, Seruulus nomine, cuius te quoque non ambigo meminisse. Qui quidem pauper rebus, sed meritis diues erat, quem longa aegritudo dissoluerat ; nam ex quo illum scire potuimus usque ad finem uitae paralyticus iacebat. Quid dicam quia stare non poterat, qui numquam in lecto suo surgere uel ad sedendum ualebat, numquam manum suam ad os ducere, numquam se potuit in latus aliud declinare ?

3. Huic ad seruiendum mater cum fratre aderat, et quicquid ex elemosina potuisset accipere, hoc eorum manibus pauperibus erogabat. Nequaquam litteras nouerat, sed scripturae sacrae sibimet codices emerat, et religiosos quosque in hospitalitate suscipiens, hos coram se legere studiose faciebat. Factumque est ut iuxta modum suum plene sacram scripturam disceret, cum, sicut dixi, litteras funditus ignoraret. Studebat in dolore semper gratias agere, hymnis Dei et laudibus diebus ac noctibus uacare.

4. Sed cum iam tempus esset, ut tanta eius patientia remunerari debuisset, membrorum dolor ad uitalia rediit. Cumque se iam morti proximum agnouit, peregrinos uiros atque in hospitalitate susceptos admonuit, ut surgerent et cum eo psalmos pro expectatione exitus decantarent. Cumque cum eis et ipse moriens psalleret, uoces psallentium repente conpescuit cum terrore magni

5 omeliis *m H* : hom- *m*ᵛ homiliis *b* humiliis *G* ‖ 6 portico *m GH* : -cu *bm*ᵛ ‖ 12 suo *mz GH* : *om. b* ‖ 14 in *m*(*z*) *GH* : ad *b* ‖ 19 hospitalitate *m G* : -tem *bm*ᵛ(*z*) *H* ‖ 20 legere studiose *m GH* : stud. leg. *bz* ‖ 23 semper *m GH* : *ante* in *transp. bz* ‖ Dei *mz GH* : Deo *b* *om. m*ᵛ ‖ 27 se iam *m GH* : iam se *b* ‖ agnouit *m GH* : -uisset *b* ‖ 28 hospitalitate *m GH* : -tem *bm*ᵛ(*z*) ‖ 29 exitus *m G* : sui *praem. bm*ᵛ(*z*) *H*

2. Grégoire va recopier *Hom. Eu.* 15, 5, avec des modifications minimes. Ce récit est le premier des neuf qu'il empruntera aux Homélies. — La basilique de S. Clément, entre Esquilin et Caelius,

2. Je me rappelle avoir aussi conté dans mes homélies sur l'Évangile que sous le portique menant à l'église du Bienheureux Clément il y avait un certain Servulus — vous vous le rappelez certainement —, pauvre des biens de ce monde, mais riche en mérites et tout rompu par une longue maladie. Depuis que nous l'avons connu jusqu'à la fin de sa vie, il était couché paralysé. Il ne pouvait se tenir debout, bien entendu, mais en outre il était incapable de se redresser sur son lit, même pour s'asseoir. Jamais il ne put porter la main à sa bouche, jamais se retourner sur l'autre côté.

3. Il avait pour le secourir sa mère et son frère. Tout ce qu'il recevait en aumônes, par leurs soins il le distribuait aux pauvres. Il ne savait pas lire, mais il s'était acheté des manuscrits de la sainte Écriture, et par tous les gens pieux qu'il recevait chez lui, il avait grand soin de se la faire lire. Il arriva ainsi à apprendre, autant qu'il le pouvait, toute la sainte Écriture, bien qu'il ignorât complètement l'alphabet, comme j'ai dit. Dans ses souffrances, il s'efforçait de toujours rendre grâces, de vaquer jour et nuit aux hymnes et louanges de Dieu.

4. Quand le temps fut venu où sa patience devait être récompensée, les douleurs des membres remontèrent aux organes vitaux. Se sentant mourir, il demanda aux pèlerins reçus chez lui de se lever et de chanter avec lui des psaumes en attendant son départ. Comme le moribond chantait avec eux, soudain il arrêta leur psalmodie

est déjà mentionnée par Jérôme, *De uir. inl.* 15, et par les Actes du concile de Zosime (*Ep.* 2, 2, *PL* 20, 650 a). Sur les portiques des églises, asiles pour les malades et les pauvres, voir Pallade, *Hist. Laus.* 68, 2 = *HP* 56, 338 b ; *V. Patr. Iurensium* 104 (Vatican).

3. Analphabétisme et connaissance de l'Écriture vont de pair chez Servulus, à la différence de Sanctulus (III, 37, 19). *Studiose* remplace ici le *sine intermissione* de l'Homélie.

4. Comme Séverin mourant (Eugippe, *V. Seu.* 43, 8), Servulus fait chanter des psaumes, utilisés comme prières des agonisants. Il les chante avec l'assistance, de même que Spes (11, 4). — Dans *V. Patr. Iurensium* 124, Oyend entend les anges chanter en emportant les hommes au ciel. Cf. Grég. de Tours, *Mir. S. Mart.* 1, 4, etc. — *Aurem cordis* : voir Augustin, *Conf.* 4, 11, 16 ; 4, 15, 27, etc.

clamoris, dicens : « Tacete. Numquid non auditis quantae resonant laudes in caelo ? » Et dum ad easdem laudes, quas intus audierat, aurem cordis intenderet, sancta illa anima carne soluta est.

5. Qua scilicet exeunte, tanta illic fragrantia odoris aspersa est, ut omnes illi qui aderant inaestimabili suauitate replerentur, ita ut per hoc patenter agnoscerent, quod eam laudes in caelo suscepissent. Cui rei monachus noster interfuit, qui nunc usque uiuit et cum magno fletu adtestari solet quia, quousque corpus eius sepulturae traderent, ab eorum naribus odoris illius fragrantia non recessit.

XVI. In eisdem quoque omeliis rem narrasse me recolo, cui Speciosus conpresbiter meus, qui hanc nouerat, me narrante adtestatus est. Eo namque tempore quo monasterium petii, anus quaedam, Redempta nomine, in sanctimoniali habitu constituta, in urbe hac iuxta beatae Mariae semper uirginis ecclesiam manebat. Haec illius Herundinis discipula fuerat, quae magnis uirtutibus pollens super Praenestinos montes uitam heremiticam duxisse ferebatur.

2. Huic autem Redemptae duae in eodem habitu discipulae aderant : una nomine Romula, et altera quae nunc adhuc superest, quam quidem facie scio, sed nomine

33 resonant *m* : -nent *bm*ᵛ *GH* ‖ 34 intenderet *bm*ᵛ *GH* : -rit *m* ‖ 36 fragrantia[1] *b* : flagr- *m GH* fragl- *m*ᵛ ‖ 37 aspersa *bm*ᵛ *GH* : adsparsa *m* ‖ illi qui *m H* : illic qui *G* qui illic *bz* qui *m*ᵛ ‖ 38 agnoscerent *m GH* : cognoscerent *b* ‖ 42 fragrantia *b* : flagr- *m GH* fragl- *m*ᵛ

XVI *ita mz H* : XV *b* *om. m*ᵛ *deperd. ap. G* ‖ 2 cui *b*ᵛ*m GH* : quam *b* cuius *m*ᵛ ‖ 5 sanctimoniali *bm*ᵛ *G* : sanctaem- *m H* -lis *m*ᵛ ‖ 12 nomine *bm*ᵛ *GH* : nomen *mz*

---

5. Odeur surnaturelle comme en III, 30, 5. Elle atteste à tous que les perceptions du mourant correspondaient à la réalité. — Le monastère de S. André au Caelius, auquel appartient ce moine, est peu éloigné de S. Clément. *

avec un cri de stupeur : « Silence, n'entendez-vous pas ces laudes chantées dans le ciel ? » Et tandis qu'il tendait l'oreille de son cœur à ces voix qu'il avait entendu retentir au dedans de lui, sa sainte âme fut libérée de la chair.

5. Comme elle partait, un parfum si exquis se répandit que toute l'assistance fut remplie d'une douceur inexprimable ; on connaissait clairement que les laudes célestes avaient accueilli cette âme. Un de nos moines qui vit encore était présent. Il atteste avec une grande émotion que, jusqu'à la sépulture du corps, on ne cessa de sentir l'odeur de parfum.

XVI. Dans ces mêmes homélies, je me rappelle avoir aussi conté une chose que Speciosus, mon frère dans la prêtrise, a confirmée tandis que je la contais, car il en avait eu connaissance. Quand je me retirai au monastère, une vieille femme nommée Redempta, qui portait l'habit monastique, demeurait dans notre ville près de l'église de la Bienheureuse Marie toujours Vierge. Elle avait été disciple de cette Herundo, femme très vertueuse qui, dit-on, mena la vie érémitique sur les monts de Préneste.

2. Redempta avait deux disciples, religieuses comme elle, une nommée Romula et une autre qui vit encore, que je connais de vue, mais dont le nom m'échappe. Ces

XVI, 1. De nouveau, Grégoire recopie *Hom. Eu.* 40, 11. Le prêtre Speciosus, que Moricca confond avec le moine de Terracine (IV, 9), est sans doute un des deux de ce nom, l'un titulaire de S. Clément, l'autre de S. Damase, qui signeront au concile de 595 (*Reg.* 5, 57^{a} = *Ep.*, *App.* 5). — L'entrée de Grégoire au monastère a eu lieu quelque vingt ans plus tôt (574). Redempta habite près de Ste Marie Majeure comme Gregoria (III, 14, 1). Dans *Reg.* 7, 23 = *Ep.* 7, 26, Grégoire compte 3 000 moniales inscrites sur les listes de charité de l'Église romaine, qui leur distribue la somme de 80 livres par an.

2. Trio de moniales comme chez PALLADE, *Hist. Laus.* 69, 1 = *HP* 56, 338 d. Richesse morale et pauvreté matérielle : formule analogue à propos de Servulus (15, 2). Couple obéissance-silence comme dans *RM* 7-9 et *RB* 5-6, tandis que l'oraison continuelle rappelle Fortunat (I, 10, 1).

nescio. Tres itaque haec in uno habitaculo conmanentes, morum quidem diuitiis plenam, sed tamen rebus pauperem uitam ducebant. Haec autem quam praefatus sum Romula aliam quam praedixi condiscipulam suam magnis uitae meritis anteibat. Erat quippe patientiae mirae, summae oboedientiae, custos oris sui ad silentium, studiosa ualde ad continuae orationis usum.

3. Sed quia plerumque hii, quos iam perfectos homines aestimant, adhuc in oculis summi opificis aliquid inperfectionis habent — sicut saepe inperiti homines necdum perfecte sculpta sigilla conspicimus et iam quasi perfecta laudamus, quae tamen adhuc artifex considerat et limat, laudari iam audit et tamen ea tundere meliorando non desinit —, haec quam praediximus Romula ea, quam graeco uocabulo medici paralysin uocant, molestia corporis percussa est, multique annis in lectulo decubans paene omni iacebat membrorum officio destituta. Nec tamen haec eadem eius mentem ad inpatientiam flagella perduxerant. Nam ipsa ei detrimenta membrorum facta fuerant incrementa uirtutum, quia tanto sollicitius ad usum orationis excreuerat, quanto et aliud quodlibet agere nequaquam ualebat.

4. Nocte igitur quadam eandem Redemptam quam praefatus sum, quae utrasque discipulas suas filiarum loco nutriebat, uocauit dicens : « Mater, ueni. Mater, ueni. » Quae mox cum alia eius condiscipula surrexit, sicut utrisque referentibus et multis res eadem claruit, et ego quoque in eodem tempore agnoui.

5. Cumque noctis medio lectulo iacentis adsisterent, subito caelitus lux emissa omne illius cellulae spatium

13 haec *m GH* : hae *b* hac *m*ᵛ || 17 patientiae mirae *m* : mirae pat. *bm*ᵛ *GH* || 20 hii *m G* : hi *bm*ᵛ *H* || perfectos homines *m GH* : hom. perf. *b* || 36 praefatus *bm*ᵛ*z GH* : fatus *m* || 39 res eadem *m GH* : eadem res *b* || 40 in *m GH* : *om.* *b* || 41 lectulo *bm*ᵛ *GH* : lecto *m*

---

3. *Paralysin* est enveloppé de la même périphrase que *sincopin* (III, 33, 7) et *freneticum* (III, 35, 3). Pourtant *paralyticus* vient

trois femmes vivaient au même logis, riches en vertus, pauvres des biens de ce monde. Romula dépassait par les grands mérites de sa vie cette compagne que j'ai mentionnée. Elle était d'une patience admirable, d'une obéissance très exacte ; elle savait garder sa bouche en silence, soucieuse d'entretenir une oraison continuelle.

3. Mais parfois ceux que les hommes estiment parfaits ont encore aux yeux de l'artiste céleste quelque défaut. Nous autres profanes, nous considérons des statuettes inachevées et nous les louons comme exemplaires, alors que l'auteur les revoit et les retouche ; il enregistre bien l'éloge, et pourtant il ne cesse de les retravailler pour les améliorer. Romula fut frappée de cette infirmité que les médecins appellent, d'un nom grec, paralysie. Bien des années elle dut rester sur son lit, ayant presque perdu l'usage de ses membres, mais ces maux n'avaient pu susciter en elle l'impatience. Son corps affaibli affermissait sa vertu : la prière profitait souverainement de toutes ces autres occupations auxquelles elle ne pouvait plus se livrer.

4. Une nuit, elle appela Redempta, dont j'ai parlé, qui était une mère pour ses deux disciples : « Mère, venez ! Mère, venez ! » Redempta accourut avec l'autre compagne. La chose fut connue, par leur double témoignage, de nombre de personnes ; moi-même, j'en eus connaissance en son temps.

5. A minuit, comme elles étaient auprès du lit de la malade, soudain une lumière céleste emplit la maisonnette.

d'être employé sans explication (IV, 15, 2), et *paralysis* lui-même n'est pas glosé par Jérôme, *V. Hil.* 19; Victor de Vite, *Persec. Vand.* 2, 8 et 5, 11 ; Grég. de Tours, *Mir. S. Mart.* 4, 30, etc. Cette périphrase serait-elle donc « une de ces faussses élégances comme les aime le style recherché » (A.-J. Festugière, *Les moines d'Orient*, t. II, p. 49, n. 57) ? — Atteinte du même mal que Servulus, Romula fait preuve de la même patience (cf. 15, 4).

5. Lumière éclatante en pleine nuit : cf. II, 35, 2. Parfum céleste comme dans l'épisode précédent (15, 5). La conjonction des deux phénomènes, le visuel et l'olfactif, rappelle III, 30, 5. Une odeur suave accompagne souvent la mort des saints. Voir par exemple Grég. de Tours, *V. Patr.* 10, 4. *

inpleuit, et splendor tantae claritatis emicuit, ut corda adsistentium inaestimabili pauore perstringeret, atque, ut post ipsae referebant, omne in eis corpus obrigesceret et in subito stupore remanerent. Coepit namque quasi cuiusdam magnae multitudinis ingredientis sonitus audiri, ostium cellulae concuti ac si ingredientium turba premeretur, atque, ut dicebant, intrantium multitudinem sentiebant, sed nimietate timoris et luminis uidere non poterant, quia earum oculos et pauor depresserat, et ipsa tanti luminis claritas reuerberabat. Quam lucem protinus miri est odoris fragrantia subsecuta, ita ut earum animum, quia lux emissa terruerat, odoris suauitas refoueret.

6. Sed cum uim claritatis illius ferre non possent, coepit eadem Romula adsistentem et trementem Redemptam suorum morum magistram blanda uoce consolari, dicens : « Noli timere, mater. Non morior modo. » Cumque hoc crebro diceret, paulatim lux quae fuerat emissa subtracta est, sed is qui subsecutus est odor remansit, sicque dies secundus et tertius transiit, ut aspersa fragrantia odoris maneret.

7. Nocte igitur quarta eandem magistram suam iterum uocauit. Qua ueniente, uiaticum petiit et accepit. Necdum uero eadem Redempta uel alia eius discipula a lectulo iacentis abscesserant, et ecce subito in platea ante eiusdem cellulae ostium duo chori psallentium constiterunt, et sicut se dicebant sexus ex uocibus discreuisse, psalmodiae cantus dicebant uiri et feminae respondebant. Cumque ante fores cellulae exhiberentur caelestes exsequiae, sancta illa anima carne soluta est. Qua ad caelum ducta, quanto chori psallentium altius ascendebant, tanto

48 ostium *m GH* : ostiumque *bz* ‖ 51 earum bm^{v} *G* : eorum *m H* ‖ 53 protinus — subsecuta *bm GH* : suauissimus odor secutus est b^{v} ‖ miri est *m GH* : est miri *b* ‖ 54 quia *m(z) GH* : quem *b* ‖ 56 possent bm^{v} H^{pc} : possint *m* GH^{ac} ‖ 65 et *bm(z) G* : *om.* m^{v} *H* ‖ 66 alia *mz*

Sa splendeur était si éblouissante que leur cœur se glaça d'une terreur indicible. Comme elles l'ont dit par la suite, tout leur corps devint raide et elles restèrent figées de stupeur. Puis ce fut le bruit d'une grande foule qui entrait, la porte de la maisonnette fut ébranlée comme par un flot humain. Elles entendaient, comme elles l'ont dit, cette foule qui entrait, mais elles ne voyaient rien à cause de la lumière excessive et de la peur. La crainte leur faisait baisser les yeux et l'intensité de la lumière les éblouissait. Cette lumière fut aussitôt suivie d'un parfum merveilleux dont la douceur les réconforta, car le rayonnement les avait terrifiées.

6. Mais la clarté devenait intolérable. Romula dit doucement à sa maîtresse Redempta, qui se tenait là toute tremblante, pour la consoler : « N'ayez pas peur, ma mère, je ne meurs pas tout de suite. » Elle répéta cela et la splendeur se retira peu à peu, mais le parfum qui l'avait suivie subsista. Le lendemain et le surlendemain passèrent, sans que disparût l'odeur du parfum répandu.

7. La quatrième nuit, Romula appela de nouveau sa maîtresse, demanda et reçut le viatique. Redempta et son autre disciple étaient encore près du lit de la malade, lorsqu'on entendit soudain sur la place devant la porte de la maisonnette deux chœurs de psalmodie. On reconnaissait, disaient-elles, les voix de l'un et l'autre sexe. Les hommes chantaient les psaumes et les femmes répondaient. Tandis que se célébraient ces obsèques célestes aux portes de la maisonnette, l'âme sainte fut délivrée des liens de la chair. Elle fut conduite au ciel, et, à mesure que les chœurs psalmodiant s'élevaient, le chant devenait

GH : illa alia *b* ‖ 71 caelestes *bm*ᵛ *H* : -tis *m G* ‖ 73 ducta *bm G* : deducta *m*ᵛ *H*

---

6. *Blanda uoce consolari* : cf. II, 1, 2. En 15, 5, l'odeur dure quelques heures, ici plusieurs jours.

7. Viatique, ici désigné par le mot propre, comme en II, 37, 2 ; III, 36, 3 ; IV, 11, 4. La scène finale fait penser à CYRILLE DE SCYTH., *V. Sab.* 43 : le son d'une foule invisible qui psalmodie avertit Sabas de la mort d'un frère. A la différence du récit précédent (15, 4-5), la psalmodie céleste est ici perçue par l'assistance. *

coepit psalmodia lenius audiri, quousque et eiusdem psalmodiae sonitus et odoris suauitas elongata finiretur.

XVII. Nonnumquam uero in consolatione egredientis animae ipse apparere solet auctor ac retributor uitae. Vnde et hoc, quod de Tarsilla amita mea in omeliis euangelii dixisse me recolo, replicabo. Quae inter duas alias sorores suas uirtute continuae orationis, grauitate uitae, singularitate abstinentiae ad culmen sanctitatis excreuerat. Huic per uisionem Felix atauus meus, huius Romanae ecclesiae antistes, apparuit, eique mansionem perpetuae claritatis ostendit, dicens : « Veni, quia in hac te mansione lucis suscipio. »

2. Quae subsequenti mox febre correpta ad diem peruenit extremum, et sicut nobilibus feminis uirisque morientibus multi conueniunt, qui eorum proximos consolentur, eadem hora exitus ipsius multi uiri ac feminae eius lectulum circumsteterunt. Cum subito sursum illa respiciens Iesum uenientem uidit, et cum magna animaduersione coepit circumstantibus clamare, dicens : « Recedite, recedite. Iesus uenit. » Cumque in eum intenderet quem uidebat, sancta illa anima est e corpore egressa, tantaque subito fragrantia miri odoris aspersa est, ut ipsa quoque suauitas cunctis ostenderet illic auctorem suauitatis uenisse.

3. Cumque corpus eius ex more mortuorum ad lauandum esset nudatum, longae orationis usu in cubitis eius

74 lenius *bm*[c] *GH* : leuius *m*

XVII *ita mz H* : XVI *bm*[v] XX *G* || 3 Tarsilla *mz GH* : Th- *bm*[v] || 9-10 mansione lucis *m G* : lucis mans. *b H* || 15-16 sursum illa *m GH* : illa sursum *bm*[v]*z* || 19 est *m GH* : *post* corpore *transp. b* || 21 ostenderet *bm*[v] *GH* : -rit *m* || 24 longae *b*[v]*m GH* : longo *b*

XVII, 1. Apparition du Christ à un mourant : Paulin, *V. Ambr.* 47. — Nommé Gordianus (*Lib. Pont.* I, 312), le père de Grégoire avait pour autres sœurs Aemiliana, décédée pieusement quelques jours après Tarsilla, et Gondiana, qui, peu fervente de leur

moins distinct. Enfin le murmure de la psalmodie et le suave parfum se dissipèrent dans le lointain.

XVII. Plus d'une fois, pour consoler l'âme qui s'en va, celui qui est source et récompense de la vie se fait une loi d'apparaître. A ce propos, je répéterai ce que je me rappelle avoir dit dans mes homélies sur l'Évangile au sujet de ma tante Tarsilla. Entre ses deux sœurs, elle était montée à la plus haute sainteté par sa prière continue, sa vie sérieuse, son abstinence peu commune. Félix, mon ancêtre, évêque de cette ville de Rome, lui apparut dans une vision, et lui montrant la demeure perpétuellement lumineuse : « Viens, dit-il, je te reçois dans cette maison de lumière. »

2. Une fièvre la saisit et bientôt elle fut à la mort. Pour les nobles mourants et les nobles mourantes, on se dérange en foule pour consoler leurs proches. Hommes et femmes affluèrent à l'heure de sa mort auprès de son lit. Soudain elle leva les yeux, et voyant Jésus qui venait, elle cria aux assistants sur un ton de vifs reproches : « Partez ! Partez ! Jésus arrive. » Le regard tendu vers celui qu'elle voyait, sa sainte âme quitta son corps. Soudain un parfum si merveilleux se propagea qu'il apparut à chacun par cette odeur délicieuse que l'auteur de toutes délices était venu.

3. Quand on mit à nu, selon l'usage, le corps de la défunte pour le laver, on vit que la peau était durcie aux

vivant, se maria après leur mort. De *Hom. Eu.* 38, 15, où il donne ces détails et d'autres, Grégoire extrait le présent récit. — Trio de moniales, dont une sainte, comme en 16, 2. A *continuae orationis* (cf. 16, 2), l'Homélie ajoutait : *afflictionis studiosae*. L'ancêtre mentionné est Félix III (483-492), dont un fils s'appelait déjà Gordianus et une parente Aemiliana. Voir *Lib. Pont.* I, 252 (cf. p. 253, n. 2).

2. Parmi les assistants se trouvait, ajoute l'Homélie, la mère de Grégoire. — Comme en 15, 5, le parfum confirme aux témoins la réalité de l'apparition, qu'ils n'ont pas vue.

3. Même renseignement au sujet d'Asella chez JÉRÔME, *Ep.* 24, 5 : *durities de genibus camelorum in illo sancto corpusculo per orandi frequentiam obcaluisse perspecta est.* — L'Homélie ajoute que Tarsilla mourut avant Noël et Aemiliana avant l'Épiphanie. *

et genibus camelorum more inuenta est obdurata cutis excreuisse, et quid uiuens eius spiritus semper egerit, caro mortua testabatur.

XVIII. Sed neque hoc sileo, quod praedictus Probus Dei famulus de sorore sua, Musa nomine, puella parua narrare consueuit, dicens quod quadam nocte ei per uisionem sancta Dei genitrix uirgo Maria apparuit, atque coaeuas ei in albis uestibus puellas ostendit. Quibus cum illa admisceri adpeteret, sed sese eis iungere non auderet, beatae Mariae semper uirginis est uoce requisita, an uellet cum eis esse atque in eius obsequio uiuere. Cui cum puella eadem diceret : « Volo », ab ea mandatum protinus accepit, ut nil ultra leue et puellare ageret, a risu et iocis abstineret, sciens per omnia quod inter easdem uirgines, quas uiderat, ad eius obsequium die trigesimo ueniret.

2. Quibus uisis, in cunctis suis moribus puella mutata est, omnemque a se leuitatem puellaris uitae magna grauitatis detersit manu. Cumque eam parentes eius mutatam esse mirarentur, requisita rem retulit, quid sibi beata Dei genitrix iusserit uel qua die itura esset ad obsequium eius indicauit.

3. Cum post uicesimum et quintum diem febre correpta est. Die autem trigesimo, cum hora eius exitus adpropinquasset, eandem beatam genitricem Dei cum puellis, quas per uisionem uiderat, ad se uenire conspexit. Cui se etiam uocanti respondere coepit, et depressis reuerenter oculis aperta uoce clamare : « Ecce, domina,

XVIII *ita mz H* : XVII *bm*ᵛ *deperd. ap. G* ‖ 2 Musa nomine *m GH* : nom. Musa *b* ‖ 4 genitrix *m GH* : semper *add. bz* ‖ 5-6 cum illa *m GH* : illa cum *b* ‖ 6 sese *m* : se *b GH* ‖ 7 semper *mz GH* : *om. b* ‖ est *m GH* : *post* requisita *transp. b* ‖ uellet *m*ᵛ : uellit *m GH* uelit *b* ‖ 9 mandatum protinus *m GH* : prot. mand. *b* ‖ 10 ageret *mz GH* : et *add. b* ‖ 14 magna *m GH* : magnae *bm*ᵛ ‖ 17 qua die *bm* : quo die *m*ᵛ *H* quod *G* ‖ 19 Cum *m GH* : tunc *b* ‖ et *m GH* : *om. b* ‖ 21 adpropinquasset *m* : propinquasset *bm*ᵛ *GH* ‖ Dei *m GH* : *ante* genitricem *transp. bm*ᵛ

coudes et aux genoux comme celle d'un chameau : ce que son esprit vivant avait toujours fait, sa chair l'attestait une fois morte.

XVIII. Je ne passerai pas non plus sous silence ce que Probus, le serviteur de Dieu que j'ai déjà mentionné, racontait volontiers sur sa petite sœur Musa. Une nuit lui apparut en songe la sainte Mère de Dieu Marie toujours vierge, qui lui montra des fillettes de même âge en blanc. Musa souhaitait se joindre à elles, mais n'osait pas. La bienheureuse Marie toujours vierge lui demanda si elle voulait aller avec elles pour vivre à son service. Musa répondit : « Oh, oui ! » Alors la Vierge lui demanda de ne plus rien faire de léger, de puéril, de s'abstenir des ris et des jeux, sachant sans nul doute qu'elle allait entrer à son service au bout de trente jours parmi ces vierges qu'elle avait vues.

2. Après ce rêve, l'enfant fut complètement changée. En un tournemain, elle se défit de sa légèreté puérile pour une vie pleine de gravité. Ses parents s'étonnaient de ce changement. Interrogée, elle raconta ce que la bienheureuse Mère de Dieu lui avait ordonné et indiqua le jour de son entrée en service.

3. Au bout de vingt-cinq jours elle fut prise de fièvre. Le trentième jour, pour l'heure de sa mort, elle revit la Mère de Dieu et les fillettes entrevues en songe : elles venaient à elle. La Vierge l'appela. Musa répondit, baissant les yeux avec respect et disant d'une voix intelligible : « Me voici, Madame, me voici, Madame ! » A ces

XVIII, 1. Malgré Moricca, Probus n'est pas l'évêque de Rieti, mais son neveu le moine romain (13, 1 ; cf. *Dei famulus*). Les suivantes de la Vierge sont en blanc, comme les saints qui apparurent au chevet de l'oncle Probus (13, 3). Les instructions données à la petite fille rappellent Tb 1, 4 (*nihil... puerile gessit*) et supposent une désapprobation de la « légèreté enfantine » qu'on sentait déjà en II, *Prol.* 1. L'enfant doit s'abstenir du rire et des jeux : cf. III, 14, 10 (gaieté « répréhensible »).

2. *A se... grauitatis detersit manu* : cf. II, 22, 5 (*manus tuae locutionis tersit a me...*). *

3. Comme Benoît (II, 37, 2), Musa est « prise de fièvre » cinq ou six jours avant sa mort. *Ecce domina uenio* : cris semblables du prêtre de Nursie en 12, 4.

uenio. Ecce, domina, uenio. » In qua etiam uoce spiritum reddidit, et ex uirgineo corpore habitatura cum sanctis uirginibus exiuit.

4. Petrvs. Cum humanum genus multis atque innumeris uitiis sit subiectum, Hierusalem caelestis maximam partem ex paruulis uel infantibus arbitror posse conpleri.

XVIIII. Gregorivs. Etsi omnes baptizatos infantes atque in eadem infantia morientes ingredi regnum caeleste credendum est, omnes tamen paruulos, qui scilicet iam loqui possunt, regna caelestia ingredi credendum non est, quia nonnullis paruulis eiusdem regni caelestis aditus a parentibus clauditur, si male nutriantur.

2. Nam quidam uir cunctis in hac urbe notissimus ante triennium filium habuit annorum, sicut arbitror, quinque. Quem nimis carnaliter diligens, remisse nutriebat, atque isdem paruulus, quod dictu graue est, mox eius animo aliquid obstitisset, maiestatem Dei blasphemare consueuerat. Qui in hac ante triennium mortalitate percussus, uenit ad mortem.

3. Cumque eum suus pater in sinum teneret, sicut hii testati sunt qui praesentes fuerunt, malignos ad se uenisse spiritus trementibus oculis puer aspiciens, coepit clamare : « Obsta, pater. Obsta, pater. » Qui clamans declinabat faciem, ut se ab eis in sinu patris absconderet. Quem cum ille trementem requireret quid uideret, puer adiun-

26 habitatura *bmz H* : habitura *m*^{v} abitura *b*^{v}*m*^{v} *G*

XVIIII *ita mz H* : XVIII *bm*^{v} XXII *G* ‖ 10 isdem *m GH* : idem *bm*^{o} ‖ graue *bm GH* : nefas *b*^{v} ‖ mox *m G* : ut *add. bm*^{v} *H* cum *add. m*^{v} ‖ 12 hac *b*^{v}*m GH* : urbe *add. b* ‖ 14 sinum *m GH* : sinu *bm*^{v}*z* ‖ hii *m G* : hi *bm*^{v} *H* ‖ 19 uideret *bm*^{v} *GH* : -rit *m*

4. Première intervention de Pierre depuis 6, 3. Peu loquace en cette partie, il ne reprendra la parole qu'en 24, 2. — « Jérusalem céleste » comme en III, 35, 6 (cf. He 12, 22).

XVIIII, 1. Les baptisés entrent au royaume : Jn 3, 5 (cf. *Mor.* 9, 32 : application aux enfants). Distinction entre *infantes* (au sens

mots, elle rendit l'âme et sortit de son corps virginal pour habiter avec les vierges saintes.

4. Pierre. Comme le genre humain est soumis à de nombreux, à d'innombrables vices, je pense que la Jérusalem céleste doit être peuplée surtout d'enfants et de bébés.

XVIIII. Grégoire. Il faut croire que tous les bébés baptisés, morts en bas âge, entrent dans le royaume des cieux. Mais il n'en va pas de même pour les petits qui peuvent déjà parler. Leurs parents leur ferment la porte du ciel quand ils les élèvent mal.

2. Un homme bien connu de notre ville, il y a trois ans, avait un fils âgé de cinq ans, je crois. Il l'aimait trop selon la chair et l'élevait avec faiblesse. Ce petit (on a peine à le dire), dès que quelque chose s'opposait à l'un de ses caprices, avait pris l'habitude de blasphémer la majesté de Dieu. Il fut touché par la peste il y a trois ans et il approcha de la mort.

3. Son père le tenait sur son sein (je parle d'après des témoins, des gens présents), quand cet enfant, les yeux troublés, vit venir à lui des esprits méchants. Il cria : « Empêche, père, empêche, père ! » En criant il détournait sa face pour se cacher des esprits sur la poitrine paternelle. Le père demanda à l'enfant tout tremblant

étymologique) et *paruulos* sachant parler. C'est l'usage de la parole, bien avant notre « âge de raison », qui marque le moment à partir duquel l'enfant est responsable. — Responsabilité des éducateurs : cf. *Reg.* 7, 23 = *Ep.* 7, 26 (881 a).

2. Voir *In I Reg.* 5, 155 : à la différence des anciens, nous aimons nos enfants charnellement et n'osons même leur faire de légers reproches. « Affection charnelle » : cf. I, 10, 4 ; *Hom. Eu.* 27, 1. — Première mention de l'épidémie qui éclata à la mi-janvier 590 (Grég. de Tours, *Hist. Franc.* 10, 1) et emporta Pélage II le 7 février. En 27, 6 et 37, 7, elle sera datée *ante triennium* comme ici ; cf. 40, 3 : *nuper*. Comme elle paraît finie en janvier 591 (*Reg.* 1, 16 = *Ep.* 1, 16 : évêque invité à venir à Rome), ces passages des Dialogues semblent dater de 593.

3. Effroi et cris à la vue des démons : cf. II, 25, 2. Comme en II, 4, 2, ils apparaissent sous la forme d'hommes de couleur.

xit, dicens : « Mauri homines uenerunt, qui me tollere uolunt. » Qui cum hoc dixisset, maiestatis nomen protinus blasphemauit et animam reddidit.

4. Vt enim omnipotens Deus ostenderet, pro quo reatu talibus esset exsecutoribus traditus, unde uiuentem pater suus noluit corrigere, hoc morientem permisit iterare, ut qui diu per diuinitatis patientiam blasphemus uixerat, quandoque per diuinitatis iudicium blasphemaret et moreretur, quatenus reatum suum pater eius agnosceret, qui paruuli filii animam neglegens, non paruulum peccatorem gehennae ignibus nutrisset.

5. Sed interim hoc triste seponentes, ad ea quae narrare coeperam laeta redeamus.

XX. Praedicto etenim Probo aliisque religiosis uiris narrantibus agnoui ea quae indicare audientibus de uenerabili patre Stephano in omeliis euangelii curaui. Fuit etenim uir, sicut isdem Probus et multi alii testantur, nihil in hoc mundo possidens, nihil quaerens, solam cum Deo paupertatem diligens, inter aduersa semper patientiam amplectens, conuentus saecularium fugiens, uacare semper orationi concupiscens. De quo unum uirtutis bonum refero, ut ex hoc uno ualeant eius multa pensari.

2. Is namque cum quodam die messem, quam sua

23 reatu bm^{o} *GH* : -to *m* ‖ 24 exsecutoribus traditus *mz GH* : trad. exs. *b* ‖ 29 filii $bm^{o}z$ *GH* : *om.* *m* ‖ 31 seponentes *bm* : rep- m^{v} *G* dep- *H* exp- m^{v} ‖ 32 coeperam *mz GH* : -ramus *b* ‖ laeta *bmz GH* : laeti b^{v}

XX *ita mz H* : XIX *b* XXIII *G* ‖ 1-2 uiris narrantibus *mz GH* : narr. uiris *b* ‖ 4 etenim *m GH* : enim bm^{v} ‖ isdem *m H* : idem bm^{v} et isdem *G* ‖ 5 quaerens *m*(*z*) *GH* : requirens bm^{v} ‖ solam $bm^{o}z$ *GH* : solum mz^{v} ‖ 7 uacare bm^{v} *G* : -ri *m H* ‖ 10 quodam *m GH* : quadam bm^{v}

4. Cet enfant de cinq ans a déjà blasphémé « longtemps », adverbe qui ne représente guère que deux ans. Par un « jugement de Dieu » il récidive juste avant de mourir, de même que les enfants morts sans baptême vont au supplice éternel *occulto iustoque Dei iudicio* (*Mor.* 9, 32). *

ce qu'il voyait. Celui-ci ajouta : « Voilà des Maures qui veulent m'enlever. » Il dit, blasphéma aussitôt le nom de la Majesté et rendit l'âme.

4. Dieu tout-puissant voulait montrer pour quelle faute il avait été livré à ces bourreaux : son père n'avait pas voulu le corriger de son vice pendant sa vie, et Dieu permit que l'enfant tombât du blasphème réitéré dans la mort. La patience de Dieu l'avait laissé vivre un certain temps, ce blasphémateur, et finalement, par un jugement de Dieu, il blasphéma et mourut. Ainsi son père connaîtrait sa faute : en négligeant l'âme de son petit garçon, il avait élevé un grand pécheur pour les feux de la géhenne.

5. Mais abandonnons ce triste sujet et revenons aux récits pleins de joie que nous avons entrepris.

XX. Grâce à ce Probus et à d'autres personnes de piété, j'ai appris ce que j'ai eu soin de raconter à mes auditeurs dans mes homélies sur l'Évangile à propos du vénérable Père Étienne. Ce fut un homme, au témoignage de Probus et de bien d'autres, qui ne possédait et ne désirait rien en ce monde, n'aimant que la pauvreté avec Dieu, toujours patient dans l'adversité, fuyant la société des mondains, souhaitant de vaquer toujours à la prière. Je ne rapporte qu'un exemple de sa vertu ; par là on pourra juger de ceux qu'il donna en si grand nombre.

2. Un jour qu'il avait fait porter dans la grange la

XX, 1. Suite des récits de Probus (cf. 18, 1). D'après *Hom. Eu.* 35, 8, Étienne était abbé à Rieti — ville dont l'oncle de Probus fut évêque (13, 1) —, et « beaucoup sont encore en vie qui l'ont connu ». Ses vertus sont célébrées ici comme dans l'Homélie, avec quelques différences d'expression : *conventus saecularium* remplace *tumultus hominum*, qui était moins précis, *uacare semper orationi concupiscens* tient lieu de *crebris ac prolixioribus orationibus intentus*, etc. De plus, Grégoire omet *lingua rustica sed docta uita*, trait déjà attribué à Sanctulus (III, 37, 19-20). — *Nihil... quaerens* rappelle Isaac (III, 14, 4-5).

2. Récit absent de l'Homélie, qui se bornait à vanter avec insistance la patience d'Étienne, son amour des ennemis, sa gratitude et son contentement dans l'adversité. — Perte de la provision pour

manu seruerat, decisam ad aream deduxisset, nihilque aliud cum discipulis suis ad totius anni stipendium haberet, quidam peruersae uoluntatis uir, antiqui hostis stimulis instigatus, eandem messem igne subposito, ita ut erat in area, incendit. Quod factum dum alter aspiceret, eidem Dei famulo cucurrit et nuntiauit. Quod postquam indicauit, adiunxit dicens : « Vae, uae, pater Stephane, quod tibi contigit. » Cui statim, uultu ac mente placida, ille respondit : « Vae quod illi contigit, qui hoc fecit. Nam mihi quid contigit ? »

3. In quibus eius uerbis ostenditur, in quo uirtutis culmine sedebat, qui unum, quod in sumptum mundi habuerat, tam secura perdebat mente, magisque illi dolebat qui peccatum conmiserat, quam sibi qui peccati illius damna tolerabat, nec pensabat quid ipse exterius, sed culpae reus quantum perdebat intus.

4. Hunc itaque cum dies mortis egredi e corpore urgueret, conuenerunt multi, ut tam sanctae animae de hoc mundo recedenti suas animas conmendarent. Cumque lecto illius hi qui conuenerant omnes adsisterent, alii ingredientes angelos uiderunt, sed dicere aliquid nullo modo potuerunt, alii omnino nihil uiderunt, sed omnes qui aderant ita uehementissimus timor perculit, ut nullus, egrediente illa sancta anima, illic stare potuisset. Et hi ergo qui uiderant, et hi qui omnino nil uiderant, uno omnes timore perculsi et territi fugerunt, ut palam daretur intellegi, quae uis esset quae illam egredientem animam susciperet, cuius egressum nemo mortalium ferre potuisset.

11 seruerat *m GH* : seue rat *b* seminauerat m^{v} 14 igne bm^{v} : igni *m GH* ‖ 15-16 aspiceret *m GH* : conspiceret *b* ‖ 18 quod *m G* : quid $bm^{v}m^{o}$(z) *H* quo m^{v} ‖ 19 quod *m* GH^{ac} : quid m^{o}z H^{pc} quidem m^{v} *om.* bm^{v} ‖ 22 sumptum m^{v}(z) *H* : -tu *m* -to *G* -tus $b^{v}m^{v}$ ‖ mundi *bm GH* : anni b^{v} ‖ 23-24 dolebat *mz GH* : condolebat *b* ‖ 27 e *mz H* : de *b G* ‖ 30 hi *bm H* : hii *G* ‖ omnes bm^{o}z *GH* : omnis *m* oms̄ m^{o} ‖ 31 ingredientes *bz GH* : -tis *m* ‖ 32 omnes bm^{o}z *H* : omnis *m* oms̄ m^{o} *G* ‖ 34-35 hi^{1-2} *bm H* : hii *G* ‖ 37 $quae^{1}$ *m*(z) *H* : et quanta *add. b* quanta m^{v} quis *G* ‖ uis *bm H* : *om. z G*

moisson semée de sa propre main — ce qui devait le faire vivre, lui et ses disciples, toute l'année —, un homme pervers, stimulé par le vieil adversaire, mit le feu à cette moisson dans la grange et la fit brûler. Un autre s'en aperçut, et en hâte il l'annonça au serviteur de Dieu. Il dit, puis ajouta : « Quel malheur ! Quel malheur, Père Étienne ! Qu'est-ce qui vous est arrivé là ! » L'abbé répondit aussitôt, le visage et l'âme en paix : « Malheur pour le malfaiteur, car pour moi, que m'est-il arrivé ? »

3. Ces paroles montrent son haut degré de vertu. Tout ce qu'il avait comme ressources en ce monde il le perdait avec sécurité. Il s'affligeait plus pour le pécheur que pour lui-même, victime de ce péché. Il ne pensait pas à ce que lui-même perdait extérieurement, mais à ce que le coupable perdait intérieurement.

4. Quand le jour de sa mort fut venu, bien des gens vinrent recommander leur âme à cette âme si sainte en partance. Les arrivants s'étaient groupés autour du lit. Les uns virent des anges qui entraient et à cette vue restèrent muets. Les autres n'aperçurent rien. Mais toute l'assistance fut prise d'une peur extrême, en sorte que personne, à la sortie de cette sainte âme, ne put rester là. Ceux qui avaient vu, comme ceux qui n'avaient rien vu du tout, s'enfuirent frappés et terrifiés d'une même crainte. Voilà qui donnait clairement à entendre quelle était la puissance qui avait reçu cette âme sortant du corps, puisque nul mortel n'avait pu supporter cettesortie.

toute l'année : cf. I, 9, 17. La réaction immédiate d'Étienne est la même que celle de Benoît (II, 3, 4 : *ilico... uultu placido mente tranquilla*).

3. Expressions semblables en III, 16, 4 (*in quo mentis uertice stetit qui... iacuit securus*) ; III, 31, 3 (*in magno mentis culmine stabat securus*). Étienne a plus de peine pour l'offenseur que pour lui-même : autre trait rappelant Benoît (II, 8, 4) ; cf. *Mor*. 31, 22.

4. Grégoire recopie le récit de l'Homélie. Celle-ci disait que les anges avaient été vus *corporeis oculis*, précision omise ici. La conclusion, à partir de *ut palam*, est originale. Morale différente dans l'Homélie, qui concluait par a fortiori que le jugement dernier sera terrible. — Arrivée des anges : voir note sous 12, 4.

XXI. Sed inter haec sciendum est quia aliquando animae meritum non in ipso suo egressu ostenditur, post mortem uero certius declaratur. Vnde et sancti martyres ab infidelibus crudelia multa perpessi sunt, qui tamen, ut praediximus, ad ossa sua mortua signis cotidie et miraculis clarescunt.

XXII. Vitae namque uenerabilis Valentio, qui post in hac Romana urbe mihi, sicut nosti, meoque monasterio praefuit, prius in Valeriae prouincia suum monasterium rexit. In quo dum Langobardi saeuientes uenissent, sicut eius narratione didici, duos eius monachos in ramis unius arboris suspenderunt. Qui suspensi eodem die defuncti sunt. Facto autem uespere, utrorumque eorum spiritus claris illic apertisque uocibus psallere coeperunt, ita ut ipsi quoque qui eos occiderant, cum uoces psallentium audirent, nimium mirati terrerentur.

2. Quas uidelicet uoces captiui quoque omnes, qui illic aderant, audierunt atque eorum psalmodiae postmodum testes extiterunt. Sed has uoces spirituum omnipotens Deus idcirco pertingere uoluit ad aures corporum, ut uiuentes quique in carne discerent quia, si Deo seruire studeant, post carnem uerius uiuant.

XXIII. Quibusdam religiosis quoque uiris adtestantibus, adhuc in monasterio positus agnoui quod hoc

XXI *ita mz H* : XX *bm*^{v} XXIIII *G*
XXII bmwz GH XXII *mwz H* : XXI *bm*^{v} XXV *w*^{v}*G* || 1 Valentio *bmw GH* : -tius *b*^{v}*m*^{v}*z* -tinus *b*^{v}*w*^{v} || 3 Valeriae *bmwz GH* : -ria *m*^{v}*w*^{v} || 11 uoces *bm*^{o}*wz GH* : uocis *m* || 16 carnem *b*^{v}*mw GH* : carnis mortem *bz*
XXIII *ita mwz H* : XXII *bm*^{v} XXVI *w*^{v}*G*

XXI. Miracles quotidiens aux tombeaux des martyrs : 6, 1-2. Cf. II, 38, 3.

XXII, 1. Valentio a été le supérieur de Grégoire : voir I, 4, 20 ; III, 22, 1. Sans doute cet abbé de Valérie s'est-il réfugié à Rome pour fuir les Lombards, comme Gregoria, Boniface, Éleuthère (III, 14, 1 ; 29, 1 ; 33, 1), etc. — Le premier effet du prodige est

XXI. A ce sujet, il faut savoir que parfois le mérite d'une âme ne se montre pas à sa sortie, mais se déclare avec netteté après le décès. De saints martyrs ont souffert de la part des infidèles bien des tourments cruels et cependant, comme nous l'avons dit, dans leurs ossements inertes ils brillent chaque jour par des prodiges et des miracles.

XXII. Le vénérable Valentio, qui fut ensuite, comme vous savez, mon abbé et celui de mon monastère dans cette ville de Rome, avait d'abord gouverné son propre monastère en la province de Valérie. J'ai su par lui qu'à leur arrivée les Lombards déchaînés pendirent aux branches d'un arbre deux de ses moines. Les pendus moururent ce jour-là. Au soir, leur esprit se mit à psalmodier à haute et intelligible voix. Leurs assassins eux-mêmes, à cette psalmodie, furent stupéfaits et terrifiés.
2. Tous les captifs assemblés là entendirent aussi ces voix qui psalmodiaient. Ils l'ont attesté par la suite. Dieu tout-puissant permit que ces voix spirituelles parvinssent à des oreilles corporelles, pour que ceux qui vivent dans la chair apprissent qu'en servant Dieu avec zèle, on vit plus vraiment au sortir de la chair.

XXIII. J'étais encore au monastère quand des personnes de piété m'ont raconté qu'au district de Sora, au

d'intimider les Lombards : cf. I, 4, 21, où il s'agissait déjà de moines valériens mis à mal par les envahisseurs.

2. En second lieu, le miracle corrobore la thèse du Livre IV (cf. III, 38, 5 : *quod anima post carnem uiuat*). — Des « esprits » ne peuvent être vus ou entendus corporellement que par une permission spéciale de Dieu. Normalement, c'est une faute de chercher à voir des yeux du corps une chose invisible (4, 7). C'est seulement à l'œil de l'âme, purifié par la foi et l'oraison prolongée, que se dévoilent de tels objets (*ibid.* ; cf. II, 4, 2-3).

XXIII, 1. Comme plus haut (10 ; 11, 1), l'information se rattache à la fois au temps où Grégoire était moine et à des sources anonymes. — Sora est en Campanie, mais près de la Valérie. Soranus : curieux nom propre, qui signifie « habitant de Sora ». Le personnage ne semble pas autrement connu sur place. — Les moines donnent leurs vêtements aux pauvres : *RB* 55, 9 ; CÉSAIRE, *Reg. uirg.* 43.

Langobardorum tempore iuxta in hac prouincia quae Sura nominatur quidam monasterii pater uitae uenerabilis Suranus nomine fuerit, qui captiuis aduenientibus atque a Langobardorum depraedatione fugientibus cuncta, quae in monasterio uidebatur habere, largitus est. Cumque in elemosinis uestimenta sua ac fratrum omnia et cellarium consumpsisset, quicquid habere in horto potuit expendit.

2. Expensis uero rebus omnibus, Langobardi ad eum subito uenerunt, eumque tenuerunt et aurum petere coeperunt. Quibus cum ille diceret se omnimodo nil habere, in uicino monte ab eis ductus est, in quo silua inmensae magnitudinis stabat. Ibi captiuus quidam fugiens in caua arbore latebat. Vbi unus ex Langobardis, educto gladio, praedictum uenerabilem occidit uirum. Cuius corpore in terram cadente, mons omnis protinus et silua concussa est, ac si se ferre non posse pondus sanctitatis eius diceret terra, quae tremuisset.

XXIIII. Alius quoque in Marsorum prouincia uitae ualde uenerabilis diaconus fuit, quem inuentum Langobardi tenuerunt. Quorum unus, educto gladio, caput eius amputauit, sed cum corpus eius in terram caderet, ipse qui hunc capite truncauerat, inmundo spiritu correptus, ad pedes eius corruit, et quod amicum Dei occiderit, inimico Dei traditus ostendit.

2. PETRVS. Quid est hoc, quaeso te, quod omnipotens Deus sic permittit mori, quos tamen post mortem cuius sanctitatis fuerint non patitur celari ?

5 Suranus *$bm^{v}m^{o}w^{v}z$ $G^{pc}H$* : Sor- *mw* Supr- *G^{ac}* || 13 omnimodo *mw GH* : omnino *bm^{v}* || 18 terram *$bm^{v}w$ H* : -ra *$mw^{v}z$ G*
XXIIII *ita mwz* : XXIII *bm^{v}* XXVII *w^{v} G* *om. H* || 4 terram *bmwz H* : -ra *$m^{v}w^{v}$ G*

XXIIII, 2. Sg 4, 7.

temps des Lombards, il y eut un vénérable abbé nommé Soranus. Survinrent des prisonniers évadés, fuyant les pillages des Lombards. Il leur donna tout ce que le monastère pouvait avoir. Ses vêtements, tous ceux des frères passèrent en aumônes avec les réserves du cellier. Enfin il livra tout ce que pouvait donner le jardin.

2. Quand il eut dépensé tous ses biens, les Lombards firent irruption chez lui, l'arrêtèrent et lui demandèrent de l'or. Il leur dit qu'il n'avait rien du tout. On le mena sur une montagne voisine où se trouvait une forêt immense. Là un prisonnier évadé se cachait dans un arbre creux. A cet endroit un Lombard tua d'un coup d'épée le vénérable Suranus. Quand son corps tomba par terre, aussitôt la montagne entière et la forêt trembla, comme si la terre avouait ne pouvoir supporter le poids de sa sainteté.

XXIIII. Un autre également, au pays des Marses, eut une vie bien vénérable : un diacre. Les Lombards le firent prisonnier, et l'un d'eux le décapita d'un coup d'épée. Mais à l'instant où le corps tombait à terre, l'assassin fut saisi par un esprit immonde qui le jeta aux pieds du diacre. En le livrant ainsi à son ennemi, Dieu montra qu'il avait tué son ami.

2. Pierre. Comment se fait-il, je vous prie, que Dieu tout-puissant laisse mourir misérablement des gens dont pourtant il ne veut pas cacher la sainteté après leur mort ?

2. Abbé sommé de livrer de l'or : II, 31, 2. Arbre creux comme en III, 14, 8. — Ce héros de la charité supplicié par l'épée lombarde rappelle III, 37, 15. De plus, le présent chapitre, avec le précédent et le suivant, fait penser aux deux groupes de martyrs des Lombards (III, 27-28). — La terre manifeste son respect du saint : cf. II, 24, 1-2.

XXIIII, 1. Récit assez semblable au précédent. La région des Marses se trouve en Valérie, un peu au N. de Sora. Décapitation par le barbare comme en III, 13, 2 et 37, 15. A l'instar de ses congénères (I, 4, 21), le Lombard est puni par la possession. Celle-ci consiste à être « livré » au démon : cf. 1 Co 5, 5.

2. La première partie de la citation vient de Sg 4, 7, sauf *quaeumque* remplaçant *autem si*, mais non la seconde, qui ressemble à Ez 18, 20 (*iustitia iusti super eum erit*). — Fautes légères des saints : voir III, 14, 10-14 (cf. I, 12, 1-2 ; III, 15, 7-8, etc.). *

GREGORIVS. Cum scriptum sit : *Iustus quacumque morte praeuentus fuerit, iustitia eius non auferetur ab eo*, electi, qui procul dubio ad perpetuam uitam tendunt, quid eis obest, si ad modicum dure moriuntur ? Et est fortasse nonnumquam eorum culpa, licet minima, quae in eadem debeat morte resecari.

3. Vnde fit ut reprobi potestatem quidem contra uiuentes accipiant, sed illis morientibus hoc in eis grauius uindicetur, quod contra bonos potestatem suae crudelitatis acceperunt ; sicut isdem carnifex, qui eundem uenerabilem diaconem uiuentem ferire permissus est, gaudere super mortuum permissus non est. Quod sacra quoque testantur eloquia.

XXV. Nam uir Dei contra Samariam missus, quia per inoboedientiam in itinere comedit, hunc leo in eodem itinere occidit, sed statim scriptum est quia stetit leo iuxta asinum et *non comedit leo de cadauere*. Ex qua re ostenditur, quod peccatum inoboedientiae in ipsa fuerit morte laxatum, quia isdem leo, quem uiuentem praesumpsit occidere, contingere non praesumpsit occisum. Qui enim occidendi ausum habuit, de occisi cadauere comedendi licentiam non accepit, quia is qui culpabilis in uita fuerat, punita inoboedientia erat iam iustus ex morte. Leo ergo, qui prius peccatoris uitam necauerat, custodiuit postmodum cadauer iusti.

2. PETRVS. Placet quod dicis. Sed nosse uelim si nunc ante restitutionem corporum in caelo recipi ualeant animae iustorum.

2 bmz GH 11 Gregorius *m H* : XXIV *praem. b* XXV *praem. z* XXVII *praem. G* ‖ 20 isdem *m GH* : idem *bm*^{v} ‖ 21 diaconem *m G* : -num *b* -no *m*^{v} diacō *H*

XXV *ita m* : XXIV *m*^{v} XXVIII *G* *om. b H* ‖ 4 leo *m GH* : *om. bm*^{v}*z* ‖ 6 isdem *m GH* : idem *bm*^{v} ‖ 13 uelim *bm* : uellim *m*^{v} uellem *m*^{v} *GH*

XXV, 1. 1 R 13, 28.

Grégoire. Il est écrit : « L'homme juste, même s'il a une mort très imprévue et prématurée, ne sera pas privé de sa justice. » Les élus, qui sans aucun doute tendent à la vie éternelle, quel inconvénient y a-t-il pour eux à mourir durement sur le moment ? Peut-être ont-ils parfois quelque peccadille qui doit leur être ôtée par cette mort.

3. C'est pourquoi les réprouvés reçoivent pouvoir contre les vivants, mais à la mort de ceux-ci ils n'en sont que plus lourdement punis d'avoir reçu leur pouvoir cruel contre des hommes de bien. Tel ce bourreau qui eut licence de tuer ce vénérable diacre en pleine vie, mais qui n'eut pas licence de se réjouir de sa mort. Les paroles divines sont là aussi pour l'attester.

XXV. Un homme de Dieu avait été envoyé contre Samarie. En cours de route, par désobéissance, il mangea. Un lion, sur cette route, le tua. L'Écriture précise aussitôt : « Le lion se tint près de l'âne et ne toucha pas au cadavre de l'homme. » Nous voyons ainsi que le péché de désobéissance fut expié par la mort, car ce lion osa tuer le prophète vivant, mais il n'osa plus toucher au prophète mort. Ce lion eut l'audace de tuer, mais il n'eut pas la faculté de manger du corps qu'il avait tué, car ce prophète qui s'était rendu coupable pendant sa vie, une fois punie sa désobéissance, était redevenu un juste en raison de sa mort. Le lion avait ôté la vie à un pécheur, mais ensuite il veilla sur le corps du juste.

2. Pierre. Bien ! Mais je voudrais savoir si avant la résurrection des corps, dès maintenant, les âmes des justes peuvent être reçues au ciel.

3. Dieu ne laisse pas impunis les réprouvés dont il se sert pour frapper les bons : *Mor.* 16, 69 (cf. Jb 24, 12). Cf. Cassien, *Conl.* 6, 7-9.

XXV, 1. Dans *Mor.* 22, 54 et *Hom. Ez.* I, 1, 15, Grégoire s'intéresse seulement à la faute du prophète. Ce qu'il dit ici de son châtiment relativement léger et limité à cette vie est dans la ligne d'Augustin, *De cura mort.* 9 (noter *ipsum... idem leo qui occiderat custodiuit*), et de Cassien, *Conl.* 7, 26, 1.

2. Cette nouvelle question de Pierre déborde sa demande initiale (III, 38, 5 : *de uita animae post mortem carnis*).

XXVI. Gregorivs. Hoc neque de omnibus iustis fateri possumus, neque de omnibus negare. Nam sunt quorundam iustorum animae, quae a caelesti regno quibusdam adhuc mansionibus differuntur. In quo dilationis damno quid aliud innuitur, nisi quod de perfecta iustitia aliquid minus habuerunt ? Et tamen luce clarius constat quia perfectorum iustorum animae, mox ut huius carnis claustra exeunt, in caelestibus sedibus recipiuntur. Quod et ipsa per se ueritas adtestatur, dicens : *Vbicumque fuerit corpus*, *illuc congregabuntur aquilae*, quia ubi ipse redemptor est corpore, illuc procul dubio colleguntur et animae iustorum.

2. Et Paulus *dissolui* desiderat *et cum Christo esse.* Qui ergo Christum esse in caelo non dubitat, nec Pauli animam esse in caelo negat. Qui etiam de solutione sui corporis atque inhabitatione patriae caelestis dicit : *Scimus quoniam si terrestris domus nostra huius habitationis dissoluatur*, *quod aedificationem habemus ex Deo*, *domum non manufactam*, *sed aeternam in caelis.*

3. Petrvs. Si igitur nunc in caelo sunt animae iustorum, quid est quod in die iudicii pro iustitiae suae retributione recipiant ?

Gregorivs. Hoc eis nimirum crescit in iudicio, quod nunc animarum sola, postmodum uero etiam corporum

XXVI *ita mz* : XXV *b*m^{v} XXVIIII *G* *om.* m^{v} *H* || 7 ut *bmz H* : *om.* m^{v} *G* cum m^{v} || 10 aquilae *mz GH* : et *praem.* *b*m^{v} || 10-11 redemptor *m* : noster *add.* *b*m^{v}*z GH* || 11-12 et animae iustorum *mz H* : an. iust. *G* iust. an. *b* || 13 desiderat *bmz H* : *om.* m^{v} *G* || cum Christo esse *mz GH* : esse cum Chr. *b* || 14 esse *mz GH* : *post* caelo *transp.* *b*m^{v} || 15 de solutione *m* : de dissolutione *b*m^{v}*z H* dissolutionem $b^{v}m^{v}$ *G* || 16 corporis *bmz GH* : cupiens *add.* b^{v} || atque *mz GH* : de *add.* *b* || inhabitatione *bm H* : -nem $b^{v}m^{v}$ *G* || patriae caelestis *m GH* : cael. patr. *b* || sed *bm* : *om.* m^{v}*z GH* || 20 sunt *mz GH* : *ante* in *transp.* *b* || 23 Gregorius *bmz H* : XXX *praem.* *G*

XXVI, 1. Mt 24, 28 || 2. Ph 1, 23 ; 2 Co 5, 1

XXVI. Grégoire. Cela, nous ne pouvons le dire pour tous les justes, ni le nier pour tous. Car il y a quelques âmes justes qui sont encore séparées du royaume céleste par quelques étapes. Cette condamnation à un délai donne à entendre qu'il leur a manqué quelque chose pour atteindre la parfaite justice. En revanche il est d'une évidence éblouissante que les âmes des justes parfaits, à peine sorties de leur prison corporelle, sont reçues dans la patrie céleste. Celui qui est la Vérité l'atteste : « Où sera le corps, là se rassembleront les aigles. » Car où est corporellement notre Rédempteur, là sans aucun doute se réunissent les âmes des justes.

2. Et Paul « désire mourir pour être avec le Christ ». Celui qui croit que le Christ est au ciel ne peut nier que l'âme de Paul soit au ciel. L'Apôtre dit à propos de la destruction de son corps et de son habitation dans la patrie céleste : « Nous savons que si notre maison terrestre, cette habitation présente, est détruite, nous avons de par Dieu une demeure qui s'édifie, une maison non faite de main d'homme, mais éternelle, dans les cieux. »

3. Pierre. Si les âmes des justes sont dès maintenant dans le ciel, au jour du jugement que recevront-ils comme récompense de leur justice ?

Grégoire. Leur gain au jugement, c'est que, jouissant maintenant de la seule béatitude de l'âme, ils jouiront

XXVI, 1. Les saints sont admis au ciel dès leur mort : voir *Mor.* 4, 56 (*Mox... ut a carnis colligatione exeunt, in caelesti sede requiescunt*, à preuve 2 Co 5, 1). — « Justes parfaits » comme en 1, 2 (cf. He 12, 23), mais « âmes » remplace « esprits ». *Carnis claustra exeunt* : cf. I, *Prol.* 3 (contemplation). — Citation de Mt 24, 28 (pas de *et* devant *aquilae*) plutôt que de Lc 17, 37 (*et aquilae*). Ce dernier est interprété comme ici dans *Mor.* 27, 29 ; 29, 4 ; 31, 105.

2. Ph 1, 23 a déjà été cité en II, 3, 11. A côté des nombreux passages où Grégoire cite séparément soit ce verset, soit 2 Co 5, 1, relevons *Mor.* 29, 4, où ils figurent ensemble et à la suite de Lc 17, 37. — Même utilisation de 2 Co 5, 1 dans *Mor.* 4, 56 (cf. note précédente). Nulle part ailleurs, quand il cite ce texte, Grégoire ne place un *sed* devant *aeternam*.

beatitudine perfruuntur, ut in ipsa quoque carne gaudeant, in qua dolores pro Domino cruciatusque pertulerunt. Pro hac quippe geminata eorum gloria scriptum est : *In terra sua duplicia possidebunt.*

4. Hinc etiam ante resurrectionis diem de sanctorum animabus scriptum est : *Datae sunt illis singulae stolae albae, et dictum est illis ut requiescerent tempus adhuc modicum, donec inpleatur numerus conseruorum et fratrum eorum.* Qui itaque nunc singulas acceperunt, binas in iudicio stolas habituri sunt, quia modo animarum tantummodo, tunc autem animarum simul et corporum gloria laetabuntur.

5. Petrvs. Adsentio. Sed uelim scire, quonam modo agitur quod plerumque morientes multa praedicunt.

XXVII. Gregorivs. Ipsa aliquando animarum uis subtilitate sua aliquid praeuidet, aliquando autem exiturae de corpore animae per reuelationem uentura cognoscunt, aliquando uero, dum iam iuxta fit ut corpus deserant, diuinitus afflatae in secretis caelestibus incorporeum oculum mentis mittunt.

2. Nam quia uis animae aliquando subtilitate sua ea quae sunt uentura cognoscit, patet ex eo quod Cumquodeus aduocatus, qui in hac urbe ante biduum lateris dolore defunctus est, ante paululum quam moreretur,

29 Hinc *bm*^{o} *GH* : hunc *m* hoc *z* ‖ 32 inpleatur *bm G* : conpleatur *m*^{v} *H* ‖ 37 Petrus *bmz G* : XXVII *praem.* *m*^{v} *H* ‖ uelim *bm*^{v} : uellim *m H*^{ac} uellem *GH*^{pc}

XXVII *ita mz* : XXVI *bm*^{v} XXXI *G* *om.* *m*^{v} *H* ‖ 2 praeuidet *bm*^{v} *G* : -dit *m H* ‖ fit *m GH* : sit *bm*^{o} est *m*^{v} ‖ 5 secretis caelestibus *mz GH* : secreta caelestia *b* ‖ 6 oculum mentis *m GH* : men. oc. *b* ‖ 7 quia *m GH* : quod *b* ‖ 8-9 Cumquodeus *b*^{v}*mz* : -deos *m*^{v} *H* Cumquoddam *G* quidam *bm*^{v} quodeus *m*^{v} codeus *z*^{v} godeus *b*^{v} cumquodeusdedit *etc.* *m*^{v} ‖ 9 biduum *bmz GH* : biennium *b*^{v}*m*^{v} ‖ 10 ante *m*^{v}*z G* : sed *praem.* *m H* *post* paululum *transp.* *b*

Is 61,7 ‖ 4. Ap 6, 11.

3-4. Ces paroles d'Isaïe et de l'Apocalypse sont rapprochées et interprétées comme ici dans *Reg.* 5, 53^{a} = *Mor.*, *Praef.* 20 ; *Mor.* 35,

aussi de celle du corps. Ainsi leur chair elle-même se réjouira, elle qui a souffert peines et tourments pour le Seigneur. Il est écrit sur cette double gloire : « En leur pays ils auront double part. »

4. De même il est écrit pour les âmes des saints avant la résurrection : « On donna à chacune une robe blanche et on leur dit de se reposer encore un peu jusqu'à ce que fût complété le nombre de leurs compagnons de service et de leurs frères. » Les saints qui ont maintenant une seule robe en auront deux au jugement. A présent ils jouissent de la gloire seulement en leur âme, alors ils jouiront de la gloire à la fois en leur âme et dans leur corps.

5. Pierre. Oui, mais je voudrais bien savoir comment les mourants prédisent souvent bien des choses.

XXVII. Grégoire. Parfois les facultés de l'âme, par leur propre pénétration, prévoient quelque chose. Dans certains cas, les âmes qui vont sortir de leurs corps connaissent par révélation l'avenir. Dans d'autres cas, quand leur départ est imminent, elles sont divinement inspirées et jettent un coup d'œil non corporel sur les secrets célestes.

2. Que les facultés de l'âme, par leur pénétration, connaissent parfois l'avenir, voici un fait qui le prouve. L'avocat Cumquodeus, qui mourut dans notre ville d'une pleurésie il y a deux jours, appela son domestique,

25 (Job récupère le double de ce qu'il a perdu).

5. Croyance très répandue dans l'Antiquité, tant païenne que chrétienne. Voir Tertullien, *De an.* 53, 5, et les références de l'éd. Waszinck, p. 544.

XXVII, 1. Chacune des trois hypothèses va être illustrée par des exemples. On trouvera ainsi en bon ordre la première (§ 2-3), la seconde (§ 4-8 : deux exemples) et la troisième (§ 9-13). *

2. *Ante biduum* : non seulement, comme en III, 9, 1, l'information est toute fraîche, mais le miracle lui-même vient de se produire. *Procedere* signifie « aller à l'église » comme en I, 10, 2. La *Via Appia*, de son point de départ (ancienne Porte Capène) à S. Sixte et au-delà, se trouve à l'intérieur des murs d'Aurélien. S. Sixte, qui paraît être le *titulus Tigridis* de 499, a pour prêtre Félix en 595 (*Reg.* 5, 57^{a} = *Ep.*, *App.* 5) et Boniface en 600 (*Reg.* 11, 15 = *Ep.*, *App.* 9).

uocauit puerum, parare sibi uestimenta ad procedendum iussit. Quem dum puer quasi insanire cerneret, eiusque minime praeceptis oboediret, surrexit, uestimento se induit et per uiam Appiam ad beati Syxti ecclesiam se esse processurum dixit.

3. Cumque post modicum, ingrauescente molestia, esset defunctus, deliberatum fuerat ut apud beatum Ianuarium martyrem Praenestina uia eius corpus poni debuisset. Sed quia longum hoc his qui funus eius curauerant uisum est, repente orto consilio exeuntes cum eius funere per uiam Appiam nescientesque quid ille dixerat, in ipsa eum ecclesia quam praedixerat posuerunt. Et cum eundem uirum curis saecularibus obligatum lucrisque terrenis inhiantem fuisse nouerimus, unde hoc praedicere potuit, nisi quia id quod futurum erat eius corpori ipsa uis animae ac subtilitas praeuidebat ?

4. Quod autem saepe etiam reuelationibus agitur, ut a morituris futura praesciantur, ex his collegere possumus, quae nos gesta in monasteriis scimus. In monasterio etenim meo, quidam frater ante decennium Gerontius dicebatur, qui cum graui molestia corporis fuisset depressus, in uisione nocturna albatos uiros et clari omnimodo habitus in hoc ipsum monasterium descendere de superioribus aspexit. Qui dum coram lecto iacentis adsisterent, unus eorum dixit « : Ad hoc uenimus, ut de monas-

11 puerum *m GH* : suum *add. bz* ‖ parare *m GH* : -ri m^v -rique bm^v ‖ 13 minime praeceptis *mz GH* : praec. min. *b* ‖ 14 Syxti *mz* : Xysti bm^v *GH* Sisti m^v ‖ 19-20 curauerant $bm^v(z)$ *GH* : -runt m^v portauerant *m* portauerunt b^vm^v portaturi erant m^v ‖ 21 quid ille *bm* : ille quid m^v *H* ille m^v *G* ‖ 29 In *bmz H* : XXVI *praem.* m^v XXXII *praem. G* ‖ 32 clari bm^v *GH* : -re *m* ‖ 33 ipsum monasterium *bm GH* : ipso monasterio m^vz

3. Cette église de S. Janvier sur la Voie de Préneste n'est mentionnée, à notre connaissance, par aucun auteur ancien ou moderne. On connaît seulement une église de ce nom sur la Voie Tiburtine, près de la Porte S. Laurent, dont Grégoire lui-même parle plus loin (56, 1). Les deux voies étant voisines, il n'est pas impossible

peu avant sa mort et lui dit de lui préparer ses vêtements pour sortir. Le garçon estima que c'était une folie et n'obéit pas. Alors l'avocat se leva, s'habilla, et dit qu'il se rendrait par la voie Appienne à l'église du Bienheureux Sixte.

3. Peu après, le mal empira, il mourut. La décision avait été prise qu'on l'enterrerait au Bienheureux-Janvier-Martyr sur la voie de Préneste. Mais c'était loin. Les ordonnateurs de ses obsèques eurent soudain une autre idée et sortirent avec le corps par la voie Appienne. Sans savoir ce qu'il avait dit, ils l'enterrèrent dans l'église qu'il avait visée d'avance. Cet homme, nous le savons, était très mêlé aux affaires mondaines, très avide d'affaires lucratives. Comment a-t-il pu prédire cela, sinon parce que les facultés pénétrantes de son âme lui faisaient prévoir le destin de son corps ?

4. Souvent c'est par des révélations que les mourants ont prescience : nous pouvons le déduire de ce qui s'est passé chez nous dans les monastères, c'est connu. Il y a dix ans, il y avait dans mon monastère un frère nommé Gerontius. Gravement malade, il eut un songe et vit des hommes de blanc vêtus qui descendaient du ciel sur ce monastère avec leurs vêtements lumineux. Ils se placèrent près de son lit, et l'un d'eux dit : « Nous sommes venus

que Grégoire fasse ici une confusion. — Il est exclu qu'un séculier adonné aux affaires mondaines reçoive de Dieu la faveur d'une révélation (cf. note sous 22, 2). *

4. Les révélations sont pour les moines. — Grégoire parle de « son » monastère, non seulement parce qu'il y a été moine, mais parce qu'il l'a fondé (Grég. de Tours, *Hist. Franc.* 10, 1) dans sa propre maison (*Lib. Pont.* I, 312). De là le nom de *monasterium Gregorii* qui lui est donné, à côté de son titre officiel (*monasterium S. Andreae ad Cliuum Scauri* : *Reg.* 8, 12 = *Ep.* 8, 11). — *Ante decennium* : 583-584. Grégoire était alors à Constantinople (III, 36, 1 et note). — Le blanc est la couleur de l'au-delà (13, 3 ; 18, 1, etc.) ; cf. Mc 16, 5 ; Ac 1, 10 ; Ap 7, 13, etc. *Viros... clari omnimodo habitus* : cf. II, 37, 3 (*uenerando habitu uir desuper clarus assistens*). Selon Jean Moschus, *Pré sp.* 38, Anastase mourant « vit en songe un homme merveilleux vêtu de blanc, qui se tenait devant lui et portait un cahier écrit » ; l'homme y lut le nom de l'Empereur et effaça 14 années que celui-ci avait à vivre.

terio Gregorii quosdam fratres in militiam mittamus », atque alteri praecipiens adiunxit : « Scribe Marcellum, Valentinianum, Agnellum », atque alios quorum nunc minime recordor. Quibus expletis, addidit dicens : « Scribe et hunc ipsum qui nos aspicit. »

5. Ex qua uisione certus redditus, praedictus frater facto mane innotuit fratribus qui et qui essent ex eadem cella morituri, quos se etiam denuntiauit esse secuturum. Cum die alio praedicti fratres mori coeperunt, atque sub eodem ordine se in morte secuti sunt, quo fuerant in descriptione nominati. Ad extremum uero et ipse obiit, qui eosdem fratres morituros praeuidit.

6. In ea quoque mortalitate quae ante triennium hanc urbem uehementissima clade uastauit, in Portuensis ciuitatis monasterio Mellitus dictus est monachus, adhuc in annis iuuenalibus constitutus, sed mirae simplicitatis atque humilitatis uir, qui adpropinquante uocationis die eadem clade percussus ad extrema deductus est. Quod uir uitae uenerabilis Felix eiusdem ciuitatis episcopus audiens, cuius et haec relatione cognoui, ad eum accedere studuit, et ne mortem timere debuisset uerbis hunc persuasoriis confortare. Cui etiam adhuc de diuina misericordia longiora uitae spatia polliceri coepit.

7. Sed ad haec ille respondit cursus sui tempora esse conpleta, dicens apparuisse sibi iuuenem atque epistolas detulisse, dicentem : « Aperi et lege. » Quibus apertis, asseruit quia se et omnes qui eodem tempore a praedicto episcopo in paschali festiuitate fuerant baptizati, scriptos in eisdem epistolis litteris aureis inuenit. Primum quidem, ut dicebat, suum nomen repperit, ac deinde omnium illo

42 essent b^{v}*mz GH* : in breui *add.* *b* || 48 In *bmz H* : XXXIII *praem.* *G* || 51 iuuenalibus *m* GH^{ac} : iuuenilibus bm^{v} H^{pc} || 64 inuenit *m GH* : -nisset *b* || 65 deinde *m H* : inde *b* de *G ut uid.*

---

5. Annonce d'une série de morts comme en I, 8, 2-3 et IV, 14, 4-5, où cependant le bénéficiaire de la révélation meurt le premier.

enrôler quelques frères du monastère de Grégoire dans la milice. » Puis, s'adressant à l'autre : « Écris : Marcel, Valentinien, Agnellus », et d'autres que j'ai oubliés. Cela fait, il ajouta : « Inscris encore celui qui nous regarde. »

5. Averti par ce songe, Gerontius, au matin, révéla aux frères quels seraient ceux de ce monastère qui mourraient. Puis il annonça qu'il les suivrait. Le lendemain, les frères susdits commencèrent à mourir, et ils se suivirent dans l'ordre où ils avaient été nommés sur la liste. Finalement partit celui qui avait prévu la mort de ces frères.

6. Lors de cette peste qui ravagea d'une manière si terrible notre ville il y a trois ans, se trouvait au monastère de Porto un moine nommé Mellitus, encore jeune, mais admirable pour sa simplicité et son humilité. Le jour de son appel étant devenu imminent, Mellitus fut atteint par le fléau et bientôt réduit à toute extrémité. Le vénérable Félix, évêque de Porto (qui est ici ma source d'information), apprit cela et voulut le visiter, le réconforter de paroles persuasives contre la crainte de la mort, lui promettre même une plus longue vie grâce à la divine miséricorde.

7. A quoi Mellitus répondit que son temps était fini. Un jeune homme lui était apparu, apportant une lettre et disant : « Ouvre et lis. » Il ouvrit, et assura que lui-même et tous ceux qui avaient été baptisés en même temps que lui par l'évêque Félix à la fête de Pâques se trouvaient inscrits en lettre d'or dans cette lettre. Il expliquait qu'il y avait son nom d'abord, puis ceux de

Cf. Cicéron, *De diuin.* 1, 64 : un Rhodien mourant prédit six morts.

6. Seconde révélation, également accordée à un moine. Elle a lieu durant la peste de 590 (cf. 19, 2 et note). Un *monasterium beati Laurentii positum in insula Portus Romani* est mentionné, à la fin du viiie s., dans *Lib. Pont.* I, 502. Quant à l'évêque Félix de Porto, originaire de la Sabine (53, 1 ; cf. 57, 3), on le retrouve en 595 (*Reg.* 5, 57[a] = *Ep.*, *App.* V) et en 598-599 (*Reg.* 9, 45 et 98 = *Ep.* 9, 25 et 12, 48). — « Simplicité et humilité » comme en III, 33, 1. Un « appel » de Dieu (*uocatio*) détermine le temps de la mort. La maladie n'est que l'agent de ce décret divin.

7. D'après 33, 1, le baptême est administré « le samedi », veille de Pâques.

in tempore baptizatorum. Qua de re certum tenuit et se et illos de hac uita esse sub celeritate migraturos.

8. Factumque est ut die eadem ipse moreretur, atque post eum cuncti illi qui baptizati fuerant ita secuti sunt, ut intra perpaucos dies eorum nullus in hac uita remaneret. De quibus nimirum constat, quod eos praedictus Dei famulus idcirco auro scriptos uiderat, quia eorum nomina apud se fixa aeterna claritas habebat.

9. Sicut itaque hii reuelationibus potuerunt uentura cognoscere, ita nonnumquam egressurae animae possunt etiam mysteria caelestia non per somnium, sed uigilando praelibare. Ammonium namque monasterii mei monachum bene nosti. Qui dum esset in saeculari habitu constitutus, Valeriani huius urbis aduocati naturalem filiam in coniugio sortitus, eius obsequiis sedule atque incessanter adhaerebat, et quaeque in eius domo agebantur nouerat.

10. Qui mihi iam in monasterio positus narrauit, quod in ea mortalitate, quae patricii Narse temporibus hanc urbem uehementer adflixit, in domo praedicti Valeriani puer Armentarius fuit praecipuae simplicitatis et humilitatis. Cum uero eiusdem aduocati domus eadem clade uastaretur, isdem puer percussus est et usque ad extremum deductus.

11. Qui subito sublatus a praesentibus, rediit sibique dominum suum uocari fecit. Cui ait : « Ego in caelo fui, et qui de hac domo morituri sint agnoui. Ille, ille atque

70 perpaucos *m H* : paucos bm^{v} *G* ‖ eorum nullus *m GH* : nul. eorum *bz* ‖ 74 hii *m* : hi bm^{v} *GH* ‖ 84 Narse *mz* $G^{pc}H^{pc}$: -sae *b* -si m^{v} -setis m^{v} Narresse $G^{ac}H^{ac}$ *ut uid.* ‖ 88 isdem *m GH* : idem bm^{v} ‖ 90 rediit *m GH* : postmodum *praem.* bm^{v} ‖ 92 sint *m H* : sunt bm^{v} *G*

8. Cette fois, le voyant meurt avant les autres, comme en I, 8, 2-3 ; IV, 14, 4-5. L'or, qui symbolise ici la gloire éternelle, représente ailleurs l'aumône (IV, 37, 9.15.16).

tous les baptisés de cette fête. Il était sûr que lui et eux quitteraient rapidement cette vie.

8. Effectivement, il mourut ce jour-là, et tous les autres baptisés le suivirent. En peu de jours, il n'en resta pas un en cette vie. Il est clair que le serviteur de Dieu les avait vus inscrits en or parce que l'éternelle splendeur avait leurs noms fixés en elle.

9. Ceux-ci ont connu l'avenir par des révélations. Parfois, avant leur départ, les âmes peuvent avoir une idée des mystères célestes, non en rêve mais en état de veille. Vous avez bien connu Ammonius, moine de mon monastère. Quand il était dans le monde, il avait épousé la fille naturelle de Valérien, avocat romain. Il était très assidu chez l'avocat, zélé pour le servir, au courant de tout ce qui se passait dans sa maison.

10. Venu au monastère, Ammonius me raconta que lors de cette peste qui dévasta Rome au temps du patrice Narsès il y avait chez Valérien un valet, Armentarius, remarquable par sa simplicité et son humilité. Comme le fléau sévissait dans la maison de l'avocat, le garçon fut frappé et réduit à la dernière extrémité.

11. Brusquement ravi à ceux qui l'entouraient, il revint à lui et fit appeler son maître. Il lui dit : « J'ai été au ciel, et je sais ceux de cette maison qui vont mourir.

9. Cette dernière sorte de clairvoyance a été mentionnée plus haut (§ 1) en termes un peu différents. De part et d'autre, on dit que son objet est « céleste », ce qui se vérifiera plus loin (§ 11). Ici on note qu'elle a lieu « à l'état de veille », tandis que les révélations précédentes s'étaient produites « en songe » (cf. § 4). *

10. Peste « du temps de Narsès » : voir *Excerpta Sangall.* 713-715 ; AGNELLUS, *Lib. Pont. Eccl. Ravenn.* 94 ; PAUL DIACRE, *Hist. Lang.* 2, 4 et 26. Elle sévit en 571 (DUCHESNE, *Lib. Pont.* I, p. 307, n. 8), Narsès n'étant pas mort en 567 (Moricca), qui fut seulement l'année de sa destitution. — *Armentarius* peut être un nom commun (« pâtre »), comme l'entend Zacharie (*boukolos*), ou un nom propre comme en III, 16, 7. Comme le moine Mellite (§ 6), ce séculier est « remarquablement simple et humble », ce qui le rend capable de visions spirituelles, à la différence du mondain Cumquodeus (§ 3).

11. Voyage dans l'au-delà et retour comme en I, 10, 18 et 12, 2, mais sans que le voyant soit mort, semble-t-il. Perception incontrôlable accréditée par un signe tangible : cf. 12, 4 et 15, 5. *

ille morituri sunt. Tu uero ne timeas, quia hoc tempore moriturus non es. Vt uero scias quod me in caelo fuisse uerum fateor, ecce accepi illic ut linguis omnibus loquar. Numquid tibi incognitum fuit Graecam me linguam omnino nescisse ? Et tamen Graece loquar, ut cognoscas an uerum sit quod me omnes linguas accepisse testificor. »

12. Cui tunc Graece dominus suus locutus est, atque ita ille in eadem lingua respondit, ut cuncti qui aderant mirarentur. In ea quoque domo praedicti Narse spatarius Bulgar manebat. Qui festine ad aegrum deductus, ei Bulgarica lingua locutus est. Sed ita puer ille, in Italia natus et nutritus, in eadem barbara locutione respondit, ac si ex eadem fuisset gente generatus. Mirati sunt omnes qui audiebant, atque ex duarum linguarum experimento quas eum antea scisse non nouerant, crediderunt de omnibus quas probare minime ualebant.

13. Tunc per biduum mors eius dilata est, sed die tertio, quo occulto iudicio nescitur, manus ac brachia lacertosque suos dentibus laniauit, atque ita e corpore exiit. Quo mortuo, omnes illi quos praedixerat ex hac protinus luce subtracti sunt, nullusque in illa domo eadem tempestate defunctus est, qui uoce illius denuntiatus non est.

14. Petrvs. Valde terribile est ut qui tale donum percipere meruit, tali etiam post hoc poena plecteretur.

Gregorivs. Quis occulta Dei iudicia sciat ? Ea quae in diuino examine conprehendere non possumus, timere magis quam discutere debemus.

93 hoc *mz GH* : in hoc *bm*ᵛ || 96 incognitum *bm* : cognitum non *m*ᵛ *GH* || 97 nescisse *m GH* : non nosse *b* || loquar *b*ᵛ*m* : loquere *bm*ᵛ*z GH* || 101 Narse *mz H* : -sae *b* -si *m*ᵛ*G* -ses *m*ᵛ -setis *m*ᵛ || 102 Bulgar *bm*ᵛ(*z*) : Vul- *m GH* Bulgarus *m*ᵛ || 103 Bulgarica *bm*ᵛ(*z*) : Vul- *m GH* || 106 audiebant *bmz GH* : aderant *b*ᵛ || 107 scisse non *m* : nescisse *bm*ᵛ *GH* || 111 e *m GH* : de *b* a *m*ᵒ || 112 exiit *m GH* : exiuit *b* || 114 tempestate *m GH* : peste *b*ᵛ*z*

12. A ce moment même, des Bulgares pénètrent en Italie avec

Un tel, un tel et un tel mourront. Pour vous, ne craignez rien, car vous ne mourrez pas cette fois-ci. Pour que vous sachiez que j'ai été au ciel et que je dis vrai, voici que j'ai reçu là-haut le don de parler toutes les langues. Vous n'ignorez pas que je suis absolument nul en grec. Eh bien ! Je vais parler grec pour que vous sachiez si j'ai reçu le don des langues comme je l'assure. »

12. Alors son maître lui parla grec, et il lui répondit dans la même langue, si bien que toute l'assistance était ébahie. Dans la maison logeait un porte-glaive bulgare de Narsès. On le mena vite au malade pour lui parler bulgare, et le garçon, né et élevé en Italie, lui répondit dans cette langue barbare, comme s'il était natif de Bulgarie. Stupeur de tous ceux qui entendent. De cette double expérience pour des idiomes qu'il ignorait, ils le savaient bien, ils croient qu'il est parfait polyglotte, malgré l'absence de preuve pour les autres langues.

13. Deux jours sa mort est différée. Le troisième, par on ne sait quel secret jugement de Dieu, il se déchire à belles dents les mains, les avant-bras et les bras et meurt dans cet état. Une fois qu'il est mort, tous ceux qu'il a désignés sont aussitôt enlevés à cette lumière d'ici-bas. Nul ne meurt dans la maison à ce moment qui n'ait été annoncé par lui.

14. PIERRE. C'est bien terrible. Recevoir un tel don, et puis être puni d'une telle peine !

GRÉGOIRE. Qui peut connaître les secrets jugements de Dieu ? Ce qui nous échappe dans le divin examen, nous devons le craindre et non épiloguer.

les Lombards (PAUL DIACRE, *Hist. Lang.* 2, 26), contre lesquels leur nation a soutenu jadis des combats terribles (*ibid.*, 1, 16-17). D'autres s'y installeront plus tard (*ibid.*, 5, 29). *

13. *Occulto iudicio* comme en *Mor.* 9, 32, etc. On connaît maint épileptique ou possédé qui déchire de ses propres dents soit sa langue (CYPRIEN, *De laps.* 24 ; VICTOR DE VITE, *Persec. Vand.* 1, 12 ; GRÉG. DE TOURS, *V. Patr.* 8, 8), soit son corps (GRÉG. DE TOURS, *Hist. Franc.* 2, 3 et 3, 12 ; *Glor. mart.* 25.69.77 ; *Mir. S. Mart.* 2, 53). Dans plusieurs cas, la mort est signalée aussitôt après.

14. Grégoire ne propose ici aucune explication. En 24, 2, il suggérait que ces justes frappés d'une mort cruelle avaient peut-être une faute à expier.

XXVIII. Vt autem de egredientibus animabus, quae multa praenoscunt, ea quae coepimus exequamur, neque hoc silendum est, quod de Theophanio Centumcellensis urbis comite, in eadem urbe positus multis adtestantibus agnoui. Fuit namque uir misericordiae actibus deditus, bonis operibus intentus, hospitalitati praecipue studens. Exercendis quidem comitatus curis occupatus agebat terrena et temporalia, sed, ut post in fine claruit, magis ex debito quam ex intentione.

2. Nam cum propinquante mortis eius tempore grauissima aeris tempestas obsisteret, ne ad sepeliendum duci potuisset, eumque uxor sua cum fletu uehementissimo inquireret, dicens : « Quid faciam ? Quomodo te ad sepeliendum eicio, quae ostium domus huius egredi prae nimia tempestate non possum ? », tunc ille respondit : « Noli, mulier, flere, quia mox ut ego defunctus fuero, aeris eadem hora serenitas redit. » Cuius protinus uocem mors, et mortem serenitas est secuta.

3. Quod signum alia sunt etiam signa comitata. Nam manus eius ac pedes, podagrae humore tumescentes, uersi in uulneribus fuerant et profluente sanie patebant. Sed dum corpus eius ex more ad lauandum fuisset nudatum, ita manus pedesque eius sani inuenti sunt, ac si numquam uulneris aliquid habuissent.

4. Ductus itaque ac sepultus est, eiusque coniugi

XXVIII *ita mz H* : XXVII *bm*ᵛ XXXV *G* ‖ 3 Centumcellensis *bmz GH* : Centoc- *m*ᵛ Centerelensis *b*ᵛ ‖ 10 cum *m GH* : dum *b* ‖ propinquante *m G* : appropinquante *b H* ‖ 17 aeris eadem hora *m* : eadem hora aeris *bm*ᵛ aeris *b*ᵛ*m*ᵛ*z GH* eadem hora *m*ᵛ ‖ redit *mz GH* : redibit *bm*ᵛ rediet *m*ᵛ ‖ 18 est secuta *m GH* : sec. est *b* ‖ 19 alia sunt etiam signa *m GH* : et. alia signa sunt *b* et. alia sunt signa *m*ᵛ ‖ 20 ac *m GH* : et *b* ‖ 21 profluente *bm G* : -ti *m*ᵛ *H* ‖ 24 numquam uulneris aliquid *bm* : uuln. nihil *b*ᵛ numq. uuln. nihil aliq. *m*ᵛ umquam uuln. nihil *G ut uid.* *H*

XXVIII, 1. Ces récits reproduisent *Hom. Eu.* 36, 13, qui précise que la visite de Grégoire à Centumcellae (Civitavecchia) remonte à « trois ans plus tôt » (587-588). — L'éloge de Théophane rappelle

XXVIII. Continuons à parler des âmes qui à leur sortie ont la prescience de l'avenir. Je ne dois pas passer sous silence ce que j'ai appris de Théophane, comte de la ville de Cemtumcellae, grâce à de nombreuses attestations que j'ai recueillies sur place. C'était un homme de grande charité, un homme d'œuvres, un spécialiste de l'hospitalité. Sa charge de comte était prenante, le maintenant au terrestre et au temporel, mais, comme sa fin le fit voir clairement, c'était par devoir bien plus que par inclination qu'il l'exerça.

2. Peu avant sa mort, un très gros orage éclata, rendant impossible le cortège funèbre. Son épouse en sanglots demandait : « Que faire ? Comment te mener au tombeau, puisque ce grand orage m'empêche de sortir ? » Il répondit : « Ne pleure pas, pauvre femme, car dès que je serai mort, le beau temps reviendra. » A ces mots il mourut et le beau temps revint.

3. Ce signe fut accompagné d'autres signes. Ses mains et ses pieds, atteints par la goutte, étaient gonflés de liquide, pleins d'ulcères, de plaies purulentes. Eh bien, quand on mit son corps à nu, selon l'usage, pour le laver, on trouva ses mains et ses pieds aussi nets que s'il n'avait jamais été malade.

4. On l'emporta, on l'ensevelit. Quatre jours après,

celui du séculier Marcel (I, 10, 17 : *bonae actionis uir*). Ce bon comte fait aussi penser à Grégoire de Langres (Grég. de Tours, *V. Patr.* 7, 1). Son détachement intérieur au milieu des affaires contraste avec la cupidité de Cumquodeus (27, 3). Sa prédiction n'est donc pas simple affaire naturelle, mais don de Dieu comme celle d'Armentarius (27, 1 et 10-13).

2. Théophane dit *mulier* à sa femme, comme Paulin à la veuve (III, 1, 2).

3. La première phrase manque dans l'Homélie, où l'on trouve plus loin *detectum* pour *nudatum*, et *unquam... nihil* pour *numquam... aliquid*. — Observations faites quand on lave le mort : 17, 3. Le corps est sain « comme si... » : cf. I, 10, 5 et note.

4. « Quatrième jour » : on songe à Lazare, qui déjà sent mauvais (Jn 11, 39). Le présent miracle dépasse donc celui du parfum à l'heure de la mort (15, 5 ; 16, 5 ; 17, 2) et rejoint ceux que rapportent Jérôme, *V. Hil.* 46 ; Paulin, *V. Ambr.* 32 ; Grég. de Tours, *Glor. mart.* 63 et *Glor. conf.* 84.104 (*quarto die*), etc.

uisum est ut quarto die in sepulcro illius marmor, quod superpositum fuerat, mutari debuisset. Quod uidelicet marmor corpori eius superpositum dum fuisset ablatum, tanta ex corpore ipsius fragrantia odoris emanauit, ac si ex putrescente carne illius pro uermibus aromata ferbuissent.

5. Quod factum dum, narrante me in omeliis, infirmis quibusdam uenisset in dubium, die quadam, sedente me in conuentu nobilium, ipsi artifices qui in sepulcro illius marmor mutauerant adfuerunt, aliquid me de propria causa rogaturi. Quos ego de eodem miraculo coram clero, nobilibus ac plebe requisiui. Qui et eadem odoris fragrantia miro modo se repletos fuisse testati sunt, et quaedam alia in augmento miraculi, quae nunc narrare longum existimo, de eodem sepulcro eius addiderunt.

6. Petrvs. Inquisitioni meae sufficienter iam uideo satisfactum. Sed hoc est adhuc quod quaestione animum pulsat, quia cum superius dictum sit esse iam sanctorum animas in caelo, restat procul dubio ut iniquorum quoque animae esse nonnisi in inferno credantur. Et quid hac de re habeat ueritas ignoro. Nam humana aestimatio non habet peccatorum animas ante iudicium posse cruciari.

XXVIIII. Gregorivs. Si esse sanctorum animas in caelo sacri eloquii satisfactione credidisti, oportet ut per omnia esse credas et iniquorum animas in inferno, quia ex retributione aeternae iustitiae, ex qua iam iusti gloriantur, necesse est per omnia ut et iniusti crucientur. Nam sicut electos beatitudo laetificat, ita credi necesse est quod a die exitus sui ignis reprobos exurat.

30 putrescente *bm*^{v} *GH* : -ti *m* ‖ 37 eadem *bmz GH* : marmore mutato *add.* *b*^{v} ‖ 40 existimo *m GH* : aestimo *b* ‖ 46 habeat ueritas *m GH* : uer. hab. *bz*

XXVIIII *ita mz* : XXVIII *bm*^{v} XXXVI *G* *om.* *H* ‖ 4 aeternae *bm* : internae *m*^{v}*z* *GH* ‖ iam *m H* : *post* iusti *transp.* *b* dum *G*

5. Ici l'Homélie conclut qu'il est possible de vivre dans le monde

sa femme jugea bon de changer le marbre posé sur la tombe. Quand ce marbre posé sur le corps fut enlevé, un parfum exquis se dégagea du cadavre, comme si des aromates en fermentation avaient remplacé les vers qui grouillaient dans sa chair en décomposition.

5. J'ai conté ce fait dans mes homélies. Des esprits faibles en doutèrent. Mais un jour que je me trouvais en noble compagnie, les ouvriers qui ôtèrent le marbre du tombeau se présentèrent, ayant un service à me demander. Je les interrogeai sur ce miracle en présence du clergé, des nobles et du peuple. Ils attestèrent qu'ils avaient été merveilleusement saturés de ce parfum. Ils ajoutèrent sur cette tombe quelques détails qui corsaient le miracle. Mais je ne voudrais pas m'y attarder.

6. Pierre. Voilà ma curiosité satisfaite. Mais il y a encore une question qui me tracasse. On a dit plus haut que les âmes des saints sont au ciel. Il s'ensuit indubitablement que les âmes des mauvais sont en enfer : il faut le croire. Et sur ce sujet, ce qu'enseigne la Vérité, je l'ignore. Mais les gens pensent que les âmes des pécheurs ne peuvent être tourmentées avant le jugement.

XXVIIII. Grégoire. Si, d'après le témoignage de la parole sainte, vous avez cru que les âmes des justes sont au ciel, il faut aussi absolument que vous croyiez les âmes des mauvais en enfer. Par la rétribution de l'éternelle justice, les justes sont déjà glorifiés, mais aussi les mauvais torturés : c'est absolument nécessaire. La béatitude réjouit les élus ; de même il faut croire nécessairement au feu qui brûle les mauvais à partir du jour de leur mort.

sans en avoir l'esprit. La visée des Dialogues étant différente, Grégoire remplace cette conclusion par un confirmatur.

6. Rappel de la question posée par Pierre (26, 5) et de la thèse établie par Grégoire auparavant (26, 1-2), sur laquelle se greffe un corollaire embarrassant.

XXVIIII, 1. En répondant à un de ses prêtres qui nie la résurrection, Grég. de Tours, *Hist. Franc.* 10, 13 (542 a), croit utile de préciser : *Sicut illos qui defuncti sunt sancti caelum, ut credimus, retinet..., ita credimus et peccatores in illo infernali carcere usque ad iudicium retineri.*

2. Petrvs. Et qua ratione credendum est quia rem incorpoream tenere ignis corporeus possit ?

XXX. Gregorivs. Si uiuentis hominis incorporeus spiritus tenetur in corpore, cur non post mortem, cum incorporeus sit spiritus, etiam corporeo igne teneatur ?

Petrvs. In uiuente quolibet idcirco incorporeus spiritus tenetur in corpore, quia uiuificat corpus.

2. Gregorivs. Si incorporeus spiritus, Petre, in hoc teneri potest quod uiuificat, quare non poenaliter et ibi teneatur ubi mortificatur ? Teneri autem per ignem spiritum dicimus, ut in tormento ignis sit uidendo atque sentiendo. Ignem namque eo ipso patitur quo uidet, et quia concremari se aspicit crematur. Sicque fit ut res corporea incorpoream exurat, dum ex igne uisibili ardor ac dolor inuisibilis trahitur, ut per ignem corporeum mens incorporea etiam incorporea flamma crucietur.

3. Quamuis collegere dictis euangelicis possumus quia incendium anima non solum uidendo, sed etiam experiendo, patiatur. Veritatis etenim uoce diues mortuus in infernum dicitur sepultus. Cuius anima quia in igne teneatur insinuat uox diuitis, quae Abraham deprecatur,

8 Petrus *bmz GH* : XXIX *praem.* m^v ‖ Et bm^oz *GH* : ex *m* ‖ 9 tenere bm^vz *G* : -ri *m H*

XXX *ita mz* : XXIX bm^v XXXVII *G* *om.* m^v *H* ‖ 1 uiuentis *bm H* : -tes m^v -te *G* ‖ hominis *bm H* : -nes m^v -ne *G* ‖ 6 Gregorius *bmz H* : XXIX *praem.* m^v XXXVIII *praem.* *G* ‖ 9 uidendo *bmz GH* : uiuendo b^v ‖ 10 uidet bm^o *GH* : uidit *m* ‖ 14 incorporea^2 *bz* $G^{ac}H$: in corporea *m* corporea b^vm^v G^{pc} ‖ 15 dictis *m GH* : ex *praem.* *bz* ‖ 18 infernum *m H* : -no bm^vm^o *G* ‖ 19 uox diuitis *m H* : uox eiusdem diu. *b* uox diu. ipsius m^v *om.* m^v *G* ‖ quae *m* : qui bm^v *G* quia *H*

XXX, 3. Lc 16, 22.24

2. Même problème, mais à propos des démons, chez Augustin, *Ciu.* 21, 10.

XXX, 1. Voir Augustin, *Ciu.* 21, 10, 1 : les esprits des démons seront plongés dans les flammes, d'une façon comparable à l'inclusion de l'esprit de l'homme dans son corps, mais sans donner

2. Pierre. Et quel moyen de croire qu'un feu corporel peut avoir prise sur de l'incorporel ?

XXX. Grégoire. Si un esprit immatériel est contenu dans corps d'un homme vivant, pourquoi, après la mort, cet esprit immatériel ne serait-il pas contenu par un feu matériel ?

Pierre. En tout vivant, l'esprit incorporel est contenu dans un corps parce qu'il vivifie le corps.

2. Grégoire. Pierre, si l'esprit incorporel est contenu dans ce qu'il vivifie, pourquoi, par punition, ne serait-il pas contenu par ce qui le mortifie ? Or nous disons que l'esprit est contenu par le feu pour qu'il soit dans le tourment du feu en le voyant et en le sentant. Il souffre du feu parce qu'il le voit et cette vision fait sa brûlure. Ainsi du matériel brûle de l'immatériel, quand d'un feu visible sort une chaleur douloureuse invisible. Par là, le feu matériel torture un esprit immatériel d'une flamme immatérielle.

3. Cependant de l'Évangile nous pouvons tirer que l'âme souffre son incendie non seulement en voyant, mais par une expérience des sens. Selon la parole de Vérité, le riche mort est dit « enseveli en enfer ». Son âme est détenue dans le feu, la parole du riche le prouve

vie aux flammes comme l'âme humaine vivifie la chair. Grégoire applique ces considérations aux âmes des hommes damnés.

2. Tentative d'explication du mode par lequel le feu agit. Elle manque chez Augustin, qui parle seulement de *miris et ineffabilibus modis*. Voir cependant la note suivante. — *Sentiendo* reste isolé, la phrase suivante mentionnant seulement la « vue ». Ce second, verbe anticiperait-il *experiendo* (§ 3) ?

3. La « Vérité » révélée, dont Pierre avait réservé les droits (28, 6), oblige à dépasser l'explication rationnelle par la « vue ». *Experiendo* semble être l'équivalent de *sentiendo* (§ 2). — Le même texte évangélique (Lc 16, 24) est cité par Augustin, *Ciu.* 21, 10, 2, mais celui-ci estime que la « flamme » qui brûle le riche, comme tous les autres traits corporels de cette scène, n'est pas une réalité physique : l'âme du riche ne voit que des images. Au contraire, Grégoire paraît comprendre que l'âme du riche souffre déjà du feu corporel qui tourmentera corps et âmes après la résurrection. Il est d'ailleurs possible que ce passage d'Augustin lui ait suggéré l'explication par la « vue » esquissée plus haut (§ 2).

dicens : *Mitte Lazarum ut intinguat extremum digiti sui in aquam et refrigeret linguam meam, quia crucior in hac flamma.* Dum ergo peccatorem diuitem damnatum ueritas in ignibus perhibet, quisnam sapiens reproborum animas teneri ignibus neget ?

4. PETRVS. Ecce ratione ac testimonio ad credulitatem flectitur animus, sed dimissus iterum ad rigorem redit. Quomodo enim res incorporea a re corporea teneri atque adfligi possit ignoro.

GREGORIVS. Dic, quaeso te, apostatas spiritus a caelesti gloria deiectos esse corporeos an incorporeos suspicaris ?

PETRVS. Quis sanum sapiens esse spiritus corporeos dixerit ?

GREGORIVS. Gehennae ignem esse incorporeum an corporeum fateris ?

PETRVS. Ignem gehennae corporeum esse non ambigo, in quo certum est corpora cruciari.

5. GREGORIVS. Certe reprobis ueritas in fine dictura est : *Ite in ignem aeternum, qui praeparatus est diabolo et angelis eius.* Si igitur diabolus eiusque angeli, cum sint incorporei, corporeo sunt igne cruciandi, quid mirum si animae, et antequam recipiant corpora, possint corporea sentire tormenta ?

PETRVS. Patet ratio, nec debet animus de hac ulterius quaestione dubitare.

21 aquam *bm H* : aqua *m*^{v} *G* ‖ 23 ignibus *mz GH* : ignem *b* ‖ 30 corporeos *bm*^{v}*z G* : -reus *m H* ‖ 32 corporeos *bm*^{v}*z* : -reus *m H* *deperd. ap. G* ‖ 34-35 incorporeum an corporeum *bmz H* : corp. an incorp. *m*^{v} *G* ‖ 39 praeparatus *m H* : paratus *bm*^{v} *G* ‖ 42 possint *bm* : possent *m*^{v} possunt *m*^{v} *GH*

5. Mt 25, 41.

quand il supplie Abraham : « Envoie Lazare, le bout du doigt trempé dans l'eau pour rafraîchir ma langue, car je suis au supplice dans cette flamme. » Si la Vérité dépeint le riche pécheur damné dans les flammes, quel sage pourrait nier que les âmes des réprouvés soient prisonnières des flammes ?

4. PIERRE. Voici que raison et Écriture infléchissent mon âme vers la foi, mais elle se redresse et revient à sa raideur première. Comment une chose immatérielle peut-elle être contenue et affligée par une chose matérielle, je l'ignore.

GRÉGOIRE. Dites-moi, s'il vous plaît. A votre avis, les esprits apostats rejetés de la gloire céleste, sont-ils matériels ou immatériels ?

PIERRE. Nul homme de bon sens ne prétendra que des esprits sont corporels.

GRÉGOIRE. Le feu de la géhenne est-il immatériel ou matériel, selon vous ?

PIERRE. Le feu de la géhenne est matériel, sans nul doute. Il est sûr que les corps y sont torturés.

5. GRÉGOIRE. Il est certain qu'à la fin la Vérité dira aux réprouvés : « Allez au feu éternel qui a été préparé au diable et à ses anges. » Si le diable et ses anges, immatériels, doivent être torturés par un feu matériel, rien d'étonnant à ce que les âmes, avant de retrouver leurs corps, puissent éprouver des tourments physiques.

PIERRE. C'est évident, et désormais l'esprit ne peut plus hésiter sur cette question.

4. Pierre distingue l'argument de « raison » (§ 1-2) et le « témoignage » scripturaire (§ 3). — Les démons sont-ils entièrement incorporels ou dotés d'un corps « aérien » ? AUGUSTIN, *Ciu*, 21, 10, 1-2, envisageait les deux hypothèses sans prendre parti. Grégoire, au contraire, rejette la seconde comme absurde. — Le feu de la géhenne (Mt 5, 22, etc.) est corporel : cf. *Mor.* 15, 35.

5. Ce texte évangélique, qui associe les hommes aux démons, était au principe et au terme des réflexions d'AUGUSTIN, *Ciu.* 21, 10, 1-2. Mais tandis que celui-ci se demandait comment le feu corporel peut atteindre les démons, Grégoire cherche à démontrer qu'il atteint les âmes humaines dès avant la résurrection.

XXXI. Gregorivs. Postquam laboriose credidisti, operae pretium credo, si ea quae mihi a uiris fidelibus sunt digesta narrauero. Iulianus namque huius Romanae ecclesiae, cui Deo auctore deseruio, secundus defensor, qui ante fere annos septem defunctus est, ad me adhuc in monasterio positum crebro ueniebat, mecumque conloqui de animae utilitate consueuerat.

2. Hic itaque mihi quadam die narrauit, dicens : « Theodorici regis temporibus, pater soceri mei in Siciliam exactionem canonis egerat, atque iam ad Italiam rediebat. Cuius nauis adpulsa est ad insulam quae Liparis appellatur et quia illic uir quidam solitarius magnae uirtutis habitabat, dum nautae nauis armamenta repararent, uisum est praedicto patri soceri mei ad eundem uirum Dei pergere, seque eius orationibus conmendare. »

3. « Quos uir Domini cum uidisset, eis inter alia conloquens dixit : ‘ Scitis quia rex Theodoricus mortuus est ? ’ Cui illi protinus responderunt : ‘ Absit. Nos eum uiuentem dimisimus, et nihil tale ad nos de eo nunc usque perlatum est. ’ Quibus Dei famulus addidit, dicens : ‘ Etiam mortuus est. Nam hesterno die hora nona inter Iohannem papam et Symmachum patricium discinctus atque discalciatus et uinctis manibus deductus in hac uicina uulcani olla iactatus est. ’ »

XXXI bmw (*inde ab* Iuliano) **z GH** XXXI *mz* : XXX *bm*^{v} XXXVIIII *G* *ante* Iulianus *transp.* *b*^{v}*m*^{v}*w* *G* *om.* *H* ‖ 5 fere *mw H* : ferre *G* ferme *b* *ante* ante *transp.* *m*^{v} ‖ septem *mw* : *post* ante *transp.* *bm*^{v} *GH* ‖ 6 positum *bm*^{v}*w*^{v} *H* : -to *mw G* ‖ mecumque *mw GH* : et mecum *b* ‖ 9 Theodorici *bm*^{v}*z H* : Theud- *mw G* Theoder- *m*^{v}*w*^{v} ‖ Siciliam *mw GH* : -lia *bm*^{v}*w*^{v}*z* ‖ 10-11 rediebat *mw GH* : redibat *bm*^{v} ‖ 17 Theodoricus *bm*^{v}*w*^{v}*z* : Theuder- *mw G* Theoder- *m*^{v}*w*^{v} Thedor- *H* ‖ 21 hesterno *bm*^{v}*w*^{v} *GH* : -na *mw* ‖ 22 Symmachum *bm*^{v}*z H*^{pc} : Symac- *mw* Simac- *GH*^{ac} ‖ 23 manibus *bmw*^{v}*z GH* : post tergum *add.* *m*^{v}*w* *inter uncos* ‖ hac uicina *mwz GH* : hanc uicinam *bm*^{v} ‖ 24 olla *mw GH* : -lam *bm*^{v} insulam *b*^{v} insula *z*

XXXI, 1. Aux arguments succèdent les *exempla* (cf. IV, 7). — Ce défenseur Julien est probablement le même qu'en I, 10, 1. Là Grégoire n'indiquait ni son grade (*secundus*), ni l'année de sa mort

XXXI. Grégoire. Maintenant que vous êtes arrivé laborieusement à la foi, cela vaut la peine, je crois, de vous raconter ce qui m'a été exposé par des hommes dignes de foi. Julien, second défenseur de cette Église de Rome que je sers par la volonté de Dieu, et qui est mort il y a quelque sept ans, venait me voir souvent quand j'étais encore au monastère. Nos colloques régulièrement visaient au bien de l'âme.

2. Un jour il me conta ceci : « Au temps du roi Théodoric, le père de mon beau-père revenait en Italie après avoir levé l'impôt en Sicile. Son navire aborda l'île de Lipari. Là vivait un solitaire de grande vertu. Tandis que les matelots réparaient les cordages du bateau, le père de mon beau-père eut l'idée d'aller voir l'homme de Dieu pour se recommander à ses prières.

3. L'homme du Seigneur leur dit entre autres choses : ‘ Savez-vous que le roi Théodoric est mort ? ’ Ils répondirent : ‘ Mais non ! Nous l'avons laissé vivant, et depuis nous n'avons appris rien de semblable. ’ Le serviteur de Dieu précisa : ‘ Oui, il est mort. Hier à trois heures de l'après midi il a été mené, encadré par le pape Jean et le patrice Symmaque, sans ceinture et sans chaussures, les mains liées, au cratère du volcan voisin et précipité. ’

(cf. III, 38, 1), mais précisait que celle-ci était survenue à Rome. — Grégoire encore au monastère : cf. IV, 10, où il était aussi question d'un retour de Sicile, d'une vision d'âme de défunt et d'un solitaire.

2. Perception d'impôts comme chez Constance, *V. Germ.* 7 : *exactos a prouincialibus solidos... deferebat.* L'île Lipari, lieu fort et évêché, est mentionnée dans *Reg.* 2, 19.51 = *Ep.* 2, 17. 16 ; *Reg.* 2, 33 et 7, 19 = *Ep.* 3, 55 et 7, 22. « Se recommander aux prières » d'un moine : I, 4, 17 ; II, 31, 3. *

3. Passage au pluriel (*quos*, etc.). — Mort de Théodoric : 30 août 526. Elle est annoncée surnaturellement au solitaire, comme celle de l'empereur Julien le fut à Didyme (Pallade, *Hist. Laus.* 4, 4 = *HP* 1, 254 d) et à Julien Sabas (Théodoret, *Hist. eccl.* 3, 24 = Cassiodore, *Hist. trip.* 6, 45 ; *Hist. rel.* 2). Vision rappelant Grég. de Tours, *Hist. Franc.* 8, 5 : Chilpéric chargé de chaînes est amené par trois évêques ; l'un d'eux le fait jeter dans une cuve où il est brûlé. Le même Grég. de Tours, *Glor. mart.* 40, croit savoir que Théodoric a été jeté en enfer. — Jean Ier : voir III, 2, 1-3. Symmaque est le père de Galla (IV, 14, 1). *

4. « Quod illi audientes, sollicite conscripserunt diem, atque in Italia reuersi eo die Theodoricum regem inuenerunt fuisse mortuum, quo de eius exitu atque supplicio Dei famulo fuerat ostensum. » Et quia Iohannem papam adfligendo in custodia occidit, Symmachum quoque patricium ferro trucidauit, ab illis iuste in igne mitti apparuit, quos in hac uita iniuste iudicauit.

XXXII. Eo quoque tempore quo primum remotae uitae desideriis anhelabam, quidam honestus senex, Deusdedit nomine, ualde huius urbis nobilibus amicus, mihi quoque in amicitiis sedule iungebatur.

2. Qui mihi narrabat, dicens : « Gothorum tempore quidam spectabilis uir, Reparatus nomine, uenit ad mortem. Qui dum diu iam mutus ac rigidus iaceret, uisum est quod ab eo funditus flatus uitalis exisset atque exanime remansisset corpus. Cumque et multi qui conuenerant, et eum iam mortuum familia lugeret, subito rediit, et cunctorum plangentium in stuporem uersae sunt lacrimae. »

3. « Qui reuersus ait : ʻCitius ad ecclesiam beati Laurentii martyris, quae ex nomine conditoris Damasi uo-

25 diem *bmw*^{v} *GH* : et oram *add. m*^{v}*w inter uncos* ‖ 25 Italia *mw H* : -liam *bm*^{v}*w*^{v}*z G* ‖ Theodoricum *bw*^{v}*z H* : Theoder- *mw*^{v} Theuder- *w G* ‖ 27 de eius exitu *mw GH* : eius exitus *bm*^{v}*w*^{v}*z* ‖ supplicio *mw H* : -cium *bm*^{v}*w*^{v}*z G* ‖ custodia *bm*^{v}*wz*^{v} *H* : -diam *mw*^{v}*z G* ‖ 29 Symmachum *bm*^{v}*z H* : Symac- *m* Simac- *m*^{v}*w G* ‖ 30 iuste *bmw inter uncos z H* : *om. m*^{v}*w*^{v} *G* ‖ igne *mwz G* : ignem *bm*^{v}*w*^{v} *H* ‖ mitti *mwz G* : missus *bm*^{v}*w*^{v} *ante* iuste *transp. H*

XXXII bmz GH XXXII *mz H* : XXXI *bm*^{v} XL *G* ‖ 6 spectabilis *bm*^{v} : expect- *m GH* *om. z* ‖ 11 stuporem *bm*^{v}*z H* : -re *m deperd. ap. G* ‖ 13-14 Laurentii *bm*^{v} : -ti *m GH*

4. Vérification du jour comme chez Pallade et Théodoret (cf. IV, 10). Voir aussi SULPICE SÉV., *Dial.* 2, 13. — La mort de Théodoric est mise en relation avec celle de Jean par GRÉG. DE TOURS, *Glor. mart.* 40 et *Lib. Pont.* I, 276, avec celle de Symmaque par PROCOPE, *BG* 1, 1. Cf. JEAN MOSCHUS, *Pré sp.* 35 : deux évêques exilés par l'empereur Anastase ont révélation de sa mort et disent : « Par-

4. Entendant cela, ils notèrent soigneusement le jour, et, revenus en Italie, ils trouvèrent que le roi Théodoric était mort le jour où son trépas et son supplice avaient été montrés au serviteur de Dieu. » Comme il avait causé la mort du pape Jean en le tourmentant dans une prison et fait périr par le glaive le patrice Symmaque, il apparut justement jeté au feu par ceux qu'il avait jugés injustement en cette vie.

XXXII. Au temps de mes premiers désirs de vie monastique, un honorable vieillard nommé Deusdedit, très lié avec la noblesse romaine, était aussi mon ami intime. Voici ce qu'il me raconta.

2. « Au temps des Goths, un Très Distingué nommé Reparatus vint à mourir. Il était déjà depuis longtemps muet et raidi, il n'avait plus, semblait-il, aucun souffle vital, ce n'était plus qu'un corps sans âme. Les amis qui étaient venus et sa famille le pleuraient comme on pleure un défunt. Soudain il revint à lui, et les larmes de tous ceux qui se lamentaient se changèrent en stupeur.

3. Ayant recouvré sa lucidité, il dit : ' Envoyez au plus tôt un serviteur à Saint-Laurent-Martyr, l'église qu'on

tons nous aussi pour être jugés avec lui » ; ils meurent deux jours après.

XXXII, 1. Grégoire est de famille noble (17, 2). Sur la période où il songe au monastère (avant 574), voir *Reg.* 5, 53[a] = *Mor.*, *Praef.* 1. A sa demande, un *Deusdedit uir honestus notarius* rédige pour lui, le 28 décembre 587, une donation (*Reg.*, *App.* 1).

2. Le titre de *spectabilis*, tombé en désuétude, n'apparaît qu'une fois dans la correspondance de Grégoire (*Reg.* 9, 10 = *Ep.* 10, 3). Il désignait la seconde classe de sénateurs, entre les *illustres* (III, 16, 7) et les *clarissimi*. — Retour à la vie et effet sur l'assistance : I, 12, 2 ; III, 17, 5. *

3-4. Voir Augustin, *Cura mort.* 12, 15 : un mourant reprend ses esprits et dit : *Eat aliquis... ad domum Curmae fabriferrarii et uideat quid ibi agatur. Quo cum itum esset, inuentus est mortuus* (la suite est remployée en 37, 5-6). Cf. apophtegme Nau 135 = *VP* 3, 216. — Damase a érigé une basilique à S. Laurent près du théâtre de Pompée (*Lib. Pont.* I, 212). Elle avait une orientation perpendiculaire à celle de l'actuel San Lorenzo in Damaso, avec l'abside à l'Ouest. Au concile de 499 (*MGH*, *Auct. Ant.* XII, p. 411, n° 5), elle est représentée par *Proiectitius presbiter tituli Damasi*, à celui

catur, puerum mittite, et quid de Tiburtio presbitero agatur uideat et renuntiare festinet. ' Qui uidelicet tunc Tiburtius carnalibus desideriis subiacere ferebatur, cuius adhuc uitae morumque bene quoque Florentius eius nunc ecclesiae presbiter meminit. »

4. « Cum uero puer pergeret, narrauit isdem Reparatus, qui ad se reuersus fuerat, quid de illo ubi ductus fuerat agnouit, dicens : ' Paratus fuerat rogus ingens. Deductus autem Tiburtius presbiter in eo est superpositus atque subposito igne concrematus. Alius autem parabatur rogus, cuius a terra in caelum cacumen tendi uidebatur. Qui emissa uoce clamatum est cuius esset... ' His igitur dictis, statim Reparatus defunctus est. Puer uero, qui transmissus ad Tiburtium fuerat, iam eum mortuum inuenit. »

5. Qui uidelicet Reparatus, ductus ad loca poenarum, dum uidit, rediit, narrauit et obiit, aperte monstratur quia nobis illa, non sibi uiderit, quibus dum adhuc concessum est uiuere, licet etiam a malis operibus emendare. Rogum uero construi Reparatus uidit, non quod apud infernum ligna ardeant ut ignis fiat, sed narraturus haec uiuentibus, illa de incendio prauorum uidit, ex quibus nutriri apud uiuentes corporeus ignis solet, ut per haec adsueta audientes discerent, quid de insuetis timere debuissent.

XXXIII. Terribile etiam quiddam in Valeriae prouincia contigisse uir uitae uenerabilis Maximianus Siracusanus

15 Tiburtio *bm*^{v}*z GH* : Tyb- *m et sic deinceps* || 20 isdem *m GH* : idem *bm*^{v} || 21-22 quod — fuerat *om. G* || 21 quid de *bm*^{v}(*z*) : quid *m*^{v} *H* quod *m* || illo *bm H* : illuc *m*^{v} illic *m*^{v} illum *m*^{v} || 24 igne *bm* : igni *m*^{v} *GH* || 25 caelum *bm*^{v} : -lo *m GH* || 26 qui *m GH* : cui *b* || 28 fuerat *m GH* : *ante* ad *transp. G* || 35 sed *bmz GH* : quod *add. m*^{v} || 37 haec *bm GH* : *om. m*^{v}*z*

XXXIII *ita mz H* : XXXII *bm*^{v} *om. G* || 2 Siracusanus *m G* : Syr- *bm*^{v}*z H*

de 595 (*Reg.* 5, 57^{a} = *Ep.*, *App.* 5) par Speciosus (cf. 16, 1) et Leo,

nomme du nom de son fondateur Damase. Qu'il voie ce que devient le prêtre Tiburce et vienne nous le dire en hâte. ' Ce Tiburce passait pour assujetti aux désirs charnels. Florent, aujourd'hui prêtre de cette église, se rappelle bien sa vie et ses mœurs.

4. Tandis que le serviteur cheminait, Reparatus, qui avait recouvré ses esprits, dit ce qu'il avait appris au sujet de Tiburce là où on l'avait mené : ' On avait préparé un immense bûcher, on amena et on jucha dessus le prêtre Tiburce, on alluma le bûcher par en bas et il fut brûlé. Un autre bûcher était préparé. Sa base était sur terre et son sommet tendu vers le ciel. Une voix cria pour qui était ce bûcher... ' Cela dit, Reparatus mourut. Le serviteur envoyé vers Tiburce le trouva mort. »

5. Reparatus avait été mené au lieu où se purgent les peines. Il vit, revint, raconta, mourut. Cela montre clairement qu'il ne vit pas ces choses pour lui-même mais pour nous qui avons encore un délai pour vivre et qui pouvons encore nous corriger de nos mauvaises actions. Reparatus vit construire un bûcher, non point parce qu'en enfer il faut brûler du bois pour faire du feu, mais pour l'instruction des vivants, il vit employer à la combustion des méchants le combustible avec lequel les vivants alimentent un feu matériel. Entendant ces choses ordinaires, ils pourraient apprendre à redouter l'extraordinaire.

XXXIII. Voici un événement terrible survenu dans le district de Valérie. Le vénérable Maximien, évêque

tous deux *presbiter tituli sancti Damasi*. Tiburce est un successeur de Proiectitius, et Florent, en exercice vers 570, a dû mourir avant le concile de 595. *

5. Voir 40, 9 et note. — Le temps de cette vie nous est accordé pour notre amendement : cf. *RM* Ths 36.43 = *RB* Prol 36.43. Le feu de l'enfer ne se nourrit pas de bois : voir *Mor.* 15, 35.

XXXIII, 1. Maximien : voir I, 7, 1 ; III, 36, 1 et notes. Son récit se situe en Valérie, comme ceux de l'abbé précédent, Valentio (I, 4, 20 ; III, 22, 1 ; IV, 22, 1). — Baptême d'adolescente : fait intéressant, mais non daté. Le baptême est administré à Pâques (cf. 27, 7), non plus durant la vigile, mais dans la journée du samedi, où l'on jeûne jusqu'au soir (III, 33, 7-9). — Curiale : cf. II, 11, 1 et note.

episcopus, qui diu in hac urbe meo monasterio praefuit, narrare consueuit, dicens : « Quidam curialis illic sacratissimo paschali sabbato iuuenculam cuiusdam filiam in baptismate suscepit. Qui post ieiunium domum reuersus multoque uino inebriatus, eandem filiam suam secum manere petiit, eamque nocte illa, quod dictu nefas est, perdidit. »

2. « Cumque mane facto surrexisset, reus cogitare coepit ut ad balneum pergeret, ac si aqua balnei lauaret maculam peccati. Perrexit igitur, lauit, coepitque trepidare ecclesiam ingredi. Sed si tanto die non iret ad ecclesiam, erubescebat homines, sin uero iret, pertimescebat iudicium Dei. Vicit itaque humana uerecundia. Perrexit ad ecclesiam, sed tremebundus ac pauens stare coepit, atque per singula momenta suspectus qua hora inmundo spiritui traderetur et coram omni populo uexaretur. Cumque uehementer timeret, ei in illa missarum celebritate quasi aduersi nihil contigit. »

3. « Qui laetus exiit, et die altero ecclesiam iam securus intrauit. Factumque est ut per sex continuos dies laetus ac securus procederet, aestimans quod eius scelus Dominus aut non uidisset, aut uisum misericorditer dimisisset. Die autem septimo subita morte defunctus est. Cumque sepulturae traditus fuisset, per longum tempus cunctis uidentibus de sepulcro ipsius flamma exiit, et tamdiu ossa eius concremauit, quousque omne sepulcrum consumeret et terra quae in tumulum collecta fuerat defossa uideretur. »

4. Quod uidelicet omnipotens Deus faciens, ostendit quid eius anima in occulto pertulit, cuius etiam corpus

4 Quidam *bmz* : XLI *praem.* *G* ‖ 6 suscepit *b*m^v*z* *GH* : suscipit *m* ‖ 7 inebriatus *bm* *G* : debr- m^v *H* ebr- m^v ‖ 14 sin *m* *G* : si *b*m^v *H* ‖ 24 uisum b^v*mz* *GH* : *om.* *b* ‖ 27 ipsius *m* : illius *b*m^v *H* eius *G* ‖ ossa eius *bm* *H* : ei. ossa m^v *G* ‖ 29 tumulum *b*m^v *H* : -lo *m* *G*

---

2. Après l'acte conjugal, l'usage romain est de se baigner avant d'aller à l'église (cf. Lv 15, 16) ; voir *Reg.* 11, 56[a] (§ 7) = *Ep.* 11, 64 (1196 b), texte d'authenticité douteuse (P. Meyvaert, « Les *res-*

de Syracuse, qui fut longtemps à la tête de mon monastère ici, avait accoutumé de raconter cette histoire. « Un curiale, le samedi saint, reçut au baptême comme parrain la jeune fille de quelqu'un. Revenu chez lui après le jeûne, il s'enivra, demanda qu'on laissât avec lui sa filleule, et cette nuit même (ce qu'on n'ose pas dire) il fut cause de sa perte.

2. Au matin il se leva tout honteux et se dit qu'il irait au bain, comme si l'eau du bain pouvait laver la tache du péché. Il alla, se lava, puis se demanda avec anxiété s'il entrerait à l'église. Mais si un tel jour il n'allait pas à l'église, que diraient les gens ! S'il y allait, il redoutait le jugement de Dieu. Le respect humain l'emporta. Il alla à l'église. Mais il était là tremblant et inquiet. A chaque instant il craignait d'être livré à l'esprit immonde et d'être tourmenté devant tous. Il était très angoissé, mais la messe solennelle se déroula sans rien de fâcheux pour lui.

3. Il sortit joyeux et le lendemain entra à l'église plus sûr de lui. Et voilà que pendant six jours sans exception il alla à l'église joyeux, en sécurité, pensant que le Seigneur n'avait pas vu son crime ou qu'il le lui avait miséricordieusement pardonné. Le septième jour il mourut subitement. On l'enterra. Longtemps tout le monde put voir une flamme sortir de son sépulcre. Elle brûla ses os, consuma tout son tombeau, et la terre amoncelée en mausolée s'effondra. »

4. Par là Dieu tout-puissant montra ce que son âme endurait dans le secret, tandis que son corps lui-même

ponsiones de S. Grégoire le Grand à S. Augustin de Cantorbéry », dans *RHE* 54 [1959], p. 879-894). Cela fait, l'homme tremble encore, car son acte était illicite, voire sacrilège. Comme l'épouse de I, 10, 2, il se laisse vaincre par le respect humain, mais redoute le châtiment qui a frappé cette femme : la possession. *

3. *Procederet* : voir 27, 2 et note. La messe est quotidienne pendant l'octave de Pâques (cf. *Hom. Eu.* 23, 1). — Mort brûlé dans sa tombe comme en 53, 2 (cf. 56, 1). On songe à d'autres châtiments infligés à des défunts (II, 24, 1 et note).

4. Passage du connu à l'inconnu comme en 32, 5. Ainsi s'achève la section sur le feu qui brûle les âmes des damnés dès à présent 29-33).

ante humanos oculos flamma consumpsit. Qua in re nobis quoque haec audientibus exemplum formidinis dare dignatus est, quatenus ex hac consideratione collegamus, quid anima uiuens ac sentiens pro reatu suo patiatur, si tanto ignis supplicio etiam insensibilia ossa concremantur.

5. PETRVS. Nosse uelim si uel boni bonos in regno, uel mali malos in supplicio agnoscunt.

XXXIIII. GREGORIVS. Huius rei sententia in uerbis est dominicis, quae iam superius protulimus, luce clarius demonstrata. In quibus cum dictum esset : *Homo quidam erat diues, et induebatur purpura et bysso, et epulabatur cotidie splendide. Et erat quidam mendicus, nomine Lazarus, qui iacebat ad ianuam eius ulceribus plenus, cupiens saturari de micis quae cadebant de mensa diuitis, et nemo illi dabat ; sed et canes ueniebant et lingebant ulcera eius*, subiunctum est quod *Lazarus mortuus portatus est ab angelis in sinu Abrahae, et mortuus diues sepultus est in inferno.*

2. *Qui eleuans oculos suos, cum esset in tormentis, uidit Abraham a longe et Lazarum in sinu eius, et ipse clamans dixit* : « *Pater Abraham, miserere mei, et mitte Lazarum, ut intinguat extremum digiti sui in aquam et refrigeret linguam meam.* » *Cui Abraham dicit* « : *Fili, recordare quia recepisti bona in uita tua, et Lazarus similiter mala.* » Diues autem, de se ipso iam spem salutis non habens,

34 collegamus *m H* : collig- *b*m^{v} *G* ‖ 37 uelim *b*m^{v} : uellim *m GH* **XXXIIII** *ita mz* : XXXIII *b*m^{v} *ante* Petrus (33, 37) *transp.* m^{v} *H ut uid.* *om. G* ‖ 4 et^{1} b^{v}*m GH* : qui *b*m^{v}*z* ‖ 9 Lazarus mortuus *m H* : mort. Laz. *b*m^{v}*z* mort. est Eliazarus *G* ‖ est *bm H* : *om. G* ‖ 10 sinu *m GH* : sinum *b*m^{v} ‖ 13-14 clamans dixit b^{v}*mz GH* : clamauit dicens *b* ‖ 15 aquam *b*m^{v} *G* : aqua *m H* ‖ 16 meam *m GH* : quia crucior in hac flamma *add. b*m^{v} *z* ‖ Abraham dicit *m G* : Abr. dixit *b*m^{v}*z* ab Abr. dicitur m^{v} Abr. dicitur *H* ‖ 18 de se ipso *m GH* : *post* salutis *transp. b*

XXXIIII, 1. Lc 16, 19-21.22 ‖ 2. Lc 16, 23-24.25.27-28

était consumé par la flamme aux yeux des hommes. De la sorte, à nous aussi, auditeurs, Dieu a daigné donner un exemple redoutable. Nous apprenons par là ce que l'âme vivante et sensible souffre pour sa faute, puisque des ossements insensibles sont eux-mêmes carbonisés par un tel supplice du feu.

5. Pierre. J'aimerais savoir si les bons se reconnaissent entre eux dans le royaume et les mauvais dans le supplice.

XXXIIII. Grégoire. La solution de ce problème est dans les paroles du Seigneur que nous avons déjà présentées. Elle est plus claire que le jour. Il est dit : « Il y avait un riche vêtu de pourpre et de lin fin qui banquetait tous les jours splendidement. Il y avait un mendiant nommé Lazare qui gisait à sa porte plein d'ulcères, bien désireux de se nourrir des miettes qui tombaient de la table du riche, mais personne ne les lui donnait. Bien mieux, des chiens venaient et leur langue léchait ses ulcères. » Et ensuite : « Lazare mort fut porté par les anges dans le sein d'Abraham et le riche mort fut enseveli dans l'enfer.

2. Dans les tourments il leva les yeux et vit au loin Abraham avec Lazare dans son sein. Le riche cria : ‘ Abraham mon père, aie pitié de moi, envoie Lazare, le bout du doigt trempé dans l'eau pour rafraîchir ma langue, car je suis au supplice dans cette flamme. ’ Abraham lui dit : ‘ Fils rappelle-toi que tu as reçu des biens pendant ta vie, et Lazare de son côté des maux. ’ » Le riche, désespéré pour son compte, se prend à deman-

5. Nouvelle question. Comme la précédente, elle sera traitée d'abord à partir de l'Écriture (34), puis par des exemples (35-36).

XXXIIII, 1. Renvoi à 30, 3, où la citation n'était que fragmentaire (Lc 16, 22-24). — *Luce clarius* comme en I, *Prol.* 10. — Les trois premiers versets de la parabole (Lc 16, 19-21) sont reproduits textuellement, tandis que le suivant (v. 22) est un peu modifié : *Factum est autem ut* est remplacé par *subiunctum est quod*, etc.

2. Après avoir reproduit les v. 23-25^{a}, Grégoire omet la fin de la réponse d'Abraham (v. 25^{b}-26) et s'arrête à la deuxième demande du riche (v. 27-28), qu'il détache par une phrase d'introduction.

ad promerendam suorum salutem conuertitur, dicens : « *Rogo te, pater, ut mittas eum in domum patris mei — habeo enim quinque fratres —, ut testetur illis, ne et ipsi ueniant in locum hunc tormentorum.* ».

3. Quibus uerbis aperte declaratur quia et boni bonos et mali cognoscunt malos. Si igitur Abraham Lazarum minime recognouisset, nequaquam ad diuitem in tormentis positum de transacta eius contritione loqueretur, dicens quod mala receperit in uita sua. Et si mali malos non recognoscerent, nequaquam diues in tormentis positus fratrum suorum etiam absentum meminisset. Quomodo enim praesentes non posset agnoscere, qui etiam pro absentum memoria curauit exorare ?

4. Qua in re illud quoque ostenditur, quod nequaquam ipse requisisti, quia et boni malos et mali cognoscunt bonos. Nam et diues ab Abraham cognoscitur, cui dictum est : *Recepisti bona in uita tua*, et electus Lazarus a reprobo est diuite cognitus, quem mitti precatur ex nomine, dicens : *Mitte Lazarum, ut intiguat extremum digiti sui in aquam et refrigeret linguam meam.* In qua uidelicet cognitione utriusque partis cumulus retributionis excrescit, et ut boni amplius gaudeant, qui secum eos laetari conspiciunt quos amauerunt, et mali, dum cum eis torquentur quos in hoc mundo despecto Deo dilexerunt, eos non solum sua, sed etiam eorum poena consumat.

20 domum *bm*^{v}*z* : domo *m GH* || 24 cognoscunt malos *m GH* : malos cogn. *bz* || 26 contritione *bmz GH* : conuersatione *b*^{v} || 27 receperit *bm*^{v} *H* : recip- *G* reciperet *m* recepit *m*^{v} || 29-31 absentum$^{1-2}$ *m GH* : -tium *bm*^{v} || 30 posset *bm*^{v} : possit *m*(*z*) *GH* || 34 cui *bm*^{o}*z GH* : cum *mm*^{o} dum *m*^{v} || 40 et ut *m H* : ut et *bm*^{v}*m*^{o}*z G* ut *m*^{o}

4. Luc 16, 25.24.

3. Commentant cette parabole, Augustin, *Cura mort.* 14, 17,

der le salut des siens et dit : « Je t'en prie, père, envoie Lazare chez mon père. J'ai cinq frères. Il leur portera témoignage pour qu'ils ne viennent pas dans ce lieu de tourments. »

3. Voilà qui fait voir manifestement que les bons reconnaissent les bons et les mauvais reconnaissent les mauvais. En effet, si Abraham n'avait pas reconnu Lazare, jamais il n'aurait parlé au riche supplicié des tourments passés de Lazare, disant qu'il avait reçu des maux pendant sa vie. Et si les mauvais ne reconnaissaient pas les mauvais, jamais le riche supplicié ne se fût rappelé ses frères absents. Comment n'eût-il pas pu reconnaître ses frères présents, puisqu'il avait le souci de prier pour eux absents ?

4. Et ce cas nous éclaire encore sur un problème que vous n'avez pas soulevé : les bons connaissent les mauvais et les mauvais connaissent les bons. Car le riche est encore connu d'Abraham qui lui dit : « Tu as reçu des biens durant ta vie », et Lazare le prédestiné est connu du mauvais riche qui le désigne nommément pour une mission : « Envoie Lazare, le bout du doigt trempé dans l'eau pour rafraîchir ma langue. » Cette connaissance rend plus parfaite la sanction dans les deux camps. Les bons se réjouissent davantage de voir ceux qu'ils ont aimés être heureux avec eux ; les mauvais sont rongés par leur peine personnelle et aussi par la douleur de ceux qu'ils ont aimés dans ce monde sans égard à Dieu et qui sont torturés avec eux.

soutient que ni le riche, ni Abraham n'a dans l'au-delà une connaissance directe de ce qui se passe sur terre, morts et vivants étant strictement séparés. Ici comme dans *Hom. Eu.* 40, 8, Grégoire ne se soucie pas de ces rapports entre morts et vivants, mais de ceux des morts entre eux, soit dans la joie, soit dans les tourments.

4. Dans *Hom. Eu.* 40, 8, Grégoire se borne à noter le second fait (connaissance de Lazare par le riche), car il s'intéresse seulement au surcroît de peine résultant pour les damnés de ce qu'ils connaissent. — A la fin, retour à la connaissance qu'ont bons et méchants de ceux qui partagent leur sort (cf. 1-3).

5. Fit autem in electis quiddam mirabilius, quia non solum eos agnoscunt quos in hoc mundo nouerant, sed uelut uisos ac cognitos recognoscunt bonos quos numquam uiderant. Nam cum antiquos patres in illa aeterna hereditate uiderint, eis incogniti per uisionem non erunt, quos in opere semper nouerunt. Quia enim illic omnes communi claritate Deum conspiciunt, quid est quod ibi nesciant, ubi scientem omnia sciunt ?

XXXV. Nam quidam noster religiosus uir uitae ualde laudabilis, cum ante quadriennium moreretur, sicut religiosi alii qui praesentes fuere testati sunt, in hora sui exitus Ionam prophetam, Hiezechielem quoque et Danielem coepit aspicere, eosque dominos suos ex nomine clamare. Quos dum ad se uenisse diceret, et depressis luminibus eis reuerentiae obsequium praeberet, ex carne eductus est. Qua in re aperte datur intellegi, quae erit in illa incorruptibili uita notitia, si uir iste adhuc in carne corruptibili positus prophetas sanctos, quos nimirum numquam uiderat, agnouit.

XXXVI. Solet autem plerumque contingere ut egressura anima eos etiam recognoscat, cum quibus pro aequalitate culparum uel etiam praemiorum in una est mansione deputanda. Nam uir uitae uenerabilis Eleutherius senex, de quo praecedente libro multa narraui, in monasterio suo germanum fratrem Iohannem nomine

47 uiderant *m* : -runt *b*m^{v} *GH*
XXXV *ita mz H* : XXXIV *b*m^{v} *om. G* ‖ 1 uir *bm*(*z*) *H* : et *add.* m^{v} *G* ‖ 2 quadriennium *m GH* : hoc quad. *bz* hoc triennium m^{v} ‖ 3 fuere *m GH* : fuerunt *b*m^{v} fuerant m^{v} ‖ 4-5 sui exitus *m GH* : ex. sui *b*
XXXVI *ita mz H* : XXXV *b*m^{v} *om. G* ‖ 5 praecedente *b*m^{v} *GH* : -ti *m* ‖ 6 Iohannem nomine *mz H* : nom. Io. *b*

5. Introduction au récit suivant (35). *Quos in opere semper nouerunt* : cette connaissance par l'action fait penser à 11, 3 (*man-*

5. Chez les prédestinés, il y a ceci qui est encore plus admirable : non contents de reconnaître ceux qu'ils ont connus en ce monde, ils reconnaissent comme vus et connus les hommes de bien qu'ils n'ont jamais vus. Car lorsqu'ils verront les Pères anciens dans l'héritage d'éternité, ils les reconnaîtront à la vue, ces hommes qu'ils ont toujours connus par leurs œuvres. Là-haut tous voient Dieu dans une commune clarté. Que peut-on ignorer, quand on connaît Celui qui connaît tout ?

XXXV. En effet, un pieux Romain, de vie fort louable, mourait il y a quatre ans, comme l'attestent d'autres hommes pieux présents à son trépas, quand il vit les prophètes Jonas, Ézéchiel, Daniel et les appela nommément ses seigneurs. Il dit qu'ils venaient à lui, baissa les paupières par respect, et son âme quitta son enveloppe charnelle. Ce fait donne clairement à entendre qu'il y aura connaissance dans la vie incorruptible, du moment que cet homme encore dans sa chair corruptible a reconnu les saints prophètes qu'il n'avait jamais vus.

XXXVI. Il arrive souvent qu'une âme sur le point de sortir reconnaisse ceux qui, étant également coupables ou dignes de récompense, vont être assignés à la même demeure. Le vénérable Éleuthère, ce vieillard dont j'ai longuement parlé au livre précédent, racontait qu'il avait dans son monastère un frère germain nommé Jean, le-

data... quae agendo didicerat) ; cf. *Hom. Eu.* 35, 8 : *docta uita*. Quant à la dernière phrase, elle rappelle *Hom. Eu.* 40, 8 : les justes voient les damnés, *quia qui creatoris sui claritatem uident, nihil in creatura agitur quod uidere non possint.*

XXXV. Ce décès se produit à Rome (*noster*), vers 593-594. Il ressemble à ceux de 12, 4 (*coepit... clamare dicens : ueniunt domini mei*, etc.) ; 14, 4 (*domine meus*) ; 18, 3 (*coepit... depressis reuerenter oculis... clamare : domina uenio*). Là aussi le mourant reconnaît un ou plusieurs saints (de même en 13, 3 ; 17, 2). — De l'expérience à l'inconnu : cf. 32, 5 ; 33, 4.

XXXVI, 1. Sur Éleuthère, voir III, 14, 1 ; 21, 1 ; 33, 1-9. Il était abbé de S. Marc à Spolète. — Prédiction du jour de la mort : II, 37, 1 ; IV, 18, 1.

se habuisse perhibuit, qui ante dies quatuordecim suum fratribus exitum praedixit.

2. Cumque decrescentes cotidie conputaret dies, ante triduum quam uocaretur ex corpore, febre correptus est. Ad horam uero mortis ueniens, mysterium dominici corporis et sanguinis accepit, uocatosque fratres coram se psallere praecepit, quibus tamen antiphonam ipse per semetipsum de semetipso inposuit, dicens : *Aperite mihi portas iustitiae, et ingressus in eas confitebor Domino. Haec porta Domini, iusti intrabunt per eam.*

3. Cumque coram eo adsistentes fratres psallerent, emissa subito et producta uoce clamauit, dicens : « Vrse, ueni ». Quod mox ut dixit, eductus e corpore mortalem uitam finiuit. Mirati sunt fratres, quia hoc quod moriens frater clamauerat ignorabant. Quo defuncto, in monasterio facta est magna tristitia.

4. Quarto autem die quiddam fratribus necessarium fuit ut ad monasterium aliud positum longe transmitterent. Illuc igitur euntes fratres omnes eiusdem monasterii monachos tristes uehementer inuenerunt. Quibus cum dicerent : « Quid habetis, quod uos in tanto moerore deprimitis ? », responderunt dicentes : « Loci huius desolationem gemimus, quia unus frater, cuius nos in hoc monasterio uita continebat, hodie quartus est dies quod ex hac luce subtractus est. »

5. Cumque fratres qui uenerant studiose requirerent qualiter dictus fuisset, responderunt : « Vrsus. » Qui uocationis eius horam subtiliter inquirentes, ipso eum

12 uocatosque m^v *H* : uocatusque *m* uocatisque *bm*^{v} uocatis *G* ‖ fratres *m H G*^{ac} : fratribus *bm*^{v} *G*^{pc} *ut uid.* ‖ 13 antiphonam *bm H*^{pc} : anteph- *m*^{v} *GH*^{ac} ‖ 13-14 per semetipsum de semetipso *m GH* : per sem. *bm*^{v} de sem. *b*^{v}*z* ‖ 15 et *bm G*^{ac}*H* : ut *m*^{v} *G*^{pc} *om. z* ‖ 24 positum longe *m H* : longe pos. *bz G* ‖ 25 igitur *m GH* : ergo *b* ‖ euntes fratres *bm*^{v} *GH* : fr. eun. *m*^{v} euntibus fratribus *mz* ‖ 30 uita *m GH* : *ante* in *transp. bz*

XXXVI, 2. Ps 117, 19-20

quel prédit à la communauté sa propre mort dans la quinzaine.

2. On compta ponctuellement les jours qui passaient. Trois jours avant qu'il fût appelé hors de son corps, il fut pris de fièvre. Arrivant à l'heure de la mort, il reçut le mystère du corps et du sang du Seigneur. Il convoqua les frères, commanda de psalmodier en sa présence, mais entonna lui-même une antienne qui le concernait : « Ouvrez-moi les portes de justice. J'entrerai là, je louerai le Seigneur. C'est la porte du Seigneur, les justes entreront par elle. »

3. Tandis que les frères présents psalmodiaient devant lui, il s'écria soudain en allongeant les syllabes : « Ursus, viens ! » Il dit, et abandonnant son corps, il termina sa vie mortelle. Les frères étaient perplexes, car ils ne comprenaient rien à ce que le mourant avait clamé. Cette mort plongea le monastère dans une profonde tristesse.

4. Au bout de trois jours, un motif urgent envoya des frères à un monastère lointain. Les frères envoyés trouvèrent tous les moines de cette maison extrêmement affligés. Ils leur demandèrent : « Qu'avez-vous donc à être si pleins de douleur ? » Ceux-ci répondirent : « C'est une désolation pour cette maison, car un frère qui était pour nous un élément vital de communauté, a quitté la lumière de ce monde il y a plus de trois jours. »

5. Très intéressés, les arrivants s'informèrent de son nom. Réponse : Ursus ! Ils s'informèrent exactement de l'heure de son rappel à Dieu, et ils reconnurent qu'il était sorti de

2. Apparition de la fièvre : II, 37, 2 ; IV, 18, 3. Communion en viatique sous les deux espèces : II, 37, 2 ; IV, 11, 4 (cf. 16, 7). Le mourant fait psalmodier l'assistance : IV, 15, 4. Il chante lui-même : IV, 11, 4 et 15, 4. Le choix de l'antienne par l'agonisant rappelle Eugippe, *V. Seu.* 43, 8-9 (Séverin choisit Ps 150, 1.6). — Le texte de l'antienne (Ps 117, 19-20) est conforme au Psautier Romain.

4. *Loci huius* équivaut à *hoc monasterio*. *Locus* en ce sens (« monastère ») se rencontre souvent. Voir par exemple *RB* 61, 2.

5. « Enquête précise » sur le moment du décès, qui s'avère être celui de la révélation : II, 35, 4 (cf. IV, 10 et 31, 4).

momento cognouerunt exisse de corpore, quo per Iohannem, qui apud eos defunctus est, fuerat uocatus.

6. Qua ex re collegitur quia utrorumque par fuit meritum, eisque datum est ut in una mansione socialiter uiuerent, quibus e corpore contigit socialiter exire.

7. Sed neque hoc sileam, quod dum adhuc laicus uiuerem atque in domo mea, quae mihi in hac urbe ex iure patris obuenerat, manerem, de quibusdam uicinis meis me contigit agnouisse. Quaedam namque iuxta me uidua Galla dicebatur. Haec Eumorphium nomine iuuenem filium habebat, a quo non longe quidam Stephanus, qui in numero optio fuit, habitabat.

8. Sed isdem Eumorphius ad extrema uitae ueniens, uocauit puerum suum, eique praecepit dicens : « Vade citius, et dic Stephano optioni ut concitus ueniat, quia ecce nauis parata est ut ad Siciliam duci debeamus. » Cumque hunc puer insanire crederet et oboedire recusaret, coepit ille uehementer inminere, dicens : « Vade, et nuntia illi quod dico, quia non insanio. »

9. Egressus est puer, ut ad Stephanum pergeret. Cumque in medium iter uenisset, ei alius quidam obuiam factus est, qui hunc requisiuit, dicens : « Quo uadis ? » Cui respondit : « Ad Stephanum optionem a domino meo missus sum. » Atque ille protinus dixit : « Ab eo uenio, sed ante me hac hora defunctus est. » Reuersus uero est puer ad Eumorphium dominum suum, sed eum iam mortuum inuenit. Sicque factum est ut, dum alter obuiam

37 fuit *m GH* : fuerat *b* ‖ 39 e *bm*^{o}*z G* : et *H* a *m* ‖ contigit *bm*^{v}*z G* : contegit *m* ‖ 40 Sed *bmz H* : XXXVII *praem. m*^{v} XXXVI *praem. m*^{v} XLIII *praem. G* ‖ 43 contigit *bm*^{o}*z GH* : contegit *m*^{v} contingit *m* ‖ 46 qui in numero *bmz GH* : cui cognomen *b*^{v} ‖ optio *bmz GH* : optionis *b*^{v} ‖ 47 isdem *m GH* : idem *bm*^{v} ‖ 54 est *m GH* : itaque *add. bz* ‖ 55 ei *bm*^{o}*z GH* : eis *m* ‖ 58 missus *bm*^{o} *GH* : missum *m* ‖ Atque *bm* : adque *H* ad quae *m*^{v} ad quem *m*^{v} *G* ‖ 60 eum iam *mz GH* : iam eum *b*

6. *Mansio* : cf. Jn 14, 2. En 26, 1, le mot s'applique aussi au sort

son corps au moment où il avait été interpellé par Jean, leur défunt.

6. Cette histoire montre que, leur mérite étant égal, il leur fut donné de vivre ensemble dans une même demeure, puisqu'il leur était arrivé de sortir du corps ensemble.

7. Et ceci, que je ne passerai pas non plus sous silence. J'étais encore laïc, habitant à Rome dans la maison que je tenais de mon père. Et voici ce que j'appris au sujet de quelques voisins. Il y avait dans les environs une veuve nommée Galla. Elle avait un jeune fils nommé Eumorphius et non loin de là habitait un certain Étienne, qui était adjudant à l'armée.

8. Eumorphius, arrivé à la fin de sa vie, appela son domestique : « Vite, va-t-en dire à l'adjudant Étienne de venir immédiatement, car le bateau qui nous porte en Sicile va appareiller ! » Le domestique le crut fou et se rebiffa. L'autre insista : « Va, annonce comme j'ai dit, je ne suis pas fou. »

9. Le domestique sortit pour aller chez Étienne. A mi-chemin, il rencontra quelqu'un qui lui dit : « Où allez-vous ? » Il répondit : « Chez l'adjudant Étienne. Je suis envoyé par mon maître. » L'interlocuteur riposta : « Je viens de chez lui. Devant moi, à cette heure, il vient de mourir. » Le domestique revint chez son maître Eumorphius et le trouva qui venait d'expirer. Ainsi, puisque

des âmes dans l'au-delà, mais sans désigner leur condition définitive comme ici.

7. Grégoire encore laïc : 32, 1. La maison que lui a laissée son père Gordien et qu'il a transformée en monastère (*Lib. Pont.* I, 312) se trouvait sur la pente N.-O. du Caelius, près de S. Jean et Paul. Le pape Agapit y avait installé une bibliothèque (cf. *Lib. Pont.* I, p. 288, n. 1). — L'*optio* est un sous-officier, mentionné dans *Reg.* 3, 64 = *Ep.* 3, 66. *In numero* comme dans *Reg.* 4, 37 = *Ep.* 4, 39 (*in numeris militasse*) ; cf. *Reg.* 8, 10 = *Ep.* 8, 5 : *ex militaribus numeris.*

8. Comme Cumquodeus (27, 2), ce mourant donne un ordre insensé, que son serviteur refuse d'exécuter. Comme Reparatus (32, 3), il veut que le *puer* aille « en hâte » chez un autre mourant.

9. Histoire fort semblable à celle de Reparatus (32, 4), qui meurt aussi après avoir donné son ordre, en même temps que l'homme chez qui il avait envoyé son serviteur.

uenit et ex medio itinere puer reuersus est, ex mensura spatii potuisset collegi, quod uno momento utrique fuerant uocati.

10. PETRVS. Terribile est ualde quod dicitur. Sed quaeso te, cur egredienti animae nauis apparuit, uel cur se duci ad Siciliam moriturus praedixit ?

11. GREGORIVS. Anima uehiculo non eget, sed mirum non est si adhuc homini in corpore posito illud apparuit, quod per corpus adsueuerat uidere, ut per hoc daretur intellegi, quo eius anima spiritaliter duci potuisset.

12. Quod uero se ad Siciliam duci testatus est, quid sentiri aliud potest, nisi quod prae ceteris locis in eius terrae insulis eructuante igne tormentorum ollae patuerunt ? Quae, ut solent narrare qui nouerunt, laxatis cotidie sinibus excrescunt, ut mundi termino propinquante, quanto certum est illuc amplius exurendos collegi, tanto et eadem tormentorum loca amplius uideantur aperiri. Quod omnipotens Deus ad correctionem uiuentium in hoc mundo uoluit ostendi, ut mentes infidelium, quae inferni tormenta esse non credunt, tormentorum loca uideant, quae audita credere recusant.

13. Quod uero siue electi seu reprobi, quorum communis causa in opere fuerit, ad loca etiam communia deducuntur, ueritatis nobis uerba satisfacerent, etiam si exempla deessent. Ipsa quippe propter electos in euangelio dicit : *In domo Patris mei mansiones multae sunt.*

67 duci *m GH* : *post* Siciliam *transp. bz* ‖ 68 Gregorius *bmz H* : XXXVII *praem.* m^v XLIIII *praem. G* ‖ 73 sentiri bm^vz : -re *m GH* ‖ 74 eructuante bm^v *GH* : -ti *m* ‖ 76-77 propinquante *m GH* : approp- *b* ‖ 77 quanto bm^v *H* : -tum *m G* ‖ 79 aperiri *bmz* : -re *GH* apparere b^vm^v ‖ correctionem *mz G* : correptionem bm^v *H* ‖ 83 seu *m* : siue bm^v *GH* ‖ 84-85 deducuntur *m GH* : -cantur bm^v

13. Jn 14, 2; Mt 20, 9-10

11. Explication analogue à celle qui termine l'histoire de Reparatus (32, 5) : comme le bûcher vu par celui-ci, le navire d'Eumor-

l'autre est venu à la rencontre du domestique et que celui-ci a rebroussé chemin au milieu du trajet, la mesure des distances permet de conclure qu'Eumorphius et Étienne furent rappelés à Dieu au même moment.

10. PIERRE. Terrible, vraiment, ce que vous dites. Mais, je vous prie, pourquoi un navire apparut-il à l'âme qui sortait, et pourquoi le mourant annonçait-il qu'on le mènerait en Sicile ?

11. GRÉGOIRE. L'âme n'a pas besoin d'un véhicule, mais ne nous étonnons pas si un homme encore dans son corps a vu ce qui était du domaine de ses représentations corporelles, pour lui donner à entendre où son âme allait être menée spirituellement.

12. Il affirmait qu'on le menait en Sicile. La raison, c'est que plus qu'ailleurs dans les îles de cette région des cratères béants crachent le feu des tourments. Les connaisseurs disent que chaque jour ils agrandissent leurs flancs et s'élargissent. La fin du monde approche, et plus il y a de damnés à brûler, plus les lieux de supplices doivent se dilater. Dieu tout-puissant a voulu montrer cela pour la correction de ceux qui vivent en ce monde. Ainsi les esprits des incroyants, qui nient l'existence des tourments infernaux, voient les lieux de ces tourments auxquels ils ne voulaient pas croire quand on leur en parlait.

13. Oui, les prédestinés ou les réprouvés dont la vie se passa en actes similaires sont amenés en des lieux également similaires. La parole de Vérité suffirait, même si l'on manquait d'exemples. Elle dit dans l'Évangile, à propos des prédestinés : « Dans la maison de mon père il

phius n'est que la représentation, par une image corporelle à laquelle nous sommes « accoutumés », d'un fait invisible concernant l'âme.

12. *Eius terrae insulis* : Sicile et îles Lipari, où Théodoric a été jeté dans un cratère (31, 3). La fin du monde approche : voir III, 38, 2-3.

13. Cette fois, les *exempla* sont venus avant les *ueritatis uerba*, au rebours de l'ordre habituel (29-33 ; 34-36, etc.). — Exégèse conjointe de Jn 14, 2 et Mt 20, 9-10 : voir *Mor.* 4, 70 ; *Hom. Ez.* II, 4, 6 (cf. *Mor.* 35, 46).

Si enim dispar retributio in illa beatitudine aeterna non esset, una potius mansio quam multae essent. Multae ergo mansiones sunt, in quibus et distincte bonorum ordines et propter meritorum consortium communiter laetantur. Et tamen unum denarium omnes laborantes accipiunt, qui in multis mansionibus distinguuntur, quia et una est beatitudo quam illic percipiunt, et dispar retributionis qualitas quam per opera diuersa consequuntur.

14. Quae nimirum ueritas iudicii sui diem denuntians ait : *Tunc dicam messoribus : « Collegite zizania et ligate ea fasciculos ad conburendum. »* Messores quippe angeli zizania ad conburendum in fasciculis ligant, cum pares paribus in tormentis similibus sociant, ut superbi cum superbis, luxuriosi cum luxuriosis, auari cum auaris, fallaces cum fallacibus, inuidi cum inuidis, infideles cum infidelibus ardeant. Cum ergo similes in culpa ad tormenta similia ducuntur, quia eos in locis poenalibus angeli deputant, quasi zizaniorum fasciculos ad conburendum ligant.

XXXVII. Petrvs. Ad inquisitionem meam responsionis satisfactione patuit causa rationis. Sed quidnam est, quaeso te, quod nonnulli quasi per errorem extrahuntur e corpore, ita ut facti exanimes redeant, et eorum

88 beatitudine aeterna *m GH* : aet. beat. *b* ‖ 90 et *mz GH* : *om.* bm^{v} ‖ distincte b^{v} *G* : -tae *m H* -ti $bm^{v}z$ ‖ 91 consortium *m GH* : -tia *b* ‖ 93 in multis *mz GH* : multis *b* ‖ 98 zizania $bm^{v}z$ *GH* : -niam *m* ‖ ligate bm^{v} *G* : leg- *m H* alligate m^{v} ‖ 99 fasciculos $b^{v}m$ G^{ac} : -lus *H* -lis $b^{v}m^{v}m^{o}$ G^{pc} in *praem. bz* ‖ 100 fasciculis *m GH* : -los $bm^{v}z$ ‖ ligant *b H* : leg- *m G* ‖ 105 ducuntur *m GH* : deducuntur *b* adducuntur m^{v} ‖ 107 ligant bm^{v} *GH* : leg- *m*

XXXVII *ita m* : XXXVI bm^{v} XLV *G* *om. H* *ante* Gregorius *transp.* $m^{v}z$

14. Mt 13, 30.

y a beaucoup de demeures. » En effet, s'il n'y avait pas disparité de rétribution dans l'éternelle béatitude, il n'y aurait pas plusieurs demeures, mais une seule. Il y a donc de nombreuses demeures, dans lesquelles les bons se réjouissent séparément, par catégories, chacun ayant pour compagnons ses égaux en mérites ; et pourtant identique est le denier que tous ont reçu pour leur labeur, bien qu'ils soient distribués en de multiples demeures. Car unique est la béatitude qu'ils reçoivent, et différente la qualité de leur récompense, qu'ils ont obtenue par des œuvres diverses.

14. C'est ce que dit la Vérité, faisant allusion au jour de son jugement : « Alors je dirai aux moissonneurs : Prenez l'ivraie et liez-la en bottes pour brûler. » Les anges moissonneurs mettent l'ivraie en bottes pour brûler, quand ils associent les compères et compagnons pour des tourments semblables, les superbes avec les superbes, les luxurieux avec les luxurieux, les avares avec les avares, les trompeurs avec les trompeurs, les envieux avec les envieux, les infidèles avec les infidèles pour qu'ils brûlent. Lorsque ceux qui se ressemblent par leur culpabilité sont conduits à des tourments semblables, quand les anges les dirigent vers les lieux des pénalités, on peut dire que c'est la mise en bottes de l'ivraie pour brûler.

XXXVII. Pierre. Ma question est satisfaite par votre réponse, vous avez bien indiqué la raison. Mais comment se fait-il, s'il vous plaît, que certains sont retirés de leur corps comme par erreur ? Inanimés, ils

14. Voir *Mor.* 9, 98, où Mt 13, 30 fournit pareillement la contrepartie sinistre de la thèse établie, pour les bienheureux, au moyen de Jn 14, 2. Ce passage des Morales est plus long, mais énumère seulement trois sortes de vices : élèvement, ambition, luxure.

XXXVII, 1. La question de Pierre reprend les termes d'Augustin, *Cura mort.* 12, 15 (*exanimem...*) *se... dixit audisse quod non... praeceptus fuisset adduci.* C'est donc sans doute au curiale Curma, héros de l'histoire d'Augustin, que Grégoire pense d'abord en écrivant *nonnulli.*

quisque audisse se dicat quia ipse non fuerit qui erat iussus deduci ?

2. Gregorivs. Hoc cum fit, Petre, si bene perpenditur, non error sed admonitio est. Superna enim pietas ex magna misericordiae suae largitate disponit, ut nonnulli etiam post exitum repente ad corpus redeant, et tormenta inferi, quae audita non crediderant, saltem uisa pertimescant.

3. Nam quidam Illiricianus monachus, qui in hac urbe mecum in monasterio uiuebat, mihi narrare consueuerat quia quodam tempore, cum adhuc in heremo moraretur, agnouerit quod Petrus quidam monachus ex regione ortus Iberiae, qui ei in loco uastae solitudinis cui Euasa nomen est inhaerebat, sicut ipso narrante didicerat, priusquam heremum peteret, molestia corporis interueniente defunctus est, sed protinus corpori restitutus, inferni se supplicia atque innumera loca flammarum uidisse testabatur. Qui etiam quosdam huius saeculi potentes in eisdem flammis suspensos se uidisse narrauit.

4. Qui cum iam deductus esset, ut in illo et ipse mergeretur, subito angelum corusci habitus apparuisse fatebatur, qui eum in igne mergi prohiberet. Cui etiam dixit : « Egredere, et qualiter tibi post haec uiuendum sit cautissime adtende. » Post quam uocem paulatim recalescentibus membris ab aeternae mortis somno euigilans, cuncta quae circa illum fuerant gesta narrauit, tantisque se

8 Superna *bm*^{o} *GH* : suprema *m* ‖ 11 inferi *m H* : inferni *bm*^{v}*m*^{o} *G* ‖ 14 mecum *mz GH* : *post* monasterio *transp. b* ‖ 17 Iberiae *b* : Hib- *m GH* Yb- *m*^{v} Hyb- *m*^{v} ‖ 18 Euasa *bm GH* : Ebasa *m*^{v}(*z*) ‖ 20 corpori *bm*^{v} *G* : -re *m H* ‖ 21 se *m GH* : *ante* uidisse *transp. b* *om. m*^{v} ‖ 23 narrauit *m GH* : narrabat *b* ‖ 24 deductus *m GH* : ductus *b* ‖ in illo *b*^{v}*m* : in illas *b* illo *m*^{v} *H* illuc *b*^{v}*m*^{v}*z G* illic *m*^{v} ‖ 26 igne *m*^{v}*z GH* : ignem *bm* ‖ 27 post haec *m GH* : posthac *bm*^{v}

---

2. L'« erreur » n'apparaîtra formellement que dans le second récit (§ 6), mais un « avertissement » est donné explicitement dans le premier (§ 4), implicitement dans le second (cf. § 14).

reviennent à eux et chacun d'eux déclare qu'il a entendu : ce n'est pas lui qu'il fallait amener.

2. GRÉGOIRE. Quand cela se produit, Pierre, il faut bien voir qu'il n'y a pas méprise, mais coup de semonce. Car la divine bonté, dans son immense miséricorde, accorde que certains, une fois morts, reviennent à la vie tout transis d'effroi par les tourments infernaux qu'ils ont vus, tandis que naguère ils étaient sceptiques sur ce qu'on en disait.

3. Un moine de l'Illyrie qui vivait avec moi à Rome au monastère me racontait ce qu'il avait appris au temps où il habitait encore le désert. Un moine Pierre d'Ibérie s'était joint à lui dans une profonde solitude nommée Evasa. Ce Pierre lui avait conté qu'avant de gagner le désert, il était mort de maladie, mais vite revenu dans son corps, il attestait avoir vu les supplices de l'enfer et ses innombrables fournaises. Il racontait même qu'il avait vu quelques grands de ce monde suspendus dans les flammes.

4. Déjà on l'amenait pour un bain de feu quand, disait-il, un ange à l'habit étincelant apparut et interdit cette baignade. L'ange lui dit aussi : « Sors et fais bien attention à ta manière de vivre désormais. » Sur ces paroles, peu à peu son corps se réchauffa, il s'éveilla du sommeil de la mort éternelle et rendit compte à ceux qui étaient là de tout ce qui s'était passé. Dès lors il se contraignit

3. Grégoire au monastère : 10 ; 11, 1 ; 23, 1 ; 31, 1. — *Euasa* est certainement l'*Ebusum* de VICTOR DE VITE, *Persec. Vand.* 1, 4, et de la *Not. Afr.*, *PL* 58, 276 a (évêché), c'est-à-dire l'île d'Iviça, sur la côte E. de l'Espagne. La présence d'un moine de l'Illyricum dans cette solitude n'est pas invraisemblable, mais les toponymes de même consonance (*Ilici*, *Ilurco*, *Iluro*, etc.) abondent en Espagne, spécialement en Tarraconaise et sur la côte (cf. M. BESNIER, *Lexique de géographie ancienne*, Paris 1914, p. 386-389). *Illyricum* se rencontre plusieurs fois dans les Lettres de Grégoire, mais non, semble-t-il, *Illyricianus*. Quant à *Iberia*, il est naturel d'y reconnaître le vieux nom de la péninsule Ibérique, encore employé par TAYON, *Sent.*, *Praef.* 2, *PL* 80, 729, bien que *Hiberia* désigne sans doute la Géorgie dans *Reg.* 2, 49 et 11, 52 = *Ep.* 2, 51 et 11, 67. *

4. « Ange à l'habit éclatant » : voir 27, 4 et note. A la fin, *morte... mori* suppose qu'il y a une « seconde mort » (Ap 20, 6.14) ; cf. 3, 2 : *sine fine moriantur.* *

postmodum uigiliis ieiuniisque constrinxit, ut inferni eum uidisse et pertimuisse tormenta, etiam si taceret lingua, conuersatio loqueretur, quippe cui omnipotentis Dei mira largitate in morte actum est, ne mori debuisset.

5. Sed quia humanum cor grauis ualde duritiae est, ipsa quoque poenarum ostensio aeque omnibus utilis non est. Nam inlustris uir Stephanus, quem bene nosti, de semetipso mihi narrare consueuerat quia in Constantinopolitana urbe pro quadam causa demoratus, molestia corporis superueniente, defunctus est. Cumque medicus atque pigmentarius ad aperiendum eum atque condiendum esset quaesitus et die eodem minime inuentus, subsequenti nocte iacuit corpus inhumatum.

6. Qui ductus ad inferni loca uidit multa, quae prius audita non credidit. Sed cum praesidenti illic iudici praesentatus fuisset, ab eo receptus non est, ita ut diceret : « Non hunc deduci, sed Stephanum ferrarium iussi. » Qui statim reductus in corpore est, et Stephanus ferrarius, qui iuxta eum habitabat, eadem hora defunctus est. Sicque probatum est uera fuisse uerba quae audierat, dum haec effectus mortis Stephani demonstrauit.

7. Ante triennium quoque in hac pestilentia quae hanc urbem clade uehementissima depopulauit, in qua etiam corporali uisu sagittae caelitus uenire et singulos quosque ferire uidebantur, sicut nosti, Stephanus isdem

32 uigiliis ieiuniisque *m GH* : ieiuniis uigiliisque *bz* uigiliisque ieiuniis *m*v ‖ 33 quippe *bm*v*m*o *GH* : *ante* loqueretur *transp. m* ‖ 35 humanum cor... duritiae *bmz GH* : humano cordi... duritia *b*v ‖ 36 non *mz GH* : *ante* aeque *transp. b* *om. m*v ‖ 43 iacuit corpus *mz GH* : cor. iac. *b* ‖ 45 praesidenti *bm*v *H* : praesed- *m* praesenti *m*v *G* ‖ 46 fuisset *bm H* : esset *m*v *G* ‖ 55 isdem *m GH* : idem *bm*v

5. Sur le titre d'*inlustris*, voir note sous III, 16, 7. L'homme est connu de Pierre : 27, 9. — Constantinople est bien choisie, vu son éloignement, pour servir de cadre à un récit fictif. — Inhumation différée comme en I, 10, 17 (soir, distance) et III, 17, 2 (soir).

6. Grégoire reprend le récit d'Augustin, *Cura mort.* 12, 15, déjà utilisé en 32, 3-4 : dans son agonie, le curiale Curma se voit mort

tellement aux jeûnes et aux veilles que son genre de vie, à défaut de toute explication, montrait qu'il avait vu les peines de l'enfer et qu'il les redoutait. Dieu tout-puissant, dans son admirable largesse, l'avait fait mourir pour qu'il ne mourût point.

5. Mais le cœur humain est très appesanti et durci. La simple vue des peines n'est pas également utile à tous. L'Illustre Étienne, que vous avez bien connu, m'a raconté que, se trouvant à Constantinople pour une affaire, il tomba malade et mourut. On manda un médecin et un parfumeur pour l'ouvrir et l'embaumer, mais on n'en trouva pas ce jour-là, et la nuit suivante le corps resta sans sépulture.

6. Étienne fut conduit en enfer. Là il vit tout ce qu'il avait entendu dire sans y croire. Quand il fut présenté au juge qui siégeait, il ne fut point admis. Celui-ci dit : « Ce n'est pas lui, mais Étienne le forgeron que j'avais désigné. » Il revint à son corps, et le forgeron Étienne, qui habitait près de chez lui, mourut sur l'heure. Ainsi on vit bien l'exactitude des paroles qu'il avait entendues. La mort de cet Étienne la démontra effectivement.

7. Et il y a trois ans, durant cette peste violente qui ravagea si affreusement notre ville, avec ces flèches que l'on voyait de ses yeux corporels tomber du ciel et frapper chaque victime, notre Étienne mourut, comme vous

et entend dire que ce n'est pas lui, mais Curma le forgeron (*ferrarius*) qu'il faut amener (note sous 37, 1) ; celui-ci meurt au même moment. Le trait du forgeron homonyme accuse particulièrement l'emprunt. C'est aussi un forgeron du voisinage que Pluton fait venir à la place du premier défunt dans l'histoire analogue de LUCIEN, *Philops.* 25, mais les deux hommes ne portent pas le même nom ; chez PLUTARQUE, *De an.* I (selon EUSÈBE, *Praep. Eu.* 11, 36), le remplaçant était un cordonnier. Au reste, Grégoire n'a pas le même objet qu'Augustin : celui-ci s'intéresse à la nature imaginaire des visions, non à leurs effets moraux. — *Reductus... est* : I, 10, 18 et 12, 2. Preuve par les faits : 12, 4 ; 15, 5, etc. *

7. Peste de 590 : 19, 2 et note ; signes célestes comme en III, 38, 3. Pierre, qui connaissait Étienne (§ 5), sait aussi qu'il est mort alors. — Comme Curma (AUGUSTIN, *Cura mort.* 12, 15), ce militaire voit dans l'au-delà le sort des défunts, et, revenu à la vie, raconte ce qu'il a vu. *

defunctus est. Quidam uero miles in hac eadem nostra urbe percussus ad extrema peruenit. Qui eductus e corpore exanimis iacuit, sed citius rediit et quae cum eo fuerant gesta narrauit.

8. Aiebat enim, sicut tunc res eadem etiam multis innotuit, quia pons erat, sub quo niger atque caligosus foetoris intolerabilis nebulam exhalans fluuius decurrebat. Transacto autem ponte amoena erant prata atque uirentia, odoriferis herbarum floribus exornata, in quibus albatorum hominum conuenticula esse uidebantur. Tantusque in loco eodem odor suauitatis inerat, ut ipsa suauitatis fragrantia illic deambulantes habitantesque satiaret.

9. Ibi mansiones diuersorum singulae magnitudine lucis plenae. Ibi quaedam mirae potentiae aedificabatur domus, quae aureis uidebatur laterculis construi, sed cuius esset non potuit agnosci. Erant uero super ripam praedicti fluminis nonnulla habitacula, sed alia exsurgentis foetoris nebula tangebantur, alia autem exsurgens foetor a flumine minime tangebat.

10. Haec uero erat in praedicto ponte probatio, ut quisquis per eum iniustorum uellet transire, in tenebroso foetentique fluuio laberetur, iusti uero, quibus culpa non obsisteret, securo per eum gressu ac libero ad loca amoena peruenirent.

11. Ibi se etiam Petrum, ecclesiasticae familiae maio-

56-57 nostra urbe *m GH* : urbe nostra *b* ‖ 58 exanimis *bm*^{v} : -mes *m H* *deperd. ap. G* ‖ 60 Aiebat *bmz* : agebat *m*^{v} *GH* ‖ 61 caligosus *m GH* : caliginosus *b* ‖ 66 loco eodem *m GH* : eodem loco *b* ‖ 69 mansiones *bm*^{v}*z GH* : -nis *m* ‖ 74 alia *bm*^{o}*z GH* : aliud *m* ‖ 75 a *m*^{o} *GH* : e *b* *om. m* ‖ 77 iniustorum *m GH* : *post* uellet *transp. b* ‖ uellet *bm*^{v} : uellit *m GH* ‖ 77-78 tenebroso foetentique fluuio *mz GH* : tenebrosum foetentemque fluuium *b*

8. Un des nombreux voyageurs aux enfers (cf. Virgile, *Aen.* 6, etc.) y voit un pont jeté sur un fleuve de feu, et au-delà une maison blanche (Grég. de Tours, *Hist. Franc.* 4, 33). Ici le fleuve est noir

savez. Un soldat, frappé dans notre ville, fut réduit à l'extrémité. Il quitta son corps, resta inanimé, mais revint rapidement et raconta ses aventures.

8. Il disait — beaucoup d'autres l'ont appris alors — qu'il y avait un pont, et sous ce pont un fleuve roulait des ondes d'une noirceur sinistre, exhalant une buée d'une puanteur insupportable. Si l'on franchissait le pont, on trouvait des prairies charmantes, verdoyantes, parées de fleurs parfumées, où l'on voyait des assemblées d'hommes habillés en blanc. On y respirait un parfum si doux et si puissant que sa douce odeur suffisait à rassasier promeneurs et habitants.

9. Tout ce monde avait chacun sa demeure magnifiquement éclairée. Là se bâtissait une maison d'une admirable majesté, en briques d'or. Mais pour qui ? Il ne savait pas. Il y avait sur la rive du fleuve quelques logis. Certains étaient touchés par la buée fétide, tel autre n'était pas atteint par cette buée qui montait du fleuve.

10. Ce pont était un pont d'épreuve. Si un mauvais voulait le passer, il tombait dans le fleuve ténébreux et puant. Les bons qui n'avaient pas de faute pour leur faire obstacle passaient d'un pas tranquille et libre pour parvenir aux lieux charmeurs.

11. Il raconta qu'il avait vu là Pierre, chef du per-

et puant. — Rassasiement par l'odorat comme dans *RM* 10, 113 (ajoute vue et ouïe) ; GRÉG. DE TOURS, *Hist. Franc.* 7, 1 : *odor nimiae suauitatis, ita ut ab hac suauitate refectus nullum adhuc cibum... desiderem.*

9. *Mansiones* : Jn 14, 2. On songe au palais resplendissant qu'une veuve, d'après ÉVODE D'UZALIS (AUGUSTIN, *Ep.* 158, 3), a vu préparer pour un défunt dans l'au-delà.

10. Cf. GRÉG. DE TOURS, *Hist. Franc.* 4, 33 (296 ab) : les indignes sont précipités du pont.

11. *Ecclesiastica familia* (*Reg.* 1, 42 = *Ep.* 1, 44 ; *Reg.* 5, 57[a] = *Ep.*, *App.* 5, § 6 ; cf. *Reg.* 5, 31 = *Ep.* 5, 31) désigne tout le personnel servile de l'Église. Celui-ci est dirigé par un *maior familiae* (cf. *RM* 11, 6 : pluriel, sens générique), dont les attributions sont sans doute plus larges que celles du *maior domus* (*Reg.* 11, 53 = *Ep.* 11, 71 ; cf. *RM* 11, 7) ou du *rector ecclesiasticae domus* (GRÉG. DE TOURS, *Glor. conf.* 18). — Dans *Hom. Eu.* 17, 4, Grégoire recommande aux évêques de corriger non par « cruauté », mais par amour.

rem, qui ante quadriennium defunctus est, deorsum positum in locis teterrimis, magno ferri pondere religatum ac depressum uidisse confessus est. Qui dum requireret cur ita esset, ea se dixit audisse quae nos, qui eum in hac ecclesiastica domo nouimus, scientes eius acta recolimus. Dictum namque est : « Haec idcirco patitur, quia si quid ei pro facienda ultione iubebatur, ad inferendas plagas plus ex crudelitatis desiderio quam oboedientia seruiebat. » Quod sic fuisse nullus qui illum nouit ignorat.

12. Ibi se etiam quemdam peregrinum presbiterum uidisse fatebatur, qui ad praedictum pontem ueniens, tanta per eum auctoritate transiit, quanta et hic sinceritate uixit. In eodem quoque ponte hunc quem praedixi Stephanum se recognouisse testatus est. Qui dum transire uoluisset, eius pes lapsus est, et ex medio corpore iam extra pontem deiectus, a quibusdam teterrimis uiris ex flumine surgentibus per coxas deorsum, atque a quibusdam albatis et speciosissimis uiris coepit per brachia sursum trahi. Cumque hoc luctamen esset, ut hunc boni spiritus sursum, mali deorsum traherent, ipse qui haec uidebat ad corpus reuersus est, et quid de eo plenius gestum sit minime cognouit.

13. Qua in re de eiusdem Stephani uita datur intellegi quia in eo mala carnis cum elemosinarum operatione certabant. Qui enim per coxas deorsum, per brachia trahebatur sursum, patet nimirum quia et elemosinas amauerat, et carnis uitiis perfecte non restiterat, quae eum deorsum trahebant. Sed in illo occulti arbitris examine quid in eo uicerit, et nos et qui eum uidit et reuocatus est latet.

82 defunctus est *m H* : est def. bm^{v} *G* ‖ 83 religatum bm^{v} *H* : releg- *m* ligatum [leg. *G*] m^{v} *G* ‖ 89 quam *m H* : ex *add. b G* ‖ 94-95 praedixi *mz GH* : praediximus *b* ‖ 109 arbitris *m GH* : -tri bm^{v} ‖ 110 qui eum *m* : eum qui $bm^{v}z$ *GH*

sonnel ecclésiastique, mort il y a quatre ans, en bas, enchaîné de fers très lourds dans des lieux affreux. Il demanda pourquoi. Il entendit ce que nous savons, nous qui avons connu son comportement dans notre domesticité ecclésiastique. On lui dit : « Il endure cela parce que, s'il recevait l'ordre d'infliger une sanction, il administrait les coups plus par cruauté que par obéissance. » C'était vrai. Tous ceux qui l'ont connu le savent bien.

12. Il disait qu'il avait vu là un prêtre étranger qui arriva au pont et le passa avec d'autant plus d'assurance qu'il avait vécu dans la pureté. Sur ce pont, le soldat affirme avoir reconnu notre Étienne. Il voulut passer, fit un faux pas. Déjà il était déjeté à moitié corps hors du pont. Des hommes noirs hideux surgirent du fleuve, le tirant par les hanches vers le bas. Des hommes blancs fort beaux l'attiraient en haut par les bras. Pendant cette lutte, les bons esprits tirant vers le haut, les mauvais vers le bas, le voyant revint dans son corps, et le résultat du combat, il l'ignora.

13. Dans le cas d'Étienne, sa vie donne à entendre que ses péchés charnels étaient aux prises avec ses aumônes. L'homme qui était tiré par les hanches vers le bas et par les bras vers le haut, il est évident qu'il avait aimé faire l'aumône et qu'il n'avait pas résisté parfaitement aux vices charnels l'attirant en bas. Mais dans cet examen par le juge invisible, qui l'emporta ? Nous l'ignorons, comme celui qui eut la vision et fut rappelé en ce monde.

12. Ce saint prêtre étant « étranger », Grégoire est à l'abri de questions indiscrètes. — Étienne fait penser à Heli (*In I Reg.* 5, 164) : personnellement intègre, mais coupable de faiblesse envers ses fils, ce grand prêtre se voit *et pro dissolutione percussum et pro praeterita conuersatione respectum*.

13. Cf. *Mor.* 21, 19 : nos œuvres de miséricorde envers le prochain ne valent rien si elles sont souillées par l'impureté, qui détruit en nous-mêmes la demeure de Dieu. Ici Grégoire est moins affirmatif : mérites et démérites semblent s'équilibrer.

14. Constat tamen quia isdem Stephanus, postquam, sicut superius narraui, et inferi loca uidit et ad corpus rediit, perfecte uitam minime correxit, qui post multos annos de corpore adhuc ad certamen uitae et mortis exiit. Qua de re collegitur quia ipsa quoque inferni supplicia cum demonstrantur, aliis hoc ad adiutorium, aliis uero ad testimonium fiat, ut isti uideant mala quae caueant, illi uero eo amplius puniantur, quo inferni supplicia nec uisa et cognita uitare uoluerunt.

15. PETRVS. Quid est hoc, quaeso te, quod in amoenis locis cuiusdam domus laterculis aureis aedificari uidebatur ? Ridiculum est ualde, si credimus quod in illa uita adhuc metallis talibus egeamus.

16. GREGORIVS. Quis hoc, si sanum sapit, intellegat ? Sed ex eo quod illic ostensum est, quisquis ille est cui mansio ista construitur, aperte datur intellegi quid est quod hic operatur. Nam quoniam praemium lucis aeternae elemosinarum largitate promerebitur, nimirum constat quia auro aedificat mansionem suam. Quod enim superius memoriam fugit ut dicerem, isdem miles qui haec uiderat narrabat quod eosdem laterculos aureos ad aedificationem domus senes ac iuuenes, puellae et pueri ferebant. Qua ex re collegitur quia hii, quibus hic pietas facta est, ipsi illic operatores esse uidebantur.

112 isdem *m GH* : idem *bm*^{v} || 113 inferi *m GH* : inferni *bm*^{v} || 125 Gregorius *mz* : XXXVII *praem. b* || 126 ex eo *m GH* : per hoc *b* || 128 quoniam *b*^{v}*mz GH* : qui *bm*^{v} || lucis *m H* : *post* aeternae *transp. b* et *add. G* || 131 isdem *m GH* : idem *bm*^{v} || 134 hii *m G*^{ac} *ut uid. H* : hi *bm*^{v} *om. G*^{pc}

14. La fin rappelle *Hom. Eu.* 35, 2 : *Mors... iustorum bonis in adiutorium est, malis in testimonium* (cf. Lc 21, 13), *ut inde peruersi sine excusatione pereant, unde electi exemplum capiunt ut uiuant.*

14. Une chose certaine, c'est qu'Étienne, comme j'ai dit, après sa vision de l'enfer, après sa résurrection, ne s'amenda point parfaitement, puisqu'en quittant son corps au bout de plusieurs années, il eut à soutenir ce duel entre vie et mort. Conclusion : lorsqu'on fait voir les supplices de l'enfer, c'est pour les uns secours, pour les autres, témoignage à charge. Ainsi les premiers voient les maux qu'ils doivent éviter, les seconds sont d'autant plus châtiés qu'ils n'ont pas voulu parer les supplices infernaux, même après les avoir vus et constatés.

15. Pierre. Que signifie, je vous prie, le fait qu'en ces lieux agréables, on voyait bâtir la maison de quelqu'un avec des briques d'or ? Il est tout à fait ridicule de croire qu'en l'autre vie on aura besoin de tels métaux.

16. Grégoire. Quel homme dans son bon sens l'entendrait ainsi ? Mais quel que soit celui pour qui cette maison se construit, ce qui a été montré dans l'au-delà donne clairement à entendre ce que sont ses œuvres ici-bas. C'est par ses généreuses aumônes qu'il méritera la récompense de l'éternelle lumière. Voilà pourquoi, de toute évidence, sa maison s'édifie en or. Car voici un détail que j'avais oublié à l'instant : le soldat qui avait vu cela racontait que ces briques d'or étaient portées à la construction par des jeunes et des vieux, des garçons et des filles. Évidemment les bénéficiaires de sa bonté ici-bas étaient les bâtisseurs dans l'au-delà.

Cf. *Mor.* 34, 7 (effets opposés des œuvres divines suivant l'usage qu'en font bons et méchants).

15. L'« or » de cette vision ne peut être entendu matériellement, pas plus que, dans les précédentes, le « bois » (32, 5) ou le « navire » (36, 11).

16. L'aumône mérite la lumière éternelle : cf. Lc 12, 33, etc. — Le dernier trait rappelle la vision de la veuve selon Évode d'Uzalis (Augustin, *Ep.* 158, 3) : un certain diacre défunt *cum seruis et ancillis Dei, uirginibus et uiduis* prépare un palais d'argent resplendissant pour un fils de prêtre qui vient de mourir. Ici cependant *senes ac iuuenes, puellae et pueri* (cf. Ps 148, 12) sont les bénéficiaires de la charité du futur bienheureux, non des continents.

XXXVIII. Sic etiam quidam iuxta nos, Deusdedit nomine, religiosus habitabat, qui calciamenta solebat operari. De quo alter per reuelationem uidit quod eius domus aedificabatur, sed in ea constructores sui solo die sabbati uidebantur operari. Qui eiusdem uiri postmodum subtiliter uitam requirens, inuenit quia ex his quae diebus singulis laborabat, quicquid ex uictu atque uestitu superesse potuisset, die sabbato ad beati Petri ecclesiam deferre consueuerat atque indigentibus erogare. Qua ex re perpende quia non inmerito domus ipsius fabrica sabbato crescebat.

2. PETRVS. Hac de re mihi idonee uideo satisfactum. Sed quaeso te, quid esse dicimus quod quorumdam habitacula foetoris nebula tangebantur, quorumdam uero tangi non poterant ? Vel quid quod pontem, quid est quod fluuium uidit ?

3. GREGORIVS. Ex rerum, Petre, imaginibus pensamus merita causarum. Per pontem quippe ad amoena loca transire iustos aspexit, quia *angusta* ualde *est* semita *quae ducit ad uitam*, et foetentem fluuium decurrentem uidit, quia ad ima cotidie defluit carnalium hic putredo uitiorum.

4. Et quorumdam habitacula foetoris nebula tangebat, quorumdam uero ab ea tangi non poterant, quia sunt plerique qui multa bona opera faciunt, sed tamen adhuc carnalibus uitiis in cogitationis delectatione tanguntur, et iustum ualde est ut illic nebula foetoris obsideat, quos hic adhuc carnalis foetor delectat. Vnde et

XXXVIII *ita mz H* : XXXVII m^v *om. b G* ‖ 1 Sic *m GH* : hic bm^v ‖ 6 inuenit *bmz GH* : -ni b^vm^v ‖ 21 hic *bmz GH* : haec b^v *om.* m^v ‖ 24 multa *mz* : iam *add.* bm^v *GH* ‖ 27 carnalis *m H* : carnis bm^vz *G*

XXXVIII, 3. Mt 7, 14 ‖ 4. Jb 24, 20.

XXXVIII, 1. Ce cordonnier Deusdedit est de condition plus modeste que son homonyme, l'*honestus uir* de 32, 1. Comme Galla

XXXVIII. C'est ainsi que près de chez nous habitait un homme pieux, Deusdedit, qui travaillait ordinairement à fabriquer des chaussures. Quelqu'un vit par révélation que sa maison se construisait, mais dans cette bâtisse les constructeurs paraissaient travailler seulement le samedi. Il s'informa exactement de la vie de Deusdedit et trouva que tout ce qu'il avait en surplus de son gain quotidien pour sa nourriture et son vêtement, il le portait régulièrement le samedi à l'église Saint-Pierre pour le donner aux pauvres. Voyez donc que ce n'est pas sans raison si la bâtisse montait le samedi.

2. PIERRE. Sur ce point, me voilà satisfait. Autres questions : certains logis étaient atteints par la brume fétide, et certains ne l'étaient point. Et ce pont ? Et ce fleuve ?

3. GRÉGOIRE. Pierre, les choses sont des images nous permettant de saisir les réalités morales. Il a vu des bons transiter par un pont vers des lieux charmeurs, parce que « bien étroit est le chemin qui conduit à la vie ». Il a vu couler un fleuve puant, parce qu'ici-bas le flot des vices putrides de la chair découle chaque jour vers l'abîme.

4. Certains logis étaient léchés par le brouillard fétide, d'autres ne l'étaient point : car certains font beaucoup de bonnes œuvres, mais ils sont encore atteints par les vices charnels en certaines délectations mentales. Et il est très juste que là-bas soient obsédés d'une brume nauséabonde ceux qui prennent plaisir ici-bas à la

(36, 7) il habite dans le voisinage de Grégoire, et comme le pauvre Servulus (15, 3) il donne en aumône son superflu. Dans *Hom. Eu.* 9, 7, Grégoire recommande cette pratique aux artisans. — Sur S. Pierre et ses pauvres, voir III, 25, 1-2 ; *V. Patr. Iurensium* 104. — La demeure céleste s'édifie par l'aumône : voir *Hom. Eu.* 37, 6 ; cf. *In I Reg.* 2, 69.

2. Chaque trait de la vision (37, 8-9) va être expliqué.

3. Des images aux réalités : cf. 32, 5 ; 36, 11. *Carnalium... putredo* rappelle I, 4, 4 (*carnis huius putredinem*).

4. Bonnes œuvres accompagnées de vices charnels comme dans le cas d'Étienne (37, 13), mais il ne s'agit plus que de mauvaises pensées, punies seulement de mauvaises odeurs. — Même interprétation de Jb 24, 20 dans *Mor.* 16, 83. — *Foetoris nebula* : *Mor.* 14, 23.

eandem delectationem carnis esse beatus Iob in foetore conspiciens, de luxurioso ac lubrico sententiam protulit, dicens : *Dulcedo illius uermis*. Qui autem perfecte cor ab omni delectatione carnis excutiunt, constat nimirum quia eorum habitacula foetoris nebula non tanguntur.

5. Et notandum quod isdem foetor esse et nebula uisa sit, quia nimirum carnalis delectatio mentem quam inficit obscurat, ut ueri luminis claritatem non uideat, sed unde delectatur inferius, inde caliginem ad superna patiatur.

6. Petrvs. Putamusne hoc auctoritate sacri eloquii posse monstrari, ut culpae carnalium foetoris poena puniantur ?

XXXVIIII. Gregorivs. Potest. Nam libro Geneseos adtestante didicimus quia super Sodomitas Dominus ignem et sulphurem pluit, ut eos et ignis incenderet, et foetor sulphuris necaret. Quia enim amore inlicito corruptibilis carnis arserant, simul incendio et foetore perierunt, quatenus in poena sua cognoscerent quia aeternae morti foetoris sui se delectatione tradidissent.

Petrvs. De his in quibus dubius fui, nihil mihi, fateor, quaestionis remansit.

XL. Gregorivs. Sciendum quoque est quia nonnumquam animae adhuc in suis corporibus positae poenale aliquid de spiritalibus uident, quod tamen quibusdam ad aedificationem suam, quibusdam uero contingere ad aedificationem audientium solet.

30 uermis $b^{v}mz$ *GH* : uermes bm^{v} ‖ Qui $bm^{v}z$ *GH* : quia *m* ‖ 33 isdem *m GH* : idem bm^{v}

XXXVIIII *ita mz* : XXXVIII m^{v} XLVII *G* *om. b H* ‖ 1 Potest *bmz GH* : putamus b^{v} ‖ 3 sulphurem $b^{v}m^{v}$ *G* : -phorem *m H* -phur bm^{v} ‖ 4 sulphuris bm^{v} *G* : -phoris *m H* ‖ 5 arserant *m GH* : exars- *b*(*z*) arserunt m^{v} ‖ 6 sua $bm^{v}m^{o}$ *GH* : sui *m* ‖ 7 morti *bmz G* : -tis $m^{v}H$

XL *ita mz* : XXXIX m^{v} *H* XXXVIII *b* *om. G*

puanteur charnelle. C'est pourquoi le bienheureux Job, voyant que la délectation charnelle correspond à la puanteur, profère cette sentence sur le luxurieux lubrique : « Sa douceur grouille de vers. » Ceux qui débarrassent parfaitement leur cœur de toute délectation charnelle, on constate que leur logis n'est pas atteint par la brume puante.

5. Notons bien qu'il y avait à la fois brume et puanteur, car la délectation charnelle, lorsqu'elle infecte une âme, l'obscurcit. Elle ne voit plus la clarté de la vraie lumière, et plus on se délecte dans les bassesses, plus on endure l'obscurité pour ce qui est en haut.

6. PIERRE. Faut-il penser qu'il y a une autorité scripturaire pour montrer que les péchés charnels sont punis par la puanteur ?

XXXVIIII. GRÉGOIRE. Oui, car le Livre de la Genèse nous l'atteste : « Sur les Sodomites, le Seigneur fit pleuvoir feu et soufre. » Ainsi le feu les brûlait et la puanteur du soufre les asphyxiait. Ils avaient brûlé d'un amour illicite pour la chair corruptible, ils périrent dans cet incendie nauséabond. Ainsi ils connurent dans leur peine qu'ils s'étaient livrés à l'éternelle mort, parce qu'ils avaient pris plaisir à leur propre puanteur.

PIERRE. De mes hésitations sur ces points, j'avoue qu'il ne me reste rien.

XL. GRÉGOIRE. Il faut savoir aussi que parfois des âmes encore incarnées voient quelque chose des peines de l'au-delà. Pour certains, c'est en vue de leur édification, pour d'autres, en vue de l'édification des auditeurs.

XXXVIIII, Gn 19, 24.

---

5. *Veri luminis* : cf. Jn 1, 9.

6. Comme en 36, 13, l'argument scripturaire ne précède pas la narration, mais la suit.

XXXVIIII. Exégèse identique de ce passage de la Genèse dans *Mor.* 19, 23.

XL, 1. Vision accordée, non pour le bien du voyant, mais pour celui des auditeurs : 32, 5.

2. Nam is de quo in omeliis coram populo iam narrasse me memini, inquietus ualde Theodorus nomine puer fuit, qui in meum monasterium fratrem suum necessitate magis quam uoluntate secutus est. Cui nimirum grauis erat si quis pro sua aliquid salute loqueretur. Bona autem non solum facere, sed etiam audire non poterat. Numquam se ad sanctae conuersationis habitum uenire, iurando, irascendo, deridendo testabatur.

3. In hac autem pestilentia, quae nuper huius urbis populum magna ex parte consumpsit, percussus in inguine est perductus ad mortem. Cumque extremum spiritum ageret, conuenerunt fratres, ut egressum illius orando protegerent. Iam corpus eius ab extrema fuerat parte praemortuum ; in solo tantummodo pectore uitalis adhuc calor anhelabat. Cuncti autem fratres tanto pro eo coeperunt enixius orare, quanto eum iam uidebant sub celeritate discedere.

4. Cum repente coepit eisdem fratribus adsistentibus clamare, atque cum magnis uocibus orationes eorum interrumpere, dicens : « Recedite. Ecce draconi ad deuorandum datus sum, qui propter uestram praesentiam deuorare me non potest. Caput meum in suo ore iam absorbuit. Date locum, ut non me amplius cruciet, sed faciat quod facturus est. Si ei ad deuorandum datus sum, quare propter uos moras patior ? » Tunc fratres coeperunt

6 is *bm*(*z*) *G* : isdem m^v *H* ‖ omeliis [homil- *b* humil- *G*] *bm GH* : euangelii *add.* b^v ‖ 6-7 iam narrasse me *m GH* : me nar. iam *b* ‖ 8 meum monasterium *m GH* : meo monasterio m^vz mon. meum *b* ‖ 9 nimirum *bm G* : nimium b^vm^vz *H* ‖ grauis *m H* : graue *b G* ‖ 10 quis m^o *GH* : qui *m* ei *add. bz* ‖ sua aliquid salute *m H* : sua sal. al. *G* sal. sua al. *b* ‖ autem *m GH* : enim *b* ‖ 16 est perductus *m GH* : perd. est *b* est et perd. m^v ‖ 18-19 fuerat parte *m GH* : parte fuerat bm^v ‖ 23 Cum *bm H* : tum *G* tunc m^v ‖ 25 Recedite *mz GH* : recedite *add.* bm^o ‖ Ecce *bmz GH* : quia b^vm^v ‖ 27 iam *m H* : *ante* in *transp.* bm^vz *G* ‖ 28 non me amplius *m G* : me amp. non bm^v non amp. me *H* me non m^v

2. Le début résume *Hom. Eu.* 38, 16 (1292 c). A partir de *Bona...*

2. Exemple : ce jeune homme dont j'ai parlé dans mes homélies devant le peuple, ce garçon très turbulent nommé Théodore, qui suivit son frère dans mon monastère plus par nécessité que par volonté. Il ne supportait pas qu'on lui parlât du salut de son âme. Il ne voulait pas faire le bien ; il ne voulait même pas qu'on lui en soufflât mot. Il assurait, avec des jurons, des colères, des moqueries, qu'il n'en viendrait jamais à prendre l'habit de la vie religieuse.

3. Dans cette peste qui récemment dévora une grande partie de la population à Rome, un bubon à l'aine le mit à toute extrémité. Quand il fut sur le point de rendre l'âme, les frères s'assemblèrent pour protéger sa sortie par leur prière. Déjà son corps était mort aux extrémités, un peu de chaleur vitale couvait seulement dans sa poitrine. Tous les frères priaient pour lui d'autant plus instamment qu'ils le voyaient s'en aller rapidement.

4. Soudain il se prit à crier devant les frères présents, interrompant leurs prières par de grandes clameurs : « Retirez-vous ! Je suis donné à un dragon pour qu'il me dévore. Votre présence seule le retient. Ma tête est déjà dans sa gueule. Éloignez-vous pour qu'il ne me torture pas davantage, qu'il fasse ce qu'il a à faire. Si je suis livré à lui pour qu'il me dévore, pourquoi me faut-il patienter à cause de vous ? » Alors tous les frères lui

non solum facere, Grégoire reproduit l'Homélie mot pour mot, sauf de légères variantes. Voir aussi *Hom. Eu.* 19, 7, première version en termes différents. Le nom de Théodore manque dans les deux Homélies.

3. D'après *Hom. Eu.* 19, 7, Théodore, entré avec son frère *praesenti anno* (l'autre Hom. dit : *ante biennium*), est tombé malade *mense Iulio nuper elapso* (juillet 590). — Réunion de prière auprès du mourant : 40, 11 ; 49, 3. Le mal progresse de la périphérie au centre : cf. 15, 4.

4. « A grands cris » : cette notation répétée remplace les « comme il pouvait » de l'Homélie. Déjà Servulus mourant avait interrompu la psalmodie des assistants *cum terrore magni clamoris* (15, 4) ; cf. Mt 27, 50. — Le dragon fait penser à II, 25, 2, où sa vue provoque la conversion d'un moine en fuite. La victime du châtiment divin souhaite que la mort mette fin à ses tourments : GRÉG. DE TOURS, *Hist. Franc.* 5, 37 (352 c). *Quid est quod loqueris* comme en II, 33, 2.

ei dicere : « Quid est quod loqueris, frater ? Signum tibi sanctae crucis inprime. » Respondebat ille cum magnis clamoribus, dicens : « Volo me signare, sed non possum, quia squamis huius draconis premor. »

5. Cumque hoc fratres audirent, prostrati in terra cum lacrimis coeperunt pro ereptione illius uehementius orare. Et ecce subito coepit aeger cum magnis uocibus clamare, dicens : « Gratias Deo. Ecce draco, qui me ad deuorandum acceperat, fugit. Orationibus uestris expulsus est, stare non potuit. Pro peccatis meis modo intercedite, quia conuerti paratus sum et saecularem uitam funditus relinquere. » Homo ergo qui, sicut iam dictum est, ab extrema corporis fuerat parte praemortuus, reseruatus ad uitam toto ad Deum corde conuersus est, et postquam mutatus mente diu est flagellis adtritus, tunc eius anima carne soluta est.

6. At contra Crisaurius, sicut Probus propinquus illius, cuius iam superius memoriam feci, narrare consueuit, uir in hoc mundo ualde diues fuit, sed tantum plenus uitiis, quantum rebus, superbia tumidus, carnis suae uoluptatibus subditus, in adquirendis rebus auaritiae facibus accensus. Sed cum tot malis Dominus finem ponere decreuisset, corporali hunc molestia percussit.

7. Qui ad extremum ueniens, eadem hora qua iam de corpore erat exiturus, apertis oculis uidit tetros et nigerrimos spiritus coram se adsistere et uehementer insistere,

35 terra *bmz H* : -ram m^v *G* ‖ 37 coepit aeger *m GH*: aeger coepit $b^v z$ melioratus aeger coepit *b* ‖ 39 est $m^v m^o(z)$ *GH* : *om.* *bm* ‖ 43 fuerat parte *m GH* : parte fuerat *b* ‖ 44 ad Deum *m H* : a Deo *G* *post* corde *transp.* *bz* ‖ 47 Crisaurius *m H* : Crisor- *G* Chrysaor- *bz* Crisar- *etc.* m^v ‖ 49 diues $b^v m$: idoneus bm^v *GH*

---

5. Pour la troisième fois, *cum magnis uocibus clamare* remplace *quibus ualebat uocibus exultare.* La fin (*et postquam... soluta est*) se présente différemment dans l'Homélie, selon laquelle le frère est mort *ante paucos dies.* — C'est aussi la prière des frères qui, dans *Reg.* 11, 26 (288, 21-32) = *Ep.* 11, 44 (1155 a), délivre de son cau-

dirent : « Qu'est-ce que tu racontes, frère ! Fais un signe de croix. » Il répondait avec de grands cris : « Je veux me signer, mais je ne puis, car le dragon me broie dans ses écailles. »

5. A ces mots, les frères se prosternèrent avec des larmes, priant ardemment pour la libération de son âme. Soudain le malade se mit à crier très fort : « Rendons grâce à Dieu ! Le dragon qui m'avait reçu à dévorer s'est enfui. Expulsé par vos prières, il n'a pas pu rester. Maintenant intercédez pour mes péchés, car je suis prêt à me convertir et à quitter complètement la vie séculière. » Donc cet homme qui, comme on l'a dit, était déjà mort aux extrémités, fut préservé pour vivre. Il se convertit de tout cœur à Dieu. Par la suite, une fois son esprit changé, il fut longtemps affligé de maux. Alors son âme fut délivrée de son corps.

6. Au contraire, Chrysaurius, comme me l'a raconté son parent Probus dont j'ai déjà parlé, était un homme très riche et aussi plein de vices que de revenus, gonflé de superbe, esclave des voluptés de sa chair, brûlant des feux de l'avarice pour augmenter ses revenus. Mais le Seigneur avait décidé de mettre un terme à tant de maux et le frappa d'une maladie.

7. L'homme arriva à sa fin, et à l'heure où il allait quitter son corps, il ouvrit les yeux et vit des esprits noirs et hideux se dresser devant lui et le presser dure-

chemar — un chien noir prêt à mordre — certain moine de S. André qui voulait s'enfuir. *

6. Ce riche porte un nom approprié. Sa fin a déjà été racontée en termes identiques dans *Hom. Eu.* 12, 7, à quoi Grégoire ne se réfère pas. Son parent Probus (cf. 18, 1 ; 20, 1) n'y était pas nommé, mais désigné comme *religiosus uir*. En revanche, l'Homélie plaçait Chrysaorius en Valérie, province où se passent d'autres faits racontés par Probus (13, 1 ; *Hom. Eu.* 35, 8). — La sensualité de Chrysaorius rappelle Tiburce (32, 3) et Étienne (37, 13), son avarice Cumquodeus (27, 3).

7. Esprits « affreux » comme en 37, 12 (*teterrimi*), et « tout noirs » comme en II, 4, 2 (*niger*). Mais la scène rappelle surtout IV, 19, 3, où l'enfant mourant se voit emporté par des « Maures ». — Maxime : nom déjà porté par le grand-père de Probus (13, 1), auquel Chrysaorius et son fils sont apparentés.

ut ad inferni claustra se raperent. Coepit tremere, pallescere, sudare et magnis uocibus indutias petere, filiumque suum nomine Maximum, quem ipse iam monachus monachum uidi, nimiis et turbatis clamoribus uocare, dicens : « Maxime, curre. Numquam tibi mali aliquid feci. In fide tua me suscipe. »

8. Turbatus mox Maximus adfuit. Lugens et perstrepens familia conuenit. Eos autem, quos ille insistentes sibi grauiter tolerabat, ipsi malignos spiritus uidere non poterant, sed eorum praesentiam in confessione, in pallore ac tremore illius qui trahebatur uidebant. Pauore autem tetrae eorum imaginis huc illucque uertebatur in lectulo. Iacebat in sinistro latere : aspectum eorum ferre non poterat. Vertebatur ad parietem : ibi aderant. Cumque constrictus nimis relaxari se iam posse desperaret, coepit magnis uocibus clamare : « Indutias uel usque mane. Indutias uel usque mane. » Sed cum haec clamaret, in ipsis uocibus de habitaculo suae carnis euulsus est.

9. De quo nimirum constat quia pro nobis ista, non pro se uiderat, ut eius uisio nobis proficiat, quos adhuc diuina patientia longanimiter expectat. Nam illi tetros spiritus ante mortem uidisse et indutias petisse quid profuit, qui easdem indutias quas petiit non accepit ?

10. Est etiam nunc apud nos Athanasius, Isauriae presbiter, qui diebus suis Iconii rem terribilem narrat euenisse. Ibi namque, ut ait, quoddam monasterium « Ton Galathon » dicitur, in quo quidam monachus magnae

57 se $b^{v}m$ *GH* : eum *b* ‖ 63 et *m GH* : ac *b* ‖ 66 confessione *mz G* : confusione bm^{v} *H* ‖ in^{2} *m GH* : et *bz* ‖ 76 uiderat *m* : -rit bm^{v} *GH* ‖ 80 nunc *bmz H* : *om. G* ‖ Isauriae *bm H* : ex *praem. G* Lycaoniae $b^{v}m^{v}z$ ‖ 81 diebus *m GH* : in *praem.* bm^{v} ‖ Iconii *bmz H* : Inc- *G* Yc- m^{v} -niae m^{v} Lyconiae b^{v} ‖ 83 Galathon *m H* : -ton $bm^{v}z$ *G*

8. Les esprits échappent à la vue des hommes : II, 4, 2 et 25, 2. *In sinistro latere... ad parietem* : le lit est appuyé au mur à droite du malade. *Inducias* fait penser à *RM* Ths 36 = *RB* Prol 36.

9. Ici comme en 32, 5 (cf. 40, 1), Grégoire se souvient de Cyprien, *Mort.* 19, commentant la vision d'un évêque mourant : *Audiuit non*

ment pour l'entraîner aux prisons infernales. Il trembla, pâlit, sua et à grands cris implora un sursis. Il appela son fils Maxime, que j'ai vu moine quand j'étais déjà moine moi-même, à grands cris pleins de trouble : « Maxime, vite ! Je ne t'ai jamais fait de mal, prends moi sous ta protection. »

8. Tout ému, Maxime arriva, avec des gémissements bruyants la famille se rassembla. Ils ne voyaient pas ces esprits mauvais dont le mourant supportait douloureusement les pressions, mais ils devinaient leur présence aux aveux, à la pâleur, au tremblement de celui qui était entraîné. Par frayeur de leur aspect hideux, il se tournait de tous côtés dans son lit. Couché sur le côté gauche, il ne pouvait supporter leur vue ; s'il se tournait vers la muraille, ils étaient encore là. Affreusement pressé, désespérant d'être délivré, il cria de toutes ses forces : « Trève au moins jusqu'au matin, trève au moins jusqu'au matin ! » Pendant qu'il criait ainsi, son âme fut arrachée de son corps.

9. Il est clair que cette vision ne fut pas à son bénéfice, mais au nôtre, car la patience divine nous attend encore avec longanimité. Cela ne lui a servi à rien de voir avant sa mort ces hideux esprits et de demander une trève, puisque cette trève qu'il avait demandée, il ne l'a point reçue.

10. Il y a encore à Rome Athanase, prêtre d'Isaurie, qui raconte un événement terrible survenu de son temps à Iconium. Là, dans un monastère dit « des Galates »,

sibi ille, sed nobis. Nam quid sibi disceret iam recessurus ?, etc. — La patience de Dieu nous attend : *RM* Ths 35-37 = *RB* Prol 35-37 ; cf. Rm 2, 4. — Fin de l'emprunt à *Hom. Eu.* 12, 7.

10. D'après *Reg.* 6, 62 =*Ep.* 6, 66, Athanase était un Isaurien, moine et prêtre au monastère de S. Mile, appelé Tannaco, en Lycaonie. Cette lettre l'absout de l'accusation d'hérésie pour laquelle, battu à Constantinople, il avait fait appel à Rome (cf. *Reg.* 3, 52.63 ; 5, 44 ; 6, 14 ; 7, 4 = *Ep.* 3, 53 et 4, 32 ; 5, 18 ; 6, 14 ; 7, 5). — Iconium est aussi en Lycaonie. Le monastère *Tôn Galatôn* tient son nom des habitants de la Galatie voisine. Cf. *Hom. Eu.* 39, 10 : autre histoire lycaonienne racontée par un Isaurien. — Faux jeûneur qui mange en cachette : GRÉG. DE TOURS, *Hist. Franc.* 9, 6.

aestimationis habebatur. Bonis quippe cernebatur moribus atque in omni actione sua conpositus, sed, sicut ex fine res patuit, longe aliter quam apparebat fuit. Nam cum se ieiunare cum fratribus demonstraret, occulte manducare consueuerat. Quod eius uitium fratres omnino nesciebant. Sed corporis superueniente molestia, ad uitae extrema perductus est.

11. Qui cum iam esset in fine, fratres ad se omnes, qui monasterio inerant, congregari fecit. At illi tali, ut putabant, uiro moriente, magnum quid ac delectabile se ab eo audire crediderunt. Quibus ipse adflictus et tremens conpulsus est prodere, cui hosti traditus cogebatur exire. Nam dixit : « Quando me uobiscum ieiunare credebatis, occulte comedebam. Et nunc ecce ad deuorandum draconi sum traditus, qui cauda sua mea genua pedesque conligauit, caput uero suum intra meum os mittens, spiritum meum ebibens abstrahit. »

12. Quibus dictis statim defunctus est, atque ut paenitendo liberari potuisset a dracone quem uiderat, expectatus non est. Quod nimirum constat quia ad solam utilitatem audientium uiderit, qui eum hostem cui traditus fuerat et innotuit et non euasit.

13. Petrvs. Discere uelim si post mortem purgatorius ignis esse credendus est.

XLI. Gregorivs. In euangelio Dominus dicit : *Ambulate, dum lucem habetis.* Per prophetam quoque ait :

87 se *m H* : *post* ieiunare *transp. bm*ᵛ *om. G* ‖ 92 monasterio *bm H* : in *praem. m*ᵛ *G* ‖ inerant *m GH* : aderant *b* erant *m*ᵛ ‖ congregari *bmz* : -re *GH* ‖ 94 crediderunt *m GH* : -rant *b* ‖ 96 ieiunare credebatis *m*(*z*) *GH* : cred. iei. *b* ‖ 97 nunc ecce *mz GH* : ecce nunc *b* ‖ 98 sum traditus *m GH* : trad. sum *b* ‖ 100 abstrahit *m GH* : extrahit *b* ‖ 106 Petrus *bmz* : XLI *praem. m*ᵛ *H* ‖ discere *bmz* : dicere *m*ᵛ docere *H* doceri *m*ᵛ *G* ‖ uelim *m*ᵛ : uellim *m GH* uellem *bm*ᵛ

XLI *ita mz* : XL *m*ᵛ XXXIX *b om. m*ᵛ *GH* ‖ 1 Dominus *m H* : *post* dicit *transp. b om. G*

XLI, 1. Jn 12, 35 ; Is 49, 8 ; 2 Co 6, 2

vivait un moine fort estimé. Il paraissait de bonne vie, bien réglé dans toute sa conduite. Mais, comme sa fin l'a prouvé, il était tout autre à l'intérieur qu'à l'extérieur. Il jeûnait avec les frères ostensiblement, mais il mangeait en secret. Les frères ignoraient absolument ce travers. Mais il tomba malade, sa vie fut en danger.

11. Comme il était près de la fin, il fit assembler tous les frères du monastère. Et eux, à la mort d'un si excellent homme (à ce qu'ils croyaient), pensaient recueillir de sa bouche des paroles sublimes et exquises. Atterré, tremblant, il fut contraint de confesser vers quel ennemi il devait aller, livré sans merci. Il dit : « Quand vous pensiez que je jeûnais avec vous, je mangeais en cachette, et maintenant voici que je suis livré au dragon pour qu'il me dévore. De sa queue il a lié mes genoux et mes pieds. Il a enfoncé sa gueule dans ma bouche, et il m'ôte le souffle en l'aspirant. »

12. A ces mots il expira. Le dragon qu'il voyait ne lui laissa pas le temps de se libérer par le repentir. Évidemment son cauchemar ne servit qu'aux auditeurs, puisqu'il fit connaître l'ennemi auquel il était livré, sans lui échapper.

13. PIERRE. J'aimerais savoir s'il faut croire qu'après la mort il y a un feu purifiant.

XLI. GRÉGOIRE. Le Seigneur dit dans l'Évangile : « Marchez tant que vous avez la lumière. » Par le prophète

11. Cf. *V. Patr.* 6, 3, 13 : un moine meurt en odeur de sainteté, entouré de la vénération d'une cité, mais un homme de Dieu voit le diable plonger un trident dans son cœur et arracher son âme après de grandes souffrances, tandis que la voix de Dieu atteste qu'il n'a cessé de l'offenser. — Plus haut (§ 4), la tête du mourant était dans la gueule du dragon. Ici la tête du dragon entre dans la bouche de l'homme.

12. Nouvelle réalisation de la seconde hypothèse envisagée en 40, 1. Cf. 40, 9 et note.

13. *Purgatorius ignis* : expression déjà employée par AUGUSTIN, *Ench.* 69 (cf. *Ciu.* 20, 25 et 21, 13.16 : *purgatorias poenas* ; 21, 16 : *purgatoria tormenta*). *

XLI, 1. Parmi les nombreuses utilisations de 2 Co 6, 2^b, noter *Reg.* 1, 33 = *Ep.* 1, 34 (après 2 Co 6, 2^a = Is 49, 8) ; *In I Reg.* 2, 94 (après Ec 9, 10) ; *Mor.* 8, 30 (avant Ps 117, 1).

Tempore accepto exaudiui te, et in die salutis adiuui te. Quod Paulus apostolus exponens dicit : *Ecce nunc tempus acceptabile, ecce nunc dies salutis.*

2. Salomon quoque ait : *Quodcumque potest manus tua facere, instanter operare, quia nec opus, nec ratio, nec sapientia, nec scientia erit apud inferos, quo tu properas.* Dauid quoque ait : *Quoniam in saeculum misericordia eius.*

3. Ex quibus nimirum sententiis constat quia qualis hinc quisque egreditur, talis in iudicio praesentatur. Sed tamen de quibusdam leuibus culpis esse ante iudicium purgatorius ignis credendus est, pro eo quod ueritas dicit quia *si quis in sancto Spiritu blasphemiam dixerit, neque in hoc saeculo remittetur ei, neque in futuro.* In qua sententia datur intellegi quasdam culpas in hoc saeculo, quasdam uero in futuro posse laxari. Quod enim de uno negatur, consequens intellectus patet quia de quibusdam conceditur.

4. Sed tamen, ut praedixi, hoc de paruis minimisque peccatis fieri posse credendum est, sicut est assiduus otiosus sermo, inmoderatus risus, uel peccatum curae rei familiaris, quae uix sine culpa uel ab ipsis agitur, qui culpam qualiter declinare debeant sciunt, aut in non grauibus rebus error ignorantiae. Quae cuncta etiam post mortem grauant, si adhuc in hac uita positis minime fuerint relaxata.

5 acceptabile *bm GH* : acceptum *b*v*m*v || 6 Salomon *bm* : Salamon *GH* || 7-8 nec sapientia *m H* : *post* scientia *transp.* *bm*v*z G* || 16 remittetur *bmz* : -titur *m*v *GH* || 25 culpam *bm GH* : -pa *m*v || declinare *bm GH* : -ri *m*v || debeant *bm G* : debeat *m*v *H*

---

2. Ec 9, 10 ; Ps 117, 1 || 3. Mt 12, 32 ; Mc 3, 29

---

2. Ec 9, 10 : déjà cité en 4, 8, où *scientia* précède *sapientia.*
3. *Purgatorius ignis* : voir 40, 13 et note ; cf. *In I Reg.* 2, 107

également il dit : « Au bon moment je t'ai exaucé, et au jour du salut je t'ai secouru. » Ce que l'Apôtre Paul reprend en disant : « Voici maintenant le bon moment, voici maintenant le jour du salut. »

2. Salomon dit de son côté : « Tout ce que peut faire ta main, fais-le immédiatement, car il n'y a ni travail ni raison ni science ni sagesse chez ceux d'en-bas, là où tu te rends à toute vitesse. » Et David enfin : « Car pour toujours sa miséricorde. »

3. De ces textes il ressort que tel on s'en va, tel on se présente au jugement. Cependant il faut croire qu'il y a un feu purifiant pour les fautes légères avant le jugement, car la Vérité dit qu'un blasphème contre le Saint-Esprit ne sera remis ni dans ce siècle ni dans le futur. Cette sentence donne à entendre que certaines fautes peuvent être remises en ce siècle et d'autres dans le futur. Négation sur un point donne à entendre, c'est clair, concession sur d'autres.

4. Il faut croire cela pour les peccadilles comme le bavardage habituel, le rire immodéré, le péché de souci pour les intérêts matériels, défaut que ne peuvent guère éviter, en s'en occupant, ceux qui savent le mieux esquiver une coulpe, ou bien l'erreur due à l'ignorance en matière non grave, car tout cela charge l'âme après la mort, si l'on n'a pas obtenu remise de ces fautes durant la vie.

(2228) : *purgatoria poena peccati.* En disant que l'existence de ce feu purificateur « doit être crue », Grégoire se montre beaucoup plus affirmatif qu'Augustin, *Ench.* 69 ; *Ciu.* 21, 26, 4, qui envisage seulement l'hypothèse. Ailleurs (*Ciu.* 21, 24, 2 ; cf. 21, 13), Augustin argumente de même à partir de Mt 12, 32 pour établir qu'il y aura dans l'au-delà une rémission des « peines que souffrent les esprits des morts » pour certains péchés, mais il ne met pas celles-ci en rapport avec le « feu purificateur ».

4. *Otiosus sermo* : Mt 12, 36 (cf. III, 15, 10) ; *assiduus* tempère la condamnation de ce péché, d'ailleurs qualifié de « petit » et de « minime » (cf. Augustin, *Ciu.* 21, 27, 4 : *parua... minima peccata*). Chez Augustin, *Ench.* 69 ; *Ciu.* 21, 26, 2-4, la matière à « brûler » au feu purificateur consiste dans l'attachement aux choses de ce monde, à quoi correspond en partie le *peccatum curae rei familiaris* mentionné ici. *

5. Nam et cum Paulus dicat Christum esse fundamentum, atque subiungat : *Si quis superaedificauerit super hoc fundamentum aurum, argentum, lapides pretiosos, ligna, foenum, stipulam, uniuscuiusque opus quale sit ignis probabit. Si cuius opus manserit quod superaedificauit, mercedem accipiet. Si cuius opus arserit, detrimentum patietur, ipse autem saluus erit, sic tamen quasi per ignem*, quamuis hoc de igne tribulationis in hac nobis uita adhibito possit intellegi, tamen si quis haec de igne futurae purgationis accipiat, pensandum sollicite est quia illum dixit per ignem posse saluari, non qui super hoc fundamentum ferrum, aes uel plumbum aedificat, id est peccata maiora et idcirco duriora atque tunc iam insolubilia, sed ligna, foenum, stipulam, id est peccata minima atque leuissima, quae ignis facile consumat.

6. Hoc tamen sciendum est quia illic saltem de minimis nil quisque purgationis obtinebit, nisi bonis hoc actibus, in hac adhuc uita positus, ut illic obtineat promereatur.

XLII. Nam cum adhuc essem iuuenculus atque in laico habitu constitutus, narrari a maioribus atque scientibus audiui quod Pascasius huius apostolicae sedis diaconus, cuius apud nos rectissimi et luculenti de sancto Spiritu libri extant, mirae sanctitatis uir fuerit, elemosinarum maxime operibus uacans, cultor pauperum et

29 Nam et *mz GH* : nam *b*m^{v} et m^{v} ‖ 32 stipulam *b*m^{v} *G* : -la *m H* ‖ quale *b*m^{v} *H* : -lis *m G* ‖ 37 haec *m GH* : hoc *bz* ‖ 39 per ignem *mz G* : *ante* dixit *transp. b* *post* posse *transp. H* ‖ 42 foenum *bmz H* : ferrum m^{v} *G* ‖ stipulam *b*m^{v} *H* : -la *m G*
XLII *ita mz* : XLI m^{v} XL *b* XLVIII *G* *om.* m^{v} *H* ‖ 3 Pascasius *m G* : Pasch- *b*m^{v}*z H et sic deinceps*

5. 1 Co 3, 11.12-15.

5. Début de la citation (v. 12) dans *Mor.* 33, 68 ; fin (v. 15) dans *In I Reg.* 2, 108. Au milieu, Grégoire omet ici presque tout le v. 13, peut-être par saut du même au même (*uniuscuiusque opus*). —

5. Quand Paul dit que le Christ est le fondement, il ajoute : « Si l'on édifie sur ce fondement de l'or, de l'argent, des pierres précieuses, du bois, du foin, de la paille, le feu éprouvera ce que vaut la construction de chacun. Le bâtisseur dont l'ouvrage tiendra sera récompensé ; s'il flambe, ce sera à son détriment ; il sera tout de même sauvé, mais comme à travers le feu. » Cela peut s'entendre du feu de la tribulation que nous subissons en cette vie, mais si l'on pense au feu purifiant du futur, il faut bien voir que, selon Paul, on peut être sauvé à travers le feu, non point si l'on a bâti sur ce fondement du fer, de l'airain ou du plomb, matières qui correspondent aux grands péchés, plus durs et alors résistants à la remise des fautes, mais du bois, du foin, de la paille, c'est-à-dire les péchés minimes, très légers, que le feu consume facilement.

6. Il faut savoir cependant que dans l'au-delà on n'obtiendra rémission de ses péchés, au moins minimes, que si on l'a mérité d'avance, en cette vie, par de bonnes actions.

XLII. Quand j'étais jeune, encore en habit laïc, j'ai entendu raconter par des anciens bien informés que Paschase, diacre de ce siège apostolique, auteur de livres sur le Saint-Esprit éminemment orthodoxes et lumineux, que nous avons, fut un homme d'une admirable sainteté, adonné particulièrement aux bonnes œuvres de l'au-

Ignis tribulationis comme chez Augustin, *Ciu.* 21, 26, 2.4 (cf. *Ench.* 68), qui tire cette notion de Si 27, 6. Les deux interprétations de 1 Co 3, 11-15 proposées ici le sont déjà dans ces passages par Augustin, qui refuse pareillement d'entendre « bois, foin, paille » des péchés graves, mais ne compare pas ceux-ci à des métaux résistant au feu.

6. Thèse ajoutée, d'après *Ench.*, 110, aux développements susdits d'Augustin ; au reste, on en trouve la substance dans *Ciu.* 21, 27, 5. Cf. 59, 6 et note.

XLII, 1. Grégoire encore laïc : 32, 1 ; 36, 7. L'œuvre de Paschase, dont l'éloge ressemble à celui de la *regula* de Benoît (II, 36), est perdue. *Inardescente zelo fidelium* : cf. I, 4, 6. — Sur la lutte (*intentio*) entre Symmaque et Laurent (498-507), voir *Lib. Pont.* I, 260-261 et les notes. Le prêtre Gordien, qui fut tué par les partisans de Laurent en 501 ou 502, était parent de Grégoire.

contemptor sui. Sed hic in ea contentione, quae inardescente zelo fidelium inter Symmachum atque Laurentium facta est, ad pontificatus ordinem Laurentium elegit, et omnium post unanimitate superatus, in sua tamen sententia usque iuxta diem sui exitus perstitit, illum amando atque praeferendo, quem episcoporum iudicio praeesse sibi ecclesia refutauit.

2. Hic itaque cum temporibus Symmachi apostolicae sedis praesulis esset defunctus, eius dalmaticam feretro superpositam daemoniacus tetigit, statimque saluatus est.

3. Post multum uero temporis Germano Capuano episcopo, cuius superius memoriam feci, medici pro corporis salute dictauerunt, ut in Angulanis termis lauari debuisset. Qui ingressus easdem termas, praedictum Pascasium diaconem stantem et obsequentem in caloribus inuenit. Quo uiso uehementer extimuit, et quid illic tantus uir faceret inquisiuit. Cui ille respondit : « Pro nulla alia causa in hoc poenali loco deputatus sum, nisi quia in parte Laurentii contra Symmachum sensi. Sed quaeso te, pro me Dominum deprecare, atque in hoc cognoscis quod exauditus sis, si huc rediens me non inueneris. »

4. Qua de re uir Domini Germanus se in precibus strinxit, et post paucos dies rediit, sed iam praedictum Pascasium in loco eodem minime inuenit. Quia enim non malitia, sed ignorantiae errore peccauerat, purgari post mortem potuit a peccato.

8 Symmachum *bmz H* : Simac- m^{v} *G* ‖ 9 est bm^{o} *GH* : sit *m* ‖ 11 iuxta *m GH* : ad bm^{v} ‖ 14 Symmachi *bmz* : Simac- m^{v} *G* Simmac- *H* ‖ 21 diaconem *m G* : -num bm^{v} diac̄ *H* ‖ 23 faceret bm^{v} : -rit *GH* fecerit *m* ‖ 25 Symmachum *bmz H* : Simac- m^{v} *G* ‖ 27 cognoscis m^{v} : cognuscis *m GH* cognosces $bm^{v}z$ cognoscas m^{v} ‖ 30 strinxit *m GH* : constrinxit *b* ‖ praedictum *m GH* : dictum *b* ‖ 33 potuit *m GH* : *post* peccato *transp. b*

mône, ami des pauvres et plein d'abnégation. Mais à Rome, dans ce duel entre Symmaque et Laurent qui échauffa les passions des fidèles, il choisit Laurent comme pontife. Écrasé ensuite par un ralliement unanime, il s'obstina dans son avis pratiquement jusqu'au jour de sa mort. Il garda son amitié et sa préférence à celui que le jugement des évêques avait écarté du poste suprême dans l'Église.

2. Il mourut sous le pontificat de Symmaque. Un démoniaque ayant touché sa dalmatique placée sur son cercueil, il fut immédiatement sauvé.

3. Longtemps après, Germain, évêque de Capoue, dont j'ai déjà parlé, vint prendre les eaux pour sa santé, sur l'avis des médecins, aux thermes d'Angulus. Il y entra et trouva le diacre Paschase debout, servant aux étuves. A cette vue, il fut très effrayé et demanda ce qu'un si grand homme faisait là. Réponse : « Je suis dans ce lieu de peine tout simplement parce que j'ai opté pour Laurent contre Symmaque. Mais s'il te plaît, prie pour moi le Seigneur. Tu connaîtras que tu as été exaucé, si, à ta prochaine venue, tu ne me trouves plus. »

4. L'homme du Seigneur Germain pria avec ferveur. Il revint au bout de quelques jours et ne trouva plus Paschase aux étuves. Le diacre n'avait pas péché par malice, mais par erreur, par ignorance, et cette faute pouvait être purgée après la mort.

2. La mort de Paschase se place entre 511 (EUGIPPE, *V. Seu.*, *Praef.*) et juillet 514 (mort de Symmaque). *

3. Germain de Capoue : II, 35, 3 et note ; IV, 8. Son épiscopat était déjà commencé en 519 et se termina vers la fin de 540. — En 57, 4-6, un autre fantôme condamné au service des thermes implore pareillement l'intercession d'un prêtre baigneur et lui donne le même signe pour reconnaître qu'il est exaucé. — *Angulus* : Città S. Angelo, près de Pescara.

4. La délivrance du malheureux est obtenue, en 57, 7, par une semaine de messes et de prières avec larmes. — L'« erreur d'ignorance » est le dernier des « petits péchés » énumérés en 41, 4, qui précise toutefois : *in non grauibus rebus* (est-ce le cas ici ?). On songe à 1 Tm 1, 13 (cf. Lc 23, 34).

5. Quod tamen credendum est quia ex illa elemosinarum suarum largitate hoc obtinuit, ut tunc potuisset promereri ueniam, cum iam nil posset operari.

XLIII. Petrvs. Quid hoc, quaeso te, est quod in his extremis temporibus tam multa de animabus clarescunt, quae ante latuerunt, ita ut apertis reuelationibus atque ostensionibus uenturum saeculum inferre se nobis atque aperire uideatur ?

2. Gregorivs. Ita est. Nam quantum praesens saeculum propinquat ad finem, tantum futurum saeculum ipsa iam quasi propinquitate tangitur et signis manifestioribus aperitur. Quia enim in hoc cogitationes nostras uicissim minime uidemus, in illo autem nostra in alterutrum corda conspicimus, quid hoc saeculum nisi noctem, et quid uenturum nisi diem dixerim ? Sed quemadmodum cum nox finiri et dies incipit oriri, ante solis ortum simul aliquo modo tenebrae cum luce conmixtae sunt, quousque discedentis noctis reliquiae in luce diei subsequentis perfecte uertantur, ita huius mundi finis iam cum futuri saeculi exordio permiscetur, atque ipsae reliquiarum eius tenebrae quadam iam rerum spiritalium permixtione translucent. Et quae illius mundi sunt multa iam cernimus, sed necdum perfecte cognoscimus, quia quasi in quodam mentis crepusculo haec uelut ante solem uidemus.

3. Petrvs. Placet quod dicis. Sed de tanto uiro Pascasio hoc animum ad quaestionem mouet, quod post mortem

36 posset bm^{o} : possit *m G* potuisset *H*
XLIII *ita m* : XLII m^{v} *om.* $bm^{v}z$ *GH* ‖ 1 hoc — est *m* : hoc est quaeso te $m^{v}m^{o}z$ *GH* est hoc quaeso te m^{v} hoc est quaeso *b* ‖ 6 Gregorius *m* : XLIII *praem.* $m^{v}z$ XLI *praem. b* L *praem. G* ‖ 8 ipsa *bm GH* : ipso b^{v} ‖ quasi *bm GH* : *om.* $b^{v}m^{v}$ ‖ propinquitate *bm GH* : propinquante b^{v} appropinquante b^{v} ‖ 9 in hoc *m GH* : saeculo *add. bz* ‖ 15 luce *m H* : lucem $bm^{v}m^{o}$ *G* ‖ 21 ante $bm^{o}z$ *GH* : *om. m*

5. Il faut croire toutefois que ses largesses en aumônes lui avaient mérité de pouvoir obtenir son pardon au moment où il ne pouvait plus œuvrer.

XLIII. Pierre. Pourquoi, s'il vous plaît, dans ces derniers temps, a-t-on tellement de lumières sur les âmes, alors qu'auparavant tout cela était caché ? Révélations et visions semblent nous montrer et ouvrir le siècle à venir.

2. Grégoire. C'est bien cela, car plus le siècle présent approche de sa fin, plus le siècle futur se fait proche, presque tangible, et se montre par des signes manifestes. En ce monde nous ne voyons pas réciproquement nos pensées, dans l'autre nous lisons mutuellement dans nos cœurs. Ce monde est donc une nuit, et le monde à venir un jour. Mais de même qu'entre la fin de la nuit et le lever du jour il y a une sorte de mélange d'ombre et de lumière, jusqu'à ce que les restes de la nuit qui s'en va se tournent parfaitement en lumière du jour suivant, de même la fin de notre monde se mêle dès maintenant au début de l'ère à venir, et les ombres de ces restes s'illuminent de clartés spirituelles. Sur ce monde qui vient nous avons déjà bien des aperçus, mais nous ne le connaissons pas encore parfaitement, car nous le voyons, comme avant le soleil, dans une sorte de crépuscule de l'esprit.

3. Pierre. Ce que vous me dites me plaît. Mais cet éminent Paschase pose une question : pourquoi fut-il

5. Cf. 41, 6 ; 42, 1. Voir Grég. de Tours, *Hist. Franc.* 4, 31 (295 b) : le prêtre Caton rachète son orgueil par ses aumônes et sa bonté.

XLIII, 1-2. La fin du monde approche : III, 38, 2-4 ; cf. Rm 13, 11. Le siècle futur se manifeste par des signes plus clairs : voir 36, 12, où Grégoire rapporte qu'on voit s'élargir les cratères des volcans, *ut mundi termino propinquante... tormentorum loca amplius uideantur aperiri.* — Le siècle futur est comme le jour succédant à la nuit : Rm 13, 12.

3. Un personnage de sainteté reconnue peut être sujet à certaines fautes (III, 14, 10-11 : Isaac) et à des châtiments étranges (IV, 27, 13-14 : Armentarius). Dans ces deux cas, Pierre s'étonne comme ici.

ad poenalem locum ductus est, cuius feretri uestis tangi potuit, et malignus spiritus ab obsesso homine fugari.

4. Gregorivs. Hac in re magna debet omnipotentis Dei dispensatio et quam sit multiplex agnosci, cuius iudicio actum est ut isdem uir Pascasius et ipse intus ad aliquantum temporis reciperet quod peccasset, et tamen ante humanos oculos mira per corpus suum post mortem faceret, qui ante mortem eis quoque cognoscentibus pia opera fecisset, ut neque hii qui bona eius uiderant de elemosinarum illius aestimatione fallerentur, neque ipsi sine ultione laxaretur culpa, quam nec esse culpam credidit, et idcirco hanc fletibus non extinxit.

5. Petrvs. Perpendo quae dicis. Verumtamen hac ratione constrictus, non solum quae intellego, sed ipsa etiam quae in me non intellego, cogor iam peccata formidare.

6. Sed quaeso, quia paulo superius sermo de locis poenalibus inferni uersabatur, ubinam esse infernum putamus ? Super hanc terram an sub terra esse credendus est ?

XLIIII. Gregorivs. Hac de re temere definire non audeo. Nonnulli namque in quadam terrarum parte infernum esse putauerunt, alii uero hunc sub terra esse aestimant. Sed tamen hoc animum pulsat, quia si idcirco infernum dicimus quia inferius iacet, quod terra ad cae-

25 tangi $b^{v}mz$ *GH* : tanti bm^{v} || 26 et $b^{v}m$ *GH* : ut *b* || malignus *bmz GH* : -gnos $b^{v}m^{v}$ || fugari $b^{v}m$ *G* : -re *H* fugaretur *b* fugauit b^{v} || 29 isdem *m GH* : idem bm^{v} || 33 hii *m G* : hi bm^{v} *H* || 38-39 ipsa etiam *m GH* : et. ipsa bm^{v} || 39 in me *m GH* : *post* intellego^{2} *transp. b*

XLIIII *ita mz* : XLIII m^{v} *H* XLII *b* LI *G* || 1 non *m G* : nil $bm^{v}z$ *H* || 3 hunc $bm^{o}z$ *GH* : nunc *m* hoc m^{v}

XLIIII, 1. Ps 85, 13

4. Dans le cas d'Isaac, Grégoire découvrait déjà une *magna*

conduit à un lieu de peine, lui dont le vêtement sur le cercueil a chassé le mauvais esprit d'un possédé ?

4. Grégoire. Ici nous devons reconnaître la grandeur du gouvernement de Dieu tout-puissant et ses aspects multiples. Par son jugement il est arrivé que Paschase a souffert en secret quelque temps, comme sanction du péché. Mais aux yeux des hommes il accomplit des miracles après sa mort, parce qu'avant de mourir ses bonnes œuvres étaient de notoriété publique. Ainsi ceux qui connaissaient ses beaux côtés n'étaient pas déçus dans leur estime pour ses aumônes, et Dieu ne lui remettait pas sa faute sans punition, car cette faute étant innocente à ses yeux, il ne l'avait pas lavée dans les larmes.

5. Pierre. Ce que vous dites me donne à réfléchir. Pressé par ce cas, je me vois obligé de craindre non pas seulement les péchés que je reconnais tels, mais aussi ceux qui m'échappent.

6. Mais je vous prie, puisqu'il vient d'être question des peines de l'enfer, où devons-nous situer l'enfer ? Sur cette terre ou sous cette terre ?

XLIIII. Grégoire. Sur ce point, je ne voudrais pas trancher à la légère. Certains ont pensé que l'enfer se trouve en un lieu déterminé sur terre ; d'autres estiment qu'il est sous la terre. Mais une considération se présente : si « enfer » veut dire « ce qui est inférieur », l'enfer doit

omnipotentis Dei dispensatio (III, 14, 12), et dans celui d'Armentarius un « jugement » de Dieu (IV, 27, 14). *Dispensatio... multiplex* : cf. Ep 3, 9-10.

5. Sur le péché d'ignorance, voir *Mor.* 25, 28.

6. En 42, 3, le *locus poenalis* était sur terre. Des *inferni loca*, on a parlé en 37, 3-14.

XLIIII, 1. Cette citation de Ps 85, 13 ne se retrouve que dans *Mor.* 12, 13, où le premier mot est *eripuisti* comme au Psautier Romain ; *liberasti* ne se rencontre dans aucun Psautier ancien. L'interprétation, dans ce passage des Morales, est aussi toute différente : l'« enfer inférieur » serait le lieu où les méchants sont tourmentés, tandis que les justes, avant la mort du Christ, reposaient dans un « enfer supérieur » (cf. *Mor.* 13, 49) ; l'un et l'autre enfer se trouverait donc sous terre. Ces deux interprétations viennent d'Augustin, *En. in Ps. 85*, 17-18. Cf. Césaire, *Serm.* 150, 1.

lum est, hoc esse inferus debet ad terram. Vnde et fortasse per psalmistam dicitur : *Liberasti animam meam ex inferno inferiori*, ut infernus superior terra, infernus uero sub terra esse uideatur.

2. Et Iohannis uox in ea aestimatione concordat. Qui cum *signatum librum septem sigillis* uidisse se diceret, *quia nemo inuentus est dignus neque in caelo, neque in terra, neque subtus terra aperire librum et soluere signacula eius*, adiunxit : *Et ego flebam multum*. Quem tamen postmodum librum per *leonem de tribu Iuda* dicit aperiri.

3. In quo uidelicet libro quid aliud quam sacra scriptura signatur, quam solus redemptor noster aperuit ? Qui homo factus moriendo, resurgendo, ascendendo cuncta mysteria quae in ea fuerant clausa patefecit. Et nullus in caelo quia neque angelus, nullus in terra quia neque homo uiuens in corpore, nullus subtus terra dignus inuentus est, quia neque animae corpore exutae aperire nobis praeter Dominum sacri eloquii secreta potuerunt. Cum ergo ad soluendum librum nullus sub terra inuentus dignus dicitur, quid obstet non uideo ut sub terra esse infernus credatur.

XLV. PETRVS. Quaeso te, unus esse gehennae ignis credendus est, an quanta peccatorum diuersitas fuerit, tanta quoque existimanda sunt et ipsa incendia esse praeparata ?

6 inferus *m H* : infernus bm^v inferius *G* ‖ 8 superior b^vmz *GH* : in *add. b* ‖ 9 uideatur *bm GH* : credatur b^v ‖ 10 ea aestimatione *m H* : aest. ista *b* aest. m^v *G* ‖ 11 librum *m GH* : *post* sigillis *transp. b* ‖ se *bmz H* : *om.* m^v *G* ‖ 13 terra² *m H* : -ram bm^v *G* ‖ 15 postmodum *m GH* : postea *b* ‖ postmodum librum *m GH* : lib. post. bm^vz ‖ aperiri bm^vz *G* : -re *m H* ‖ 16 In *m GH* : *post* uidelicet *transp. b* ‖ 19 ea b^vmz *GH* : eo bm^v ‖ 21 terra *m GH* : -ram bm^v ‖ 26 esse infernus *m GH* : inf. esse *b*
XLV *ita mz* : XLIV m^v *om. b GH* ‖ 3 existimanda m^v *GH* : aestimanda *bm*

2. Ap 5, 1-5.

être à la terre ce que la terre est au ciel. C'est peut-être pour cela que le psalmiste dit : « Tu as libéré mon âme de l'enfer inférieur. » L'enfer supérieur serait sur terre, l'enfer inférieur souterrain.

2. La parole de Jean concorde avec cette vue, quand il dit avoir « vu un livre scellé de sept sceaux », et « parce que nul ne s'est trouvé digne, ni au ciel ni sur terre ni sous terre, d'ouvrir le livre et d'en rompre les sceaux », il ajoute : « Et moi je pleurais beaucoup. » Par la suite, il dit que le livre est « ouvert par le lion de la tribu de Juda. »

3. Par « livre » il faut entendre la sainte Écriture. Seul notre Rédempteur l'a ouvert. En se faisant homme, il a éclairé par sa mort, sa résurrection, son ascension tous les mystères qui y étaient enclos. Et nul dans le ciel parmi les anges, nul sur terre parmi les hommes vivant corporellement, nul sous terre parmi les âmes sorties du corps ne fut trouvé digne de nous ouvrir le livre. Seul le Seigneur a pu éclairer les secrets de la parole divine. Puisque personne sous terre, nous dit-on, n'a été trouvé digne d'ouvrir le livre, pourquoi ne croirait-on pas que l'enfer soit souterrain ?

XLV. Pierre. S'il vous plaît, faut-il croire qu'il y a un feu unique dans la géhenne ? Ou bien : autant de péchés divers, autant de fournaises adaptées ?

2. Entre le début et la fin de la péricope (Ap 5, 1 et 5), Grégoire assemble librement des éléments pris aux v. 4[b].3.2.4[a].

3. Le « livre » est la sainte Écriture : de même dans *Hom. Ez. Fragm.* II (*CC* 142, 197-201) ; cf. *Hom. Ez.* II, 4, 19 (Livre d'Ezéchiel). Selon ces deux passages, le Christ « ouvre » de même, en dévoilant les mystères de l'Écriture dans sa propre histoire. Ce qui suit ici (commentaire sur les trois parties du monde) ne se trouve ni dans ces deux lieux parallèles, ni ailleurs semble-t-il.

XLV, 1-2. Question déjà traitée de façon identique dans *Mor.* 9, 98. Après y avoir commenté Mt 13, 30 (voir ci-dessus, 36, 14), Grégoire affirme que le feu de l'enfer, aussi bien que le bonheur du ciel (cf. Jn 14, 2), est à la fois un en substance et divers en ses effets suivant les personnes, comme l'action du soleil suivant la diversité des corps. Là comme ici, les preuves scripturaires font défaut, mais on voit du moins apparaître les points d'attache bibliques de la thèse : les « gerbes d'ivraie » de Mt 13, 30, et les « multiples demeures »

2. Gregorivs. Vnus quidem est gehennae ignis, sed non uno modo omnes cruciat peccatores. Vniuscuiusque etenim quantum exigit culpa, tantum illic sentietur poena. Nam sicut in hoc mundo sub uno sole multi consistunt, nec tamen eiusdem solis ardorem aequaliter sentiunt, quia alius plus aestuat atque alius minus, ita illic in uno igne non unus est modus incendii, quia quod hic diuersitas corporum, hoc illic agit diuersitas peccatorum, ut et ignem non dissimilem habeant, et tamen eosdem singulos dissimiliter exurat.

XLVI. Petrvs. Numquidnam, quaeso te, dicimus eos, qui semel illic mersi fuerint, semper arsuros ?

Gregorivs. Constat nimis et incunctanter uerum est quia, sicut finis non est gaudio bonorum, ita finis non erit tormento malorum. Nam cum ueritas dicat : *Ibunt hii in supplicium aeternum, iusti autem in uitam aeternam*, quia uerum est quod promisit, falsum procul dubio non erit quod minatus est Deus.

2. Petrvs. Quid, si quis dicat : idcirco peccantibus aeternam poenam minatus est, ut eos a peccatorum perpetratione conpesceret ?

Gregorivs. Si falsum est quod minatus est, ut ab iniustitia corrigeret, etiam falsa est pollicitus, ut ad

5 Gregorius *mz GH* : XLV *praem.* m^{v} XLIII *praem. b* ‖ 6 omnes $bm^{o}z$ *G* : omš m^{o} *H* omnis *m* ‖ 7 tantum $b^{v}mz$ *H* : -to *G* -ta *b* ‖ sentietur $b^{v}m$ *GH* : sentitur bm^{v} sentiet $b^{v}m^{v}$ ‖ 8 poena *bm G* : -nam b^{v} *H* ‖ 10 alius... alius $bm^{v}z$ *G* : alios... alios $b^{v}m$ *H*

XLVI *ita mz H* : XLV m^{v} *om.* bm^{v} *G* ‖ 3 Gregorius *mz H* : XLVI *praem.* m^{v} XLIV *praem. b* ‖ est $bm^{v}z$ *GH* : erit *m* ‖ 4 gaudio *bm GH* : -dii $b^{v}z$ -diis m^{v} ‖ gaudio bonorum *bm G* : *ante* non[1] *transp. z H* ‖ 5 tormento *bm H* : -ti bz^{v} -torum m^{v} *G* ‖ hii $b^{v}mz$: impii *b G* ‖ 13 falsa *m GH* : -sum *bz*

XLVI, 1. Mt 25, 46

---

de Jn 14, 2. — Déjà Augustin, *Ench.* 93 et 111, affirme en passant que les tourments de l'enfer sont divers et proportionnés à la malice des damnés. *

2. Grégoire. Unique est le feu de la géhenne, mais il ne supplicie pas tous les pécheurs uniformément. Pour chacun la douleur pénale se mesure aux exigences de la faute. En ce monde, il y a foule sous le même soleil, et pourtant tous n'en ressentent pas également les ardeurs, car l'un transpire davantage et l'autre moins. De même, dans l'au-delà, pour un feu unique les modes de brûlure sont variés. Ici les corps sont divers, là les péchés sont divers. Ainsi on a un feu sans variété, et pourtant chacun est brûlé sans uniformité.

XLVI. Pierre. Une question, si vous permettez. Dirons-nous que ceux qui sont là immergés dans le feu brûleront toujours ?

Grégoire. Un point est sûr et de vérité incontestable : comme il n'y a pas de fin à la joie des bons, il n'y aura pas de fin au tourment des mauvais. En effet, lorsque la Vérité dit : « Les impies s'en iront au supplice éternel, les justes à la vie éternelle », si sa promesse est vraie, sa divine menace indubitablement ne saurait être fausse.

2. Pierre. Mais si l'on dit : « Dieu a menacé les pécheurs d'une peine éternelle pour les empêcher de commettre leurs péchés » ?

Grégoire. Si ce dont il a menacé pour corriger le manque de justice est faux, fausses également sont les

XLVI, 1. Ce chapitre suit pas à pas *Mor.* 34, 35-38, d'abord en abrégeant, puis en reproduisant intégralement. Les objections attribuées par *Mor.* aux « Origénistes » sont mises ici dans la bouche de Pierre, et les réponses dans celle de Grégoire. La doctrine d'Origène est mentionnée par Augustin, *Ciu.* 21, 17, qui la distingue de l'erreur des « miséricordieux ». C'est cette dernière, en fait, que Grégoire réfute dans *Mor.* comme ici, en y mêlant divers arguments pris au même Livre de la *Cité de Dieu.* — De Mt 25, 46 résulte l'éternité des peines aussi bien que des joies : Augustin, *Ench.* 112 ; *Ciu.* 21, 23 (cf. *De fide et op.* 25). *

2. Voir *Mor.* 34, 35. Objection présentée et réfutée de même par Augustin, *Ench.* 112. Cf. Augustin, *Ciu.* 21, 18, 2 et 21, 24, 4 ; Chrysostome, *Hom. in Ep. Rom.* 25, 4 (même objection réfutée différemment).

iustitiam prouocaret. Sed quis hoc dicere uel insanus praesumat ? Et si minatus est quod non erat inpleturus, dum adserere eum misericordem uolumus, fallacem, quod dici nefas est, praedicare conpellimur.

3. Petrvs. Scire uelim quomodo iustum sit ut culpa, quae cum fine perpetrata est, sine fine puniatur.

Gregorivs. Hoc recte diceretur, si districtus iudex non corda hominum, sed facta pensaret. Iniqui enim ideo cum fine deliquerunt, quia cum fine uixerunt. Nam uoluissent utique, si potuissent, sine fine uiuere, ut potuissent sine fine peccare. Ostendunt enim quia in peccato semper uiuere cupiunt, qui numquam desinunt peccare dum uiuunt. Ad magnam ergo iustitiam iudicantis pertinet ut numquam careant supplicio, qui in hac uita numquam uoluerunt carere peccato.

4. Petrvs. Sed nullus iustus crudelitate pascitur, et delinquens seruus a iusto domino idcirco caedi praecipitur, ut a nequitia corrigatur. Ad hoc ergo uapulat, ut emendari debeat. Iniqui autem gehennae ignibus traditi, si ad correctionem non perueniunt, quo fine semper ardebunt ?

5. Gregorivs. Omnipotens Deus, quia pius est, miserorum cruciatu non pascitur. Quia autem iustus est, ab iniquorum ultione in perpetuum non sedatur. Sed iniqui omnes aeterno supplicio deputati sua quidem iniquitate puniuntur, et tamen ad aliquid ardebunt, scilicet ut iusti omnes et in Deo uideant gaudia quae percipiunt, et in illis respiciant supplicia quae euaserunt, quatenus tanto magis in aeternum diuinae gratiae debitores se

18 uelim *bm^{v}* : uellim *m GH*   uolo *m^{v}(z)* || 33 fine *bmz GH* : sine *praem.* *$b^{v}m^{v}$* || 35 autem *m GH* : uero *b* || 41 diuinae gratiae *m GH* : grat. diu. *b*

---

3. Voir *Mor.* 34, 36. L'objection est la même chez Augustin, *Ciu.* 21, 11, mais la réponse, fondée sur la loi civile, diffère.

4. Voir *Mor.* 34, 37. Cette conception utilitaire des peines, considérées comme purement médicinales et donc temporaires, est d'origine platonicienne selon Augustin, *Ciu.* 21, 13.

choses qu'il a promises pour stimuler la justice. Mais qui peut dire cela si insensé qu'il soit ? Et si Dieu a fait des menaces qu'il ne devait pas exécuter, quand nous voulons affirmer qu'il est miséricordieux, nous voilà contraints de le traiter de fallacieux, ce qui est une parole impie.

3. PIERRE. Je voudrais savoir comment il est juste qu'une faute finie soit punie sans fin.

GRÉGOIRE. L'objection vaudrait si le juge rigoureux pesait les actions et non les cœurs des hommes. Les méchants ont eu une délinquance bornée parce qu'ils ont eu une vie bornée. Mais ils auraient voulu vivre sans fin, s'ils avaient pu, pour pécher sans fin. La preuve qu'ils souhaitent vivre toujours dans le péché, c'est qu'ils ne cessent de pécher tout le long de leur vie. Il sied à la grande justice du juge que ne manquent jamais de supplices ceux qui, dans leur vie, n'ont jamais voulu manquer de péchés.

4. PIERRE. Mais nul homme juste ne se repaît de cruauté, et si un serviteur délinquant est battu sur l'ordre de son maître soucieux de justice, c'est pour qu'il se corrige de ses méfaits. S'il reçoit des coups, c'est pour son amendement. Les méchants livrés aux feux de la géhenne, s'ils ne parviennent pas à la correction, pourquoi flamberont-ils toujours ?

5. GRÉGOIRE. Dieu tout-puissant est bon, et il ne se repaît point des tortures infligées aux misérables ; mais il est juste et ne se lasse pas de venger les iniquités à tout jamais. Tous les pervers envoyés à l'éternel supplice sont punis d'abord pour leur perversité, mais ils brûlent aussi en vue d'un résultat positif : pour que tous les justes voient en Dieu les joies qu'ils reçoivent et dans les damnés les supplices auxquels ils ont échappé. Ils reconnaissent ainsi qu'ils sont débiteurs pour l'éternité envers

5. Voir *Mor.* 34, 37. Dans *Hom. Eu.* 40, 8, Grégoire disait plus crûment que la vue du supplice des méchants augmente le bonheur des justes et leur action de grâces, idée qui vient — au moins en ce qui concerne l'action de grâces — d'AUGUSTIN, *Ciu.* 21, 12.

esse cognoscant, quanto in aeternum mala puniri conspiciunt, quae eius adiutorio uicerunt.

6. Petrvs. Et ubi est quod sancti sunt, si pro inimicis suis quos tunc ardere uiderint non orabunt, quibus utique dictum est : *Pro inimicis uestris orate* ?

7. Gregorivs. Orant pro inimicis suis eo tempore, quo possint ad fructuosam paenitentiam eorum corda conuertere atque ipsa conuersione saluare. Quid enim aliud pro inimicis orandum est, nisi hoc quod ait apostolus : *Vt det illis Deus paenitentiam ad cognoscendam ueritatem et resipiscant a diaboli laqueis, a quo capti tenentur ad ipsius uoluntatem* ? Et quomodo pro illis tunc orabitur, qui iam nullatenus possunt ad iustitiae opera ab iniquitate conmutari ?

8. Eadem itaque causa est cur non oretur tunc pro hominibus aeterno igne damnatis, quae nunc etiam causa est ut non oretur pro diabolo angelisque ejus aeterno supplicio deputatis. Quae nunc etiam causa est ut non orent sancti homines pro hominibus infidelibus impiisque defunctis, nisi quia de eis utique, quos aeterno deputatos supplicio iam nouerunt, ante illum iudicis iusti conspectum orationis suae meritum cassari refugiunt ?

9. Quod si nunc quoque uiuentes iusti mortuis et damnatis iniustis minime conpatiuntur, quando adhuc aliquid iudicabile de sua carne se perpeti etiam ipsi

44 sunt *m GH* : sint *b* ‖ 47 orant *mz GH* : *post* suis *transp. b* ‖ 48 possint *bm* : possunt *m*^{v} *GH* ‖ 49 conuertere *bmz GH* : conuerti *b*^{v}*m*^{v} ‖ conuersione *bm*^{v}*z G* : conuersatione *m H* ‖ saluare *bmz G* : -ri *b*^{v}*m*^{v} *H* ‖ 50-51 ait apostolus *m G* : ap. ait *bz H* ‖ 52 capti *b*^{v}*m(z) GH* : captiui *bm*^{v} ‖ 53 orabitur *m GH* : orabunt *b* ‖ 57 aeterno igne *m H* : aet. igni *G* igni aet. *b* ‖ 61 nisi quia *bm* : nisi quod *m*^{v} quod *G* qui *m*^{v} que *H* ‖ de eis *b*^{v}*m* : de eos *H* pro eis *b* eis *G* eos *b*^{v} ‖ 61-62 aeterno deputatos supplicio *bm GH* : aet. sup. dep. *b*^{v}*z* dep. aet. sup. *m*^{v} ‖ 63 cassari *bmz H* : causari *m*^{v} *G* causa *b*^{v}

6. Mt 5, 44 ‖ 7. 2 Tm 2, 25-26.

la grâce divine, voyant punir pour l'éternité des méfaits qu'ils ont surmontés avec le secours divin.

6. Pierre. Mais comment sont-ils saints, s'ils ne prient pas pour leurs ennemis qu'ils voient brûler, car il est dit « Priez pour vos ennemis ! »

7. Grégoire. Ils prient pour leurs ennemis quand ils peuvent convertir leur cœur à une fructueuse pénitence et les sauver par cette conversion. Que demander dans la prière pour l'ennemi ? L'Apôtre le dit : « Que Dieu leur donne la pénitence pour connaître la vérité, qu'ils viennent à résipiscence au sortir des filets du diable qui les tient captifs pour faire sa volonté. » Comment les saints prieraient-ils pour ceux qui ne peuvent plus passer de l'iniquité aux œuvres bonnes ?

8. On ne priera pas plus alors pour les hommes damnés au feu éternel qu'on ne prie à présent pour le diable et ses anges envoyés à l'éternel supplice. La raison est identique. De même encore, actuellement, pour la même raison, les saints ne prient pas pour les infidèles et les impies défunts, parce qu'ils les savent déjà damnés au supplice éternel et qu'ils craignent que leur prière soit sans mérite aux yeux du juste juge.

9. Si les justes, pendant leur vie, n'ont pas de compassion pour les injustes morts et damnés, quand ils

6. Voir *Mor.* 34, 38. Grégoire simplifie cet argument des « miséricordieux » (Augustin, *Ciu.* 21, 18, 1), qui comportait un raisonnement a fortiori (cf. § 9 et note).

7. Dans *Mor.* 34, 38, comme chez Augustin, *Ciu.* 21, 24, 1 que Grégoire suit de près, les mots *ad cognoscendam ueritatem* étaient absents de la citation. Ici ils sont rétablis. La moindre conformité de ce passage des Dialogues à la source augustinienne confirme son caractère secondaire.

8. Le début, jusqu'à *defunctis*, reproduit presque littéralement Augustin, *Ciu.* 21, 24, 2. Ensuite *nisi quia* remplace le *qui* de *Mor.* 34, 38, dont la phrase affirmative était plus proche d'Augustin que ne l'est l'interrogative des Dialogues (cf. note précédente).

9. Reproduit exactement *Mor.* 34, 38 (cf. *Hom. Eu.* 40, 7-8 ; *In I Reg.* 3, 168). Le raisonnement a fortiori par lequel Grégoire passe du comportement des saints ici-bas à leur attitude dans l'au-delà peut s'inspirer d'Augustin, *Ciu.* 21, 18, 1, d'après lequel les « miséricordieux » raisonnent de façon analogue au sujet de la prière des saints pour leurs ennemis (cf. § 6 et note).

nouerunt, quanto districtius tunc iniquorum tormenta respiciunt, quando ab omni uitio corruptionis exuti ipsi iam iustitiae uicinius atque arctius inhaerebunt. Sic quippe eorum mentes, per hoc quod iustissimo iudici inhaerent, uis districtionis absorbet, ut omnimodo eis non libeat quicquid ab illius internae regulae subtilitate discordat.

XLVII. Petrvs. Non est iam quod responderi debeat apertae rationi. Sed haec nunc quaestio mentem mouet, quomodo anima inmortalis dicitur, dum constet quod in perpetuo igne moriatur.

2. Gregorivs. Quia duobus modis uita dicitur, duobus modis etiam mors debet intellegi. Aliud est namque quod in Deo uiuimus, aliud uero quod in hoc quod conditi uel creati sumus ; id est aliud est beate uiuere, atque aliud essentialiter. Anima itaque et mortalis esse intellegitur et inmortalis : mortalis quippe quia beate uiuere amittit, inmortalis autem quia essentialiter uiuere numquam desinit et naturae suae uitam perdere non ualet, nec cum in perpetua morte fuerit damnata. Illic enim posita beate esse perdit et esse non perdit. Ex qua re semper cogitur ut et mortem sine morte, et defectum sine defectu, et finem sine fine patiatur, quatenus ei et mors inmortalis sit, et defectus indeficiens, et finis infinitus.

3. Petrvs. Quis hanc tam inexplicabilem damnationis sententiam, cuiuslibet sit operis, ad exitum ueniens

72 internae *mz* G^{pc} *H* : aeternae *b*m^{v} G^{ac}

XLVII *ita m H* : XLVI m^{v} *om.* *b*m^{v}*z G* ‖ 1 iam *b*m^{v}*z GH* : *om.* *m* ‖ responderi *bm* : -re m^{v}(*z*) *GH* ‖ debeat *bm*(z^{v}) *GH* : debeam m^{v}(*z*) ‖ 4 moriatur *bmz GH* : cruciatur b^{v} ‖ 5 Gregorius *m* : XLVII *praem. z* XLV *praem.* *b*m^{v} ‖ 6 modis etiam *m*(*z*) *GH* : et. modis *b* ‖ 7 Deo *b*m^{v}*z* : Deum *m GH* ‖ 8 id est aliud est *mz GH* : id est al. *b* item al. est b^{v} al. est m^{v} ‖ 9 et *b*$m^{v}$$m^{o}$*z* G^{ac}*H* : *om. m* G^{pc} ‖ 14 beate b^{v}*m GH* : beata *b*m^{v}*z* ‖ perdit$^{1-2}$ *bm GH* : -det m^{v}*z* perdidit m^{v} ‖ Ex qua *m GH* : qua ex *b* ‖ semper *m GH* : *post* cogitur *transp. b* *om.* m^{v}*z* ‖ 15 cogitur *bm GH* : colligitur $b^{v}$$m^{v}$*z* ‖ 16 et mors *mz GH* : mors *b*

se savent encore susceptibles d'être jugés à propos de leur propre chair, combien plus sévèrement regarderont-ils les tourments des mauvais, lorsque, débarrassés de tout vice de corruption, ils adhéreront plus intimement et amoureusement à Celui qui est la justice même ? Car, du fait qu'ils adhèrent au juge parfaitement juste, la force de la sévérité absorbe tellement leurs esprits qu'ils n'ont pas la moindre complaisance pour ce qui s'écarte tant soit peu de cette règle intérieure

XLVII. Pierre. Je n'ai rien à répondre à une raison si évidente. Mais à présent une question se pose : comment une âme est-elle dite immortelle, alors qu'on sait qu'elle doit mourir dans le feu perpétuel ?

2. Grégoire. La vie se présente sous deux aspects, et semblablement la mort. Car autre chose est vivre en Dieu, autre chose vivre à titre de créature, ou, si vous préférez, il y a la vie bienheureuse et la vie réduite à l'être. L'âme est mortelle et immortelle. Mortelle quand elle perd la vie bienheureuse : immortelle en ce sens qu'elle ne cesse jamais de vivre sur son être, elle ne peut perdre la vie de sa nature, même condamnée à une mort perpétuelle. Là-bas elle perd l'être dans la béatitude, mais non pas l'être. Ainsi est-elle réduite à souffrir toujours une mort sans mort, un défaut sans défaut, une fin sans fin. Son lot, c'est une mort immortelle, un défaut indéfectible, une fin infinie.

3. Pierre. Devant cette mystérieuse sentence de damnation, quel homme arrivant à la mort ne serait

XLVII, 1. Ce paradoxe de la mort sans fin a déjà été esquissé plus haut (3, 2).

2. Vie bienheureuse et vie essentielle, mortalité et immortalité de l'âme : voir *Mor.* 4, 5. Dieu est la vie bienheureuse de l'homme : Augustin, *Ciu.* 19, 26, etc. — Triples antithèses finales comme dans *Mor.* 15, 21 : *moritur et uiuit, deficit et subsistit, finitur semper et sine fine est.* Cf. Augustin, *Ench.* 92 (*mors ipsa non moritur*) et 111 (*in aeterna morte sine moriendi potestate*) ; *Ciu.* 21, 3, 1 (*sempiterna mors,* etc.).

3. La damnation est terrible : *Mor.* 15, 21. Déjà en 43, 5, Pierre exprimait une crainte semblable au sujet des péchés inconnus.

non pertimescat, quando etsi iam nouit quid egit, adhuc tamen facta illius quam subtiliter iudicentur ignorat ?

XLVIII. Gregorivs. Vt adseris, ita est. Sed plerumque de culpis minimis ipse solus pauor egredientes animas iustorum purgat, sicut narrari de quodam sancto uiro mecum frequenter audisti, qui ad mortem ueniens uehementer timuit, sed post mortem discipulis in stola alba apparuit, et quam praeclare sit susceptus indicauit.

XLVIIII. Nonnumquam uero omnipotens Deus trepidantium mentes quibusdam prius reuelationibus roborat, ut in morte minime pertimescant.

2. Nam quidam mecum in monasterio frater Antonius nomine uiuebat, qui multis cotidianis lacrimis ad gaudia patriae caelestis anhelabat. Cumque studiosissime et cum magno feruore desiderii sacra eloquia meditaretur, non in eis uerba scientiae, sed fletum conpunctionis inquirebat, quatenus per haec excitata mens eius inardesceret et ima deserens ad regionem caelestis patriae per contemplationem uolaret.

3. Huic per nocturnam uisionem dictum est : « Paratus esto, et quia Dominus iussit, migra. » Cumque ille non habere se sumptus ad migrandum diceret, responsum protinus audiuit dicens : « Si de peccatis tuis agitur, dimissa sunt. » Quod dum semel audisset et magno adhuc

20 etsi iam *bm*^{o}*z H* : et si *m* et sua *G* ‖ quid *m GH* : quod *b*
XLVIII *ita mz* : XLVII *m*^{v} XLVI *bm*^{v} *om. GH* ‖ 1 est *m GH* : Petre *add. bz* ‖ 2-3 animas iustorum *m GH* : iust. an. *b*
XLVIIII *ita mz* : XLVIII *m*^{v} *H* XLVII *bm*^{v} LII *G* ‖ 12 nocturnam uisionem *m GH* : uis. noct. *b* ‖ 16 dum *m H* : cum *b G*

XLVIII. Cf. *Mor.* 24, 34 : *Iustorum animae a leuibus quibusque contagiis ipso saepe mortis pauore purgantur*, etc. — Ce « saint homme » est sans doute un abbé (« disciples »). Vêtement blanc : cf. 27, 4 et note. Le signe succédant à une mort sans gloire fait penser à 21-25.

XLVIIII, 1. En *Mor.* 24, 34, même contraste entre ces morts

saisi d'effroi, quelle qu'ait été sa conduite ? Même s'il sait ce qu'il a fait, il ignore avec quelle acribie seront jugées ses actions.

XLVIII. Grégoire. C'est comme vous dites, Pierre. Mais parfois la seule terreur purifie de leurs peccadilles les âmes des justes au moment de leur sortie. Comme moi, vous l'avez souvent entendu dire d'un certain homme qui était un saint. Arrivant à la mort, il fut pris d'une frayeur intense, mais une fois décédé il apparut à ses disciples en robe blanche et leur annonça qu'il avait été reçu brillamment.

XLVIIII. Parfois cependant Dieu tout-puissant réconforte par des révélations préalables les âmes des peureux, pour qu'ils ne tremblent pas dans la mort.

2. Un frère Antoine vivait avec moi au monastère. Il soupirait vers les joies de la patrie céleste tous les jours avec bien des larmes. Il étudiait les textes sacrés avec beaucoup d'application, une grande ferveur de désir. Il y recherchait non les mots et le savoir, mais les pleurs de componction. Ainsi excitée, son âme s'enflammait, laissant les choses d'ici-bas pour voler par la contemplation vers la région de la céleste patrie.

3. Une nuit, dans un rêve, il lui fut dit : « Prépare-toi à émigrer sur l'ordre du Seigneur. » Il objecta qu'il n'avait pas d'argent pour le voyage. La réponse ne se fit pas attendre : « Si c'est de tes péchés que tu parles, ils sont pardonnés. » Il entendit cela une première fois et resta

sans angoisse et la mort purifiante décrite auparavant. Révélations rassurantes : on songe aux visions consolantes (12, 5, etc.).

2. Grégoire au monastère comme en 37, 3. Ces larmes quotidiennes (cf. 60, 1) et cette aspiration à la patrie céleste font d'Antoine un modèle de componction supérieure, inspirée par l'amour (III, 34, 2 et 5). Une « science » qui en reste aux « mots » ne vaut rien : III, 37, 20. Cf. *In I Reg.* 4, 123.

3. Comme Galla (14, 4), Antoine reçoit avant de mourir l'assurance du pardon de ses péchés (cf. *Hom. Eu.* 34, 18). Pour convaincre le voyant, le songe se répète : voir *Hom. Eu.* 37, 9. Tous les frères en prière entourent le moribond : 40, 3 et 11.

metu trepidaret, nocte quoque alia in eisdem est uerbis admonitus. Cum post quinque dies, febre correptus, cunctis fratribus flentibus orantibusque defunctus est.

4. Alius etiam frater in eodem monasterio Merulus dicebatur, uehementer lacrimis atque elemosinis intentus, psalmodia uero ex ore illius paene nullo tempore cessare consueuerat, excepto cum aut alimentum corpori, aut membra dedisset sopori. Huic nocturna uisione apparuit quia ex albis floribus corona de caelo in caput illius descendebat. Qui mox molestia corporis occupatus, cum magna securitate animi atque hilaritate defunctus est.

5. Ad cuius sepulcrum dum Petrus, qui nunc monasterio praeest, sibi sepulturam facere post annos quatuordecim uoluisset, tanta, ut adserit, de eodem sepulcro illius fragrantia suauitatis emanauit, ac si illic florum omnium fuissent odoramenta congregata. Ex qua re manifeste patuit, quam uerum fuerit quod per nocturnam uisionem uidit.

6. Alius quoque in eodem monasterio Iohannes dictus est magnae indolis adolescens, qui aetatem suam intellectu et humilitate, dulcedine et grauitate transiebat. Huic aegrotanti atque ad extremum deducto per nocturnam uisionem quidam senex apparuit et hunc uirga tetigit, eique dixit : « Surge. Ex hac enim molestia modo

17 in *m GH* : *om. bz* ‖ est uerbis *mGH* : uer. est *bm*^{v} ‖ 18 Cum *m GH* : tunc *b* cumque *m*^{v} et *m*^{v} ‖ 19 flentibus orantibusque *mz H* : orantibus flentibusque *b G* ‖ 21 elemosinis *b*^{v}*mz GH* : orationibus *b* ‖ 25 quia *m GH* : quod *b* ‖ 28 nunc *bmz GH* : huic *b*^{v} ‖ 32 Ex qua *m GH* : qua ex *b* ‖ 35 quoque *mz GH* : quidam *b* ‖ in eodem monasterio *mz GH* : *ante* alius *transp. b* ‖ 36 aetatem *bmz GH* : ultra *praem. b*^{v} ‖ 37 transiebat *b*^{v}*m GH* : transibat *bm*^{v} transcendebat *b*^{v} superabat *b*^{v}

---

4. Ces aumônes surprennent de la part d'un moine. Grégoire oublierait-il la désappropriation cénobitique, au sujet de laquelle il se montrera si rigoureux (57, 10) ? Déjà il a loué la moniale Galla pour ses aumônes (14, 3). — Les moines sont encouragés à réciter

tout tremblant. La nuit suivante il entendit à nouveau ces mots rassurants. Alors, après cinq jours il fut pris de fièvre, et devant tous les frères en prières et en larmes, il décéda.

4. Un autre frère dans ce monastère, Merulus, était tout adonné aux larmes et aux aumônes. Il ne cessait presque jamais de psalmodier, en dehors des repas et du sommeil. Une nuit, dans un songe, il vit apparaître une couronne de blanches fleurs qui descendait du ciel sur sa tête. Bientôt il tomba malade et décéda en grande paix et joie.

5. Auprès de sa tombe, quatorze ans plus tard, Pierre, qui gouverne actuellement le monastère, voulut préparer sa propre sépulture. Il affirme que du tombeau émana un parfum si délicieux qu'on eût dit assemblés tous les arômes des fleurs. Et voilà qui montrait clairement combien le rêve de la nuit avait dit vrai.

6. Dans ce monastère il y avait aussi un jeune homme nommé Jean, fort bien doué, très au-dessus de son âge pour l'intelligence et l'humilité, la douceur et le sérieux. Il tomba malade et toucha à sa fin. Une nuit, en rêve, un vieillard lui apparut et le toucha d'une baguette en disant : « Tu peux te lever. Tu ne mourras pas de cette

des psaumes toute la journée : voir *RM* 9, 45, etc. — La vision de Merulus rappelle le motif habituel des mosaïques anciennes : une couronne qui descend du ciel sur le personnage central. Cf. 2 Tm 4, 8 ; Ap 2, 10 et 3, 11.

5. Pierre a gouverné S. André entre Maximien (III, 36, 1 ; IV, 33, 1) et Candide (*Reg.* 8, 12 = *Ep.* 8, 11). Encore abbé à la fin de 590 (*Reg.* 1, 14ª = *PLS* 4, 1576), Maximien ne l'était plus en octobre 591 (*Reg.* 2, 8 = *Ep.* 2, 7). C'est entre ces deux dates que Pierre lui a succédé, réserve faite de l'épisode de 590-591 où les affaires du monastère semblent expédiées par le *praepositus* Pretiosus, aux ordres de Grégoire lui-même (57, 8-16). Si Pierre était déjà abbé quand, « au bout de 14 ans », il s'est préparé sa tombe, Merulus est mort entre 577 et 579-580. Sinon, cette mort se place entre 574 (fondation du monastère) et 577. — Parfum émanant de la tombe : 28, 4. Il confirme la vision : 15, 5 ; 17, 2.

6. Ce jeune homme « passe son âge » comme Benoît (II, *Prol.* 1 ; cf. III, 18, 1). D'après la suite, cette maladie et cette guérison se placent en 588-589.

minime morieris. Sed paratus esto, quia longum tempus hic facturus non eris. » Qui dum iam esset a medicis desperatus, repente sanatus est atque conualuit, rem quam uiderat narrauit, seque per biennium in Dei seruitio, sicut praedixi, ultra aetatis suae annos exhibuit.

7. Ante hoc autem triennium, cum quidam frater fuisset mortuus atque in eiusdem monasterii cymiterio a nobis sepultus, cunctis nobis ab eodem cymiterio exeuntibus, isdem Iohannes, sicut postmodum pallens et tremens indicauit, illic nobis discedentibus inuentus, ab eodem fratre qui mortuus fuerat de sepulcro uocatus est. Quod mox etiam subsequens finis edocuit. Nam post dies decem, inuasus febribus, carne solutus est.

L. PETRVS. Doceri uelim si hoc quod per nocturnas uisiones ostenditur debeat obseruari.

2. GREGORIVS. Sciendum, Petre, est quia sex modis tangunt animam imagines somniorum. Aliquando namque somnia uentris plenitudine uel inanitate, aliquando uero inlusione, aliquando cogitatione simul et inlusione, aliquando reuelatione, aliquando autem cogitatione simul et reuelatione generantur. Sed duo quae prima diximus, omnes experimento cognoscimus. Subiuncta autem quatuor in sacrae scripturae paginis inuenimus.

3. Somnia etenim nisi plerumque ab occulto hoste per inlusionem fierent, nequaquam hoc uir sapiens indicaret,

47-48 cymiterio$^{1-2}$ *m H* : cim- m^{v} *G* coemeterio *b* || 49 isdem *m GH* : idem *b*m^{v} || 50 illic *bm GH* : illinc m^{v}*z*
L *ita m* : XLVIII m^{v} *om. b*m^{v}*z GH* || 1 uelim *b*m^{v} : uellim *m GH* || 3 Gregorius *m GH* : L *praem.* $m^{v}m^{o}$*z* XLVIII *praem. b* || Sciendum Petre *mz GH* : in hoc Petre sc. *b* || 4 animam *mz H* : animum *b*m^{v} *G* || 8 prima *bm GH* : primo b^{v}*z* supra m^{v}

---

7. *Ante hoc triennium* : 590-591. A deux reprises, Grégoire laisse entendre qu'il assistait à l'enterrement (*nobis*). On aimerait savoir

maladie, mais tiens-toi prêt, car tu ne passeras plus bien longtemps ici. » Les médecins avaient cru son cas désespéré. Il fut soudain guéri et reprit ses forces. Il conta sa vision. Pendant deux ans il servit Dieu en se montrant, comme j'ai dit, très au-dessus de son âge.

7. Il y a trois ans, un frère mourut et nous l'enterrâmes au cimetière monastique. Puis on se retira. Jean, comme il nous le dit bientôt, pâle et tremblant, s'étant trouvé là après notre départ, s'entendit appeler par le frère défunt du fond de son tombeau. Sa fin rapide confirma ses dires : dix jours après, il fut pris de fièvre et libéré de sa chair.

L. Pierre. Instruisez-moi, voulez-vous ? Les visions de la nuit doivent-elles être prises au sérieux ?

2. Grégoire. Il faut savoir, Pierre, que les images oniriques viennent de six manières. Elles naissent d'une ventre vide ou plein ; d'une illusion ; d'une réflexion et d'une illusion ; d'une révélation ; d'une réflexion et d'une révélation. Nous connaissons tous par expérience les deux premières catégories. Les quatre autres, nous les trouvons dans la sainte Écriture.

3. Si les songes ne venaient souvent de l'ennemi caché par une illusion, le sage ne dirait pas : « Les songes en

à quel titre, car c'est à cette époque que, devenu évêque, il a sans doute quitté S. André, où il pouvait encore résider comme diacre. — Appel de l'au-delà comme en I, 8, 2, où la voix semble être celle de Dieu. Preuve de la révélation par le fait du décès : 12, 4 ; 37, 6.

L, 1. Question amenée par les trois « visions nocturnes » précédentes (49, 3.4.6).

2. Toute cette théorie de l'origine des songes se trouve déjà mot pour mot (à partir de *modis*) dans *Mor.* 8, 42-43. Nous indiquons ci-après les rares variantes. — Sur la classification des songes dans l'Antiquité païenne et chrétienne, voir J. H. Waszinck, *Tertulliani de anima*, Amsterdam 1947, p. 500-503. Ni la tripartition courante (songes venant de Dieu, des démons, de l'âme elle-même), ni la division sextuple d'Anastase le Sinaïte, *Quaest.* 120, ne correspond à celle de Grégoire.

3. La première citation (Si 34, 7) est conforme à la Vulgate, tandis que *Mor.* 8, 42 omettait *enim* et remplaçait *exciderunt sperantes in illis* par *illusiones uanae*. Ce rétablissement de la teneur exacte du texte scripturaire rappelle 46, 7. *

dicens : *Multos enim errare fecerunt somnia, et exciderunt sperantes in illis* ; uel certe : *Non auguriabimini, nec obseruetis somnia.* Quibus profecto uerbis cuius sint detestationis ostenditur quae auguriis coniunguntur.

4. Rursum nisi aliquando ex cogitatione simul et inlusione procederent, uir sapiens minime dixisset : *Multas curas sequuntur somnia.* Et nisi aliquando somnia ex mysterio reuelationis orirentur, Ioseph praeferendum se fratribus somnio non uideret, nec Mariae sponsum, ut ablato puero in Aegyptum fugeret, per somnium angelus admoneret.

5. Rursum nisi aliquando somnia cogitatione simul et reuelatione procederent, nequaquam Daniel propheta Nabucodonosor uisionem disserens, a radice cogitationis inchoasset, dicens : *Tu, rex, cogitare coepisti in stratu tuo quid esset futurum post haec, et qui reuelat mysteria ostendit tibi quae uentura sunt* ; et paulo post : *Videbas, et ecce quasi statua una grandis. Statua illa magna et statura sublimis stabat contra te,* et caetera. Daniel itaque, dum somnium et inplendum reuerenter insinuat, et ex qua ortum sit cogitatione manifestat, patenter ostenditur quia hoc plerumque ex cogitatione simul et reuelatione generatur.

6. Sed nimirum cum somnia tot rerum qualitatibus alternent, tanto eis credi difficilius debet, quanto et ex quo inpulsu ueniant facilius non elucet. Sancti autem uiri

13 exciderunt *bm^{v} H* : exced- *m G* ‖ 14 auguriabimini *m GH* : augurab- *bm^{v}* auguriamini *m^{v}* auguramini *m^{v}* ‖ 20 Ioseph *m GH* : nec *praem.* *b*(*z*) ‖ 21 somnio *$bm^{v}z$ H* : -nium *m G* ‖ non *m GH* : *om.* *b*(*z*) ‖ Mariae sponsum *m GH* : sp. Mar. *b* ‖ 22 fugeret *bm^{v} H* : fugiret *m G* ‖ 24 somnia *m GH* : ex *b* ‖ 27 cogitare coepisti *mz* : coep. cog. *bm^{v} GH* ‖ 32 reuerenter *bm $G^{pc}H$* : reuelantur *b^{v}* reuenter *G^{ac}* ‖ 34-35 generatur *m* : -retur *b GH*

L, 3. Si 34, 7 ; Lv 19, 26 ‖ 4. Ec 5, 2 ; Gn 37, 5-10 ; Mt 2, 13 ‖ 5. Dn 2, 29.31.

ont jeté plusieurs dans l'erreur, et ceux qui espèrent en eux sont tombés. » Ou bien : « Vous ne prendrez pas les augures et vous n'observerez pas les songes. » Voilà qui montre bien combien il faut détester tout ce qui se rapporte aux augures.

4. Si parfois les songes ne provenaient de la réflexion et de l'illusion, le sage n'aurait point dit : « Les rêves suivent les nombreux soucis. » Si les songes ne provenaient parfois d'un mystère de révélation, Joseph ne se serait pas vu en songe préféré à ses frères, et l'ange n'aurait invité dans un rêve l'époux de Marie à prendre l'enfant et à fuir en Égypte.

5. Si les songes ne provenaient parfois de la réflexion et de la révélation, le prophète Daniel, expliquant une rêverie à Nabuchodonosor, ne serait pas parti d'une réflexion en disant : « Toi, roi, tu réfléchissais dans ton lit à ce qui allait arriver ensuite, et le révélateur des mystères te montra le futur. » Et un peu plus loin : « Tu regardais, et voici une statue de grande taille ; cette statue était imposante, ses vastes proportions la dressaient en plein ciel, et elle s'élevait devant toi », etc. Daniel, donc, quand il expose respectueusement que le songe va se réaliser et dévoile en même temps de quelle réflexion il est issu, prouve clairement que parfois le songe naît à la fois de la réflexion et de la révélation.

6. Mais plus grande est la diversité de connotations des songes, plus on doit être difficile à y ajouter foi ; quel souffle les amène et d'où viennent-ils, ce n'est point facile à démêler. Les saints ont un goût secret pour appré-

4. *Vir sapiens* (cf. 3) remplace *Salomon* (*Mor.* 8, 42). C'est d'ailleurs à Salomon qu'a été attribué l'Ecclésiaste en 4, 1.

5. *Dicens* manque dans le texte imprimé de *Mor.* 8, 42, qui porte *adimplendum* au lieu de *et inplendum.* Mais *dicens* et *et inplendum* se lisent dans le texte critique que vient d'éditer M. ADRIAEN (*CC* 143, 414). — Dans *Hom. Ez.* I, 1, 3, Grégoire souligne la « racine du songe » (*cogitatio*) et passe sous silence la révélation.

6. La première phrase (jusqu'à *elucet*) vient de *Mor.* 8, 43. Les considérations suivantes sur le discernement sont originales. Le trait final (prédictions vraies pour capter la confiance et tromper) rappelle ATHANASE, *V. Ant.* 31, 1.

inter inlusiones atque reuelationes ipsas uisionum uoces aut imagines quodam intimo sapore discernunt, ut sciant uel quid a bono spiritu percipiant, uel quid ab inlusione patiantur. Nam si erga haec mens cauta non fuerit, per deceptorem spiritum multis se uanitatibus inmergit, qui nonnumquam solet multa uera praedicere, ut ad extremum ualeat animam ex una aliqua falsitate laqueare.

LI. Sicut cuidam nostro nuper certum est contigisse, qui dum somnia uehementer adtenderet, ei per somnium longa spatia huius uitae promissa sunt. Cumque multas pecunias pro longioris uitae stipendiis collegisset, ita repente defunctus est, ut intactas omnes relinqueret et ipse secum nihil ex bono opere portaret.

LII. Petrvs. Quis sit ille memini. Sed quaeso te, ea quae coepimus exequamur. Putamusne animabus aliquid prodesse, si mortuorum corpora in ecclesiis fuerint sepulta ?

Gregorivs. Quos grauia peccata non deprimunt, hoc prodest mortuis si in ecclesiis sepeliantur, quod eorum proximi, quotiens ad eadem sacra loca conueniunt, suorum, quorum sepulcra aspiciunt, recordantur et pro eis Domino preces fundunt. Nam quos peccata grauia deprimunt, non ad absolutionem potius quam ad maiorem damnationis cumulum eorum corpora in ecclesiis ponuntur. Quod melius ostendimus, si ea quae diebus nostris gesta sunt breuiter narramus.

40 discernunt *bmz GH* : percipiunt b^{v} || 41 inlusione *bm G* : inlusore $m^{v}z$ *H* || 45 laqueare *bm GH* : illaq- m^{v} sicut referre poterimus *add.* b^{v}

LI *ita mz H* : XLIX bm^{v} *om.* m^{v} *G* || 1 nostro *m H* : -trum $bm^{v}z$ *G*

LII *ita mz H* : XLIX bm^{v} *om.* m^{v} *G* || 3 ecclesiis $bm^{v}z$ *GH* : -sia *m* || fuerint *m GH* : *ante* in *transp. b* || 5 Quos $bm^{v}z$: quem *m G* cum m^{v} *H* || 6 ecclesiis *mz G* : -sia *b H* || 8 aspiciunt *m GH* : conspiciunt *b* || 13 narramus *m* : narremus m^{v} *G* enarramus *H* enarremus bm^{v}

cier paroles et images des rêves et choisir entre illusion et révélation ; ils savent s'ils reçoivent un don du bon esprit ou s'ils sont victimes d'une illusion. Mais si l'esprit n'est pas prudent à cet égard, il se voit plongé par l'esprit décevant dans une foule de vaines recherches. Cet esprit trompeur prédit parfois beaucoup de vrai pour finalement prendre l'âme au filet d'un seul mensonge.

LI. C'est ce qui est arrivé sans aucun doute récemment à l'un de nos amis. Il accordait aux songes une attention excessive. Dans un rêve il se vit promettre une longue vie. Il avait mis de côté beaucoup d'argent pour les dépenses d'une vie longuement prolongée. Il mourut tout d'un coup, laissant cette fortune intacte, et il n'emporta avec lui pas la moindre bonne œuvre.

LII. PIERRE. Je me rappelle qui vous visez. Mais, s'il vous plaît, poursuivons notre enquête. Devons-nous penser qu'il est utile aux âmes que leur corps soit inhumé dans les églises ?

2. GRÉGOIRE. Pour les morts qui n'ont pas de gros péchés sur la conscience, la sépulture dans une église est utile, car leurs proches, chaque fois qu'ils viennent au saint lieu, voient leur tombe et pensent à prier pour eux le Seigneur. Mais pour ceux qui ont des péchés mortels, leur déposition dans une église leur vaut non pas une absolution, mais une aggravation de peine. Je m'explique brièvement avec des exemples récents.

LI. Les derniers mots font penser à *Passio Sebastiani* 11 : *nihil secum praeter peccata portantes* (cf. *RM* 86, 7).

LII. Pierre connaissait l'homme : 27, 9 ; 37, 5. Le problème qui suit est traité par AUGUSTIN, *Cura mort.* 6, dont Grégoire reproduit la solution. Chez Augustin, vu le cas particulier que lui avait soumis Paulin de Nole (le fils d'une Africaine enterré dans la basilique de S. Félix), il s'agissait plus précisément de morts ensevelis dans des sanctuaires de martyrs, et de souvenirs éveillés chez leurs proches, non par la vue directe de leur tombe, mais par la pensée de celle-ci considérée à distance. D'autre part, Grégoire spécifie ce qui empêche la délivrance (les « péchés graves ») et ajoute l'idée que ceux-ci rendent la sépulture dans les églises non seulement inutile, mais nuisible.

LIII. Vir namque uitae uenerabilis Felix, Portuensis episcopus, in Sabinensi prouincia ortus atque enutritus est. Qui quamdam sanctimonialem feminam in loco eodem fuisse testatur, quae carnis quidem continentiam habuit, sed linguae procacitatem atque stultiloquium non declinauit. Haec igitur defuncta atque in ecclesia sepulta est.

2. Nocte autem eadem eiusdem ecclesiae custos per reuelationem uidit quia deducta ante sacrum altare per medium secabatur, et pars una illius igne cremabatur, pars autem altera intacta remanebat. Cumque hoc surgens mane fratribus narraret et locum uellet ostendere in quo fuerat igne consumpta, ipsa flammae conbustio ita ante altare in marmoribus apparuit, ac si illic eadem femina corporeo fuisset igne concremata.

3. Ex qua re aperte datur intellegi quia hii, quibus dimissa peccata non fuerint, ad euitandum iudicium sacris locis post mortem non ualent adiuuari.

LIIII. Iohannes quoque uir magnificus, in hac urbe locum praefectorum seruans, cuius ueritatis atque grauitatis sit nouimus. Qui mihi testatus est Valerianum patricium in ciuitate quae Brixa dicitur fuisse defunctum.

LIII *ita mz* : LIIII *G* LI *bm*^{v} *om. m*^{v} *H* ‖ 2 enutritus *m H* : nutr- *bm*^{v}(*z*) *G* ‖ 3 sanctimonialem *bm*^{v} *GH* : sanctaem- *m* ‖ 7 morte autem eadem *m GH* : eadem autem morte *b* ‖ custos *m GH* : *ante* eiusdem *transp. b* ‖ 9 igne *bm H* : igni *m*^{v} *G* ‖ 10 pars autem *m H* : et pars *b* pars *G* ‖ 11 narraret *m GH* : narrasset *b* ‖ uellet *bm* : uellit *GH* uelit *m*^{v} ‖ 14 igne *m GH* : *ante* corporeo *transp. bz* ‖ 15 Ex qua *m GH* : qua ex *b* ‖ hii *m G* : hi *bm*^{v} *H* ‖ 16 dimissa peccata *m GH* : pec. dim. *b* ‖ 17 ualent *m H* : ualeant *b G* ‖ adiuuari *bmz G* : -re *m*^{v} *H*

LIIII *ita mz* : LII *bm*^{v} *om. m*^{v} *GH* ‖ 2 ueritatis atque grauitatis *m GH* : grau. atque uer. *b* ‖ 4 Brixa *bm*^{v}*z GH* : Brixia *b*^{v}*m* Brexia *m*^{v}

LIII, 1. Félix de Porto : voir 27, 6 et note. La même région est désignée par *prouincia* et par *locus*. Moniale qui pèche par la langue comme en II, 23, 2, où se produisent des visions analogues (les

LIII. Le vénérable Félix, évêque de Porto, est né dans le district de Sabine et y a été élevé. Il dit avoir connu une religieuse dans ce pays qui était continente, assurément, mais qui n'évitait pas l'agressivité de la langue et le vain bavardage. Elle mourut. On l'enterra dans l'église.

2. La nuit suivante, le gardien de l'église vit par révélation qu'elle était traînée devant le saint autel et coupée en deux : une partie brûlait, l'autre restait intacte. Au matin, il conta la chose aux frères et voulut leur montrer l'endroit où elle avait brûlé. Des traces de feu apparurent sur le marbre devant l'autel, comme si cette femme avait été grillée à cet endroit par un feu matériel.

3. Cela montre, clair comme le jour, que ceux qui n'ont pas obtenu pardon pour leurs péchés ne sauraient trouver dans les lieux sacrés un secours posthume pour échapper au jugement.

LIIII. Jean, le Magnifique, vice-préfet en notre ville, et dont nous connaissons le sérieux et la bonne foi, m'a raconté qu'en la ville de Brescia mourut le patrice

coupables quittent, au moment de la communion, l'église où elles sont ensevelies).

2. Cette église, que les *Capitula* mettent, on ne sait pourquoi, sous le patronage de S. Laurent, a un *custos*. Les « frères » de celui-ci (cf. I, 11 et note) peuvent être d'autres gardiens — il y en a plus d'un dans certains sanctuaires urbains (III, 30, 5 ; IV, 55, 2) — ou des clercs attachés à la même église. — Corps à moitié brûlé : la vision ressemble à celle du corps d'Étienne à demi plongé dans le fleuve infernal (37, 12-13) et le symbolisme est le même (vie mi-correcte, mi-coupable), mais la chasteté, offensée par l'un, est ce qui sauve l'autre.

LIIII, 1. Jean : III, 10, 1 et note. Sur les évêques de Brescia, voir F. Lanzoni, *op. cit.*, p. 961-968. — Le patrice Valérien est sans doute le correspondant avec lequel Pélage Ier, *Ep.* 52 et 59, traite des affaires ecclésiastiques de Haute-Italie en 559. Dans sa première lettre, le pape note le rôle joué par Valérien dans cette région dès la fin de la guerre des Goths, rôle dont témoigne aussi Procope, *BG* 4, 33. Par ce dernier (*BG* 1, 24 et 27 ; 2, 7, etc.), on peut suivre Valérien en Italie et en Orient pendant toute la guerre. — *Accepto pretio* : voir *Reg.* 8, 3 et 35 = *Ep.* 8, 3 et 9, 3. Grégoire combat cette coutume ancienne, à Rome et ailleurs.

Cui eiusdem ciuitatis episcopus, accepto pretio, locum in ecclesia praebuit, in quo sepeliri debuisset. Qui uidelicet Valerianus usque ad aetatem decrepitam leuis ac lubricus extitit, modumque suis prauitatibus ponere contempsit.

2. Eadem uero nocte qua sepultus est, beatus Faustinus martyr, in cuius ecclesia corpus illius fuerat humatum, custodi suo apparuit, dicens : « Vade, et dic episcopo, proiciat hinc foetentes carnes quas hic posuit, quia si non fecerit, die trigesimo ipse morietur. » Quam uisionem custos episcopo timuit confiteri, et rursus admonitus declinauit. Die autem trigesimo eiusdem ciuitatis episcopus, cum uespertina hora sanus atque incolumis ad lectum redisset, subita morte defunctus est.

LV. Adest quoque in praesenti uenerabilis frater Venantius, Lunensis episcopus, et magnificus Liberius, uir nobilissimus atque ueracissimus, qui se scire suosque homines interfuisse testantur ei rei, quam narrant nuper in Genuensi urbe contigisse.

2. Ibi namque, ut dicunt, Valentinus nomine Mediolanensis ecclesiae defensor defunctus est, uir ualde lubricus et cunctis leuitatibus occupatus, cuius corpus in ecclesia beati confessoris Syri sepultum est. Nocte autem media in eadem ecclesia factae sunt uoces, ac si quis uiolenter ex ea repelleretur atque traheretur foras. Ad quas nimirum uoces concurrerunt custodes, et uiderunt duos quosdam teterrimos spiritus, qui eiusdem Valentini pedes

11 episcopo *m GH* : ut *add. bm*ᵛ*z* ‖ 12 hinc *mz GH* : has *add. b* ‖ 17 subita *m* : et inopinata *add. bm*ᵛ*z GH*

LV *ita mz G* : LIII *bm*ᵛ *om. m*ᵛ *H* ‖ 1 uenerabilis frater *bmz GH* : senex uen. pater *b*ᵛ ‖ 6-7 Mediolanensis ecclesiae *m GH* : ec. Med. *b* ‖ 9 confessoris *m* : martyris *bm*ᵛ*z GH* ‖ 11 repelleretur *m GH* : expell- *b*

---

2. Cette église S. Faustin, au N.-O. de la ville, sera flanquée d'un monastère en 841. — L'apparition du saint martyr au gardien rappelle III, 24, 1, mais surtout les histoires de clercs chargés, par

Valérien. L'évêque de la ville, moyennant finance, lui fournit un lieu de sépulture à l'église. Valérien vécut jusqu'à un âge très avancé, léger et lubrique. Il négligea de mettre un terme à ses dérèglements.

2. La nuit même de sa sépulture, le bienheureux martyr Faustin, dans l'église duquel il avait été enterré, apparut au gardien et lui dit : « Va dire à l'évêque qu'il vide dehors ces charognes puantes qu'il a déposées ; s'il ne le fait pas, il mourra, lui, le trentième jour. » Le gardien hésita à rapporter cette vision à l'évêque ; averti une deuxième fois, il y renonça. Le trentième jour, l'évêque de la ville rentra dans son lit le soir en parfaite santé. Puis il mourut subitement.

LV. Il est encore ici, notre vénérable frère Venance, évêque de Luna, de même que Libère, le Magnifique, homme aussi noble que sincère : ils attestent qu'ils savent et que leurs gens ont vu de leurs yeux ce qui s'est passé naguère à Gênes et dont ils font le récit.

2. Ils disent donc que Valentin, défenseur de l'Église de Milan, vint à mourir. C'était un homme fort lubrique, occupé de toute sorte de légèretés. Son corps fut inhumé en l'église du bienheureux confesseur Syrus. A minuit on entendit dans l'église un bruit de voix, comme si quelqu'un était expulsé violemment et traîné dehors. A ce bruit les gardiens accoururent et virent deux esprits hideux qui avaient lié les pieds de Valentin avec une

des visions répétées, de messages pour leur évêque : *Hom. Eu.* 37, 9 ; Grég. de Tours, *Glor. Mart.* 33, etc. (cf. A. de Vogüé, « Grégoire le Grand, lecteur de Grégoire de Tours ? », dans *AB* 94 [1976], p. 229-233).

LV, 1. Sur Venance et sa présence à Rome en 594, voir III, 9, 1 et note. Liberius n'est pas connu par ailleurs.

2. Beaucoup de Milanais étaient réfugiés à Gênes depuis la prise de Milan par les Lombards en septembre 569 (Paul Diacre, *Hist. Lang.* 2, 25) : voir *Reg.* 3, 30 = *Ep.* 3, 30, etc. L'église de S. Syrus, évêque et confesseur (non martyr, comme le veut presque toute la tradition manuscrite des Dialogues), est l'ancienne cathédrale, à une centaine de mètres à l'E. du vieux port. Elle a plusieurs gardiens (cf. 53, 2 et note). — *Teterrimos spiritus* : cf. 37, 12 ; 40, 7.

quadam ligatura strinxerant et eum ab ecclesia clamantem ac nimium uociferantem foras trahebant. Qui uidelicet exterriti ad sua strata reuersi sunt.

3. Mane autem facto, aperientes sepulcrum in quo isdem Valentinus positus fuerat, eius corpus non inuenerunt. Cumque extra ecclesiam quaererent ubi proiectum esset, inuenerunt hoc in sepulcro alio positum ligatis adhuc pedibus, sicut de ecclesia fuerat abstractum.

4. Ex qua re, Petre, collige quia hii quos peccata grauia deprimunt, si in sacro loco sepeliri se faciant, restat ut etiam de sua praesumptione iudicentur, quatenus eos sacra loca non liberent, sed etiam culpa temeritatis accuset.

LVI. Nam quid quoque in hac urbe contigerit, tinctorum qui hic habitant plurimi testantur, quod quidam artis eorum primus, cum defunctus fuisset, in ecclesia beati Ianuarii martyris iuxta portam sancti Laurentii a coniuge sua sepultus est. Sequenti autem nocte ex sepultura eadem, audiente custode, eius spiritus coepit clamare : « Ardeo, ardeo. » Cum uero has diu uoces emitteret, custos hoc eius nuntiauit uxori.

2. Vxor uero illius eos, qui diligenter inspicerent, artis eiusdem uiros transmisit ad ecclesiam, uolens cognoscere qualiter eius esset corpus in sepulcro, de quo talia clama-

14 strinxerant *bm*ᵛ *GH* : extrincxerant *m* extincxerant *m*ᵛ contrinxerant *m*ᵛ ‖ 18 isdem *m GH* : idem *bm*ᵛ ‖ 20 ligatis *bm*ᵛ *H* : leg- *m G* ‖ 21 de *m GH* : ab *bm*ᵛ ‖ 22 hii *m G* : hi *bm*ᵛ *H*
LVI *ita mz G* : LIV *bm*ᵛ *om. m*ᵛ *H* ‖ 7 diu *m GH* : *ante* has *transp. b post* uoces *transp. m*ᵛ*z* ‖ emitteret *m GH* : emisisset *b* ‖ 11 esset corpus *m GH* : corpus es. *b*

---

3. Voir Grég. de Tours, *Glor. mart.* 89 : le sarcophage contenant le corps du méchant Antonin est projeté à deux reprises hors de la basilique S. Vincent de Toulouse et retrouvé dans l'atrium ; cf. *Hist. Franc.* 8, 40 (tombeau démoli). On songe à II, 24, 1. Voir aussi Jean Moschus, *Pré sp.* 88.

ligature de leur façon et qui le tiraient dehors, tandis qu'il appelait au secours avec force cris. Les gardiens effrayés rentrèrent dans leur lit.

3. Au matin, ils ouvrirent le tombeau où Valentin avait été déposé et ne trouvèrent pas le corps. Ils cherchèrent hors de l'église où il avait pu être jeté. Il le trouvèrent dans un autre tombeau, les pieds encore liés, tel qu'il avait été tiré de l'église.

4. Tirez la conclusion de cette histoire, Pierre. Ceux qui sont écrasés sous des péchés graves, s'ils se font ensevelir dans un lieu sacré, ils doivent s'attendre à être jugés en outre sur leur présomption. Le lieu saint ne les libère pas. Il accuse leur faute de témérité.

LVI. Voici encore ce qui est arrivé dans notre ville. De nombreux teinturiers romains en sont les témoins. Le président de leur corporation vint à mourir. Sa veuve l'enterra à l'église du Bienheureux Janvier Martyr près de la porte Saint-Laurent. La nuit suivante, le gardien entendit l'esprit du défunt crier : « Je brûle ! Je brûle ! » Il poussa longtemps ces cris. Le gardien en fit part à son épouse.

2. Celle-ci envoya des hommes de sa corporation à l'église pour une inspection minutieuse. Elle voulait savoir comment se trouvait son corps dans le sépulcre d'où étaient sortis de tels cris. Ils ouvrirent le sé-

4. Thèse déjà énoncée en 52.

LVI, 1. Janvier est un des six diacres décapités sous Xyste II et ensevelis au cimetière de Prétextat (*Lib. Pont.* I, 226). Son église se trouvait *foris portam S. Laurentii* (*Lib. Pont.* I, 505), *iuxta uiam Tiburtinam prope murum ciuitatis* (*De loc. sanct. mart.* 18, *CC* 175, 318), peut-être à gauche de la route (cf. L. Reekmans, « L'implantation monumentale chrétienne dans la zone suburbaine de Rome du ive au ixe s. », dans *RivAC* 44 [1968], p. 176 [hors texte] et 196-197). Voir 27, 3 et note. — Plaintes d'un mort brûlé dans sa tombe : Grég. de Tours, *Glor. mart.* 106 (cf. Jean Moschus, *Pré sp.* 40). Voir aussi 53, 2.

2. Voir Grég. de Tours, *Glor. mart.* 106 : on ouvre la tombe et l'on constate la combustion. — Les vêtements conservés à l'église font penser à II, 1, 2 (*capisterium*) ; III, 15, 18 (tunique).

ret. Qui aperientes sepulcrum uestimenta quidem intacta reppererunt, quae nunc usque in eadem ecclesia pro eiusdem causae testimonio seruantur, corpus uero illius omnino non inuenerunt, ac si in sepulcro eodem positum non fuisset.

3. Ex qua re collegendum est qua ultione anima eius damnata sit, cuius et caro est ab ecclesia proiecta. Quid igitur sacra loca sepultis prosunt, quando hii qui indigni sunt ab eisdem sacris locis diuinitus proiciuntur ?

LVII. Petrvs. Quidnam ergo esse poterit, quod mortuorum ualeat animabus prodesse ?

2. Gregorivs. Si culpae post mortem insolubiles non sunt, multum solet animas etiam post mortem sacra oblatio hostiae salutaris adiuuare, ita ut hoc nonnumquam ipsae defunctorum animae uideantur expetere.

3. Nam praedictus Felix episcopus a quodam uenerabilis uitae presbitero qui usque ante biennium uixit et in diocesi Centumcellensis urbis habitauit atque ecclesiae beati Iohannis, quae in loco qui Tauriana dicitur sita est, praeerat, cognouisse se adserit quod isdem presbiter in eodem loco, in quo aquae calidae uapores nimios faciunt, quotiens necessitas corporis exigebat, lauari consueuerat.

4. Vbi dum die quadam fuisset ingressus, inuenit quemdam incognitum uirum ad suum obsequium praeparatum, qui sibi de pedibus calciamenta abstraheret,

13 reppererunt *bm H* : -rierunt m^{v} -riunt m^{v} *G* -rirent m^{v} ‖ 17 Ex qua *m GH* : qua ex *b* ‖ 19 hii *m G* : hi *b*m^{v} *H*
LVII *ita mz G* : LV *b*m^{v} *om.* m^{v} *H* ‖ 3 Gregorius *bm GH* : LVII *praem.* m^{v} ‖ 5 hoc *mz GH* : hanc *b* ‖ 7-8 uenerabilis uitae *m H* : uitae uen. *bz* uenerabile *G* ‖ 9 diocesi m^{v} *GH* : diuc- *m* dioec- *b* ‖ 10 Tauriana *bmz H* : Taurina m^{v} *G* ‖ 11 isdem *m GH* : idem *b*m^{v} ‖ necessitas corporis *mz GH* : corp. nec. *b* ‖ 15 dum *b*m^{o} *GH* : cum *m* ‖ quadam *bm* : quodam $m^{v}m^{o}$ *GH*

pulcre, trouvèrent les vêtements intacts. Ces vêtements sont conservés dans cette église comme témoins de l'événement. Mais le corps, ils ne le trouvèrent pas, comme s'il n'avait pas été mis au tombeau.

3. Par là on peut conjecturer à quelle vindicte son âme fut soumise, puisque sa chair fut évincée de l'église. Donc, à quoi bon être enseveli dans les lieux sacrés, si les indignes en sont chassés par une force divine ?

LVII. Pierre. Qu'est-ce qui pourrait donc rendre service efficacement aux âmes des morts ?

2. Grégoire. Si après la mort les fautes ne sont pas impardonnables, l'offrande de l'hostie salutaire aide beaucoup les âmes même après la mort, à ce point que parfois les âmes elles-mêmes des trépassés font voir qu'elles la demandent.

3. L'évêque Félix, dont j'ai parlé, dit avoir appris ceci d'un vénérable prêtre mort il y a deux ans, qui résidait au diocèse de Centumcellae et présidait à l'église Saint-Jean située à Tauriana. Là des eaux chaudes donnent des vapeurs surabondantes. Il y prenait des bains quand il le jugeait bon pour sa santé.

4. Il vint un jour et trouva un inconnu tout prêt à le servir, qui lui retirait ses chaussures, recevait ses vête-

3. Le sort de l'âme est suggéré par celui du corps : 33, 4.

LVII, 1. Début de la dernière section du Livre.

2. La croyance au pouvoir libérateur de la messe est alors générale. Voir Augustin, *Cura mort.* 22 ; *Ench.* 110, etc.

3. Félix de Porto : 27, 6 ; 53, 1. — Le port de Centumcellae (Civitavecchia), déjà nommé en 28, 1, est un évêché (*Reg.* 5, 57[a] = *Ep.*, *Ap.* 5, etc.) depuis le ive s. au moins, bien qu'il ait à l'origine dépendu administrativement d'Aquae Tauri. Cette dernière localité, sise au N.-E., à une distance de trois milles (4,5 km) selon Rutilius Namatianus, *De red. suo* I, 249-260, qui en vante les eaux thermales, n'a qu'une église confiée à un prêtre.

4. Cette histoire ressemble étrangement à celle de l'évêque Germain qui trouve aux thermes d'Angulus le diacre défunt Paschase *obsequentem in caloribus* (42, 3-4). Le serviteur déchausse : cf. III, 20, 1.

uestimenta susciperet, exeunti e caloribus sabana praeberet, atque omne ministerium cum magno famulatu perageret.

5. Cumque hoc saepius fieret, isdem presbiter die quodam ad balnea iturus intra semetipsum cogitans, dixit : « Viro illi, qui mihi solet tam deuotissime ad lauandum obsequi, ingratus apparere non debeo, sed aliquid me necesse est ei pro munere portare. » Tunc duas secum oblationum coronas detulit. Qui mox ut peruenit ad locum, hominem inuenit atque ex more eius obsequio in omnibus usus est. Lauit itaque, et cum iam uestitus uoluisset egredi, hoc quod secum detulerat obsequenti sibi uiro pro benedictione obtulit, petens ut benigne susciperet, quod ei caritatis gratia offerret.

6. Cui ille moerens adflictusque respondit : « Mihi ista quare das, pater ? Iste panis sanctus est ; ego hunc manducare non possum. Me etenim quem uides, aliquando loci huius dominus fui, sed pro culpis meis hic post mortem deputatus sum. Si autem mihi praestare uis, omnipotenti Deo pro me offer hunc panem, ut pro peccatis meis interuenias. Et tunc exauditum te esse cognosces, cum hic ad lauandum ueneris et me minime inueneris. » In quibus uerbis disparuit, et is qui esse homo uidebatur, euanescendo innotuit quia spiritus fuit.

7. Isdem uero presbiter ebdomade continua se pro eo in lacrimis adflixit, salutarem hostiam cotidie obtulit, et reuersus post ad balneum, eum iam minime inuenit. Qua ex re quantum prosit animabus immolatio sacrae

18 e *m H* : ex *m*v de *b* a *m*v *om. G* ‖ 21 isdem *m GH* : idem *bm*v ‖ 22 quodam *m GH* : quadam *bm*v ‖ 27 obsequio *bm*v *GH* : -quium *m* ‖ 31 caritatis gratia *m GH* : gratia car. *b* ‖ 34 Me *b*v*mz GH* : ego *b* ‖ 34-35 aliquando loci huius dominus *mz GH* : huius loci al. dom. *b* ‖ 38 cognosces *m* : -ce *bm*o*z GH* ‖ 39 hic *m*(*z*) *GH* : huc *bm*v ‖ inueneris *m GH* : repereris *b* ‖ 40 esse homo *m GH* : homo esse *bz* ‖ 42 Isdem *m GH* : idem *bm*v ‖ ebdomade *m* : -dae *H* -da *bm*v *G*pc -dade *G*ac

ments, présentait la serviette au sortir de l'étuve, bref faisait tout son service avec le plus grand empressement.

5. Cela se renouvela souvent. Ce prêtre, un jour qu'il allait au bain, se dit en lui-même : « Ce garçon de bain si dévoué, il ne faut pas que j'aie l'air chiche avec lui ! Il faut absolument que je lui porte un pourboire. » Alors il prit avec lui deux couronnes d'oblation. A peine arrivé, il trouva son homme qui, selon son habitude, accomplit tous les rites du service. Après le bain, une fois rhabillé, il offre ce qu'il avait apporté à son garçon en guise de bénédiction. Qu'il veuille bien accepter ce qu'il lui offre pour l'amour de la charité.

6. L'homme répondit en soupirant tristement : « Pourquoi me donner cela, Père ? Ce pain est saint, je ne puis le manger. Tel que vous me voyez, je fus seigneur et maître de ce lieu jadis, mais pour mes péchés j'ai été envoyé ici après la mort. Si vous souhaitez m'être utile, offrez pour moi ce pain à Dieu tout-puissant. Intercédez pour mes péchés. Vous saurez que vous avez été exaucé si, quand vous reviendrez vous baigner, vous ne me trouvez plus. » A ces mots il disparut, montrant par là qu'il n'était pas ce qu'il semblait, un homme, mais un esprit évanescent.

7. Le prêtre, toute une semaine, se mortifia pour lui avec des larmes, offrit chaque jour l'hostie salutaire. Il revint au bain et ne le revit plus jamais. Voilà qui montre combien est profitable aux âmes l'immolation de l'oblation

5. *Oblationum coronas* : pains offerts par les fidèles pour l'eucharistie et demeurés en surnombre ; le prêtre peut les donner en guise d'« eulogies » (*RM* 76, 1-2) ou « bénédictions » (II, 8, 2).

6. *Pater* adressé à un prêtre : I, 12, 1. A la différence de Paschase (42, 3), l'homme a un rapport particulier avec ces thermes au service desquels il est condamné. Sa requête est semblable à celle dè Paschase, mais l'oblation eucharistique remplace la prière. Il s'avère esprit en disparaissant : *Hom. Eu.* 23, 2 (cf. Lc 24, 31 : *euanuit* ; CASSIEN, *Inst.* 2, 5, 5, etc.).

7. Semaine de larmes et de messes : Germain avait seulement prié pendant quelques jours (42, 4). Dans les deux récits, le baigneur revient et ne revoit plus le fantôme. — La célébration d'une messe pour le défunt au septième jour est déjà attestée par AMBROISE, *De exc. Sat.* 2, 2 ; *De obitu Theod.* 3.

oblationis ostenditur, quando hanc et ipsi mortuorum spiritus a uiuentibus petunt, et signa indicant quibus per eam absoluti uideantur.

8. Sed neque hoc silendum existimo, quod actum in meo monasterio ante hoc triennium reminiscor. Quidam namque monachus, Iustus nomine, medicina arte fuerat inbutus, qui mihi in eodem monasterio constituto sedule obsequi atque in assiduis aegritudinibus meis excubare consueuerat. Hic itaque, languore corporis praeuentus, ad extremum deductus est. Cui in ipsa sua molestia frater germanus nomine Copiosus seruiebat, qui ipse quoque nunc in hac urbe per eamdem medicinae artem temporalis uitae stipendia sectatur.

9. Sed praedictus Iustus, cum iam se ad extremum peruenisse cognouisset, eidem Copioso fratri suo quia occultos tres aureos haberet innotuit. Quod nimirum fratribus non potuit celari, sed subtiliter indagantes atque illius omnia medicamenta perscrutantes, eosdem tres aureos inuenerunt in medicamine absconsos.

10. Quod mox ut mihi nuntiatum est, tantum mali de fratre qui nobiscum communiter uixerat aequanimiter ferre non ualui, quippe quia eiusdem monasterii nostri semper regula fuerat, ut cuncti fratres ita communiter uiuerent, quatenus eis singulis nulla habere propria liceret. Tunc nimio moerore percussus cogitare coepi, uel quid ad purgationem morientis facerem, uel quid in exemplum uiuentibus fratribus prouiderem.

51 medicina *m G* : -nae m^{v} *H* medicinali bm^{v} ‖ 64 absconsos *m GH* : *ante* in *transp.* *b* ‖ 65 mali *m* : malum $bm^{v}m^{o}(z)$ *GH* ‖ 67 monasterii nostri *bm H* : nostri mon. m^{v} *G* ‖ 68 fratres ita *bm GH* : ita fr. b^{v} ‖ 70 percussus *m GH* : perculsus *b* compulsus m^{v} ‖ 71 in *m GH* : ad *bz* ‖ 72 exemplum bm^{v} : -plo *m GH*

8. *Ante hoc triennium* : 590-591. — L'histoire qui commence ici se retrouve chez Jean Moschus, *Pré sp.* 192, où maint détail dif-

sacrée. Les esprits des morts eux-mêmes la réclament aux vivants et indiquent les signes qui marqueront leur absolution obtenue grâce à elle.

8. Mais je ne pense pas devoir passer sous silence ce qui se passa dans mon monastère, je m'en souviens, il y a trois ans. Un moine nommé Justus, qui avait étudié la médecine, me servait avec zèle quand j'étais au monastère. Il me veillait dans mes perpétuelles maladies. Cependant il tomba malade et toucha à sa fin. Il était soigné par son propre frère, nommé Copiosus, qui maintenant encore gagne sa vie temporelle à Rome en exerçant l'art de la médecine.

9. Justus, se voyant approcher de sa fin, confia à son frère Copiosus qu'il avait secrètement en sa possession trois pièces d'or. Cela ne put être dissimulé aux moines, qui en cherchant avec soin et en fouillant parmi tous les médicaments de Justus, trouvèrent ces trois pièces cachées dans une drogue.

10. Dès qu'on m'eut annoncé la chose, je ne pus fermer les yeux sur un mal aussi grave chez un frère qui menait avec nous la vie commune, car la règle de notre monastère fut toujours que tous les frères vivaient en commun sans que personne n'eût le droit de détenir rien en propre. Très peiné, je me demandais comment corriger le mourant et faire un exemple pour la gouverne des frères vivants.

fère, mais l'ensemble du récit est trop semblable pour qu'il puisse s'agir d'un autre fait. Selon Moschus, Grégoire était déjà pape quand il a fondé son monastère. — Ces deux frères médecins font penser aux S. Cosme et Damien, mais ils n'imitent pas le désintéressement des célèbres « anargyres ». — Maladies de Grégoire : III, 33, 7.

9. Chez Moschus, le moine, non encore malade, s'est fait donner les trois pièces par son frère en vue d'acheter une tunique, et la faute est dénoncée par un autre moine. Ici, la découverte de l'or dans les affaires du mourant fait penser à Jérôme, *Ep.* 22, 33 : à sa mort, un moine de Nitrie laisse cent *solidos.*

10. Selon Moschus, la désappropriation serait une règle posée par Grégoire quand il a fondé le monastère. Sur ce principe constitutif du cénobitisme, voir Cassien, *Inst.* 4, 3.13 ; *RM* 82 ; *RB* 33, etc. Grégoire lui-même combat la *peculiaritas* dans *Reg.* 1, 40 = *Ep.* 1, 42. — Purification du mourant : cf. 48.

11. Pretioso igitur eiusdem monasterii praeposito ad me accito dixi : « Vade, et nullus ex fratribus se ad eum morientem iungat, nec sermonem consolationis ex cuiuslibet eorum ore percipiat. Sed cum in morte constitutus fratres quaesierit, ei suus frater carnalis dicat quia pro solidis, quos occulte habuit, a cunctis fratribus abominatus sit, ut saltem in morte de culpa sua mentem illius amaritudo transuerberet atque a peccato quod perpetrauit purget. Cum uero mortuus fuerit, corpus illius cum fratrum corporibus non ponatur, sed quolibet fossam in sterquilinio facite, in ea corpus eius proicite, ibique super eum tres aureos quos reliquit iactate, simul omnes clamantes : *Pecunia tua tecum sit in perditione*, et sic eum terra operite. »

12. In quibus utrisque rebus unam morienti, alteram uero uolui uiuentibus fratribus prodesse, ut et illum amaritudo mortis a culpa solubilem faceret, et istos auaritiae tanta damnatio misceri in culpa prohiberet.

13. Quod ita factum est. Nam cum isdem monachus peruenisset ad mortem atque anxie se quaereret fratribus

73 Pretioso *bm GH* : Specioso b^{v} *om. z* ‖ 74 accito *m* : ascito m^{v} *GH* accersito bm^{v} ‖ 77 frater carnalis *m GH* : carn. fr. *b* ‖ pro bm^{v} *GH* : propter $b^{v}m$ ‖ 78 solidis bm^{v} *GH* : solidos *m* aureos b^{v} ‖ 79 illius *m GH* : ipsius *b* ‖ 82 fossam *m GH* : *post* sterquilinio *transp. bz* ‖ 83-84 in ea — iactate *om. G* ‖ 84 quos $bm^{o}z$ *H* : quod *m* ‖ simul omnes *m GH* : om. simul *bz* ‖ 85 perditione *m GH* : perditionem bm^{v} *z* ‖ 87 unam *bmz* : una m^{v} *GH* ‖ alteram *bmz H* : -ra m^{v} *G* ‖ 88 uiuentibus fratribus prodesse *mz H* : uiu. prod. m^{v} *G* prod. frat. uiu. *b* ‖ 91 isdem *m GH* : idem bm^{v} ‖ 92-93 fratribus conmendare *mz GH* : comm. frat. *b*

LVII, 11. Ac 8, 20.

11. Pretiosus peut être le moine mentionné dans *Reg*. 2, 38 = *Ep*. 2, 32 (juillet 592) : disgracié par Grégoire pour une faute légère, il est auprès de Maximien de Syracuse et aspire à revenir auprès du pape. Ici, Pretiosus est *praepositus monasterii*, c'est-à-dire supérieur en second (I, 2, 1, etc.). Grégoire, qui lui donne des ordres, serait-il abbé ? Mais rien n'indique par ailleurs qu'il l'ait été.

11. Je fis venir Pretiosus, le prieur du monastère, et lui dis : « Allez ! Mettez en quarantaine le mourant ! Qu'il ne reçoive d'aucun frère un mot de consolation. Mais quand, arrivé à l'article de la mort, il réclamera les frères, que son frère charnel lui dise qu'il est en abomination auprès de tous à cause des sous qu'il a cachés. Au moins à la mort, son âme connaîtra pour sa faute une amère componction, et il sera purifié du péché qu'il a commis. Quand il sera mort, qu'on ne l'enterre pas au cimetière monastique, mais faites un trou quelque part dans le fumier, jetez-le là-dedans avec par-dessus les trois sous d'or qu'il a laissés, et criez tous ensemble : 'Ton argent soit avec toi pour ta perte !' Puis recouvrez de terre. »

12. Ainsi je fis d'une pierre deux coups, visant à l'utilité du moribond et à celle des frères vivants ; l'amertume de sa mort le rendrait pardonnable, et une telle condamnation de l'avarice empêcherait ceux-ci de se laisser aller à la faute.

13. Ainsi fut fait. Lorsque ce frère fut près de mourir, il chercha anxieusement à se recommander au convent :

Ici-même, il semble résider hors du monastère : il « fait venir » le prévôt et, contrairement à 49, 7, n'assiste pas aux obsèques, qu'il règle comme à distance. On a donc l'impression qu'il est déjà pape (cf. Moschus) et qu'il commande en qualité d'évêque et de fondateur. S'il donne ses ordres non à l'abbé (Maximien ou Pierre : 49, 5 et note), mais au prévôt, c'est peut-être qu'il n'y a pas d'abbé par suite de la promotion de Maximien ou d'une absence momentanée. — La fin imite JÉRÔME, *Ep.* 22, 33 : les anciens de Nitrie font enterrer le moine avec son argent, en citant Ac 8, 20. Grégoire dramatise la scène. Cf. ATHANASE, *V. Ant.* 11, 4, et surtout GRÉG. DE TOURS, *Glor. mart.* 106 : sur l'ordre de l'évêque, les clercs jettent sur le corps d'une avare l'or qu'elle a laissé, en disant : *Sint tua tibi quae congregasti.*

12. L'« amertume » de la mort libère du péché, tout comme sa « frayeur » (48). Sur la mort comme peine temporelle préparant la miséricorde dans l'au-delà, voir FERRAND, *V. Fulg.* 36.

13. Recommandation de l'âme du mourant : 40, 3.11 ; 49, 3. Il est mis en quarantaine comme un excommunié (cf. *RM* 13, 45-49 ; *RB* 25, 2-6). — A la fin, cf. JÉRÔME, *Ep.* 22, 33 : l'ensevelissement du moine avec son argent inspire une terreur salutaire à tous les moines d'Égypte. Objets autorisé par la règle : *RB* 55, 18-19.

conmendare nullusque e fratribus ei adplicari et loqui dignaretur, ei carnalis frater cur ab omnibus esset abominatus indicauit. Qui protinus de reatu suo uehementer ingemuit, atque in ipsa tristitia e corpore exiuit. Qui ita est sepultus, ut dixeram. Sed fratres omnes eadem eius sententia perturbati, coeperunt singuli extrema quaeque et uilia et quae eis habere regulariter semper licuerat ad medium proferre, uehementerque formidare ne quid apud se esset unde reprehendi potuissent.

14. Cum uero post mortem eius triginta iam essent dies euoluti, coepit animus meus defuncto fratri conpati eiusque cum dolore graui supplicia pensare, et si quod esset ereptionis eius remedium quaerere. Tunc euocato ad me eodem Pretioso monasterii nostri praeposito tristis dixi : « Diu est quod frater ille, qui defunctus est, igne cruciatur. Debemus ei aliquid caritatis inpendere, et eum in quantum possumus ut eripiatur adiuuare. Vade itaque, et ab hodierna die diebus triginta continuis offerre pro eo sacrificium stude, ut nullus omnino praetermittatur dies, quo pro absolutione illius salutaris hostia non immoletur. » Qui protinus abscessit et paruit.

15. Nobis autem alia curantibus atque euolutos dies non numerantibus, isdem frater qui defunctus fuerat nocte quadam fratri suo germano Copioso per uisionem apparuit. Quem ille cum uidisset, inquisiuit dicens : « Quid est, frater ? Quomodo es ? » Cui ipse respondit : « Nunc usque male fui, sed iam modo bene sum, quia hodie communionem recepi. »

93 nullusque *m H* : nullus *G* et nullus *b* ‖ adplicari *bm H* : -re m^v *G* ‖ 96 tristitia *mz GH* : sua *praem.* *b* ‖ 98 perturbati *m GH* : conturbati *b* ‖ 101 se *bm H* : eos $b^v m^v$ eis *G* ‖ 112 salutaris hostia *m GH* : hostia sal. *b* ‖ 113 paruit *mz GH* : dictis *praem.* *b* ‖ 114 euolutos dies *m GH* : dies eu. *b* ‖ 115 isdem *m GH* : idem bm^v

personne ne daigna s'approcher de lui et lui dire un mot. Copiosus lui expliqua pourquoi il était en abomination auprès de tous. Aussitôt Justus gémit profondément sur sa faute et quitta son corps dans cette tristesse. On l'ensevelit comme je l'avais prescrit. Tous les frères, consternés par cette sentence, apportèrent au dépôt conventuel tous les petits objets, même les plus ordinaires, qu'ils pouvaient avoir, et dont la règle avait toujours concédé l'usage. Ils avaient une peur intense d'avoir par devers eux quelque chose qui pût être motif de répréhension.

14. Trente jours après sa mort, j'eus compassion du frère défunt, je pensai avec grande douleur à ses supplices et cherchai s'il n'y aurait pas un remède pour le tirer d'affaire. Alors je fis venir Pretiosus, le prieur de notre monastère, et je lui dis avec tristesse : « Voilà longtemps que ce frère défunt est torturé dans le feu. Nous lui devons un geste de charité. Il faut l'aider de toutes nos forces pour qu'il soit sauvé. Allons ! A compter de ce jour, pendant trente jours de suite, ayez soin d'offrir le sacrifice à son intention ! Que nul jour ne passe sans immolation de l'hostie salutaire pour son pardon. » Pretiosus s'en alla et obéit.

15. Occupé d'autres soucis, nous ne comptions pas les jours. Une nuit, le frère défunt apparut en songe à son frère Copiosus, qui lui demanda : « Eh bien ! frère, qu'en est-il de toi ? » Justus répondit : « Jusqu'à maintenant j'étais mal, mais maintenant je suis bien, car aujourd'hui j'ai reçu la communion. »

14. Allusion au « feu » purgatoire (41, 3). « Offrir le sacrifice » se dit soit du fidèle qui fournit la matière (59, 2 ; cf. *RM* 93, 8 et note), soit du prêtre célébrant (58, 1 ; 59, 3). On songe à la délivrance des moniales défuntes (II, 23, 5), où cependant l'effet libérateur est dû à l'intervention personnelle de Benoît autant qu'au sacrifice eucharistique.

15. Chez Moschus, le dialogue s'échange entre l'âme du défunt et l'higoumène, après qu'une prière d'absolution, écrite par le pape, a été lue sur la tombe. Chez Grég. de Tours, *Glor. mart.* 106, c'est la prière de l'évêque qui met fin à la peine.

16. Quod isdem Copiosus pergens protinus indicauit in monasterio fratribus. Fratres uero sollicite conputauerunt dies, et ipse dies extiterat, quo pro eo trigesima oblatio fuerat inpleta. Cumque et Copiosus nesciret quid pro eo fratres agerent, et fratres ignorassent quid de illo Copiosus uidisset, uno eodemque tempore dum cognoscit ille isti quid egerant atque isti cognoscunt ille quid uiderat, concordante simul uisione et sacrificio, res aperte claruit, quia frater qui defunctus fuerat per salutarem hostiam supplicium euasit.

17. Petrvs. Mira sunt ualde quae audio et non mediocriter laeta.

LVIII. Gregorivs. Ne nobis in dubium ueniant uerba mortuorum, confirmant haec facta uiuentium. Nam uir uitae uenerabilis Cassius, Narniensis episcopus, qui cotidianum Deo sacrificium offerre consueuerat seque in lacrimis inter ipsa sacrificiorum arcana mactabat, mandatum Domini per cuiusdam sui uisionem presbiteri suscepit, dicens : « Age quod agis, operare quod operaris. Non cesset pes tuus, non cesset manus tua. Natale apostolorum uenies ad me, et retribuo tibi mercedem tuam. »

2. Qui post annos septem ipso natalicio apostolorum

121 isdem *m GH* : idem bm^{v} ‖ 122 fratribus *m GH* : *ante* in *transp. b* ‖ 124 et *mz GH* : *om. b* ‖ 127 isti quid *m GH* : quid isti *bz* ‖ 127-128 ille quid *m GH* : quid ille *bz* ‖ 130 supplicium euasit *mz GH* : eu. sup. *b* ‖ 131 Petrus *m GH* : LVIII *praem. z* LVI *praem. b*
LVIII *ita m G ut uid.* : LVI m^{o} *om.* $bm^{v}z$ *H* ‖ 4 Deo sacrificium *mz H* : *post* consueuerat *transp. b* *om. G* ‖ 6 cuiusdam sui *bm H* : *post* uisionem *transp. G* ‖ presbiteri *m GH* : *ante* uisionem *transp. b* ‖ 7 suscepit $bm^{v}z$ *GH* : suscipit *m* ‖ 8 Natale *m GH* : -li bm^{v} ‖ 9 retribuo *m G* : -buam $bm^{v}z$ *H*

---

16. Vérification par recoupement comme en 36, 9 et 37, 6 (cf. II, 35, 4 ; IV, 10 ; 31, 4 ; 36, 5). — Origine du « trentain grégorien », la présente histoire a elle-même un arrière-plan liturgique et biblique : l'usage de célébrer la messe au 30e jour après les funérailles, comme

16. Copiosus alla vite le dire aux frères du monastère. Ceux-ci comptèrent les jours avec soin, et ce jour était le trentième où l'oblation avait été accomplie pour lui. Or Copiosus ignorait ce que les frères avaient fait pour Justus, et les frères ne savaient pas la vision de Copiosus au sujet de Justus. Au beau moment où Copiosus connut ce que les frères avaient fait et les frères connurent ce qu'il avait vu, à cette concordance de la vision et du sacrifice, il apparut clairement que le frère défunt avait échappé au supplice grâce à l'hostie salutaire.

17. Pierre. Merveilleux, merveilleux, ce que j'entends. Comme c'est réjouissant !

LVIII. Grégoire. Pour que nous ne mettions pas en doute les paroles des morts, voici pour nous confirmer les actes des vivants. Le vénérable Cassius, évêque de Narni, avait pour règle d'offrir à Dieu chaque jour le sacrifice, et il s'immolait lui-même avec des larmes au cours de ce sacrifice mystique. Il reçut ordre du Seigneur par une vision d'un de ses prêtres : « Fais bien ce que tu fais, continue à pratiquer ce que tu pratiques, que ton pied ne s'arrête pas, que ta main ne s'arrête pas. En la fête des Apôtres tu viendras à moi et je te donnerai ta récompense. »

2. Au bout de sept années, après avoir célébré la fête

les Israélites avaient pleuré Moïse pendant 30 jours (Dt 34, 8). Cf. Ambroise, *De obitu Theod.* 3.

LVIII, 1. Cassius : voir III, 6, 1 et note. Ici, Grégoire résume à l'extrême le long récit de *Hom. Eu.* 37, 9, qu'il tenait d'un diacre de Narni (cf. A. de Vogüé, « Grégoire le Grand, lecteur de Grégoire de Tours ? », p. 229-233). Seules les paroles de la vision sont reproduites intégralement. Elles s'inspirent d'Ec 9, 10 (cité plus haut : IV, 4, 8 et 41, 2) ; Ec 11, 6. — D'après l'Homélie, les célébrations de Cassius étaient *presque* quotidiennes, et il y joignait des aumônes. On songe aux messes célébrées à Rome *cotidianis diebus* (*Reg.* 8, 28 = *Ep.* 8, 29). — *Seque in lacrimis... mactabat* : les « larmes » sont remplacées par la « contrition du cœur » dans l'Hom., par la « componction » dans *In I Reg.* 6, 32.

2. Cassius étant mort le 29 juin 558 (note sous III, 6, 1), la vision prémonitoire du prêtre doit se placer peu avant le 29 juin 551.

die, cum missarum sollemnia peregisset et mysteria sacrae communionis accepisset, e corpore exiuit.

LVIIII. Hoc quoque quod audiuimus, quemdam apud hostes in captiuitate positum et in uinculis religatum fuisse, pro quo sua coniux diebus certis sacrificium offerre consueuerat, qui longo post tempore ad coniugem reuersus quibus diebus eius uincula soluerentur innotuit, eiusque coniux illos fuisse dies quibus pro eo offerebat sacrificium recognouit, et ex alia nobis re quae ante annos septem gesta est certissime confirmatur.

2. Agatho etenim Panormitanus episcopus, sicut fideles mihi ac religiosi uiri multi testati sunt atque testantur, cum beatae memoriae decessoris mei tempore iussus esset ut Romam ueniret, uim nimiae tempestatis pertulit, ita ut se ex tanto undarum periculo euadere posse diffideret. Nauta uero illius Varaca nomine, qui nunc eiusdem ecclesiae clericatus officio fungitur, post nauem carabum regebat. Rupto fune, cum eodem carabo quem regebat, inter undarum cumulos repente disparuit. Nauis autem, cui episcopus praeerat, tandem post multa pericula ad Vsticam insulam fluctibus quassata peruenit.

3. Cumque die tertio episcopus nautam, qui ab eo abreptus in carabo fuerat, in nulla maris parte uideret apparere, uehementer adflictus mortuum credidit. Sed per obsequium caritatis unum quod mortuo debebat

LVIIII *ita mz* : LVII *bm*^{v} *om. m*^{v} *GH* ‖ 1 quod *b*^{v}*mz GH* : *om. b* narramus *praem. m*^{v} ‖ 5 eius uincula soluerentur *bmz GH* : a uinculis absolueretur *b*^{v} ‖ 6-7 offerebat sacrificium *m H* : sacr. of. *bz G* ‖ 9 etenim *m GH* : enim *bm*^{v} ‖ 11 decessoris *m GH* : predeces- *m*^{v} anteces- *b* ‖ 14 Varaca *b*^{v}*m*^{v} *G* : Baraca *b*(*z*) Varaga *m* Varica *b*^{v}*m*^{v} *H* Varga *m*^{v} ‖ 16 carabum *bm*^{v}*z GH* : carapum *m* ceraphum *b*^{v} carbasum *m*^{v} *et sic deinceps* ‖ rupto *m GH* : ruptoque *b* rupto itaque *m*^{v} ‖ 19 Vsticam *bz* : Ost- *b*^{v} *G* Host- *m H*

LVIIII, 1. Allusion à l'histoire contée dans *Hom. Eu.* 37, 8, où Grégoire présente le fait comme récent et connu de beaucoup, en

des Apôtres par une messe solennelle et reçu le mystère de la sainte communion, il sortit de son corps.

LVIIII. Nous avons aussi entendu dire que quelqu'un, captif chez ses ennemis, avait été chargé de chaînes. Sa femme, à certains jours, offrait pour lui le sacrifice. Après un long temps il revint auprès d'elle, lui dit quels jours ses liens étaient dénoués, et elle reconnut que c'étaient les jours où elle offrait pour lui le sacrifice. Ce qui est corroboré très certainement par cet autre fait arrivé il y a sept ans.

2. Agathon, évêque de Palerme (ce sont des hommes nombreux, sûrs, pleins de piété qui m'ont affirmé cela et qui me l'affirment) fut convoqué à Rome par mon prédécesseur de sainte mémoire. Il essuya une tempête d'une rare violence, si bien qu'il se demandait s'il pourrait échapper à un si grand péril de la mer. Un matelot nommé Varaca, actuellement du clergé panormitain, dirigeait le canot derrière son bateau. Le cable se rompit. Il disparut soudain entre des montagnes de flots avec ce canot. Le navire auquel présidait l'évêque arriva enfin, après bien des périls, endommagé par les flots, à l'île d'Ustica.

3. Le troisième jour, l'évêque, ne voyant nulle part sur la mer son matelot enlevé dans le canot, fut très affligé. Il le crut mort. Par un service charitable, le seul

précisant que la femme croyait son mari mort et offrait pour lui chaque semaine. Même récit chez Léonce de Neap., *V. Ioh. Eleem.* 24, avec force détails : un Chypriote, captif des Perses pendant 4 ans, est libéré de ses chaînes par un ange aux trois fêtes annuelles (Épiphanie, Pâques, Pentecôte) où les siens, le croyant mort, font célébrer une synaxe pour lui. — Prisonniers libérés par miracle : *Mir. S. Steph.* 1, 9-10 ; Victor de Vite, *De pers. Vand.* 1, 10 ; Grég. de Tours, *Mir. S. Mart.* 1, 11.23, etc. (cf. II, 31, 3 et note).

2. Agathon est mort entre 586-587, époque de la présente histoire (§ 1), et 590, où il a pour successeur Victor (*Reg.* 1, 70 = *Ep.* 1, 72). Pélage II, qui l'a convoqué à Rome, est mentionné en III, 16, 1 et 36, 1.

3. L'évêque ne célèbre pas cette messe lui-même, mais la fait célébrer par un prêtre (§ 5), sans doute celui du lieu. Le « port de Rome » (Porto) figure déjà en 27, 6.

inpendit, ut omnipotenti Deo pro absolutione eius animae offerre sacrificium uictimae salutaris iuberet. Quo oblato, restaurata naue, perrexit ad Italiam. Cumque ad Romanum portum uenisset, illic nautam repperit, quem mortuum putauit. Tunc inopinata exultatione gauisus est, eumque qualiter tot diebus in illo tanto maris periculo uiuere potuisset inquisiuit.

4. Qui uidelicet indicauit quotiens in illius tempestatis fluctibus cum eodem quem regebat fuisset carabo uersatus, qualiter cum illo undis pleno natauerat, et quotiens eo a superiori parte deorsum uerso ipse carinae eius supersederat, adiungens, cum diebus ac noctibus hoc incessanter faceret iamque eius uirtus funditus ex fame simul et labore cecidisset, quo eum ordine misericordia diuina seruauerit.

5. Indicauit etenim, quod etiam nunc usque testatur, dicens : « Laborans in fluctibus atque deficiens, subito mentis pondere sum grauatus, ita ut neque depressus somno essem, neque uigilare me crederem. Cum ecce in eodem medio mari me posito quidam apparuit, qui mihi panem ad refectionem detulit. Quem mox ut comedi, uires recepi. Nec longe post nauis transiens adfuit, quae me ab illo undarum periculo suscepit atque ad terram deduxit. » Quod scilicet episcopus audiens requisiuit diem, atque illum fuisse diem repperit, quo pro eo presbiter in Vstica insula omnipotenti Domino hostiam sacrae oblationis immolauit.

6. Petrvs. Ea quae narras ipse quoque in Sicilia positus agnoui.

28 putauit *m H* : putabat *bz G* ‖ 29 eumque *m GH* : et eum *b* ‖ 37-38 misericordia diuina *m GH* : diu. mis. *b* ‖ 38 seruauerit *bm*^{v} *GH* : seruaret *m* reseruaret *m*^{v} seruauit *m*^{v} ‖ 41-42 neque — essem *mz H* : *post* crederem *transp. b G* ‖ 42 Cum *m GH* : et *b* ‖ 46 suscepit *bm*^{v}*z GH* : suscipit *m* ‖ 49 Vstica *z* : Vsticula *b* Ostica *G* Hostica *m H* ‖ omnipotenti Domino *m GH* : Dom. om. *m*^{v} Deo om. *b*

4-5. Cf. Paulin de Nole, *Ep.* 49 : le matelot Valgius reste seul

qu'on pût rendre à un mort, il ordonna d'offrir à Dieu tout-puissant pour le pardon de son âme le sacrifice de la victime salutaire. On l'offrit ; le navire fut réparé et cingla vers l'Italie. Arrivé au port de Rome, l'évêque y trouva le matelot qu'il croyait mort. Quel transport de joie inespéré ! Il lui demanda comment il avait pu vivre tant de jours dans un tel péril de la mer.

4. L'autre raconta comment, chaque fois qu'il avait été roulé par les flots de cette tempête avec le canot qu'il dirigeait, il avait flotté avec son esquif plein d'eau ; combien de fois, le canot s'étant retourné sens dessus dessous, il s'était assis sur la quille. Il ajouta de quelle manière la miséricorde divine l'avait sauvé, alors qu'il ne cessait de faire cela jour et nuit et qu'il était complètement épuisé à la fois par la faim et par la peine.

5. Voici en effet ce qu'il raconta et qu'il atteste aujourd'hui encore : « Je peinais sur les flots, je défaillais. Tout à coup ma tête s'appesantit, je ne sais plus si je veille ou si je dors, et voici qu'au beau milieu de la mer quelqu'un m'apparaît, qui m'apporte du pain à manger. Je le mange, je retrouve mes forces. Et voilà que pas loin un navire passe, qui me tire du péril des flots et me conduit à terre. » L'évêque entend cela, demande le jour, et trouve que c'est le jour où le prêtre immola pour lui au Seigneur tout-puissant, dans l'île d'Ustica, l'hostie de l'oblation sacrée.

6. PIERRE. Ce que vous me dites, moi aussi je l'ai su en Sicile.

à bord d'un bateau abandonné par l'équipage au cours d'une tempête sur la côte de Sardaigne. Pendant 23 jours de navigation, dont 6 sans manger, il est secouru par le Christ, qui le dirige, l'aide à faire la manœuvre, le fait reposer sur son sein et lui pince l'oreille pour le réveiller. — Apparition dans un demi-sommeil : III, 38, 2 et note. — Messe et délivrance ont coïncidé : voir note sous 57, 16. Selon GRÉG. DE TOURS, *Glor. conf.* 65, une dame romaine fait célébrer la messe chaque jour pendant un an pour son mari défunt, *non diffisa... quod haberet defunctus requiem in die qua Domino oblationem pro eius anima delibasset.*

6. Pierre a vécu en Sicile de 590 à 592 (*Reg.* 1, 1 = *Ep.* 1, 1, etc. ; *Reg.* 2, 38 = *Ep.* 2, 32). Cf. *Introd.*, p. 44-45. — Après trois histoires

GREGORIVS. Idcirco credo quia hoc tam aperte cum uiuentibus ac nescientibus agitur, ut cunctis haec agentibus atque nescientibus ostendatur, quia si insolubiles culpae non fuerint, ad absolutionem prodesse etiam mortuis uictima sacrae oblationis possit. Sed sciendum est quia illis sacrae uictimae mortuis prosunt, qui hic uiuendo obtinuerunt, ut eos etiam post mortem bona adiuuent, quae hic pro ipsis ab aliis fiunt.

LX. Inter haec autem pensandum est quod tutior uia sit, ut bonum quod quisque post mortem suam sperat agi per alios, agat dum uiuit ipse pro se. Beatius quippe est liberum exire quam post uincula libertatem quaerere. Debemus itaque praesens saeculum, uel quia iam conspicimus defluxisse, tota mente contemnere, cotidiana Deo lacrimarum sacrificia, cotidianas carnis eius et sanguinis hostias immolare.

2. Haec namque singulariter uictima ab aeterno interitu animam saluat, quae illam nobis mortem Vnigeniti per mysterium reparat, qui licet *surgens a mortuis iam non moritur* et *mors ei ultra non dominabitur*, tamen in se ipso inmortaliter atque incorruptibiliter uiuens, pro

54 uiuentibus ac $bm^{v}m^{o}z$ *GH* : scientibus atque m^{v} scientibus quam *m* || 55 atque *m GH* : ac *b* || nescientibus *bmz H* : scientibus b^{v} *G* || 58 prosunt *m GH* : prosint *b*

LX *ita mz* : LIX m^{v} LVIII bm^{v} *ante* Gregorius (*59, 53*) *transp.* m^{v} *om.GH* || 1-2 uia sit *mz GH* : sit uia *b* || 3 ipse *mz H* : *ante* dum *transp. b G* || pro $b^{v}mz$ *H* : per bm^{v} *G* || 9 namque $bm^{v}m^{o}z$ *GH* : autem *m* || 11 licet *bm GH* : uidelicet m^{v} || surgens *m GH* : resurgens *b* || 13 se ipso *m GH* : semetipso *b*

LX, 2. Rm 6, 9.

de vivants délivrés par la messe, Grégoire revient à son sujet, qui est la délivrance des morts (cf. 58, 1). Ceux-ci ne sont pas tous secourus par la messe, mais seulement ceux qui ont vécu de façon à pouvoir l'être : voir AUGUSTIN, *Cura mort.* 2 et 22, qui exclut saints et réprouvés. Cf. IV, 41, 6 et 42, 5, où une condition plus précise est posée : de bonnes actions accomplies ici-bas, telles que l'aumône.

Grégoire. Je crois que cela se produit si clairement pour les vivants qui ne le savent pas, afin que soit montré à tous ceux qui font l'oblation et qui l'ignorent que, en l'absence de fautes irrémissibles, la victime de la sainte oblation peut être utile même aux défunts pour le pardon. Mais il faut savoir que ces saintes victimes sont utiles aux seuls défunts qui, durant leur vie, ont mérité d'être aidés même après la mort par les bonnes œuvres que d'autres font pour eux ici-bas.

LX. Cependant il faut penser que le plus sûr est de faire soi-même, quand on est vivant, le bien qu'on pourrait espérer pour soi après sa mort de la condescendance d'autrui. On est plus heureux de sortir libre que de soupirer après la liberté au sortir de chaînes. Nous devons donc mépriser de tout cœur le siècle présent, au moins parce que nous le voyons déjà écoulé, immoler à Dieu des sacrifices de larmes chaque jour et chaque jour immoler les hosties de sa chair et de son sang.

2. D'une manière incomparable, cette victime sauve l'âme de la mort éternelle, car elle renouvelle pour nous dans le mystère la mort du Fils unique. Bien que « ressuscité des morts il ne meure plus, et la mort sur lui n'aura plus de puissance désormais », cependant, immortellement et incorruptiblement vivant en lui-même, il est

LX, 1. On revient des morts aux vivants. — Des trois moyens de délivrance proposés, le premier — mépriser le monde qui s'en va — rappelle III, 38, 4 (cf. *Hom. Eu.* 37, 10). Les deux autres — larmes et messes quotidiennes — figurent dans *Hom. Eu.* 37, 7.10, qui leur joint l'aumône (cf. Augustin, *Cura mort.* 22 : messe, prière, aumône pour les défunts). Larmes quotidiennes : 49, 2 ; messe quotidienne avec « immolation de soi dans les larmes » : 58, 1 (cf. *Mor.* 22, 26 : la messe comme *cotidianum sacrificium*).

2-3. Passage très semblable dans *Hom. Eu.* 37, 7 : *Singulariter namque ad absolutionem nostram oblata... sacri altaris hostia suffragatur, quia is qui in se resurgens a mortuis iam non moritur* (Rm 6, 9) *adhuc per hanc in suo mysterio pro nobis iterum patitur. Nam quoties ei hostiam suae passionis offerimus, toties nobis ad absolutionem nostram passionem illius reparamus.* — L'évocation finale fait penser, par son lyrisme, à celles de Chrysostome, *Sac.* 3, 4, 177-180 ; 6, 4, 519-522 (présence des anges).

nobis iterum in hoc mysterio sacrae oblationis immolatur. Eius quippe ibi corpus sumitur, eius caro in populi salutem partitur, eius sanguis non iam in manus infidelium, sed in ora fidelium funditur.

3. Hinc ergo pensemus quale sit pro nobis hoc sacrificium, quod pro absolutione nostra passionem Vnigeniti Filii semper imitatur. Quis enim fidelium habere dubium possit ipsa immolationis hora ad sacerdotis uocem caelos aperiri, in illo Iesu Christi mysterio angelorum choros adesse, summis ima sociari, terram caelestibus iungi, unum quid ex uisibilibus atque inuisibilibus fieri ?

LXI. Sed necesse est ut, cum hoc agimus, nosmetipsos Deo in cordis contritione mactemus, quia qui passionis dominicae mysteria celebramus, debemus imitari quod agimus. Tunc ergo uere pro nobis Deo hostia erit, cum nos ipsos hostiam fecerit.

2. Sed studendum nobis est ut etiam post orationis tempora, in quantum Deo largiente possumus, in ipso animum suo pondere et uigore seruemus, ne post cogitatio fluxa dissoluat, ne vana menti laetitia subrepat, et lucrum conpunctionis anima per incuriam fluxae cogitationis perdat. Sic quippe quod poposcerat Anna obtinere meruit, quia se post lacrimas in eodem mentis uigore seruauit. De qua nimirum scriptum est : *Vultusque eius*

14 iterum *bmz GH* : uerum corpus *add.* b^{v} || 15 ibi $bm^{o}z$ *GH* : ubi *m* || 18 hoc $bm^{v}m^{o}$ *GH* : *om.* *m* || 24 unum quid *mz GH* : unumque bm^{v} un. quidam m^{v} unum quidem m^{v}

LXI *ita mz* : LX m^{v} LIX bm^{v} *om.* *GH* || 1 hoc *m* : haec $bm^{v}z$ *GH* || 2 Deo hostia erit *m(z) GH* : hostia erit Deo *b* hostia erit accepta Deo b^{v} || 12 se *mz GH* : *om.* bm^{v} || 13 seruauit *mz GH* : permansit bm^{v}

LXI, 2. 1 S 1, 18.

LXI, 1. « S'immoler dans la contrition du cœur » à la messe : ainsi faisait Cassius (*Hom. Eu.* 37, 9 ; cf. 58, 1 et note). — Comme

immolé pour nous de nouveau dans le mystère de la sainte oblation. Ici son corps est consommé, sa chair est partagée pour le salut du peuple, son sang est répandu non plus sur les mains des infidèles mais dans la bouche des fidèles.

3. Par là pensons quel est pour nous ce sacrifice qui pour notre pardon imite toujours la Passion du Fils unique. Qui donc parmi les fidèles pourrait douter qu'à l'heure précise de l'immolation les cieux s'ouvrent à la voix du prêtre, qu'à ce mystère de Jésus-Christ les chœurs des anges sont présents, le très haut s'unit au très bas, le terrestre et le céleste se rejoignent, le visible et l'invisible se fondent en un ?

LXI. Mais il faut, quand nous célébrons, nous immoler à Dieu par la contrition du cœur, car nous qui célébrons les mystères de la Passion du Seigneur, nous devons imiter ce que nous faisons. Ce sera donc une véritable hostie offerte à Dieu pour nous, si elle fait de nous-mêmes une hostie.

2. Mais il faut nous efforcer, même après les temps de prière, et autant que nous pouvons avec la grâce de Dieu, de maintenir l'esprit dans sa gravité vigoureuse, de peur qu'un flot de distractions ne nous relâche, que la gaieté sotte se glisse dans l'âme et que celle-ci perde le gain de la componction par l'incurie des pensées flottantes. C'est ainsi qu'Anne mérita d'obtenir ce qu'elle avait demandé, car après les larmes elle persista dans la même force d'attention. C'est d'elle en effet qu'il est écrit : « Son visage ne prit plus désormais des expressions

la messe « imite » la Passion (60,3), le ministre aussi doit l'« imiter ». Cf. *Mor.* 13, 26 : *ut... in nobis sacramentum dominicae passionis non sit otiosum, debemus imitari quod sumimus* (cette imitation consiste à prêcher, puisque, selon He 12, 4, le sang de Jésus « parle »). Déjà Cyprien, *Ep.* 63, 14, parle d'une « imitation » du Christ par le prêtre, mais seulement dans le domaine rituel.

2. Méfaits de la *laetitia* : III, 14, 10. — Même interprétation de 1 S 1, 18 dans *Mor.* 33, 43 ; *Hom. Ez.* I, 11, 27-28. *Vigor*, qui caractérise ici par deux fois l'attitude bonne, est remplacé dans ces passages par *rigor*. *

non sunt amplius in diuersa mutati. Quae igitur non est oblita quia petiit, non est priuata munere quod poposcit.

LXII. Sed inter haec sciendum est quia ille recte sui delicti ueniam postulat, qui prius hoc quod in ipso delinquitur relaxat. Munus enim non accipitur, nisi ante discordia ab animo pellatur, dicente ueritate : *Si offers munus tuum ad altare et recordatus fueris quia habet aliquid aduersum te frater tuus, relinque ibi munus tuum ante altare et uade prius, reconciliare fratri tuo, et tunc ueniens offers munus tuum.* Qua de re pensandum est, cum omnis culpa munere soluatur, quam grauis est culpa discordiae, pro qua nec munus accipitur. Debemus itaque ad proximum, quamuis longe positum longeque disiunctum, mente ire eique animum subdere, humilitate illum ac beneuolentia placare, et scilicet conditor noster, dum tale placitum nostrae mentis aspexerit, a peccato nos soluit, quia munus pro culpa sumit.

2. Veritatis autem uoce adtestante didicimus quia seruus qui decem millia talenta debebat, cum paenitentiam ageret, absolutionem debiti a Domino accepit, sed quia conseruo suo centum sibi denarios debenti debitum non dimisit, et hoc est iussus exigi quod ei fuerat iam dimissum. Ex quibus uidelicet dictis constat quia, si hoc quod in nos delinquitur ex corde non dimittimus, et illud

14 Quae *b*m^{v}*z GH* : quia $m^{v}m^{o}$ ‖ 15 quia *m H* : quod *b*m^{o}*z* quae m^{v} qua m^{v} *G*

LXII *ita mz* : LX *b*m^{v} *om.* m^{v} *GH* ‖ 2 ipso *bm GH* : eo m^{v} ipsum *z* ‖ 4 pellatur *m GH* : repel- *b* ‖ 5 ad b^{v}*mz H* : ante *b G* ‖ et *m GH* : ibi *add.* *b*m^{v}*z* ‖ 5-6 habet — te *m GH* : *post* tuus *transp.* *b*m^{v}*z* ‖ 6 aduersum *bm GH* : -sus m^{v} ‖ ibi b^{v}*mz GH* : *om.* *b* ‖ 7 reconciliare *mz GH* : -ri *b*m^{v} ‖ 8 offers *m* : offeres *b*m^{v} *GH* offer m^{v}*z* ‖ de *m* : in *b*m^{v} *GH* ex *z* ‖ 13 et scilicet *m H* : ut sc. *b*m^{v} *G* ‖ 15 soluit *m GH* : -uet m^{v} -uat *b*m^{v} ‖ sumit *bmz G* : sumet m^{v} sumitur *H* ‖ 20 dimisit *b*m^{v}(*z*) : dem- *m* GH ‖ exigi *b*m^{v} *H* : exegi *m G* ‖ 21 dimissum *bmz* : dem- *GH* ‖ 22 dimittimus *b*m^{v} : dem- *m GH*

LXII, 1. Mt 5, 23-24 ‖ 2. Mt 18, 23-35.

diverses et ne changea plus. » Pour n'avoir pas oublié qu'elle avait demandé, elle n'a pas été privée du don imploré.

LXII. Cependant il faut savoir que pour demander correctement le pardon de sa faute, on doit d'abord remettre les délits commis contre soi. Un don n'est pas accepté si la discorde n'a pas été au préalable chassée de l'âme. C'est la Vérité qui le dit : « Si tu présentes ton offrande devant l'autel, et si tu te rappelles que ton frère a une dent contre toi, laisse ton offrande devant l'autel et va d'abord te réconcilier avec ton frère, et puis tu reviendras présenter ton offrande. » Là-dessus il faut penser que, si toute faute est excusée grâce à une offrande, la discorde est une faute si grave que pour elle aucune offrande n'est recevable. Nous devons donc aller par la pensée vers le prochain, même très éloigné, même à cent lieues de nous, nous mettre à ses pieds de tout cœur, l'apaiser par l'humilité et la bienveillance, pour que notre Créateur voie la bonne volonté de notre esprit et nous absolve du péché, prenant notre offrande en compensation de la faute.

2. La voix de la Vérité l'atteste : nous savons que le serviteur qui devait dix mille talents fit pénitence et reçut du maître absolution pour sa dette ; mais parce qu'il ne remit pas sa dette au coserviteur qui lui devait cent deniers, le maître ordonna d'exiger de lui le paiement de la dette qui venait d'être effacée. De ces paroles il résulte sûrement que si nous ne pardonnons pas du fond du cœur ce qui nous a blessés, Dieu exige de nous à

LXII, 1. Le même texte évangélique est cité, avec un commentaire analogue, dans *Past.* 3, 23 (90 ab) ; *Hom. Ez.* I, 8, 9 ; *Reg.* 7, 5 = *Ep.* 7, 4 (857 c). La dernière phrase semble n'envisager d'abord qu'un acte intérieur (*mente ire*), mais suggère ensuite une démarche visible (*illum... placare*).

2. Cette parabole ne paraît pas être utilisée par Grégoire ailleurs qu'en *Mor.* 16, 6, où il ne s'agit que d'un détail (Mt 18, 32).

rursus exigimur quod nobis iam per paenitentiam dimissum fuisse gaudebamus.

3. Igitur dum per indulgentiae temporis spatium licet, dum iudex sustinet, dum conuersionem nostram is qui culpas examinat expectat, conflemus in lacrimis duritiam mentis, formemus in proximis gratiam benignitatis, et fidenter dico quia salutari hostia post mortem non indigebimus, si ante mortem Deo hostia ipsi fuerimus.

Explicit Liber Quartvs Dialogorvm

23 exigimur $b^{v}m^{v}$: exeg- *m* -gemur m^{v} exegemur *H* exigemus *G* a nobis exigitur bm^{v} ‖ 23-24 dimissum $bm^{v}(z)$: dem- *m GH* ‖ 25 indulgentiae *mz* : indulti bm^{v} *GH* ‖ 26 conuersionem $bm^{o}z$ *GH* : conuersationem *m* ‖ 30 hostia ipsi *mz GH* : ipsi hostia *b* ‖ Explicit — Dialogorum m^{v} *G* : *alii alia scrips.* m^{v} *om.* *bmz H* ‖ Dialogorum : dialogi m^{v} de aliquorum amen deo gracias *G*

nouveau ce que nous croyions, avec joie, remis par la pénitence.

3. Donc pendant que nous en avons le temps et pouvons nous faire pardonner, pendant que le juge patiente, pendant que l'examinateur des fautes attend notre conversion, faisons fondre dans les larmes notre dureté de cœur, formons en nous des sentiments de bienveillance et de bonté envers nos proches. Et je dis, en sachant ce que je dis, qu'après la mort nous n'aurons pas besoin d'hostie salutaire, si avant la mort nous avons été personnellement pour Dieu une hostie.

Fin du Livre IV des Dialogues

3. Un délai nous est accordé, le juge attend : voir 32, 5 ; 40, 9 et notes. — « Larmes » et « bonté » : déjà *Hom. Eu.* 37, 7 voulait que la messe soit offerte *cum lacrimis et benignitate mentis.* « Être hostie nous-mêmes » comme en 61, 1. — Mieux vaut, en agissant bien à présent, rendre inutiles les suffrages après la mort : cette conclusion reprend la thèse déjà énoncée (60, 1).

NOTES COMPLÉMENTAIRES

On trouvera ici les compléments annoncés, dans l'annotation du texte, par des astérisques placés à la fin de certaines notes.

Livre IV

2, 1-2. Ce rôle de la foi dans la vie humaine est également souligné par Salvien, *Ad eccl.* 2, 58-59 : les hommes mettent leur confiance les uns dans les autres ; à Dieu seul ils refusent de croire (cf. *Ad eccl.* 4, 38-39).

4, 1. *Ecclesiastes* est non seulement traduit, mais aussi paraphrasé par Jérôme, *Comment. in Eccl.* 1, 1, *CC* 72, 251 : *Ecclesiastes autem graeco sermone appellatur qui coetum id est ecclesiam congreget, quem nos nuncupare possumus concionatorem, quod loquatur ad populum et sermo eius non specialiter ad unum sed ad uniuersos generaliter dirigatur.* Cette phrase annonce le présent développement de Grégoire. Pour le reste, le commentaire de Jérôme sur l'Eclésiaste est presque sans rapport avec celui des Dialogues, qui citent d'ailleurs une autre version.

4, 2. Sur l'importance singulière de ce dernier mot de l'Ecclésiaste, véritable clé du Livre, voir Jérôme, *Comment. in Eccl.* 12, 13, *CC* 72, 360.

4, 3-4. Ces deux passages de l'Ecclésiaste sont déjà rapprochés par Jérôme, *Comment. in Eccl.* 7, 3, *CC* 72, 301, qui infère de ce rapprochement que le premier verset (Ec 5, 17) ne doit pas être compris comme un éloge inconditionnel du plaisir : *neque enim tristitiam luctus festiuitati conuiuii praetulisset, si bibere et uesci alicuius putasset esse momenti.*

11, 4. Déjà Pline, *Hist. nat.* 7, 52, raconte qu'on a vu l'âme d'un mourant (Aristée) sortir de sa bouche sous forme de corbeau. Dans l'apophtegme *VP* 5, 5, 38 (= Nau 190), une colombe sort de la bouche d'un moine et s'envole au ciel, non pour signifier sa mort, mais son apostasie. Quand le frère fait pénitence, il voit la colombe revenir à lui graduellement et enfin rentrer dans sa bouche.

12, 2. Le P. Festugière note qu'on retrouve *presbytera* dans *Reg.* 9, 197 = *Ep.* 9, 7, où le sens est peut-être différent (voir Blaise, *Dictionnaire,* s. v.).

12, 4. Selon Pline, *Hist. nat.* 7, 52, Gabienus mourant transmet un message qu'il a reçu des dieux infernaux et donne pour garantie de sa vérité le fait qu'il expirera aussitôt après l'avoir proféré. Ce qui advint, et cependant le message fut trouvé faux.

14, 4. La « bonté » de Pierre, opposée à la sévérité de Paul, fournit à Fauste de Riez un élément du portrait qu'il trace de son prédécesseur Maxime, au temps où il était abbé de Lérins. Voir Eus. Gall., *Hom.* 35, 7, *CC* 101, p. 406, 129-131 : *Paulus apparebat in uultu, Petrus in spiritu ; illius districtionis, huius erat pietatis aemulator*, etc. A cette *pietas* du prince des Apôtres correspond la *benignitas* de Maxime (p. 406, 125). Cependant Fauste n'en fait pas un trait visible du visage, mais une qualité intérieure de l'« esprit » (cf. p. 406, 126-128 : *minabatur quidem frontis austeritas, sed cordis serenitas blandiebatur*). De son côté, Césaire, *Serm.* 40, 4, qualifie Pierre de *mitissimus*.

15, 5. Le Martyre de Polycarpe (Eusèbe-Rufin, *Hist. eccl.* 4, 15, 37) rapporte déjà un fait de ce genre : tandis que le corps du saint était au milieu des flammes, « nous respirions une odeur comme d'encens ou de parfum très précieux ».

16, 5-7. La *cellula* où habitent les trois moniales paraît être un logement donnant sur la place publique (*platea* ne peut guère signifier « hall », comme le traduit A.-J. Festugière ; cf. I, 10, 6 : *ciuitatis plateas*), qu'il s'agisse d'une maisonnette indépendante ou d'un simple appartement avec porte sur la rue. La première hypothèse semble plus conforme à l'usage de Grégoire, qui appelle *cellula* le logis abbatial de Benoît (II, 11, 1 ; 17, 1), constitué par une tour séparée du corps du monastère (II, 35, 2), ainsi que divers ermitages (III, 15, 11 ; 16, 5 ; 26, 2). Le synonyme *habitaculum* (IV, 16, 2), terme fréquent et très général (voir l'*Index verborum*), peut s'appliquer à de petites habitations de cette espèce (III, 14, 4 et 18, 2 ; IV, 37, 9 et 38, 2.4).

17, 3. Tarsilla et Asella ont été précédées par Jacques le Mineur, si l'on en croit Hégésippe, cité par Eusèbe-Rufin, *Hist. eccl.* 2, 23, 6 : *iacebat super genua sua orans pro populi indulgentia, ita ut orando callos faceret in genibus ad modum cameli semper genua flectendo nec unquam ab oratione cessando.*

18, 2. Cette métaphore de la main se rencontre déjà chez Salvien, *Ad eccl.* 3, 7 : *quasi amoris manu.*

19, 4. La mort de l'enfant servira de leçon à ses parents. C'est ainsi que Césaire, *Serm.* 127, 1 (p. 502, 13-15) interprète déjà le châtiment des petits Israélites qui insultèrent Élisée (2 R 2, 23-24) : *ut percussis paruulis maiores reciperent disciplinam et mors filiorum fieret disciplina parentum.*

24, 2. Les souffrances d'ici-bas sont destinées à purifier complètement les âmes saintes de leurs fautes légères : cette idée, qu'on retrouve plus loin (48 ; cf. 41, 5), est déjà énoncée par Cassien, *Conl.* 6, 11, 2 (tentations) ; 7, 25, 2 (possessions diaboliques et maladies), qui voit là une manière d'échapper aux peines du purgatoire. Mais la pensée de Grégoire est encore mieux illustrée par l'apophtegme *VP* 6, 1, 13 (= Nau 368) : un solitaire de grand mérite meurt dévoré par une bête. Dieu l'a voulu ainsi, afin que ses fautes légères fussent expiées ici-bas et qu'il se présentât pur devant Dieu. — Quant à la citation, comparer Horsièse, *Ep.* II, col. III, 39-40, trad. A. de Vogüé, « Épîtres inédites d'Horsièse et de Théodore », dans *Commandements du Seigneur et libération évangélique*, Rome 1977 (*Studia Anselmiana* 70), p. 253 : « Si un homme juste meurt, son espérance ne chancelle pas. » Là aussi, la première partie correspond à Sg 4, 7, tandis que la seconde vient on ne sait d'où.

27, 1. Comparer la doctrine de Posidonius, rapportée par Cicéron, *De diuin.* 1, 64 : « L'influence des dieux sur les songes s'exerce de trois façons : premièrement, du fait que l'âme prévoit par elle-même, parce qu'elle est apparentée aux dieux ; deuxièmement, du fait que l'air est rempli d'âmes immortelles, sur lesquelles se voient comme imprimées des marques de vérité ; troisièmement, du fait que les dieux eux-mêmes parlent avec ceux qui dorment. » D'après ce qui précède, la divination à l'heure de la mort n'est qu'un cas privilégié de ces révélations sur l'avenir reçues en songe.

27, 3. Mentionnons encore, pour mémoire, l'église de S. Janvier (l'aîné des fils de Ste Félicité) sur la Via Appia, fort au-delà des murs, que signale entre autres le *De locis martyrum* 12, *CC* 175, 316. — Dans *Mor.* 28, 21, Grégoire envisage le cas d'un homme *qui uentura quaeque uelut praesentia attendit et tamen in nulla signorum operatione se exerit.* Cependant il s'agit là d'une connaissance charismatique (« grâce de prophétie ») accordée par Dieu, non d'un simple effet naturel de la spiritualité de l'âme, affinée aux approches de la mort.

27, 9. Comme le suggère A.-J. Festugière, cette *naturalis filia* peut bien être, non point une enfant illégitime, mais la « propre fille » de Valérien, par opposition aux enfants adoptifs. Ainsi l'entend Zacharie (*gnèsian*).

27, 11-12. Cette connaissance surnaturelle du grec fait penser à Marc, *V. Porph.* 66-68, où un enfant de sept ans parle grec sous l'inspiration divine, alors que ni lui ni sa mère ne sait cette langue. Comme ici, le prodige accrédite un message céleste transmis par le polyglotte.

31, 2-3. Cette histoire ressemble de nouveau à Marc, *V. Porph.* 34-36 : allant à Constantinople avec l'évêque Jean de Césarée et leurs deux diacres, Porphyre visite en l'île de Rhodes le solitaire Procope. Celui-ci, par une inspiration surnaturelle, reconnaît avant de les avoir vus leur qualité d'évêques et leur prédit le succès de leur démarche auprès de l'empereur, en leur indiquant point par point comment ils procèderont et ce qui en résultera.

32, 2-4. Les récits d'Augustin et de Grégoire ont un précédent chez Pline, *Hist. nat.* 7, 52, qui cite Varron : un chevalier nommé Corfidius, qu'on croyait mort, revient à lui et dit qu'il vient de chez son frère, qui lui a fait diverses révélations et recommandations. A ce moment arrivent les domestiques de ce frère, qui annoncent sa mort (d'où il appert que les deux frères se sont rencontrés dans l'au-delà, dont Corfidius est revenu).

33, 2. L'authenticité de *Reg.* 11, 56^a = *Ep.* 11, 64, que P. Meyvaert n'osait encore affirmer en 1959, est présentée par lui comme certaine deux ans plus tard. Voir « Bede and the *Libellus Synodicus* of Gregory the Great », dans *JTS n. s.* 12 (1961), p. 298, n. 1. De la démonstration annoncée alors, des éléments sont fournis par l'article « Bede's Text of the *Libellus Responsionum* of Gregory the Great to Augustine of Canterbury », dans *England before the Conquest : Studies in Primary Sources presented to Dorothy Whitelock*, Cambridge 1971, p. 15-33. Ces deux études sont maintenant reproduites — en ordre inverse — dans le recueil P. Meyvaert, *Benedict, Gregory, Bede and Others*, Londres 1977 (§ XII et X). — Sans mentionner le bain rituel dont parle Grégoire dans cette lettre, Jérôme, *Contra Vigil.* 12, avoue sa crainte d'entrer dans les basiliques des martyrs quand il n'a pas la conscience tranquille, en particulier après une pollution nocturne.

37, 3-4. Histoire semblable chez Jean Climaque, *Scala* 6, *PG* 88, 796 d : un solitaire de Choreb, qui négligeait son âme, tombe malade et meurt. Revenu à lui au bout d'une heure, il supplie tous les assistants de s'éloigner aussitôt et s'enferme pendant douze ans, sans voir personne ni dire un seul mot, vivant de pain et d'eau et pleurant à chaudes larmes. Quand il meurt pour de bon, il déclare : « Qui a connu le souvenir de la mort ne pourra jamais pécher. »

37, 4-6. Comme l'*illustris* Étienne (§ 6), le héros de l'apophtegme Nau 135, mort et sur le point d'être jugé, entend dire : « Emmenez-le, qu'il s'en aille. C'est à un autre moine, son homonyme, de tel coenobium que je vous avais envoyé » (l'épisode fait défaut dans *VP* 5, 3, 20 ; dans *VP* 3, 216, le trait de l'homonymie apparaît moins clairement). Et comme le moine Pierre (§ 4), ce moine négligent, une fois revenu à la santé, fait une pénitence impressionnante.

37, 6. D'après Cassiodore, *Hist. trip.* 2, 24 = Théodoret, *Hist. eccl.* 1, 21, c'est aussi un *faber ferrarius*, homonyme de l'évêque Eustathe d'Antioche, qui était responsable de la faute charnelle imputée à ce dernier.

37, 7. *Sicut nosti* peut se rapporter soit à ce qui suit (mort d'Étienne), comme nous l'avons entendu, soit à ce qui précède (flèches venues du ciel).

40, 5. On songe à Eusèbe-Rufin, *Hist. eccl.* 5, 2, 6 : les martyrs de Lyon, par leur charité, leurs prières, leurs larmes, ont arraché vivants aux entrailles de la Bête leurs frères renégats.

40, 13. Des expressions voisines, à propos du même objet, se rencontrent chez Cassien, *Conl.* 6, 11, 2 : *iudicii ignis poenali cruciatu expurgaturus* ; 7, 25, 2 : *tanquam aurum... ignitum... nulla indigentes poenali purgatione.*

41, 4. Dans *Hom. Ez.* II, 1, 7, Grégoire parle encore de « ces péchés que ne peut éviter la vie quotidienne des gens mariés », c'est-à-dire « le trouble que cause à l'âme la *cura familiaris* elle-même ».

42, 2. Le P. Festugière rapproche avec raison *Reg.* 5, 57ª = *Ep., App.* 5, 4 : aux obsèques des évêques de Rome, on a coutume de déposer sur le corps du pape des dalmatiques, qu'on partage ensuite pour en faire des reliques. Considérant cet usage comme un abus, Grégoire et le concile interdisent de poser aucun vêtement sur le *feretrum* des pontifes romains.

45, 1-2. Cette thèse de la diversité des peines éternelles, au sujet de laquelle G. Cremascoli, « *Novissima hominis* » *nei Dialogi di Gregorio Magno*, Bologne 1979, p. 99, n'indique pas de parallèle, est déjà soutenue par Basile, *PR* 267, à partir de Lc 12, 47 (« coups nombreux » et « peu nombreux »). Pour lui, ce texte évangélique ne doit pas s'entendre de châtiments plus ou moins durables — d'après Mt 25, 41.46, ils sont tous éternels —, mais plus ou moins douloureux, comme le suggèrent quantité d'autres *testimonia* scripturaires. Cette Petite Règle basilienne traite donc ensemble les deux questions étudiées successivement par Grégoire dans ce chapitre et dans le suivant, en leur donnant les mêmes réponses, avec des considérants en partie différents.

46, 1. Dans *In I Reg.* 2, 157-158, Grégoire critique Origène en personne, accusé de nier les peines éternelles, non seulement pour les hommes, mais aussi pour les démons. Ce dernier trait, qui manque ici et dans *Mor.* 34, 35-38, avait été relevé par Augustin, *Ciu.* 21, 17.

50, 3. Les mots *quae auguriis coniunguntur* sont énigmatiques. La traduction d'A.-J. Festugière (« ceux qui s'attachent à l'observation des signes ») ne se justifie qu'à condition de lire *qui* au lieu de *quae*. Mais aucun témoin, latin ou grec, ne présente cette leçon. Corriger *coniunguntur* en *coniectantur*, qui donne un sens plus clair, serait également téméraire, d'autant que le texte-source (*Mor.* 8, 42) a déjà la teneur présentée ici par tous les témoins. Il semble que par une expression volontairement vague, Grégoire veuille proscrire tout rapport avec les augures.

61, 2. D'après *Hom. Ez.* I, 11, 26-29, le *sacerdos* ne peut, comme Anne, « garder le visage immobile », car il doit s'adapter sans cesse aux besoins divers de ses ouailles. En quoi le prêtre diffère du moine, qui peut rester dans la componction. Ces propos de l'Homélie sur Ézéchiel, Grégoire se les applique expressément à lui-même. A la lumière de ce parallèle, on entrevoit que les présentes considérations (IV, 61), qui concluent presque les Dialogues, répondent à la scène initiale (I, *Prol.* 1-6), où Grégoire s'est lamenté sur sa situation d'évêque arraché à la vie monastique. La célébration fervente des saints mystères et l'effort pour demeurer dans la componction « autant que nous le pouvons avec l'aide de Dieu » apparaissent à présent comme les seuls remèdes qui puissent, dans une certaine mesure, guérir ces maux. Cette relation entre le début et la fin des Dialogues a été notée, parmi d'autres moins sûres, par A. Vitale Brovarone, « La forma narrativa dei *Dialoghi* di Gregorio Magno : problemi storico-letterari », II, dans *Atti della Accademia delle Scienze di Torino* 109 (1974-1975), p. 117-185 (voir p. 123). — Voir aussi *Hom. Eu.* 15, 2 (1132 cd), où Grégoire blâme l'inconstance dans la componction et le retour au péché *post fletum*.

ADDENDA ET CORRIGENDA

TOME I

Aux compléments et rectifications déjà indiqués à la fin du t. II (p. 451), ajouter les suivants :

Pages 34-36. Les périphrases dont Grégoire assortit les termes vulgaires ou techniques qu'il risque dans les Dialogues sont à rapprocher de Théodoret, *Hist. rel.* 10, 2, 15-16, où « corbeilles et éventails » ne sont mentionnés qu'après un mot d'excuse (*tas kaloumenas*, « ce qu'on appelle... »).

Page 36. A la note 39, ligne 1, remplacer 4 par 14.

Page 38. A la note 49, avant-dernière ligne, remplacer *Valerius* par *Valérien.*

Page 113. A la note 11, ligne 1, remplacer 2 par 3-4.

Page 126. A la ligne 16, remplacer *deux* par *douze.*

Pages 135-136 (cf. 111). Les nombreuses références de Grégoire — en particulier au début des Dialogues — à des miracles bibliques « imités » par ses thaumaturges modernes font penser à Théodoret, qui multiplie ces rapprochements dès le début de son *Historia religiosa* et parle lui aussi d'« imitation » (*HR* 2, 11 ; 3, 8). Moïse, Élie, Élisée, Daniel, Pierre, Paul, le Christ lui-même sont évoqués par lui à mainte reprise (*HR* 1, 5.6.9 ; 2, 6 ; 3, 1.8 ; 6, 11 ; 9, 14-15, etc.), et il se plaît à souligner que le Seigneur opère ces miracles « de nos jours encore » par les prières de ses serviteurs (*HR* 9, 15).

TOME II

Pages 24-26 (*Dial.* I, 2, 2-3). Voir Théodoret, *Hist. rel.* 14, 4 : un saint prêtre immobilise par ses imprécations le char d'un riche oppresseur. Les roues ne se remettent en marche que lorsque l'homme reconnaît sa faute et supplie celui qu'il avait méprisé.

Page 26 (*Dial.* I, 2, 4). Ces Francs aveuglés rappellent Théodoret, *Hist. rel.* 12, 6, où un saint moine est sauvé de la mort par le même miracle : grâce à sa prière, les barbares passent devant sa porte sans la voir. Voir aussi *Hist. rel.* 9, 12.

Page 42 (*Dial.* I, 4, 6). Vérification d'une guérison opérée au loin à l'heure même où le saint a parlé : voir Théodoret, *Hist. rel.* 3, 9.

Page 80 (*Dial.* I, 9, 5). Défense de divulguer le miracle avant la mort du thaumaturge : voir Theodoret *Hist. rel.* 2, 6.

Page 131 (*Dial.* II, 1, 2). Dans la traduction, à la deuxième ligne, après *pleurs*, ajouter les mots *eut compassion de sa douleur* (suivis d'une virgule).

Page 148 (*Dial.* II, 3, 11). Dans le texte, rétablir la fin des lignes 100 et 101, qui se terminent respectivement par *murum* (suivi d'une virgule) et par *deponi*.

Page 151 (*Dial.* II, 3, 14). Dans la traduction, à la ligne 3, remplacer *Dieu* par *Seigneur*. De même, p. 135, dans la traduction de *Dial.* II, 1, 6 (ligne 6) et 7 (ligne 1).

Page 153. Dans la note sous *Dial.* II, 4, 2, quatre lignes avant la fin, remplacer *Sévère* par *Séverin*.

Pages 154 et 164 (*Dial.* II, 5, 2-3 et 8, 8 ; cf. III, 16, 2). Source jaillissant comme sous la baguette de Moïse : voir Théodoret, *Hist. rel.* 2, 8 (cf. 10, 7).

Pages 168-170 (*Dial.* II, 8, 11-12). Comparer Théodoret, *Hist. rel.* 28, 1 et 5 : un moine s'installe sur un haut-lieu païen, encore fréquenté par la population. Il convertit celle-ci, subit la persécution des démons, renverse le temple et le remplace par un sanctuaire des martyrs. Voir aussi *Hist. rel.* 6, 4 ; 16, 1.

Page 210 (*Dial.* II, 24, 1). Cf. Grégoire de Nazianze, *Or.* 21, 33 : le corps de Julien l'Apostat aurait été projeté de son tombeau par un tremblement de terre, en signe du châtiment éternel.

Page 226. Dans la note sous *Dial.* II, 31, 4, avant-dernière ligne, remplacer *seruito* par *seruitio.*

Page 232 (*Dial.* II, 33, 4). L'exclamation *Parcat tibi omnipotens Deus* (lignes 39-40) est à rapprocher de *Vita Patrum Iurensium* 176, 3-4, où un abbé mourant dit à ses fils, qui l'empêchent de quitter ce monde en priant pour lui : *Parcat... uobis omnipotens Deus.*

Page 239. Dans la note sous *Dial.* II, 35, 5, avant-dernière ligne, remplacer *somm.* par *somn.*

Page 277. Dans la note sous *Dial.* III, 6, 1, ligne 6, remplacer *X, 2* par *XI.*

Page 282 (*Dial.* III, 7, 8, lignes 70-71). L'expression *Cuius ruinae et uerecundiae... consulens* fait penser à Césaire, *Serm.* 115, 5 (458, 26) : *Ne parcas... peccatoris iniquitati, et dum uerecundiae eius consulis, non consulas sanitati.*

Page 297 (note sous *Dial.* III, 12, 2). L'histoire de Popilius et d'Antiochus contée par Tite Live, *Ann.* 45, 12, est passée dans la littérature chrétienne par l'entremise de Jérôme, *De Antichristo in Dan.* 11, *CC* 75 A, p. 919-920. Voir R. Grégoire, « Le succès d'une erreur historique de saint Jérôme », dans *Rev. Bénéd.* 88 (1978), p. 296. L'auteur des Dialogues et ses informateurs peuvent en avoir pris connaissance par ce biais.

Pages 300 et 446 (*Dial.* III, 13, 2). On trouve déjà des prisonniers écorchés vifs par ordre d'un roi dans 2 M 7, 4 et 7.

Page 305. Dans la note sous *Dial.* III, 14, 3, le second texte cité (AUGUSTIN, *Serm.* 44, 7) appartient en réalité à CÉSAIRE, *Serm.* 142, 7, qui d'ailleurs utilise très probablement, selon G. Morin, un sermon perdu d'Augustin.

Page 317. Dans la note sous *Dial.* III, 15, 3, lignes 3 et 4, supprimer deux fois *à* devant *l'âne*. Dans chaque cas, il s'agit d'un lion qui garde un âne. — Chez THÉODORET, *Hist. rel.* 6, 2 et 10, on trouve des lions serviables et obéissants, mais le trait de la garde d'un autre animal fait défaut.

Page 318 (*Dial.* III, 15, 7). Comparer THÉODORET, *Hist. rel.* 1, 4 : la malédiction de l'homme de Dieu fait blanchir soudain les cheveux de jeunes filles trop peu respectueuses.

Page 328 (*Dial.* III, 16, 3). Ce défi rappelle THÉODORET, *Hist. rel.* 21, 23, où le héros dit pareillement au diable, représenté par un Éthiopien (cf. *Dial.* II, 4, 2) dont les yeux jettent du feu (cf. *Dial.* II, 8, 12) : « Si tu as reçu permission du Seigneur, frappe... »

Page 330 (*Dial.* III, 16, 5). Comparer THÉODORET, *Hist. rel.* 15, 3 : châtiment et guérison d'un curieux, qui avait regardé par-dessus la clôture du saint moine.

Page 341 (note sous *Dial.* III, 17, 7). Sur le Sermon 44 d'Augustin, voir la rectification faite ci-dessus (page 305).

Page 364 (*Dial.* III, 25, 1). De même, chez THÉODORET, *Hist. rel.* 3, 22, une femme voit en songe le saint moine auquel elle doit demander la guérison de sa fille.

Page 395. Dans le titre courant, remplacer 32 par 33.

Page 409 (*Dial.* III, 36, 2). Dans la traduction, remplacer les trois dernières lignes par ce qui suit : *Les gouvernails du navire ne répondent plus* (ou *sont arrachés*), *le mât est brisé, la voile est emportée à la mer, toute la coque du navire est fracassée par la violence des lames et tous ses bordages se délient.* Il se pourrait que les marins aient eux-mêmes abattu le mât et l'aient jeté à la mer avec les agrès et les voiles pour alléger le navire et donner moins de prise au vent (communication de M. Jean Rougé ; cf. son article « Romans grecs et navigation : le voyage de Leucippé et Clitophon de Beyrouth en Égypte », dans *Archaeonautica* 2, Paris 1978, p. 265-280, en particulier p. 279-280).

Pages 409 et 411 (*Dial.* III, 36, 3-4). Dans la traduction de *superiores tabulas* (lignes 19 et 29 du texte), remplacer *pont supérieur* par *plats-bords* (communication de M. Jean Rougé).

Pages 420-422 (*Dial.* III, 37, 15-16). Autre histoire de main d'ennemi paralysée et guérie chez Théodoret, *Hist. rel.* 15, 2.

Page 423. Dans la note sous *Dial.* III, 37, 16, restituer la seconde lettre de *le* et la première de *croix*.

Page 430 (*Dial.* III, 38, 3). Ces signes célestes font penser à 2 M 5, 2-3, où il est question, entre autres, de *hastae*.

Pages 433 et 449 (*Dial.* III, 38, 5). Sur la survie de l'âme après la mort et les autres questions relatives à l'au-delà que va traiter le Livre IV, voir à présent G. Cremascoli, « *Novissima hominis* » *nei Dialogi di Gregorio Magno*, Bologne 1979 (Il mondo medievale, Sezione di storia delle istituzioni, della spiritualità e delle idee, 6), où la doctrine des Dialogues est étudiée dans le cadre de la théologie antérieure et subséquente.

Pages 436-437. Plusieurs des Vies attribuées à Venance Fortunat que citent ces notes sont actuellement considérées comme inauthentiques (*V. Amantii, Maurilii, Medardi, Remigii*).

Page 441 (nc II, 34, 2). Ligne 2, lire 18-19. Ligne 7, lire 14-20.

Page 442 (nc II, 36). Avant-dernière ligne, remplacer 21 par 20.

INDEX

Les mots des Titres et Explicit n'ont pas été enregistrés.

I. INDEX NOMINUM

Les noms des deux interlocuteurs sont omis, quand ils introduisent simplement les parties du dialogue. La répétition d'un mot à l'intérieur d'un paragraphe n'est pas notée. Les noms au pluriel sont généralement donnés au singulier. Les adjectifs au féminin et au neutre se trouvent d'ordinaire au masculin singulier.

Abacuc : II, 22, 4.
Abraham : I, 8, 6. — IV, 30, 3 ; 34, 1.2.3.4.
Acontius : III, Cap. 25 ; 25, 1.2.
Adeodatus : II, 1, 5.
Adriaticum : III, 36, 2.
Aegyptus : IV, 50, 4.
Africa : III, 1, 2 ; 30, 8 ; 32, 1.
Africanus : III, Cap. 32 ; 1, 1.3.8.
Agapitus (*pape*) : III, Cap. 3 ; 3, 1.2.
Agapitus (*sous-diacre*) : II, 28, 1.
Agatha : III, 30, 2.
Agatho : IV, 59, 2.
Agnellus : IV, 27, 4.
Albinus : I, 4, 9.
Amantius : III, Cap. 35 ; 35, 1.
Amiterninus : I, 4, 3.
Ammonius : IV, 27, 9.
Ananias : II, 30, 3.
Anastasius : I, Cap. 8 ; 7, 1 ; 8, 1.2.3.4.
Anchonitanus : I, Cap. 5.6 ; 5, 1 ; 6, 1.
Andreas (*apôtre*) : III, 7, 8.
Andreas (*Aquin*) : III, 8, 2.
Andreas (*Fondi*) : III, Cap. 7 ; 7, 1.5.
Angulanus : IV, 42, 3.
Anna : IV, 61, 2.
Antonius : IV, Cap. 49 ; 49, 2.
Apollo : II, 8, 10.11 ; 37, 4. — III, 7, 3.8.
Appia : III, 7, 3. — IV, 27, 2.3.
Aptonius : II, 26.
Apulia : III, 5, 1.
Aquinensis : II, 16, 1.
Aquinum : III, Cap. 8 ; 8, 1.
Argentarius : III, Cap. 17 ; 17, 1.
Armentarius (*illustris*) : III, 16, 7.
Armentarius (*puer*) : IV, Cap. 27 ; 27, 10.
Arrianus : II, 31, 1. — III, Cap. 29.30.32 ; 29, 2.3.4 ; 30, 1.2.8 ; 31, 1.6.7 ; 32, 1.4. — IV, Cap. 31.
Atesis : III, 19, 2.
Athanasius : IV, 40, 10.
Aurelia : III, 17, 1.

Ausarit : III, 9, 2.
Authari : III, 19, 1.
Axa : III, 34, 3.4.

Balneum Ciceronis : I, 3, 5.
Basilius : I, 4, 3.4.5.6.
Baxentinus : III, 17, 1.
Benedicta : IV, 14, 4.
Benedictus (*abbé*) : I, 12, 7. — II, Prol. 1 ; 1, 2.3.5.6 ; 3, 2.4.9.12 ; 5, 1.3 ; 6, 1.2 ; 7, 1.3 ; 8, 4.6.7.9.12 ; 11, 1, 2 ; 13, 1.3 ; 15, 1 ; 16, 1 ; 17, 1.2 ; 19, 1 ; 20, 2 ; 21, 1.5 ; 22, 4 ; 24, 2 ; 29, 1 ; 30, 1 ; 31, 1.2 ; 32, 1 ; 33, 1.3 ; 35, 2 ; 37, 3 ; 38, 1. — III, 16, 9. — IV, 8.
Benedictus (*moine*) : III, Cap. 18 ; 18, 1.
Bethel : IV, Cap. 25.
Blidin : II, 14, 1.
Bonifatius (*diacre*) : III, 20, 1.
Bonifatius (*évêque*) : I, Cap. 9 ; 9, 1.2.8.10.17.18.
Bonifatius (*moine*) : III, 29, 1.
Brixa : IV, 54, 1.
Buccellinus : I, 2, 4.

Caleph : III, 34, 3.
Campania : I, 2, 4. — II, 21, 1 ; 28, 1 ; 35, 1. — III, 1, 1 ; 7, 3 ; 16, 1 ; 18, 1.
Cample : IV, 11, 1.
Canusinus : II, 15, 3. — III, Cap. 5 ; 5, 1.
Capuanus : II, Cap. 35 ; 35, 4. — IV, Cap. 8 ; 8, 7 ; 9, 2.
Carterius : III, 26, 5.6.
Casinus : II, 8, 10 ; 35, 4.
Cassius : III, Cap. 6 ; 6, 1.2. — IV, Cap. 58 ; 58, 1.
Castorius (*évêque*) : I, 4, 3.
Castorius (*laïc*) : I, 4, 8.
Centumcellensis : IV, Cap. 57 ; 28, 1 ; 57, 3.
Cerbonius : III, Cap. 11 ; 11, 1.
Chaldaea : II, 22, 4.
Chananeus : III, 14, 13.
Christianus : I, 4, 6. — III, 37, 16.
Christus : I, 1, 4 ; 9, 15. — II, 3, 11. 13 ; 8, 1.3 ; 15, 1 ; 16, 1. — III, 10, 3 ; 16, 9 ; 17, 5.10.12. — IV, 6, 1 ; 26, 2 ; 41, 5 ; 60, 3.
Cicero : *v.* Balneum.
Clemens : IV, 15, 2.
Constantinopolitanus : III, 2, 3 ; 4, 1 ; 32, 3 ; 36, 1. — IV, 37, 5.
Constantinus : II, Prol. 2.
Constantius (*Ancône*) : I, Cap. 5 ; 5, 2.3.5.
Constantius (*Aquin*) : II, 16, 1. — III, Cap. 8 ; 8, 1.
Constantius (*Ferentis*) : I, 9, 3.4.10.11.13.
Copiosus : IV, 57, 8.9.15.16.
Corinthus : III, 2, 1 ; 4, 1.
Cotronensis : III, 36, 4.
Crisaurius : IV, Cap. 40 ; 40, 6.
Cumquodeus : IV, Cap. 27 ; 27,2.
Curuus : *v.* Felix.

Damascus : II, 3, 11.
Damasus : IV, 32, 3.
Daniel : III, 24, 3. — IV, 35, 1 ; 50, 5.
Darida : I, 2, 2.
Datius : III, Cap. 4 ; 4, 1.2.
Dauid : I, 4, 19. — II, 8, 8 ; 16, 6.8. — IV, 41, 2.
Deus : I, Prol. 6 ; 2, 3.4.5.6.7 ; 3, 4 ; 4, 1.2.3.4.5.6.7.8.10.12. 13.14.15.16.17.18.19 ; 5, 2. 5 ; 7, 6 ; 8, 1.2.5.6.7 ; 9, 2.3.

8.9.10.11.13.15.16.17.19 ; 10, 2.4.6.8.9.12.17 ; 11 ; 12, 1. — II, Cap. 11.12.19.23 ; Prol. 1 ; 1, 3.4.5.6.7.8 ; 2, 1 ; 3, 1.4.10.11.13 ; 4, 1.2.3 ; 5, 1.3 ; 6, 2 ; 8, 1.2.3.6.7.9. 11.12.13 ; 9 ; 10, 1 ; 11, 1. 2.3 ; 13, 1 ; 14, 1.2 ; 15, 1. 2.3 ; 16, 1.2.5.6.7.8 ; 17,1. 2 ; 18 ; 19, 1.2 ; 20, 1.2 ; 21, 2.3 ; 22, 2.3 ; 23, 3.4.5.6 ; 24, 2 ; 25, 1 ; 26 ; 27, 1.2.3 ; 28, 1 ; 29, 1 ; 30, 1.2.4 ; 31, 1.3.4 ; 32, 2.3 ; 33, 2.4.5 ; 34, 1.2 ; 35, 4.6.7 ; 36 ; 38, 3. — III, Cap. 14.15.33 ; 1, 1.2.8 ; 3, 1.2 ; 4, 2 ; 5, 2.3 ; 6, 2 ; 7, 7.8.9.10 ; 8, 2 ; 11, 2.3.6 ; 12, 3.4 ; 14, 3.4.8.9.12 ; 15, 2.3.4.6.8.9.11.12.13.14.18 ; 16, 2.4.5.7.8.9.10 ; 17, 3 ; 21, 4 ; 22, 1.3.4 ; 23, 1 ; 25, 1 ; 26, 5.6.9 ; 31, 2.3.4.7.8 ; 32, 2.4 ; 33, 1.2.4.6.8 ; 34, 2 ; 35, 2 ; 36, 2.3.4.5 ; 37, 2.3. 4.6.10.11.12.15.16.19 ; 38, 5. — IV, Cap. 14.16.20.25 ; 1, 1.2 ; 2, 2 ; 3, 1.2.3 ; 4, 2 ; 5, 4. 8 ; 10 ; 11, 1.2.4 ; 13, 1. 3 ; 14, 1.3 ; 15, 3 ; 18, 1.2.3 ; 19, 2.4 ; 20, 1.2 ; 22, 2 ; 24, 1.2 ; 25, 1 ; 26, 2 ; 27, 8. 14 ; 31, 1.3.4 ; 33, 2.4 ; 34, 5.6 ; 36, 12 ; 37, 4 ; 40, 5 ; 43, 4 ; 46, 1.5.7 ; 47, 2 ; 49, 1.6 ; 57, 6 ; 59, 3 ; 60, 1 ; 61, 2. 3 ; 62, 3.

Deusdedit (*religiosus*) : IV, Cap. 38 ; 38, 1.

Deusdedit (*senex*) : IV, 32, 1.

Donatus : I, 7, 3.

Ecclesiastes : IV, 4, 1.

Effide : II, 1, 1.

Eleutherius (*abbé*) : III, Cap. 33 ; 14, 1 ; 21, 1.2 ; 33, 1. — IV, 36, 1.

Eleutherius (*martyr*) : IV, 13, 3.

Equitius : I, Cap. 4 ; 4, 1.3.5.6. 7.13.15.21.

Esaias : III, 15, 15.

Euasa : IV, 37, 3.

Eumorphius : IV, Cap. 36 ; 36, 7.8.10.

Euthicius (*abbé*) : III, Cap. 15 ; 15, 2.5.7.18.

Euthicius (*laïc*) : II, 3, 14.

Exhilaratus : II, 18.

Faustinus : IV, 54, 2.

Felix Curuus : I, 3, 1.

Felix (*évêque*) : IV, 27, 6 ; 53, 1 ; 57, 3.

Felix (*noble*) : I, 4, 8.

Felix (*pape*) : IV, 17, 1.

Ferentinus : III, Cap. 38 ; 38, 1.

Ferentis : I, Cap. 9 ; 9, 1.14.

Florentius (*moine*) : III, Cap. 15 ; 15, 2.6.8.11.12. 17.18.

Florentius (*prêtre, Rome*) : IV, 32, 3.

Florentius (*prêtre, Subiaco*) : II, 8, 1.4.

Florentius (*sous-diacre*) : II, 8,1.

Floridus : III, 13, 1 ; 35, 1.4.

Fortunatus (*abbé*) : I, 3, 5 ; 4, 1.21 ; 10, 20.

Fortunatus (*évêque*) : I, Cap. 10 ; 10, 1.5.6.7.11.13. 14.15.16.17.18.

Fortunatus (*noble*) : I, 9, 8.

Francus : I, 2, 4.

Frigdianus : III, Cap. 9 ; 9, 1.3.

Fulgentius : III, Cap. 12 ; 12, 2.3.
Fundanus : III, Cap. 7 ; 7, 1.3.
Fundensis : I, Cap. 1.2 ; 2, 1.
Fundis : I, 1, 3.

Galathon : IV, 10, 10.
Galla (*moniale*) : IV, Cap. 14 ; 14, 1.4.
Galla (*veuve*) : IV, 36, 7.
Gaudentius : I, 9, 1.
Geneseos (liber) : IV, 39.
Genuensis : IV, 55, 1.
Germanus : II, Cap. 35 ; 35, 3.4. — IV, Cap. 8 ; 8 ; 42, 3.4.
Gerontius : IV, Cap. 27 ; 27, 4.
Gothus : I, 2, 2 ; 9, 14 ; 10, 12. 13.14.15. — II, 6, 1.2 ; 14, 1 ; 31, 1. — III, 2, 1 ; 3, 1 ; 5, 1 ; 6, 1 ; 11, 1 ; 12, 2.3 ; 13, 1 ; 14, 1 ; 18, 2. — IV, 14, 1 ; 32, 2.
Graecia : III, 3, 2.
Graecus : III, 33, 7 ; 35, 3. — IV, 16, 3 ; 27, 11.
Gregoria : III, 14, 1.
Gregorius (*moine*) : IV, 9, 1.2.
Gregorius (*pape*) : IV, 27, 4.
Gregorius (*saint thaumaturge*) : I, 7, 3.
Gumari : III, 11, 6.

Helba : III, 11, 4.5.
Helias : I, 2, 7. — II, 8, 8.
Heliseus : I, 2, 7 ; 7, 4. — II, 8, 8 ; 13, 4 ; 21, 3.
Herculanus : III, Cap. 13 ; 13, 1.2.
Herminigildus : III, Cap. 31 ; 31, 1.2.8.
Herodes : II, 3, 8.
Herundo : IV, 16, 1.
Hieremias : III, 34, 1.
Hierusalem : III, 35, 6 ; 37, 22. — IV, 18, 4.
Hiezechiel : IV, 35.
Hispalitanus : III, 31, 1.
Hispania : III, 30, 8 ; 31, 1.
Honoratus (*Fondi*) : I, Cap. 1 ; 1, 1.2 ; 2, 5.7.8.
Honoratus (*Subiaco*) : II, Prol. 2 ; 15, 4.

Iacobus : III, 26, 8.
Ianuarius : IV, 27, 3 ; 56, 1.
Iberia : IV, 37, 3.
Iconium : IV, 40, 10.
Iesus : I, 3, 2 ; 9, 15. — II, 3, 11 ; 8, 1.3 ; 15, 1 ; 16, 1 ; 24, 2. — III, 10, 3.4 ; 17, 5.10. — IV, 17, 2 ; 60, 2.
Illiricianus : IV, 37, 3.
Interorina (Interocrina) : I, 12, 1.
Iob : IV, 38, 4.
Iohannes (Baptista) : I, 1, 7. — II, 8, 11 ; 30, 1 ; 37, 4. — III, 37, 14. — IV, 57, 3.
Iohannes (*apôtre*) : II, 8, 9 ; 30, 2 ; 33, 5. — III, 27, 8 ; 37, 19. — IV, 44, 2.
Iohannes (*moine*, *Rome*) : IV, Cap. 49 ; 49, 6.
Iohannes (*moine*, *Spolète*) : IV, Cap. 36 ; 36, 1.5.
Iohannes (*I*, *pape*) : III, Cap. 2 ; 2, 1. — IV, 31, 3.4.
Iohannes (*III*, *pape*) : III, 8, 1 ; 38, 1.
Iohannes (*tribun*) : III, 19, 1.
Iohannes (*vice-préfet*) : III, 10, 1. — IV, 54, 1.
Ionas : II, 8, 9. — IV, 35.
Ionathas : I, 4, 19.
Iordanes : I, 2, 7.
Ioseph (*patriarche*) : IV, 50, 4.

Ioseph (*époux de Marie*) : IV, 50, 4.
Iouinus : III, 8, 2.
Isaac (*abbé*) : III, Cap. 14 ; 14, 1.2.3.
Isaac (*patriarche*) : I, 8, 6.
Isauria : IV, 40, 10.
Isaurius : IV, Cap. 40.
Israel : III, 14, 13.
Italia : I, Prol. 7 ; 3, 5. — III, 14, 2 ; 19, 5 ; 25, 3 ; 31, 8 ; 32, 4. — IV, 27, 12 ; 31, 2.4. — IV, 59, 3.
Iudaea : II, 22, 4.
Iudaeus : II, 3, 8. — III, 7, 3.6.7.8.9.
Iulianus (*défenseur, puis évêque*) : I, 4, 12.13.14.15.16.
Iulianus (*défenseur*) : I, 10, 1. — IV, 31, 1.
Iustinianus : III, 3, 1 ; 32, 1.
Iustinus : III, 2, 1.
Iustus : IV, Cap. 57 ; 57, 8.9.
Iuticus (Eutychius) : III, 38, 2.
Iuuenalis : IV, 13, 3.

Langobardus : I, 4, 21. — II, 1, 2 ; 17, 2. — III, Cap. 27 ; 11, 4.6 ; 15, 18 ; 26, 2 ; 27 ; 28, 1.5 ; 29, 1.2.4 ; 37, 2.3. 10.11.12.13.15.16 ; 38, 3. — IV, 22, 1 ; 23, 1.2 ; 24.
Lateranensis : II, Prol. 2.
Laurentius (*antipape*) : II, 42, 1.3.
Laurentius (*martyr*) : I, 4, 20. — III, 37, 4. — IV, Cap. 53 ; 32, 3 ; 56, 1.
Laurentius (*religiosus*) : I, 1, 4 ; 2, 1.
Laurio : I, 7, 1.
Lazarus (*pauvre*) : IV, 30, 3 ; 34, 1.2.3.4.
Lazarus (*ressuscité*) : III, 17, 8.
Leander : III, 31, 1.6.
Leuuigildus : III, Cap. 31 ; 31, 1.
Liberius (*magnificus*) : IV, 55, 1.
Liberius (*patrice*) : II, 35, 1.
Libertinus : I, Cap. 2 ; 2, 1.3. 4.5.7.8.9.10.12.
Liparis : IV, 31, 2.
Lucanus : III, 9, 1.
Lucensis : III, Cap. 9.
Lucas : I, Prol. 10.
Lunensis : III, 9, 1 ; 11, 4. — IV, 55, 1.

Marcellinus : I, Cap. 6 ; 6, 1.
Marcellus (*moine*) : IV, 27, 4.
Marcellus (*séculier*) : I, 10, 17. 18.
Marcus : I, Prol. 10. — III, 33, 1.
Maria : I, 9, 12 ; 12, 1. — III, 14, 1. — IV, 16, 1 ; 18, 1 ; 50, 4.
Marsi : IV, Cap. 24 ; 24, 1.
Marsicus : III, Cap. 16 ; 16, 1.
Martinus (*évêque*) : II, 8, 11.
Martinus (*reclus*) : III, Cap. 16 ; 16, 1.2.6.7.8.9.
Martyrius : I, Cap. 11 ; 11.
Mascator : III, 16, 7.
Maurus (*moine*) : II, 3, 14 ; 4, 2 ; 6, 2 ; 7, 1.2.3 ; 8, 7.
Maurus (*peuple*) : IV, 19, 3.
Maximianus : I, 7, 1. — III, 36, 1.4. — IV, 33, 1.
Maximus (*moine*) : IV, 40, 7.8.
Maximus (*séculier*) : IV, 13, 1.
Mediolanensis : III, Cap. 4 ; 4, 1.
Mellitus : IV, Cap. 27 : 27, 6.
Menas : III, Cap. 26 ; 26, 1.
Merulis : III, 11, 1.
Merulus : IV, Cap. 49 ; 49, 4.

Moyses : I, 1, 7. — II, 2, 3 ; 8, 8.
Musa : IV, Cap. 18 ; 18, 1.

Nabucodonosor : IV, 50, 5.
Narniae : III, 6, 1.
Narniensis : III, Cap. 6 ; 6, 2. — IV, 58, 1.
Narse : IV, 27, 10.12.
Nathan : II, 21, 3.
Nepisenus : I, 7, 1.
Nolanus : III, Cap. 1 ; Prol.
Nonnosus : I, Cap. 7 ; 7, 1.2. 4.5.6.
Nursia : II, Prol. 1. — III, Cap. 37 ; 37, 1. — IV, 11, 1 ; 12, 1.
Nursinus : I, 4, 8. — III, 15, 2. — IV, Cap. 12.

Padus : III, 10, 2.3.
Paraclitus : II, 38, 4.
Paschasius : IV, Cap. 42 ; 42, 1.3.4 ; 43, 3.4.
Paulinus : III, Cap. 1 ; Prol. ; 1, 1.3.4.5.6.7.8.9.10.
Paulus : I, 12, 5. — II, 3, 11 ; 16, 6 ; 17, 2 ; 33, 1. — III, 15, 9 ; 17, 8 ; 29, 2. — IV, 4, 10 ; 5, 5 ; 12, 4 ; 26, 2 ; 41, 1.5.
Pelagius : III, 16, 1. — IV, 59, 2.
Peregrinus : II, 27, 1.
Perusinus : III, Cap. 13 ; 13, 1.
Petrus (*apôtre*) : I, 10, 14 ; 12, 5. — II, 1, 1 ; 3, 8 ; 7, 2 ; 8, 8 ; 30, 3. — III, Cap. 24 ; 3, 2 ; 13, 3 ; 17, 1 ; 23, 1.5 ; 24, 1 ; 25, 1.2. — IV, 12, 4 ; 14, 3.4 ; 38, 1.
Petrus (*diacre*) : I, Prol. 2.3.8 ; 2, 7 ; 4, 9.18.19 ; 5, 2 ; 6, 2 ; 8, 6 ; 9, 9.19 ; 10, 7.20 ; 12, 4. — II, 2, 4 ; 3, 9.10 ; 8, 9 ; 13, 4 ; 21, 3 ; 22, 4 ; 23, 1.6 ; 24, 2 ; 31, 4 ; 32, 4 ; 33, 1 ; 35, 6 ; 36, 1 ; 38, 3. — III, 6, 1 ; 10, 4 ; 14, 12 ; 15, 10.13 ; 24, 3 ; 26, 7 ; 29, 1 ; 32, 2 ; 37, 8 ; 38, 1. — IV, 5, 2 ; 30, 2 ; 37, 2 ; 38, 3 ; 50, 2 ; 55, 4.
Petrus (*majordome*) : IV, 37, 11.
Petrus (*moine*) : IV, Cap. 37 ; 37, 3.
Petrus (*supérieur*) : IV, 49, 5.
Philisteus : III, 14, 13.
Placentinus : III, Cap. 10 ; 10, 1.
Placidus : II, 3, 14 ; 5, 2 ; 7, 1.
Pompeianus : II, 4, 2.
Populonium : III, Cap. 11 ; 11, 1.4.5.
Portuensis : IV, 27, 6 ; 53, 1.
Praenestinus : III, Cap. 23 ; 23, 1.5. — IV, 16, 1 ; 27, 3.
Pretiosus : IV, 57, 11.14.
Probus (*abbé*) : IV, 13, 1.2 ; 18, 1 ; 20, 1 ; 40, 6.
Probus (*évêque*) : IV, Cap. 13 ; 13, 1.3.
Proculus : I, 9, 8.
Pronulfus : III, 19, 1.

Quadragesimus : III, 17, 1.3.5.

Rauenna : I, 2, 5 ; 9, 14 ; 10, 12.
Reatinus : I, 4, 9. — IV, Cap. 13 ; 13, 1.
Rebecca : I, 8, 6.
Reccharedus : III, 31, 6.7.
Redempta : IV, 16, 1.2.4.6.7.
Redemptus : III, Cap. 38 ; 38, 1.2.
Renatus : IV, 13, 1.
Reparatus : IV, Cap. 32 ; 32, 2.4.5.

Riggo : II, 14, 1.2.
Roma : II, Prol. 1 ; 15, 1.2.3. — III, Cap. 24 ; 7, 3 ; 36, 2. — IV, 10 ; 59, 2.
Romana ciuitas : III, 10, 1. Romana ecclesia : I, 8, 1. — III, 2, 1 ; 3, 1. — IV, 17, 1 ; 31, 1. Romana urbs : I, 4, 3.6.8.11. — II, 1, 3 ; 3, 14 ; 15, 3. — III, Cap. 30 ; 14, 1 ; 18, 1. — IV, 22, 1. Romanus pontifex : I, 4, 8. Romanus portus : IV, 59, 3.
Romanus (*moine*) : II, 1, 4.5.6.
Romula : Cap. 16 ; IV, 16, 2. 3.6.
Ruderic : II, 14, 1.

Sabinensis : I, 4, 12. — IV, 53, 1.
Sabinus (*Canosa*) : III, Cap. 5 ; 5, 1.2.
Sabinus (*Plaisance*) : III, Cap. 10 ; 10, 2.3.
Salomon : III, 37, 22. — IV, Cap. 4 ; 3, 3 ; 4, 1 ; 41, 2.
Samaria : IV, 25, 1.
Samnia (-ium) : I, 1, 1 ; 2, 2. — III, 26, 1. — IV, 10.
Sanctulus : III, Cap. 37 ; 15, 1 ; 37, 1.2.9.10.11.13.18.19.
Saphira : II, 30, 3.
Saulus : III, 17, 8.
Scolastica : II, Cap. 33 ; 33, 2.
Sebastianus : I, 10, 2. — III, 30, 2.
Seruandus : II, 35, 1.2.4.
Seruulus : IV, Cap. 15 ; 15, 2.
Seuerus : I, Cap. 12 ; 12, 1.2.3.
Sicilia : II, 15, 2. — IV, 10 ; 31, 2 ; 36, 8. 10.12 ; 59, 6.
Simplicius : II, Prol. 2.
Siracusanus : III, Cap. 36 ; 36, 1. — IV, 33, 1.
Sodoma : IV, Cap. 39.
Sodomita : IV, 39, 6.
Soractis : I, Cap. 7 ; 7, 1.
Speciosus (*moine*) : IV, Cap. 9 ; 9, 1.2.
Speciosus (*prêtre*) : IV, 16, 1.
Spes : IV, Cap. 11 ; 11, 1.
Spiritus Sanctus : *v. Index Verborum.*
Spolitanus : III, 14, 1.2 ; 21, 1 ; 29, 2 ; 33, 1.
Stephanus (*abbé, Rieti*) : IV, Cap. 20 ; 20, 1.2.
Stephanus (*abbé, Rome*) : IV, 12, 1.
Stephanus (*forgeron*) : IV, 37, 6.
Stephanus (*illustris*) : IV, Cap. 37 ; 37, 5. 7. 12. 13. 14.
Stephanus (*martyr*) : I, Cap. 5 ; 5, 2.
Stephanus (*optio*) : IV, Cap. 36 ; 36, 7.8.9.
Stephanus (*prêtre*) : III, Cap. 20 ; 20, 1.
Sublacus : II, 1, 3 ; 38, 1.
Subpentoma : I, Cap. 8 ; 7, 1 ; 8, 1.
Subura : III, 30, 2.
Sura : IV, 23, 1.
Suranus : IV, Cap. 23 ; 23, 1.
Symmachus (*pape*) : IV, 42, 1.2.3.
Symmachus (*patrice*) : IV, 14, 1 ; 31, 3.4.
Syria : III, 14, 2.
Syrus : IV, 55, 2.
Syxtus : IV, 27, 2.3.

Tabitha : II, 30, 3.
Tarsilla : IV, Cap. 17 ; 17, 1.
Tauriana : IV, 57, 3.
Terracinensis : II, Cap. 22 ; 22, 1. — IV, 9, 1.

Tertullus : II, 3, 14.
Theodoricus : IV, Cap. 31 ; 31, 2.3.4.
Theodorus (*moine*) : IV, Cap. 40 ; 40, 2.
Theodorus (*sacristain*) : III, Cap. 24 ; 24, 1.
Theophanius : IV, Cap. 28 ; 28, 1.
Theopropus : II, 17, 1.2 ; 35, 4.
Tiberis : III, 19, 2.
Tiburtius : IV, 32, 3.4.
Tiferna Tiberina : III, 35, 1.
Totila : I, 2, 1. — II, Cap. 14. 15 ; 14, 1 ; 15, 1.3 ; 31, 1. — III, 5, 1 ; 6, 1 ; 11, 1 ; 12, 2 ; 13, 1.2.3 ; 18, 2.
Tudertinus : I, Cap. 10 ; 10, 1.11.12.17.
Tuscia : I, 8, 7 ; 10, 2. — III, Cap. 35.

Valentinianus (*abbé*) : II, Cap. 13 ; Prol. 2 ; 13, 1.
Valentinianus (*moine*) : IV, 27, 4.
Valentinus : IV, Cap. 55 ; 55, 2.3.
Valentio : I, 4, 20. — IV, Cap. 22 ; 22, 1.
Valeria : I, Cap. 11 ; 4, 1.3.21 ; 10, 20. — III, Cap. 20.22 ; 20, 1 ; 22, 1 ; 33, 1. — IV, 22, 1.
Valerianus (*avocat*) : IV, 27, 9.10.
Valerianus (*patrice*) : IV, Cap. 54 ; 54, 1.
Varaca : IV, Cap. 59 ; 59, 2.
Venantius (*évêque*) : III, 9, 1 ; 10, 1 ; 11, 4. — IV, 55, 1.
Venantius (*patrice*) : I, 1, 1.
Veronensis : III, Cap. 19 ; 19, 2.
Vrsus : IV, Cap. 36 ; 36, 3.5.
Vstica : IV, 59, 2.5.
Vtriculanus : III, Cap. 12.
Vtriculensis : III, 12, 2.
Vult : II, 14, 1.
Vulturnus : I, 2, 2.

Wandalus : III, Cap. 32 ; 1, 1.5.8 ; 32, 1.
Wisigothus (-a) : III, Cap. 31 ; 31, 1.7.8.

Zalla : II, 31, 1.2.3.
Zebedaeus : III, 26, 8.
Zeno : III, Cap. 19 ; 19, 2.

II. INDEX VERBORUM

Cet Index ne renferme qu'un choix de mots. La moitié environ des articles sont complets. La répétition d'un mot à l'intérieur d'un paragraphe n'est pas notée. Si le mot appartient à une citation, le numéro du paragraphe est en italique. Les mots sont orthographiés comme dans le texte, sauf certains préfixes non assimilés dans le texte et assimilés ici (e. g. *collocutio* pour *conlocutio*), ou inversement.

abbas : I, Cap. 1.4.8 ; 2, 5.9 ; 3, 5 ; 4, 3.12.20. — II, 4, 1 ; 7, 3 ; 35, 1. — III, Cap. 23 ; 21, 2 ; 22, 1 ; 23, 24. — IV, Cap. 11.22. 23 ; 12, 1.
absoluo : I, 10, 19. — IV, 57, 7.
absolutio : IV, Cap. 57 ; 52 ; 57, 14 ; 59, 3.6 ; 60, 3 ; 62, 2.
abstinentia : I, 1, 1.2. — III, 14, 10. — IV, 17, 1.
abstineo : I, 10, 2. — II, 1, 7. IV, 18, 1.
adfligo : I, Prol. 2. — II, 11, 1 ; 27, 1.2 ; 28, 1 ; 31, 1.2. — III, 15, 6 ; 28, 2 ; 31, 6 ; 34, 5. — IV, Cap. 61 ; 27, 10 ; 30, 4 ; 31, 4 ; 40, 11 ; 57, 6.7 ; 59, 2.
adiungo : II, 8, 5 ; 9. — IV, 19, 3 ; 20, 2.
adiuro : I, 9, 15.
admirabilis : I, 2, 7 ; 12, 1. — III, Prol. ; 16, 8.
admiratio : I, 4, 1 ; 12, 2. — II, 1, 2. — III, 11, 3 ; 13, 3 ; 30, 3.
admiror : I, 2, 11 ; 3, 1 ; 9, 3. — II, 22, 3. — III, 19, 5. — IV, 12, 4.
adoro : III, 28, 1.
adstruo : I, 5, 4. — III, 28, 5.
adulatio : I, 4, 11.
adulor : I, 4, 11.
aduocatus : IV, Cap. 27 ; 27, 2.9.10.
aedificatio : I, Prol. 9 ; 2, 8. — II, 7, 4. — III, 17, 14 ; 21, 2 ; 35, 6 ; 37, 21 ; 38, 5. — IV, 10, 1.
aedificium : II, 9 ; 10, 1.2 ; 15, 3. — III, 37, 22.
aedifico : I, 5, 3. — II, 11, 1 ; 22, 1.2. — III, 18, 1. — IV, Cap. 38 ; 5, 7 ; 26, 2 ; 37, 15.16.
aeger : I, 10, 19 ; 12, 3. — III, 1, 9.
aemulatio : II, 27, 3.
aemulor : II, 8, 1.
aequanimitas : I, 7, 1.
aestimatio : I, 12, 4. — III, 25, 1. — IV, 28, 6 ; 40, 10 ; 43, 4 ; 44, 2.
aestuo : II, 32, 1. — IV, 45, 2.
aestus : II, 31, 1. — III, 15, 18.
aeternitas : III, 14, 14.
aeternus : III, 5, 4 ; 7, 9 ; 14, 5 ; 19, 5 ; 26, 4 ; 27 ; 34, 2 ;

38, 4. — IV, Cap. 1 ; 11, 1 ; 14, 1 ; 26, *2* ; 27, 8 ; 29, 1 ; 30, *5* ; 34, 5 ; 36, 13 ; 37, 4. 16 ; 39 ; 46, *1*.2.5.8 ; 60, 2.
Aeternum (In —) : III, 17, 7. — IV, 46, 5.
alapa : I, 9, 17. — II, 30, 1. — III, 7, 5.7 ; 14, 3.
alimentum : II, 1, 6.8 ; 20, 1 ; 28, 1. — III, 9, 3 ; 14, 7.9. — IV, 49, 4.
altare : I, 7, 3.6 ; 10, 3. — III, 3, 2 ; 17, 3 ; 30, 5. — IV, 53, 2 ; 62, *1*.
amaritudo : II, 19, 2 ; 21, *3*. — IV, 57, 11.12.
ambigo : II, 22, 4. — III, 1, 10. — IV, 15, 2 ; 30, 4.
ambitio : III, 5, 3.
amicitia : I, Prol. 2. — III, 31, 1. — IV, 32, 1.
amicus : I, Prol. 1. — III, 1, 4 ; 16, 3. — IV, 14, 3 ; 24, 1 ; 32, 1.
amo : I, 5, 6 ; 10, 4. — II, 1, 1 ; 3, 11 ; 8, 9 ; 33, 5 ; 38, 4. — IV, 14, 2 ; 34, 4 ; 39 ; 42, 1.
amor : I, Prol. 9 ; 1, 11 ; 2, 5 ; 4, 10 ; 5, 5. — II, 2, 1 ; 3, 11 ; 8, 1 ; 38, 4. — III, 7, 7 ; 26, 4 ; 34, 2.4.5 ; 37, 18.19. — IV, 14, 4 ; 39.
ancilla : I, 4, 5. — II, Cap. 23 ; 19, 2. — IV, Cap. 14.16.
angelicus : III, 16, 8.
angelus : I, 1, 7 ; 4, 1. — II, 35, 3.6. — III, 14, 14 ; 17, 11 ; 34, 2. — IV, 1, 1.2 ; 3, 2 ; 5, 4 ; 8 ; 20, 4 ; 30, *5* ; 34, *1* ; 36, 14 ; 37, 4 ; 44, 3 ; 46, 8 ; 50, 4 ; 52 ; 60, 3.
angustia : III, 33, 7.
angustor : I, 9, 2.
anima : I, 2, 6.7 ; 7, 5 ; 10, 4. 6 ; 12, 2. — II, Cap. 34.35 ; 3, 12 ; 8, 4 ; 16, 2 ; 17, 1.2 ; 19, 1 ; 21, 3 ; 23, 6 ; 32, 3 ; 34, 1 ; 35, 3.6 ; 37, 1. — III, 1, 9 ; 7, 5 ; 14, 14 ; 15, 2.19 ; 17, 4.6.7.8 ; 31, 8 ; 34, 2. 4.5 ; 36, 3 ; 37, *19* ; 38, 5. — IV, Cap. 5-13.26.29.36.40. 42.43.47.52.57 ; 2, 3 ; 5, 1. 2.3.4.6.7.9 ; 6, 1.2 ; 7 ; 8 ; 9, 1.2 ; 10 ; 11, 4 ; 12, 4 ; 15, 1.4 ; 16, 7 ; 17, 1.2 ; 19, 3.4 ; 20, 4 ; 21 ; 25, 2 ; 26, 1.2.3. 4 ; 27, 1.2.3.9 ; 28, 1.6 ; 29, 1 ; 30, 3.5 ; 31, 1 ; 33, 4 ; 36, 1.10.11 ; 40, 1.5 ; 43, 1 ; 44, 3 ; 47, 1.2 ; 48 ; 50, 2 ; 56, 3 ; 57, 1.2.7 ; 59, 3 ; 60, 2 ; 61, 2.
animus : I, 2, 6 ; 4, 14.19 ; 5, 3 ; 10, 7. — II, 21, 1.5 ; 35, 7. — III, 5, 3 ; 7, 2.5 ; 11, 2 ; 14, 11.12 ; 17, 3 ; 26, 7 ; 33, 4.8.9 ; 34, 2 ; 37, 1.2.18 ; 38, 2.4.5. — IV, 4, 3 ; 7 ; 16, 5 ; 19, 2 ; 28, 6 ; 30, 4.5 ; 43, 4 ; 44, 1 ; 49, 4 ; 57, 14 ; 60, 2 ; 62, 1.
annona : II, 8, 3. — III, 37, 6.
antiphona : IV, 36, 2.
antiquus : II, 8, 10. — IV, 34, 5. (— hostis) : I, 10, 4.7. — II, 1, 6 ; 4, 3 ; 8, 1.12.13 ; 9 ; 10, 2 ; 11, 1.2 ; 16, 1 ; 30, 1. — III, 4, 1.2 ; 7, 2 ; 15, 5 ; 16, 3.4 ; 19, 5 ; 20, 2.3 ; 30, 4 ; 33, 4. — IV, 20, 2. (— inimicus) : III, 7, 5.
antistes : I, 4, 9.11 ; 6, 1 ; 10, 1. — II, 15, 3 ; 16, 1. — IV, 17, 1.
anxie : I, 4, 5 ; 5, 4. — IV, 57, 13.
anxietas : I, 4, 5. — III, 7, 6.

anxietudo : III, 34, 2.
anxior : I, 4, 4. — III, 37, 4.
anxius : III, 37, 5.
apostata : IV, 30, 4.
apostolatus : III, 17, 10.
apostolicus : I, 4, 11.14 ; 12, 5. — II, 16, 8. — III, 37, 19. — IV, 42, 1.2.
apostolus : I, 10, 14. 17 ; 12, 5. — II, 16, 6 ; 32, 2. — III, 7, 8 ; 13, 3 ; 17, 1 ; 23, 1.5 ; 24, 1.2 ; 25, 1.2 ; 35, 1 ; 37, 19. — IV, 6, 1 ; 12, 4 ; 14, 3.4 ; 41, 1 ; 46, 7 ; 58, 1.2.
apotheca : I, 9, 4.
appareo : II, 22, 2.3 ; 25, 2 ; 37, 3. — III, 24, 3 ; 30, 4 ; 31, 5. — IV, Cap. 53 ; 5, *5* ; 11, 4 ; 17, 1 ; 18, 1 ; 27, 7 ; 36, 11 ; 37, 4 ; 40, 10 ; 48 ; 49, 4 ; 53, 2 ; 54, 2 ; 57, 5 ; 59, 3.5.
apparitor : III, 31, 4.
aqua : I, 1, 2 ; 2, 2.7 ; 5, 2 ; 6, 1 ; 10, 4.15. — II, Cap. 5. 6.7 ; 1, 3 ; 5, 1.3 ; 6, 1 ; 7, 1.3 ; 8, 8 ; 10, 2 ; 13, 2 ; 30, 1. — III, 7, 9 ; 9, 3 ; 10, 2.3 ; 16, 2.10 ; 19, 2.3 ; 34, *1* ; 36, 4.5 ; 37, 3. — IV, 30, *3* ; 33, 2 ; 34, *2.4* ; 57, 3.
ara : II, 8, 11 ; 37, 4.
arbiter : II, 7, 3. — IV, 37, 13.
arca : I, 4, 20 ; 9, 10.11. — II, 27, 2.
arcanus : IV, 58, 1.
archidiaconus : III, 5, 3.
arcte : II, 1, 1. — IV, 46, 9.
arctus : II, 1, 4. — III, 16, 6 ; 31, 2.
ardeo : I, 6, 1. — III, 18, 2. — IV, Cap. 46 ; 32, 5 ; 36, 14 ; 39 ; 41, *5* ; 46, 1.4.5.6 ; 56, 1.
ardor : II, 3, 9 ; 31, 1 ; 37, 2. — III, 34, 4. — IV, 30, 2 ; 45, 2.
aspernor : III, 16, 5 ; 17, 12.
aspiro : II, 21, 3. — IV, 5, 8.
auaritia : I, 9, 13. — II, 31, 1. — IV, 40, 6 ; 57, 12.
auarus : III, 14, 5. — IV, 36, 14.
auctor : I, Prol. 10. — III, 15, 13 ; 21, 4 ; 26, 1. — IV, 17, 1.2.
auctoritas : I, Prol. 10 ; 4, 11. — III, 3, 2. — IV, 37, 12 ; 38, 6.
augurior : IV, 50, *3*.
augurium : IV, 50, 3.
augustus : III, 32, 1.
aureus : I, 9, 10.11.12. — III, 2, 3. — IV, 27, 7.8 ; 37, 9. 15.16 ; 59, 9.11.
aurum : IV, 23, 2 ; 27, 8 ; 37, 16 ; 41, *5* ; 57, 9.11.
ausus : I,10, 1.7. — III, 33, 5 ; 37, 1. — IV, 25, 1.

baptisma : III, 7, 9. — IV, 33, 1.
baptizo : IV, 19, 1 ; 27, 7.8.
baratrum : III, 32, 3.
barbarus : III, 1, 3 ; 6, 2 ; 8, 2 ; 26, 2. — IV, 27, 12.
beate : IV, 47, 2.
beatitudo : IV, 26, 3 ; 29, 1 ; 36, 13.
beatus : I, 4, 20 ; 5, 2 ; 9, 8.12 ; 12, 1. — II, 8, 11 ; 30, 1 ; 37, 4 ; 38, 1. — III, 2, 1 ; 3, 1 ; 7, 8 ; 8, 1 ; 13, 3 ; 14, 1 ; 16, 1 ; 17, 1 ; 22, 1 ; 23, 1.5 ; 24, 1.2 ; 25, 1.2 ; 29, 4 ; 33, 1 ; 34, *2* ; 38, 2. — IV, Cap. 53 ; 1, *1* ; 12, 4 ; 14, 3.4 ; 15, 2 ; 16, 1 ; 18, 1.2.3 ; 32, 3 ;

38, 1 ; 54, 2 ; 55, 2 ; 56, 1 ; 57, 1 ; 59, *2* ; 60, *1*.
benedico : I, 4, 7 ; 8, *6* ; 10, 15. — II, 1, 7. — III, 35, 2 ; 37, 3.
benedictio : I, 7, 6 ; 9, 3.8. — II, 7, 2 ; 8, 2 ; 9 ; 12, 2 ; 22, 1 ; 24, 1 ; 31, 3. — III, 14, 7 ; 17, 4 ; 33, 8 ; 34, *3* ; 37, 3. — IV, 57, 5.
beneficium : II, 38, 2. — III, 1, 7.
beneuolentia : IV, 62, 1.
benigne : III, 14, 9 ; 33, 2 ; 36, 3. — IV, 57, 5.
benignitas : IV, 62, 3.
benignus : IV, 14, 4.
blande : I, 10, 13. — II, 1, 2. — III, 7, 5.
blandior : II, 13, 2. — III, 7, 5 ; 38, 4.
blandus : I, 9, 11 ; 10, 13. — II, 27, 1. — IV, 16, 6.
blasphemia : IV, 41, *3*.
blasphemo : IV, 19, 2.3.4.
blasphemus : IV, Cap. 19 ; 19, 4.
bonitas : III, 15, 10.
bonum : I, 10, 7. — III, 14, 12.13 ; 34, 2. — IV, 20, 1 ; 34, *2* ; 40, 2 ; 43, 4 ; 59, 6 ; 60, 1.
bonus : I, Prol. 5.7.8 ; 2, 3 ; 10, 7. 17.18 ; 12, 6. — II, 3, 10.14 ; 7, 4 ; 8, 1. — III, Prol. ; 7, 5.9 ; 15, 5 ; 22, 1 ; 34, 4 ; 37, 12.17.21.22.23. — IV, Cap. 34-36 ; 4, *3*.4. 6 ; 24, 3 ; 28, 1 ; 33, 5 ; 34, 3.4.5 ; 36, 13 ; 37, 12 ; 38, 4 ; 40, 10 ; 41, 6 ; 50, 6 ; 51.

caballus : I, 2, 2.3 ; 9, 11.
caecitas : I, 2, 4 ; 10, 8. — II, 4, 3. — III, 29, 3. — IV, 1, 1.2.3 ; 11, 1.2.
caeco : II, 8, 2.
caecus : I, 9, 6 ; 10, 17. — III, 2, 3.
caelestis : I, Prol. 3.9 ; 1, 1 ; 4, 10 ; 5, 2. — II, 23, 6 ; 33, 2 ; 35, 1. — III, 21, 1 ; 26, 9 ; 31, 2 ; 34, 2.4.5 ; 35, 6 ; 37, 22. — IV, Cap. 19 ; 1, 1.2 ; 10 ; 14, 2 ; 15, 1 ; 16, 7 ; 18, 4 ; 19, 1 ; 26, 1.2 ; 27, 19 ; 30, 4 ; 49, 2 ; 60, 3.
caelitus : I, 4, 20. — III, 30, 5. — IV, 16, 4 ; 37, 7.
caliga : III, 20, 1.
caligosus : IV, 37, 8.
caligula : I, 2, 5.6.7.
calix : I, 7, 3. — II, 12, 2. — III, 5, 2.3 ; 26, *8*.
canon : IV, 31, 2.
cantus : III, 31, 5. — IV, 11, 4 ; 16, 7.
capisterium : II, Cap. 1 ; 1, 1.
capistrum : I, 4, 10.
captiuitas : III, 1, 1. — IV, 59, 1.
captiuus : III, Cap. 28 ; 1, 1. 7 ; 22, 3 ; 28, 1 ; 37, 17. — IV, 22, 2 ; 23, 1.2.
captus : II, 38, 1. — III, 37, 10. — IV, Cap. 59.
carabus : IV, 59, 2.3.4.
caritas : I, 4, 17 ; 9, 8 ; 10, 10. — II, 1, 1.5 ; 33, *5*. — III, 26, 4 ; 36, 1 ; 37, 1.*19*. — IV, 4, 10 ; 57, 5.14 ; 59, 3.
carnalis : III, 12, 4 ; 17, 11 ; 26, 9. — IV, Cap. 1 ; 1, 2 ; 4, 5.6.8 ; 5, 8 ; 14, 1 ; 32, 3 ; 37, 3.4.5.6 ; 57, 11.13.
carnaliter : I, 10, 4. — IV, 19, 2.
carneus : III, 24, 3 ; 32, 4.

caro : I, Prol. 3 ; 1, 1 ; 4, 1.4 ; 8, 3 ; 10, 2.4. — II, Cap. 2 ; 2, 1 ; 16, 1. 7 ; 23, 6 ; 33, 1 ; 38, 4. — III, Cap. 27 ; 1, 9 ; 7, 5.8 ; 17, 6.7.8.12.13 ; 18, 2 ; 21, 5 ; 24,3 ; 27 ; 32, 4 ; 34, 4 ; 38, 3.5. — IV, 1, 2 ; 2, 3 ; 3, 1.2 ; 4, 7.8 ; 5,3 ; 6, 1 ; 7 ; 12, 5 ; 15, 1.4 ; 16, 7 ; 17, 3 ; 22, 2 ; 26, 1.3 ; 28, 4 ; 35 ; 37, 13 ; 38, 4 ; 39 ; 40, 5.6.8 ; 46, 9 ; 49, 7 ; 53, 1 ; 54, 2 ; 56, 3 ; 60, 1.2.
castrum : I, 4, 10. — II, 8, 10 ; 35, 4. — III, 36, 4 ; 38, 3.
casus : I, Prol. 5. — III, 16, 6.7.
catholicus : II, 31, 1. — III, Cap. 30.31.32 ; 29, 4 ; 30, 2 ; 31, 1.6 ; 32, 1.
causa : I, 2, 5.9.11. — II, 16, 9 ; 17, 1 ; 21, 3. — III, 3, 1 ; 4, 1 ; 7, 4. — IV, 4, 4 ; 10 ; 28, 5 ; 36, 13 ; 37, 1.5 ; 38, 3 ; 42, 3 ; 46, 8 ; 56, 2.
caute : II, 11, 1. — III, 14, 9. — IV, 37, 4.
cautus : IV, 50, 6.
cella : I, 1, 4 ; 3, 2 ; 4, 4.5.6. 10.17. — II, Cap. 21 ; Prol. 2 ; 1, 5 ; 7, 1 ; 8, 4.5 ; 9 ; 11, 2 ; 12, 1.2 ; 13, 1.3 ; 21, 2 ; 28, 2 ; 31, 2 ; 33, 2 ; 34, 1 ; 37, 3. — III, 15, 3 ; 16, 7 ; 18, 2. — IV, 27, 5.
cellarium : II, 28, 1. — IV, 23, 1.
cellula : II, 11, 1 ; 17, 1. — III, 15, 11 ; 16, 5.6 ; 26, 2. — IV, 16, 5.7.
celsitudo : II, 21, 4 ; 30, 1. — IV, 1, 1.
certamen : I, 2, 6 ; 4, 1. — II, 3, 11 ; 8, 13. — III, 4, 1 ; 19, 5. — IV, 37, 14.
chorus : III, 34, 2. — IV, 16, 7 ; 60, 3.
cibus : II, 1, 7.8 ; 22, 4 ; 33, 2 ; 35, 1. — III, 33, 7.8.
cilicium : III, 31, 2.
cinis : I, 11.
circumspectus : II, 3, 7.
ciuis : I, 4, 18. — III, 13, 1. 3 ; 15, 18 ; 35, 6. — IV, 1, 2 ; 12, 5.
ciuitas : I, Cap. 5.6.9.10 ; 4, 3 ; 5, 2 ; 6, 1 ; 9, 1 ; 10, 6.11. 12. — II, Cap. 35 ; 15, 3. — III, Cap. 1.4.5.6.7.8.9.10. 11.12.13.19.36.38 ; 6, 1 ; 7, 1 ; 10, 1 ; 13, 1. — IV, Cap. 13 ; 13, 1.
clareo : II, 36. — III, 15, 18 ; 25, 3 ; 37, 15 ; 38, 1. — IV, 16, 5 ; 28, 1 ; 57, 16.
claresco : I, 8, 4. — II, 35, 2. — III, 30, 6. — IV, Cap. 43 ; 21 ; 43, 1.
claritas : IV, 13, 3 ; 16, 5.6 ; 17, 1 ; 27, 8 ; 34, 5 ; 38, 5.
clarus : II, 37, 3. — IV, 22, 1 ; 27, 4.
claustrum : I, Prol. 3 ; 9, 10. — II, 2, 5 ; 3, 9.11 ; 11, 1. — III, 29, 3. — IV, 26, 1 ; 40, 7.
clericatus : IV, 59, 2.
clericus : I, 4, 11.12 ; 9, 15.16. — II, Cap. 16 ; 16, 1.2.3 ; 31, 1. — III, 11, 4.6 ; 12, 2 ; 22, 1.2.3.
clerus : IV, 28, 5.
codex : I, 4, 10.
coenobium : IV, 11, 3.
coepiscopus : I, 5, 1.
cogitatio : I, 9, 10. — II, Cap. 20 ; 3, 5.9 ; 4, 3 ; 20,

1.2. — III, 15, 13 ; 17, 9 ; 19, 5 ; 20, 2 ; 24, 3. — IV, 38, 4 ; 39 ; 43, 2 ; 50, 2.4.5 ; 61, 2.
cogito : I, Prol. 3 ; 7, 2. — II, 3, 6. — III, 7, 2 ; 17, 11 ; 37, 10. — IV, 4, 4 ; 33, 2 ; 50, *5* ; 57, 5.10.
cognitio : I, 4, 9. — II, 16, 8. — III, 37, 19. — IV, 34, 4.
cognosco : I, 3, 1 ; 4, 6.11.16. 18.20.21 ; 7, 1 ; 8, 7 ; 9, 2 ; 10, 3.11.17 ; 11 ; 12, 6. — II, Cap. 18.20 ; 1, 4.5 ; 8, 6 ; 13, 4 ; 16, *5*.8 ; 21, 4 ; 26. — III, 5, 1 ; 7, 8 ; 10, 1 ; 11, 4 ; 19, 1 ; 22, 1 ; 26, 1.5. 6 ; 31, 1 ; 36, 2 ; 37, 13.17 ; 38, 1.4. — IV, 10 ; 11, 1 ; 27, 1.2.9.11 ; 34, 3.4.5 ; 36, 5 ; 37, 12.14 ; 42, 3 ; 43, 2. 4 ; 46, 5.*7* ; 50, 2 ; 56, 2 ; 57, 3.6.9.16.
collego, is (colligo) : I, 4, 10 ; 9, 3.13. — II, Cap. 35 ; 1, 3 ; 5, 1 ; 28, 2 ; 35, 3.5.6.7. — III, 11, 5 ; 14, 7 ; 15, 18 ; 17, 3-4 ; 18, 3 ; 20, 2 ; 21, 4 ; 26, 8 ; 28, 4 ; 37, *21.22*. — IV, 5, 3.6 ; 8 ; 12, 3 ; 13, 1 ; 26, 1 ; 27, 4 ; 30, 3 ; 33, 4 ; 36, 6.9.12.14 ; 37, 14.16 ; 51 ; 55, 4 ; 56, 3.
collibertus : III, 24, 1.
collocutio : I, 10, 11.
colloquium : II, 1, 7 ; 33, 2.4.
colloquor : III, 21, 2. — IV, 14, 4 ; 31, 1.3.
colonus : I, 1, 1.
comes : I, 2, 2. — II, 14, 1. — III, 13, 2 ; 19, 1. — IV, Cap. 28 ; 28, 1.
commonitorium : III, 10, 3.
communico : II, 23, 4.5.
communio : II, Cap. 23 ; 23, 4.5 ; 24, 2. — III, 31, 3. — IV, 12, 2 ; 57, 15 ; 58, 2.
communis : II, 22, 5 ; 23, 1. — IV, 3, 2 ; 34, 5 ; 36, 13.
communiter : IV, 36, 13 ; 57, 10.
compassio : III, 1, 2 ; 17, 11.
compatior : II, 1, 2. — III, 17, 3. — IV, 46, 9 ; 57, 14.
compresbyter : IV, 16, 1.
compunctio : III, Cap. 34 ; 33, 1.10 ; 34, 1.2.3.5. — IV, Cap. 61 ; 49, 2 ; 61, 2.
compungo : I, 9, 17. — III, 34, 2.
concessio : III, 21, 4.
concionator : IV, 4, 1.8.
concite : I, 8, 6 ; 12, 1. — II, 24, 2 ; 31, 3. — IV, 13, 4.
concitus : I, 4, 12 ; 5, 5 ; 9, 18. — II, 7, 2 ; 30, 1 ; 32, 1. — III, 11, 2 ; 22, 2 ; 37, 11. — IV, 13, 4 ; 36, 8.
concupisco : III, 7, 1. — IV, 20, 1.
condescendo : III, 15, 16. — IV, 4, 10.
condescensio : I, Prol. 4. — III, 15, 16. — IV, 4, 10.
condiscipula : IV, 16, 2.4.
conditor : I, Prol. 6 ; 9, 19. — II, 3, 7 ; 23, 6. — III, 15, 19 ; 27 ; 30, 7. — IV, 5, 4 ; 32, 3 ; 62, 1.
confessio : IV, 40, 8.
confessor : III, 31, 4. — IV, 55, 2.
confiteor : II, 12, 2. — III, 7, 7. — IV, 36, *2* ; 37, 11 ; 54, 2.
confundo : II, 18. — III, 10, 4 ; 14, 8.9.
congregatio : I, 2, 12 ; 4, 3.4 ;

8, 2. — II, Prol. 2 ; 3, 2 ; 25, 1. — IV, 14, 5.
congrego : I, 9, 17. — II, 3, 13. — IV, 13, 1 ; 26, *1* ; 40, 11 ; 49, 5.
coniuratio : III, 1, 7.
conscientia : I, 10, 2.
conscius : II, 7, 3. — III, 26, 5.
consecratio : III, Cap. 30 ; 31, 3.
consentio : II, 13, 2 ; 21, 3 ; 22, 1 ; 25, 1. — III, 32, 1.3.
consilium : I, 10, 5. — II, 3, 4. — III, 33, 8. — IV, 27, 3.
consolatio : I, 9, 10.17. — II, 17, 2. — IV, 11, 2 ; 17, 1 ; 57, 11.
consolor : I, 9, 17. — II, 1, 2 ; 5, 2 ; 27, 1. — III, 15, 7 ; 33, 5 ; 37, 4. — IV, 13, 3 ; 16, 6 ; 17, 2.
consparsio : III, 6, 1. — IV, 14, 2.
constanter : III, 37, 12.18.
constantia : III, 27.
consterno : III, 14, 8.
consto : II, 30, 2 ; 32, 4. — III, 17, 7 ; 26, 8 ; 28, 4. — IV, Cap. 47 ; 26, 1 ; 27, 8 ; 37, 14.16 ; 38, 4 ; 40, 9.12 ; 41, 3 ; 47, 1 ; 62, 2.
consul : IV, 14, 1.
consulo : III, 7, 8-9.
contemno : II, 8, 9. — III, 21, 1 ; 28, 1. — IV, 54, 1 ; 60, 1.
contemplatio : I, Prol. 3. — II, 3, 5.9. — III, 17, 11. — IV, 49, 2.
contemplor : III, 16, 5 ; 34, 2. — IV, 1, 1.
contemptor : IV, 42, 1.
contemptus : III, 14, 10.
contentio : II, 7, 3.
continentia : III, 7, 1.2 ; 32, 4. — IV, 53, 1.
contristo : I, 4, 15.17 ; 10, 10. 13.14 ; 12, 3. — II, 6, *2* ; 11, 1 ; 21, 1 ; 32, 2 ; 33, 4. — III, 16, 5.
contritio : II, 11, 1. — IV, 34, 3 ; 61, 1.
contumax : I, 4, 13.
contumelia : I, 2, 10 ; 5, 6. — II, 23, 3. — III, 14, 3 ; 17, 12 ; 37, 2.
conuenio : I, 1, 6. — II, 3, 2.4. — III, 37, 12. — IV, 12, 4 ; 17, 2 ; 20, 4 ; 32, 2 ; 40, 3.8 ; 52.
conuersatio : I, 1, 1.3.6 ; 2, 6. — II, Prol. 1 ; 1, 2.4 ; 3, 1.3. 5 ; 6, 1 ; 8, 1.2. — III, 5, 5 ; 13, 1 ; 14, 1 ; 15, 2 ; 18, 1 ; 21, 1 ; 22, 1. — IV, 9, 1 ; 37, 4 ; 40, 2.
conuersio : IV, 46, 7 ; 62, 3.
conuersor : II, Prol. 2 ; 23, 2 ; 37, 1. — III, 14, 2 ; 18, 1 ; 33, 1.
conuerto : I, 2, 1. — II, 17, 1 ; 19, 1. — III, Cap. 21 ; 17, 7.9.13 ; 21, 1 ; 31, 1.7 ; 37, 15. — IV, 12, 4 ; 34, 2 ; 40, 5 ; 46, 7.
conuiator : II, 13, 2.3.
cor : I, 2, 10 ; 4, 10.11.*18* ; 9, 9 ; 10, 13. — II, Prol. 1 ; 3, 9 ; 4, 3 ; 8, 1.9 ; 20, 1.2 ; 23, 1. — III, 11, 2 ; 15, 13 ; 26, 9 ; 37, 18.*21*. — IV, Cap. 61 ; 1, 1.4 ; 6, 1 ; 11, 2.3.4 ; 14, 3 ; 15, 4 ; 16, 5 ; 37, 5 ; 38, 4 ; 40, 5 ; 43, 2 ; 46, 3.7 ; 61, 1 ; 62, 2.
corporalis : I, 1, 7. — III, 5, 4 ; 20, 2. — IV, 1, 2 ; 14, 3 ; 37, 7 ; 40, 6.

corporaliter : I, 1, 7. — II, 22, 4 ; 38, 4. — IV, 2, 2.
corporeus : II, 38, 4. — IV, Cap. 30 ; 5, 5.6 ; 29, 2 ; 30, 1.2.4.5 ; 32, 5 ; 53, 2.
corpus : I, Prol. 3 ; 2, 6 ; 4, 1. 20 ; 5, 4 ; 8, 4 ; 9, 5.7 ; 10, 1.5.7.15.17.18.19 ; 12, 1.3. — II, Cap. 34 ; 1, 8 ; 2, 2.4 ; 20, 1 ; 22, 4 ; 24, 1.2 ; 27, 3. 32, 1.2 ; 34, 1.2 ; 37, 1.2 ; 38, 2.3.4. — III, 2, 7 ; 3, 2 ; 7, 1 ; 11, 4.5.6 ; 13, 2.3 ; 16, 6 ; 17, 2.3 ; 23, 3.4.5 ; 24, 2 ; 25, 1.2 ; 31, 4.5 ; 36, 3. — IV, Cap. 6.26.29.37.40.55.56 ; 2, 2 ; 5, 2.3.4.6.7.8.9 ; 6, 1.2 ; 7 ; 9, 2 ; 11, 2.3.4 ; 12, 4 ; 14, 2 ; 15, 5 ; 16, 3.5 ; 17, 2.3 ; 20, 4 ; 22, 2 ; 23, 2 ; 24, 1 ; 25, 2 ; 26, 1.2.3.4 ; 27, 1.3. 4.13 ; 28, 3.4 ; 30, 1.4.5 ; 32, 2 ; 33, 4 ; 36, 2.3.6.11 ; 37, 1.2.3.5.6.7.12.14 ; 40, 1.3.5. 7.10 ; 42, 3 ; 43, 4 ; 44, 3 ; 45, 2 ; 49, 4 ; 52 ; 55, 2.3 ; 56, 2 ; 57, 3.8.11.13 ; 58, 2 ; 60, 2.
corpusculum : I, 2, 5. — II, 32, 3.
corripio : II, 19, 2 ; 25, 1 ; 29, 2 ; 37, 2. — III, 21, 2 ; 26, 2. — IV, 12, 3 ; 17, 2 ; 18, 3 ; 24, 1 ; 36, 2 ; 49, 3.
coruscatio : II, 33, 3.
corusco : II, 38, 1. — IV, 6, 1.
coruscus : II, 15, 3 ; 33, 4 ; 35, 3 ; 37, 3. — III, 12, 3. — IV, 37, 4.
creator : II, 35, 6. — III, 28, 1 ; 34, 4. — IV, 1, 4.
creatura : II, 35, 6. — III, 28, 1. — IV, 5, 8.
credo : I, 2, 8 ; 4, 2.19 ; 5, 4 ; 10, 19. — II, 11, 2 ; 21, 3 ; 27, 1 ; 31, 1. — III, Prol. ; 1, 2 ; 5, 1 ; 6, 1 ; 14, 10 ; 15, 8.9 ; 16, 6.8 ; 17, 7.8.14 ; 28, 3 ; 30, 6 ; 32, 1 ; 33, 5.6 ; 34 6 ; 35, 5 ; 37, 22. — IV, Cap. 1.29.30 ; 1, 4.5.6 ; 2, 1.2 ; 5, 1.2.4.5 ; 6, 1.3 ; 11, 4 ; 19, 1 ; 27, 12 ; 28, 6 ; 29, 1.2 ; 31, 1 ; 36, 8.12 ; 37, 2.6.15 ; 40, 11.13 ; 41, 3.4 ; 43, 4.6 ; 44, 3 ; 45, 1 ; 50, 6 ; 59, 3.5.6.
creo : II, 35, 6. — III, 37, 8. — IV, Cap. 3 ; 3, 1.2 ; 5, 4 ; 47, 2.
crepitus : I, 11.
crocito : II, 8, 3.
crudelis : I, 2, 10. — II, 15, 2 ; 31, 1. — III, 11, 6 ; 12, 2.3 ; 17, 9. — IV, 21.
crudelitas : II, 31, 1.3. — III, 11, 1 ; 12, 2 ; 37, 13. — IV, 24, 3 ; 37, 11 ; 46, 4.
crudeliter : III, 6, 2 ; 11, 2.
crux : I, 1, 4 ; 4, 7 ; 10, 8.9 ; 11. — II, Cap. 3 ; 2, 1 ; 3, 4. — III, 5, 4 ; 6, 2 ; 7, 3.6 ; 35, 2. — IV, 40, 4.
culmen : I, Prol. 6. — II, 3, 9. — III, 31, 3 ; 37, 18. — IV, 17, 1 ; 20, 3.
culpa : I, 2, 3.10 ; 6, 1 ; 10, 5. 7 ; 12, 1.3. — II, 12, 2 ; 13, 3 ; 30, 3. — III, 5, 3 ; 15, 9 ; 22, 3 ; 26, 4 ; 34, 1 ; 37, 5. — IV, Cap. 36.62 ; 1, 1 ; 7 ; 11, 2 ; 12, 2 ; 20, 3 ; 24, 2 ; 36, 1.14 ; 37, 10 ; 38, 6 ; 41, 3.4 ; 43, 4 ; 45, 2.3 ; 46, 3 ; 48 ; 55, 4 ; 57, 2.6.11.12 ; 59, 6 ; 62, 1.3.
culpabilis : IV, 25, 1.

cultor : III, 38, 3. — IV, 42, 1.
cultus : II, 8, 10.
cura : I, 4, 4.19. — III, 1, 4 ; 8, 2 ; 12, 2 ; 15, 4 ; 16, 2 ; 17, 1. — IV, 1, 6 ; 27, 3 ; 28, 1 ; 50, *4*.
curialis : II, 11, 1. — IV, Cap. 33 ; 33, 1.
custodia : I, 4, 18 ; 8, 1. — II, 3, 3.7. — III, 7, 2 ; 14, 14 ; 20, 3 ; 31, 2 ; 37, 10. — IV, Cap. 61 ; 11, 2 ; 31, 4.
custodio : I, 3, 2. — II, 3, 10 ; 16, 2 ; 21, 4. — III, 7, 2 ; 12, 3 ; 14, 5 ; 15, 3 ; 37, 10. 12. — IV, 25, 1.
custos : I, 9, 2. — II, 2, 3.4. — III, 14, 2.3.5 ; 23, 5 ; 24, 1.2 ; 29, 2 ; 30, 1.5.6. — IV, 16, 2 ; 53, 2 ; 54, 2 ; 55, 2 ; 56, 1.
cymbalum : I, 9, 8.
cymiterium : IV, 49, 7.

daemon : I, 10, 1. — II, 8, 10.
daemonium : II, Cap. 16.30. — III, Cap. 21 ; 33, 5. — IV, 6, 1.
daemoniacus : I, 10, 11. — IV, 6, 1 ; 42, 2.
dalmatica : IV, 42, 2.
damnabilis : III, 15, 10.
damnatio : III, 30, 1.8 ; 32, 4. — IV, 47, 3 ; 52 ; 57, 12.
damnum : I, 2, 2 ; 7, 5. — II, 6, 2 ; 11, 1. — III, 14, 3. 14. — IV, 20, 3 ; 26, 1.
deceptor : IV, 50, 6.
decipio : III, 19, 5 ; 37, 11.
dedicatio : I, 10, 2.
dedico : I, 10, 2. — III, Cap. 30 ; 2, 2 ; 7, 1 ; 28, 1 ; 29, 2 ; 30, 2.
defectus : III, 14, 3. — IV, 47, 2.
defensor : I, 4, 12.14 ; 10, 1. — II, 20, 1. — IV, 31, 1 ; 55, 2.
defleo : II, 13, 3.
defungor : I, 8, 4 ; 10, 1.17. 18 ; 12, 1.2. — II, 23, 4 ; 24, 1 ; 32, 1 ; 35, 4. — III, 5, 4 ; 8, 1.2 ; 11, 5 ; 17, 2.3.4 ; 22, 1 ; 23, 3 ; 26, 1 ; 31, 6 ; 33, 1. — IV, Cap. 55 ; 12, 1 ; 13, 4 ; 14, 3.5 ; 22, 1 ; 27, 2.3. 13 ; 28, 2 ; 31, 1 ; 32, 4 ; 33, 3 ; 36, 3.5.9 ; 37, 3.5.6.7.11 ; 40, 12 ; 42, 2 ; 46, 8 ; 49, 3.4 ; 51 ; 52 ; 53, 1 ; 54, 1.2 ; 55, 2 ; 56, 1 ; 57, 2.14.15.16.
delectabilis : IV, 40, 11.
delectabiliter : III, 15, 16.
delectatio : I, 10, 2. — IV, 4, 3.6 ; 8, 4 ; 38, 4.5 ; 39.
delecto : I, 10, 7. — III, 1, 4. — IV, 38, 4.5.
deprecor : I, 8, *6*. — II, 35, 2. IV, 30, 3 ; 42, 3.
derogatio : I, 10, 7.
derogo : II, 8, 1.
desertum : II, 1, 1.
desertus : II, 1, 3. — III, 14, 4.
desiderium : III, 26, 4.5 ; 31, 2 ; 34, 5. — IV, 4, 5 ; 32, 1. 3 ; 37, 11 ; 49, 2.
despectus : I, 4, 10 ; 5, 4. — II, 8, 9.
despicio : I, 4, 10.14.18 ; 5, 2. 6 ; 10, 14. — II, Prol. 1. — III, 1, 3 ; 2, 6 ; 6, 1.2 ; 10, 2 ; 12, 4 ; 30, 7 ; 31, 2.4 ; 37, 18 ; 38, 4. — IV, 6, 1 ; 34, 4.
deuote : II, 16, 7. — IV, 57, 5.
deuotio : II, 16, 7. — III, 16, 6.
deuotus : I, 3, 4 ; 11. — II, 30, 2.

diabolus : I, 4, 3.5.7 ; 10, 3.4.5. — II, 16, 1.2.3. — III, 4, 1 ; 20, 1 ; 21, 3 ; 28, 1 ; 33, 4. — IV, 30, *5* ; 46, 7.8.
diaconus : I, Prol. 2 ; 10, 14.15. 18. — II, 23, 4 ; 35, 1.2.3. — III, 8, 2 ; 10, 2 ; 15, 11 ; 20, 1 ; 37, 10.11.12. — IV, Cap. 24.42 ; 24, 1.3 ; 42, 1.3.
dico, as : II, 33, 2. — III, 21, 1.
diffido : II, 29, 2. — IV, 1, 3.
digitus : I, 11. — II, 33, 3. — III, 35, 2. — IV, 30, *3* ; 34, *2.4*.
dilato : II, 35, 7.
dilectio : III, 34, 2 ; 35, 1 ; 37, 19 ; 38, 1. — IV, 6, 1.
dilectus : I, Prol. 2 ; 12, 3. — II, 3, 5 ; 37, 3.
diligo : I, 2, 9. — II, 15, 3 ; 24, 1 ; 37, 3. — III, 1, 5 ; 26, 9 ; 27 ; 38, 4. — IV, 11, 1 ; 14, 4 ; 19, 2 ; 20, 1 ; 34, 4.
diocesis : IV, 57, 3.
discerno : IV, 50, 6.
disciplina : III, 1, 8 ; 37, 20.
discipula : IV, 16, 1.2.4.7.
discipulatus : I, 2, 1.8.
discipulus : I, 1, 6.8 ; 2, 10 ; 4, 2.21 ; 9, 5. — II, Cap. 7 ; Prol. 2 ; 2, 3 ; 8, 7.12 ; 13, 4 ; 15, 4 ; 22, 1 ; 27, 1.3 ; 33, 2 ; 35, 2 ; 37, 1.2.3 ; 38, 4. — III, 14, 5.6.8 ; 15, 2.5 ; 16, 9.10 ; 17, 10 ; 33, 1.6. — IV, 8 ; 9, 1 ; 20, 2 ; 48.
disco : I, Prol. 10 ; 1, 6 ; 2, 7 ; 3, 5 ; 10, 1. — II, Prol. 2 ; 21, 2 ; 22, 3 ; 38, 4. — III, 14, 12 ; 18, 1 ; 38, 5. — IV, 4, 9 ; 9, 1 ; 11, 3 ; 15, 3 ; 22, 1.2 ; 32, 5 ; 37, 3 ; 39 ; 40, 13 ; 62, 2.
discretio : II, 36.
dispensatio : I, 9, 19. — II, 21, 4. — III, 14, 12 ; 28, 5. — IV, 11, 1 ; 43, 4.
dispensator : III, 20, 1.
dispenso : III, 1, 8 ; 3, 1.
dispono : I, 2, 9 ; 8, 5. — II, Cap. 22. — III, 16, 8 ; 17, 11 ; 37, 17. — IV, 5, 8 ; 37, 2.
diues : III, 14, 5. — IV, 15, 2 ; 30, 3 ; 34, *1.2*. 3.4 ; 40, 6.
diuinitas : II, 16, 3. — IV, 19, 4.
diuinitus : III, 29, 3 ; 30, 6. — IV, 27, 1 ; 56, 3.
diuitiae : II, 16, *6*. — III, 14, 5. — IV, 16, 2.
doceo : II, 36. — III, 19, 1. — IV, 50, 1.
doctor : II, 2, 4.
doctrina : I, 9, 7. — II, 35, 1 ; 36.
doctus : III, 37, 20.
documentum : I, 10, 19.
doleum, doleus : I, 9, 3. — II, Cap. 29 ; 29, 1.2.
dolor : I, Prol. 1.6 ; 2,6 ; 4, 21 ; 6, 1. — II, 1, 2 ; 2, 2 ; 32, 1. 2. — III, 1, 9 ; 15, 7 ; 17, 2 ; 38, 4. — IV, 12, 5 ; 13, 3.4 ; 26, 3 ; 30, 2 ; 57, 14.
dominicus : I, 10, 18. — II, 24, 2 ; 37, 2. — III, 3, 2 ; 37, 8. — IV, 11, 4 ; 36, 2.
draco : II, Cap. 25 ; 25, 2. — IV, 40, 4.5.11.12.
dubie : II, 23, 1.
dubietas : I, 8, 7. — II, 22, 5. — IV, 1, 2.
dubito : II, 29, 2 ; 38, 3. — III, 1, 2 ; 15, 1 ; 38, 5. — IV, 1, 2.4.6 ; 5, 4.9 ; 26, 2 ; 30, 5.
dubius : I, 8, 2 ; 10, 19 ; 12, 5. — III, 7, 1 ; 16, 7 ; 22, 3 ;

33, 1 ; 37, 13. — IV, 28, 5 ; 39 ; 58, 1 ; 60, 3.
dulcedo : I, 3, 4 ; 10, 1. — III, 22, 4 ; 37, 1. — IV, 15, 1 ; 38, 4 ; 49, 6.
duritia : I, 2, 10. — III, 10, 4 ; 16, 2. — IV, 37, 5 ; 62, 3.
dux : I, 2, 2. — III, 11, 6.

e ! : I, 4, 21 ; III, 23, 3.
ecclesia : I, Cap. 5 ; 4, 9.10. 12 ; 5, 2 ; 6, 1 ; 8, 1 ; 9, 2.4. 12.13.18 ; 10, 1.14 ; 12, 1. — II, 1, 3.7 ; 8, 1 ; 15, 3 ; 16, 1. — III, Cap. 19.24.25. 30 ; 1, 9 ; 2, 1 ; 3, 1 ; 7, 7.9 ; 8 ; 2 ; 9, 1 ; 10, 2.3 ; 11, 4 ; 12, 2 ; 13, 3 ; 14, 1.2.3.4 ; 17, 1.2.3 ; 19, 2.3 ; 20, 1 ; 22, 1.3 ; 23, 5 ; 24, 1 ; 25, 1.2.3 ; 26, 8 ; 28, 2.3 ; 29, 2.3.4 ; 30, 1.2. 3.4.5.6 ; 32, 3 ; 37, 4 ; 38, 2.3.5. — IV, Cap. 24.52. 53.55.56 ; 12, 2 ; 14, 3 ; 15, 2 ; 16, 1 ; 17, 1 ; 27, 2.3 ; 32, 3 ; 33, 2.3 ; 38, 1 ; 42, 1 ; 52 ; 53, 1.2 ; 54, 1.2 ; 55, 2. 3 ; 56, 1.2.3 ; 57, 3 ; 59, 2.
ecclesiasticus : I, 4, 11. — III, 36, 1. — IV, 37, 11.
efferus : III, 6, 2 ; 12, 3.
egredior : I, 4, 9 ; 7, 6 ; 9, 3.9. 15.16.17.18. — II, Cap. 34 ; 34, 1. — IV, 5, 1.2 ; 7, 11, 4 ; 17, 1.2 ; 20, 4 ; 27, 9 ; 28, 1.2 ; 36, 1.9.10 ; 37, 4 ; 41, 3 ; 48 ; 57, 5.
elatio : III, 6, 2 ; 33, 6.
elatus : III, 12, 4.
electus : I, 8, 5 ; 9,7. — II, 8, 9. — III, 14, 14 ; 21, 5 ; 28, 3 ; 37, 14.15.21.22 ; 38, 5. — IV, 11, 2 ; 15, 1 ; 24, 2 ; 29, 1 ; 34, 4.5 ; 36, 13.
elefantinus : II, 26. 7. — III, 15, 7.
elefantiosus : II, Cap. 26.
elemosina : IV, 14, 3 ; 15, 3 ; 23, 1 ; 37, 13.16 ; 42, 1.5 ; 43, 4 ; 49. 4,
en : I, 12, 5.
episcopatus : I, 4, 12 ; 9, 1.13. 16. — III, 5, 3 ; 8, 2.
episcopium : I, 9, 3.10.11. — III, 1, 1 ; 7, 2.5. — IV, 13, 2.
episcopus : I, Cap. 6.9.10 ; 4, 3 ; 6, 1 ; 9, 1.4.8.10.11.12.13. 14 ; 10, 5.6.7.11.14.15.17.18. — II, Cap. 35 ; 35, 3. — III, Cap. 1.4.5.6.7.8.9.10.11.12. 13.36.38 ; 1, 1.2.7 ; 4, 1 ; 5, 1.3.4 ; 6, 1 ; 7, 1.5.7 ; 8, 1.2 ; 9, 1 ; 10, 1.2 ; 11, 1.2.3.4 ; 12, 1.2 ; 13, 1 ; 29, 2.3 ; 31, 1.3.4 ; 32, 1.3 ; 35, 1 ; 36, 1 ; 38, 1. — IV, Cap. 8.13. 58 ; 8 ; 13, 1.2.3 ; 27, 6.7 ; 33, 1 ; 42, 1.3 ; 53, 1 ; 54, 1. 2 ; 55, 1 ; 57, 1 ; 58, 1 ; 59, 2.3.
epistola : I, 4, 16. — IV, 27, 7.
eremiticus : IV, 16, 1.
eremus : I, 1, 7. — II, 2, 1. — IV, 37, 3.
error : III, 28, 1 ; 29, 2. — IV, Cap. 37 ; 37, 1.2 ; 41, 4 ; 42, 4.
erubesco : I, 4, 18 ; 10, 2. — II, 13, 3 ; 29, 2. — III, 4, 3 ; 5, 2. — IV, 33, 2.
eruca : I, 9, 15.
erudio : I, 2, 1. — II, 3, 13. — III, 1, 2.
essentialiter : IV, 47, 2.
exalto : II, 35, 6.
exaudio : I, 8, *6* ; 9, 19. — II, 38, 3. — III, 15, 16. — IV, 41, *1* ; 42, 3 ; 57, 6.

exauditio : II, 38, 3. — III, 15, 13.
excessus : III, 8, 2.
excommunicatio : II, 23, 2.
excommunico : II, 23, 3.5.
exemplum : I, Prol. 9.10 ; 1, 3 ; 4, 2.6 ; 7, 4 ; 9, 5.7 ; 12, 6. — II, 1, 6. — III, Prol. ; 5, 3 ; 14, 5 ; 21, 1 ; 37, 8.22 ; 38, 5. — IV, 7 ; 33, 4 ; 36, 13 ; 57, 10.
exenium : *v*. xenium.
exeo : I, 2, 4 ; 4, 15 ; 8, 4 ; 12, 3. — II, 23, 4.5 ; 24, 1 ; 25, 2 ; 33, 4 ; 37, 1. — III, 3, 2 ; 21, 3 ; 22, 3 ; 30, 3.4.6 ; 37, *22*. — IV, Cap. 5 ; 5, 4 ; 9, 2 ; 11, 4 ; 15, 1.5 ; 26, 1 ; 27, 1.3 ; 32, 2 ; 36, 5.6 ; 37, 14 ; 40, 7.11 ; 49, 7 ; 57, 4. 13 ; 58, 2 ; 60, 1.
existimo : I, Prol. 7 ; 2, 7 ; 12, 4. — IV, 5, 9 ; 28, 5.
exitus : I, 2, 8. — II, Cap. 37 ; 37, 2. — III, 23, 2 ; 33, 7. — IV, Cap. 36 ; 13, 1 ; 15, 4 ; 17, 2 ; 18, 3 ; 29, 1 ; 31, 4 ; 35 ; 36, 1 ; 37, 2 ; 40, 11 ; 42, 1 ; 47, 3.
exordium : I, 12, 7. — II, 27, 3. — IV, 43, 2.
exoro : I, 6, 2 ; 9, 12.
expello : II, 16, 1. — III, 6, 2 ; 20, 3 ; 21, 4. — IV, 40, 5.
experimentum : IV, Cap. 1 ; 1, 2.3.4.5 ; 27, 12 ; 50, 2.
experior : II, 2, 1 ; 35, 5. — III, 14, *13* ; 33, 7. — IV, 30, 3.
expono : IV, 41, 1.
expositio : I, Prol. 9. — II, 35, 8.
exsequor : II, 21, 5. — IV, 3, 3 ; 28, 1 ; 52.
extasis : II, 3, 9.
exterior : I, Prol. 4. — II, 23, 2 ; 35, 7. — III, 1, 2.10 ; 17, 13 ; 28, 4. — IV, 9, 1 ; 11, 2 ; 14, 2.
exterius : III, 26, 7 ; 31, 3 ; 37, 9. — IV, 20, 3.
extinctio : II, 30, 3.
extinguo : I, 2, 5.6. — II, 8, 4.6.7 ; 10 ; 32, 1. — III, 5, 3 ; 13, 2 ; 14, 13 ; 16, 6 ; 29, 3.4 ; 30, 6 ; 35, 2. — IV, 5, 1 ; 6, 1 ; 43, 4.
extollo : III, 14, 12.
extremo : II, 7, 2.
extrinsecus : I, 1, 7.
exultatio : IV, 59, 3.
exulto : II, 8, 6.7. — III, 14, 9. — IV, 14, 4.

falcastrum : II, 6, 1.
falx : I, 4, 14. — II, 6, 1.
fama : III, 15, 5.
fames : II, Cap. 21 ; 21, 1. — III, 13, 1 ; 19, 3 ; 37, 4. — IV, 59, 4.
familia : IV, 32, 2 ; 37, 11 ; 40, 8.
familiaris : I, 2, 1 ; 6, 1 ; 10, 1. — III, 1, 4. — IV, 41, 4.
familiaritas : I, 4, 8 ; 10, 1. — II, 17, 1. — III, 37, 1. — IV, 12, 2.
familiariter : I, Prol. 2 ; 4, 1. — II, 31, 4. — III, 8, 1 ; 14, 1 ; 31, 1 ; 38, 1.
famula : I, 4, 7. — III, 7, 7.8.
famulatus : IV, 57, 4.
famulus : I, 2, 4 ; 4, 3.4.5.6. 12.13.14.15.17 ; 5, 2 ; 7, 6 ; 10, 6 ; 11. — II, 1, 8 ; 5, 1 ; 6, 2 ; 8, 13 ; 15, 1.3 ; 16, 1 ; 17, 2 ; 19, 1 ; 21, 3 ; 27, 1 ; 29, 1 ; 30, 4 ; 31, 1 ; 32, 2.

— III, 1, 8 ; 16, 2 ; 36, 1. — IV, 10 ; 13, 1 ; 18, 1 ; 20, 2 ; 27, 8 ; 31, 3.4.
fanum : II, 8, 10.
fastus : III, 6, 2.
fauor : I, 9, 5. — II, 1, 3. — III, 37, 15.
femina : I, 2, 7 ; 4, 2. — II, 2, 1 ; 12, 1.2 ; 19, 1 ; 23, 2 ; 33, 2.3.5 ; 34, 1. — III, 1, 2 ; 7, 1.2.8 ; 14, 4 ; 21, 3 ; 26, 5 ; 33, 2.3 ; 38, 3. — IV, Cap. 53 ; 14, 4 ; 16, 7 ; 17, 2 ; 53, 1.2.
feruens : III, 34, 4.
ferueo : IV, 14, 1 ; 28, 4.
feruesco : II, 8, 1.
feruidus : II, 31, 2.
feruor : I, 4, 10. — III, 15, 2. — IV, 49, 2.
festiuitas : II, 1, 6. — III, 31, 3. — IV, 27, 7.
fideiussor : III, 37, 11.
fidelis : I, Prol. 8 ; 4, 4.10. — II, 2, 4 ; 17, 2 ; 22, 1 ; 27, 1 ; 30, 4. — III, 1, 8 ; 4, 3 ; 17, 9 ; 28, 5 ; 31, 5. — IV, 3, 3 ; 8 ; 10 ; 14, 1 ; 21 ; 31, 1 ; 42, 1 ; 59, 2 ; 60, 2.3.
fideliter : III, 16, 8 ; 25, 1; 31, 8.
fidenter : IV, 62, 3.
fides : I, 2, 7 ; 10, 19 ; 11. — II, 8, 11 ; 22, 2 ; 23, 6 ; 29, 2 ; 32, 3 ; 38, 1.3.4. — III, Cap. 31.32 ; 3, 1 ; 4, 1 ; 7, 3.9 ; 14, 1 ; 15, 1 ; 28, 5 ; 30, 2 ; 31, 1.2.6.7.8 ; 34, 4 ; 37, 10. — IV, Cap. 2 ; 1, 5. 6 ; 2, 1.2.3 ; 5, *5* ; 7 ; 40, 7.
fiducia : II, 17, 1. — III, 7, 10.
figuratus : III, 34, 3.
filia : III, 1, 6 ; 21, 1 ; 34, 3. — IV, 46, 1.3.4 ; 47, 2 ; 49, 7.
filius : I, Prol. 2 ; 1, 1 ; 2, 5 ; 4, 6.15.19 ; 9, 5.6.17 ; 10, 2. 6. — II, 3, 14 ; 14, 2 ; 18 ; 20, 1 ; 32, 1.2.3 ; 38, 4. — III, Cap. 31 ; 1, 1.2.3.7 ; 26, 8 ; 31, 1. — IV, 11, 2 ; 19, 1 ; 34, 2 ; 36, 7 ; 40, 7 ; 60, 3.
finis : III, 37, 21.22 ; 38, 1.*2*. 3. — IV, 46, 1.3.4 ; 47, 2 ; 49, 7.
flagellum : I, 2, 2. — III, 1, 6. 8 ; 38, 4. — IV, 11, 2 ; 16, 3 ; 40, 5.
flagro : I, 5, 2. — III, 26, 7.
flamma : I, 6, 1.2. — II, 2, 1 ; 10, 2. — III, 16, 4 ; 18, 3. — IV, 30, 2.*3* ; 33, 3.4 ; 37, 3 ; 53, 2.
flasco : II, Cap. 18 ; 18.
flebotomus : I, 4, 8.
fleo : I, 2, 6 ; 10, 17 ; 12, 2. — II, 1, 1.2 ; 17, 1 ; 21, 3. — III, 1, 9 ; 3, 1.2 ; 8, 1 ; 15, 8 ; 17, 3.5 ; 34, 2.5. — IV, 28, 2 ; 44, *2* ; 49, 3.
fletus : II, 24, 2. — III, 17, 2. — IV, 15, 5 ; 28, 2 ; 43, 4 ; 49, 2.
flos : I, Prol. 2. — II, Prol. 1. — IV, 37, 8 ; 49, 4.5.
foras : III, 37, 4.19. — IV, 55, 2.
fores : II, 21, 2.
foris : I, 4, 18.21 ; 5, 3.6 ; 9, 5. II, 2, 2 ; 4, 1.3 ; 11, 2 ; 23, 4 ; 24, 1. — III, 15, 19.
forma : I, 5, 4. — III, 7, 1.
formido, as : III, 7, 10 ; 26, 3. — IV, 43, 5 ; 57, 13.
formido, inis : III, 7, 6 ; 28, 3 ; 34, 2 ; 37, 1. — IV, 12, 5 ; 33, 4.
fortis : III, 7, 1 ; 14, 3 ; 31, 2 ; 33, 9.
fortiter : III, 32, 1.

fortitudo : III, 16, 4.10 ; 33, 9.
frater : I, 3, 1.4 ; 4, 4.15 ; 7, 1.2.5.6 ; 8, 2.3.4.5 ; 10, 17. 18 ; 11 ; 12, 5. — II, Cap. 13. 37 ; 3, 2.3.4.10 ; 5, 1.3 ; 7, 1 ; 8, 5.12 ; 9 ; 10 ; 11, 1 ; 12, 1 ; 13, 1.3 ; 15, 4 ; 17, 1. 2 ; 19, 1 ; 20, 1.2 ; 21, 1.2 ; 22, 1.2.3.4 ; 25, 2 ; 28, 2 ; 29, 1.2 ; 30, 1 ; 31, 3 ; 32, 1.2.3 ; 33, 2.3.5 ; 34, 1 ; 35, 2 ; 37, 3. — III, 14, 2 ; 15, 6.8 ; 17, 9 ; 18, 1 ; 23, 3 ; 31, 6.7.8 ; 33, 4.5.6.7 ; 36, 1.4.5 ; 37, 18.*19*. — IV, 5, 1 ; 9, 1. 2 ; 11, 3.4 ; 15, 3 ; 23, 1 ; 26, *4* ; 27, 4.5 ; 34, *2*.3 ; 36, 1.2.3.4.5 ; 40, 2.3.4.5.10.11 ; 49, 3.4.7 ; 50, 4 ; 53, 2 ; 55, 1 ; 57, 8.9.10.11.12.13.14. 15.16 ; 62, *1*.
freneticus : III, 35, 3.4.
frenum : I, 2, 5 ; 4, 10. — II, 23, 2. — III, 14, 10.
fructus : I, 7, 5. — II, 3, 10.11. — III, 37, 20.
fulgeo : I, 9, 12. — II, 35, 7 ; 36.
funis : II, 1, 5. — III, 16, 10. — IV, 59, 2.
funus : IV, 27, 3.
fur : I, 3, 2.3.4. — III, Cap. 22 ; 14, 6 ; 22, 2.3.
furor : I, 7, 3 ; 9, 11. — III, 12, 2.3 ; 32, 1.
furtum : I, 3, 4. — III, 14, 7 ; 22, 2.
fusor : III, 5, 3.

gallina : I, 9, 18.
gaudeo : I, 5, 6 ; 9, 17 ; 12, 2. — II, 35, 1. — III, 14, 7 ; 17, 9.*12*. — IV, 24, 3 ; 26, 3 ; 34, 4 ; 62, 2.
gaudium : I, 12, 2. — II, 33, 2. — III, 1, 3 ; 3, 2 ; 14, 11 ; 17, 5 ; 34, 2. — IV, 1, 1.2 ; 14, 1 ; 46, 1.5 ; 49, 2.
gehenna : IV, Cap. 45.46 ; 19, 4 ; 30, 4 ; 45, 1.2 ; 46, 4.
gemitus : I, 7, 3. — III, 34, 4 ; 37, 1.
gens : II, 17, 1.2. — III, 11, 4 ; 26, 2 ; 31, 6.7.8 ; 38, 3. — IV, 27, 12.
gentilis : II, 8, 10. — III, 1, 3 ; 37, 2.
genus : II, Prol. 1 ; 23, 2. — III, 7, 5 ; 16, 3 ; 21, 1 ; 33, 10 ; 34, 2.5 ; 38, 3. — IV, 1, 1.4 ; 18, 4.
germanus : II, 13, 1. — IV, 9, 1.2 ; 36, 1 ; 57, 8.15.
gloria : I, 2, 6 ; 4, 18. — II, 8, 9 ; 34, 1. — III, 15, 5 ; 26, 9 ; 31, 2.5 ; IV, 3, 2 ; 26, 3. 4 ; 30, 4.
glorior : IV, 29, 1.
grandaeuitas : III, Prol.
grandaeuus : III, 18, 1.
gratia : I, 4, 9.15 ; 10, 1.7.13. — II, Prol. 1 ; 1, 2.8 ; 2, 2 ; 3, 9 ; 8, 9 ; 16, 1 ; 24, 2 ; 35, 1. — III, 13, 1 ; 20, 3 ; 31, 3 ; 34, 4 ; 35, 3 ; 36, 2 ; 37, 17. — IV, 2, 2 ; 11, 1.2 ; 46, 5 ; 62, 3.
gratia (*prép.*) : I, 9, 14 ; 10, 7. — II, 35, 1. — III, 17, 1 ; 21, 2. — IV, 57, 5.
gratiae : I, 4, 15 ; 5, 5 ; 9, 2. — II, 8, 2 ; 18 ; 21, 2 ; 34, 1. — III, 14, 9 ; 37, 3.6. — IV, 12, 4 ; 15, 3 ; 40, 5.
grauitas : III, 25, 1. — IV, 17, 1 ; 18, 2 ; 49, 6 ; 54, 1.
gusto : II, 35, 1.

habitaculum : II, 12, 1 ; 22, 3 ; 24, 1 ; 35, 2. — III, 4, 3 ; 7, 8 ; 14, 4 ; 18, 2 ; 29, 3. — — IV, 16, 2 ; 37, 9 ; 38, 2.4 ; 40, 8.
habitatio : I, 4, 6. — II, 8, 5. — III, 15, 12 ; 38, 3.
habitator : III, 7, 1 ; 8, 2 ; 30, 3.
habito : II, 3, 5.7.9. — III, 7, 5.8 ; 14, 1 ; 15, 3. — IV, 18, 3.
habitus : I, 4, 3.14 ; 5, 1. — II, Prol. 1 ; 1, 4 ; 23, 2 ; 37, 3. — III, 14, 1 ; 15, 2 ; 17, 1 ; 21, 1. — IV, 14, 3 ; 16, 1.2 ; 27, 4.9 ; 37, 4 ; 40, 2 ; 42, 1.
heresis : III, 30, 1.8 ; 31, 1.2. 6.7 ; 32, 4.
hereticus : III, 31, 7.
hilaritas : IV, 49, 4.
historia : III, 34, 3.
holus : I, 3, 2 ; 7, 2 ; 9, 15. — III, 1, 3 ; 14, 7.
homo (Dei) : I, 1, 2. — II, 3. 8 ; 9 ; 14, 1.2 ; 15, 1 ; 18 ; 23, 3 ; 27, 3. — III, 14, 9.
honestus : II, 1, 1. — IV, 32, 1.
honor : I, 2, 11 ; 4, 12.18 ; 5, 6. — III, 13, 3 ; 17, 5.10 ; 37, 13.
honoro : I, 2, 9.11.
horreum : I, 9, 17.
hortus : I, 3, 2.3.4 ; 4, 7 ; 7, 2 ; 9, 15. — II, 6, 1 ; 8, 4. — III, 1, 3-4 ; 14, 6.7. — IV, 23, 1.
hospes : II, 22, 1.
hospitalitas : I, 9, 14 ; 10, 7. — III, 11, 1 ; 17, 1. — IV, 15, 3-4 ; 28, 1.
hospitium : I, 9, 16.18 ; 10, 6. 7.14. — II, 12, 2. — III, 11, 1 ; 17, 2.3.5.
hospitor : III, 4, 1.
hostia : IV, Cap. 57.59 ; 57, 2.7.14.16 ; 59, 5 ; 60, 1 ; 61, 1 ; 62, 3.
hostis : I, 10, 7. — II, 8, 10. 12 ; 9 ; 13, 3. — III, 14, 13 ; 21, 4 ; 26, 9 ; 28, 1 ; 31, 7. — IV, Cap. 59 ; 12, 2 ; 40, 11.12 ; 50, 3 ; 59, 1.
humanitas : III, 13, 2.
humilio : I, Prol. 9 ; 4, 14. — II, 35, 6.
humilis : I, 5, 6. — II, 8, 9. — III, 12, 4 ; 14, 4 ; 26, 2 ; 33, 1.
humilitas : I, 1 ; 2, 6.7.10 ; 5, 3.6 ; 7, 1.5 ; 9, 2.5.7. — II, 7, 3 ; 21, 4 ; 29, 2. — III, 14, 14 ; 21, 4 ; 25, 1. — IV, 27, 6.10 ; 49, 6 ; 62, 1.
humiliter : I, 2, 9 ; 4, 13. — II, 8, 6. — III, 1, 7 ; 11, 2 ; 14, 5.13.14. — III, 33, 8.
humo : I, 4, 20. — III, 13, 3 ; 23, 4. — IV, 54, 2.
hymnus : I, 2, 9 ; 9, 8. — II, 34, 1. — IV, 15, 3.

idolum : II, 8, 11 ; 10, 1 ; 19, 1.
idonee : I, 9, 4. — IV, 38, 2.
ieiunium : III, 33, 9. — IV, 33, 1 ; 37, 4.
ieiuno : III, 15, 4 ; 33, 7.8. — IV, 40, 10.11.
ieiunus : II, 13, 1.2. — III, 15, 4.
igneus : II, 35, 3.6. — IV, 14, 2.
igniculus : IV, 12, 3.
ignis : I, 4, 6 ; 5, 2 ; 6, 1 ; 9, 12 ; 11 ; 12, 2. — II, 2, 1 ; 10, 1. 2. — III, 18, 2.3 ; 19, 4 ; 26, 4. — IV, Cap. 30.41.45 ; 19,

4 ; 29, 1.2 ; 30, 1.2.3.4.5 ; 31, 4 ; 32, 5 ; 33, 4 ; 36, 12 ; 37, 4 ; 39 ; 40, 13 ; 41, 3.*5* ; 45, 1.2 ; 46, 4.8 ; 47, 1 ; 53, 2 ; 57, 14.
ignobilis : III, 14, 4.
ignobilitas : II, 23, 2.
ignorantia : III, 37, 20. — IV, 41, 4 ; 42, 4.
ignoro : III, 17, 6 ; 25, 2. — IV, 15, 3 ; 30, 4 ; 37, 11 ; 47, 3 ; 57, 16.
illicio : III, 7, 2.
illicite : II, 2, 2.
illicitus : II, 3, 3. — III, 26, 5. — IV, 12, 2 ; 39.
illusio : IV, 50, 2.3.4.6.
illustris : II, 26. — III, 16, 7. — IV, 37, 5.
imago : II, 8, 12. — IV, 38, 3 ; 40, 8 ; 50, 26.
imitatio : I, 7, 4.
imitator : I, 1, 8 ; 2, 12.
imitor : I, 2, 8. — II, 27, 3. — — III, 1, 8.9 ; 4, 2. — IV, 4, 10 ; 60, 3 ; 61, 1.
immanis : III, 11, 1.2 ; 26, 3.
immerito : IV, 38, 1.
immoderate : III, 33, 4.
immoderatus : IV, 41, 4.
immolaticius : III, Cap. 27 ; 27.
immolatio : IV, 57, 7 ; 60, 3.
immolo : II, 23, 5. — III, 3, 2 ; 27 ; 28, 1. — IV, 57, 14 ; 59, 5 ; 60, 1.2.
immortalis : III, 28, 1. — IV, 47, 2.
immortalitas : IV, 3, 2.
immortaliter : IV, 60, 2.
immunditia : II, 3, 9.
immundus : I, 4, 21 ; 10, 6. — III, 21, 4 ; 26, 5 ; 30, 3. — — IV, 24, 1 ; 33, 2.
imperium : I, 10, 10. — II, 7, 2.3.
impetro : I, 10, 8.12. — II, 30, 2 ; 32, 4. — III, 15, 13.
impostor : III, 14, 3.
imprecor : III, 15, 7.
inanis : I, 4, 18.
incantatio : I, 10, 4.
incassum : I, 3, 5. — II, 23, 1. — III, 37, 3.23. — IV, 5, 6.
incaute : II, 1, 1 ; 7, 1. — III, 14, 9 ; 16, 6.
inclausio : III, 16, 5.
inclausus : III, 12, 3 ; 16, 1. — IV, Cap. 10 ; 10.
increpatio : II, 21, 1 ; 29, 1. — III, 7, 9 ; 26, 4 ; 31, 3.
increpo : I, 9, 16. — II, 15, 1 ; 19, 2 ; 20, 1 ; 28, 2 ; 30, 3. — III, 26, 5.
incumbo : II, 11, 2 ; 29, 1 ; 32, 3 ; 33, 2. — III, 3, 2 ; 9, 3 ; 14, 3 ; 16, 8 ; 35, 4 ; 37, 4. — IV, 13, 2.
indigeo : I, 9, 10. — III, 1, 1. — IV, 62, 3.
indoctus : I, 4, 11. — II, Prol. 1. — III, 37, 20.
indumentum : II, 2, 2. — III, 16, 5.
infans : II, 32, 3. — IV, 18, 4 ; 19, 1.
inferior : II, 35, 7. — III, 34, *3*.5. — IV, 3, 2 ; 44, 1.
inferius : IV, 38, 5 ; 44, 1.
infernus : III, 17, 13 ; 34, 5. — IV, Cap. 29.44 ; 28, 6 ; 29, 1.3 ; 30, 3 ; 32, 5 ; 34, *1* ; 36, 12 ; 37, 3.4.6.14 ; 40, 7 ; 43, 6 ; 44, 1.3.
infero : I, 8, 6.
inferus : IV, 4, 8 ; 37, 2.14 ; 41, *2* ; 44, 1.
infidelis : II, 8, 10. — III, 4,

3. — IV, Cap. 2 ; 1, 6 ; 2, 1. 2 ; 21 ; 36, 12.14 ; 46, 8 ; 60, 2.
infidelitas : II, 28, 2.
infimus : I, Prol. 6. — IV, 1, 3 ; 3, 2.
infirmitas : I, 10, 18. — II, 23, 6. — III, 7, 10 ; 14, 13 ; 17, 8.12 ; 19, 5 ; 25, 2 ; 26, 8 ; 37, 7.9. — IV, 4, 9 ; 14, 4.
infirmor : III, 24, 3. — IV, 4, 4.6.9 ; 5, 9.
infirmus : II, 13, 3 ; 38, 3. — III, 7, 10 ; 35, 3. — IV, 11, 2 ; 28, 5.
inflatus : III, 1, 3 ; 14, 3.
inhabitatio : IV, 26, 2.
inhabitator : I, 9, 9.
inhio : II, 31, 1. — IV, 27, 3.
inimicus : II, 8, 7.8. — III, 7, 5 ; 20, 3. — IV, 24, 1 ; 46, 6.7.
iniquitas : II, 19, 2. — IV, 46, 5.7.
inoboediens : II, 28, 2 ; 29, 2. — III, 10, 4.
inoboedientia : II, 28, 2. — IV, 25, 1.
inopia : I, 9, 2.10. — II, 21, 1 ; 27, 1 ; 28, 1. — III, 37, 4.
inops : I, 9, 16.
inquietudo : III, 30, 4.
inquino : III, 15, 13.16.
insania : I, 9, 12. — II, 31, 2. 3 ; 38, 1. — III, 12, 2.
insanio : III, 32, 1. — IV, 27, 2 ; 36, 8.
insanus : II, Cap. 38. — III, 35, 3.
insequor : III, 17, *10*.
institutio : II, 36.
intellego : I, 5, 6 ; 8, 5. — II, 3, 4.5. — III, 11, 2 ; 16, 8 ; 37, *21*. — IV, 20, 4 ; 35 ; 36, 11 ; 37, 13.16 ; 41, 3.5 ; 43, 5 ; 47, 1 ; 53, 3.
intentio : I, 10, 7. — III, 14, 10. — IV, 28, 1.
intercedo : I, 10, 15 ; 12, 1. — IV, 40, 5.
intercessio : I, 8, *4.5* ; 10, 8 ; 12, 3.
intercessor : I, 10, 19.
interior : I, Prol. 4. — II, 35, 6.7. — IV, 14, 2.
interitus : I, 6, 1. — II, 8, 7. — IV, Cap. *4* ; 3, *3* ; 4, *6*.8 ; 60, 2.
interius : III, 17, 13 ; 19, 3 ; 37, 9.
internus : III, 34, 2. — IV, 11, 2 ; 12, 5 ; 46, 9.
intimo : II, 29, 2.
intimus : II, 35, 6. — III, 1, 10. — IV, 50, 6.
intra : II, 3, 9.11 ; 23, 4. — III, 19, 3.
intremo : III, 1, 6.
intrinsecus : I, 1, 7.
introrsus : II, 31, 3.
intus : I, 4, 18 ; 5, 3.6 ; 9, 5. — II, 2, 2 ; 18. — III, 15, 19 ; 37, 4.19. — IV, 15, 4 ; 20, 3 ; 43, 4.
inuado : I, 10, 3.4.6.9. — III, 6, 2 ; 14, 3 ; 21, 3 ; 33, 4.
inuideo : II, 8, 1. — III, 15, 5 ; 16, 3.
inuidia : II, 8, 2.5. — III, 15, 5.
inuidus : IV, 36, 14.
inuisibilis : II, 23, 6. — III, 17, 7. — IV, 1, 2.3.4.5.6 ; 2, 2 ; 5, 2.4.5.6.7.8.9 ; 7 ; 30, 2 ; 60, 3.
inuisibiliter : IV, Cap. 5 ; 5, 2. 4.
ira : I, 9, 9. — III, 15, 19 ; 36, 2.

iracundia : I, 2, 8 ; 7, 1 ; 9, 9. — II, 23, 2. — III, 15, 9.
iratus : I, 4, 14. — II, 25, 1 ; 28, 2. — III, 4, 2 ; 12, 2 ; 21, 3 ; 31, 2.
iucundus : III, 22, 4 ; 37, 2.
iudex : III, 5, 4 ; 15, 10 ; 19, 5. — IV, 46, 3.8.9 ; 62, 2.
iudicabilis : IV, 46, 9.
iudicium : I, 4, 19 ; 5, 6 ; 10, 2.4. — II, 23, 6 ; 33, 5. — III, 1, 6 ; 11, 3 ; 32, 4. — IV, 4, 5.6 ; 19, 4 ; 26, 3 ; 27, 13.14 ; 28, 6 ; 33, 2 ; 36, 14 ; 41, 3 ; 42, 1 ; 43, 4 ; 53, 3.
iudico : I, 5, 5. — II, 23, 6. — III, 6, 2 ; 26, 6. — IV, 31, 4 ; 46, 3 ; 47, 3 ; 55, 4.
iugum : II, 8, 1.
iumentum : I, 2, 2.3 ; 4, 10.13.
iunior : III, 38, 1.
iuramentum : I, 2, 5.6. — III, 37, 16.
iuro : II, 32, 2. — III, 37, 16. — IV, 40, 2.
ius : I, 10, 5. — II, 2, 3 ; 16, 1. — III, 1, 2 ; 2, 2 ; 31, 5. — IV, 36, 7.
iussio : I, 4, 6 ; 10, 17. — III, 36, 1.
iussum : III, 16, 8 ; 28, 1.
iuste : IV, 11, 2 ; 31, 4.
iustifico : I, 4, *18*.
iustus : I, 4, 19 ; 9, 9.16. — II, 2,5 ; 8. — III, Prol. ; 18, 3 ; 37, *21*. — IV, Cap. 26. 57 ; 1, 2 ; 5, 4 ; 11, 2 ; 12, 5 ; 24, *2* ; 25, 1.2 ; 26, 1.3 ; 29, 1 ; 36, *2* ; 37, 10 ; 38, 3.4 ; 46, *1*.3.4.5.8.9 ; 48.
iuuenalis : IV, 27, 6.
iuuenculus : IV, 42, 1.
iuuenior : II, 3, 14. — IV, 14, 5.
iuuenis : I, 4, 8 ; 12, 2. — IV, 27, 7 ; 36, 7 ; 37, 16.

labor, eris : I, Prol. 3. — III, 32, 4. — IV, 37, 10. 12.
labor, oris : I, Prol. 3 ; 3, 4 ; 4, 17 ; 7, 2 ; 8, 25. — II, 1, 3. 6 ; 2, 4 ; 3, 10.11 ; 5, 3 ; 11, 2. — III, 14, 7 ; 19, 5 ; 37, 4 ; 38, 2. — IV, 4, *3* ; 13, 2 ; 14, 3 ; 59, 4.
laboriose : IV, 31, 1.
laboriosus : II, 5, 1. — III, 20, 3 ; 38, 5.
laboro : I, 3, 4 ; 4, 5 ; 12, 5. — II, 6, 2. — III, 14, 6.7.12 ; 16, 8 ; 37, 2.3.4. — IV, 6, 1 ; 36, 13 ; 38, 1 ; 59, 5.
lacrima : I, 8, 4 ; 12, 2. — II, 1, 2 ; 17, 1 ; 33, 3. — III, 33, 1.8.10 ; 34, 2.4.5. — IV, 32, 2 ; 40, 5 ; 49, 1.4 ; 57, 1 ; 58, 1 ; 60, 1 ; 61, 2 ; 62, 3.
lactuca : I, 4, 7.
laetitia : III, 14, 10-11 ; 33, 4. — IV, 4, *3* ; 12, 4 ; 14, 1.
laetor : III, 37, 6. — IV, 4, *5*. 6 ; 34, 4 ; 36, 13 ; 61, 2.
laetus : I, 5, 5 ; 12, 3. — III, 5, 2 ; 30, 8 ; 37, 2.6.13. — IV, 19, 5 ; 33, 3 ; 57, 17.
laicus : II, 13, 1. — IV, 36, 7 ; 42, 1.
lamentum : II, 8, 7. — III, 15, 6 ; 17, 2.3.5 ; 33, 5 ; 37, 22 ; 38, 2.
lampas : I, 5, 2.4.5 ; 7, 3. — II, 37, 3. — III, 24, 1 ; 29, 2.3.4 ; 30, 6 ; 31, 5.
lapsus : II, 8, 5. — III, 7, 5.
laudabilis : II, 8, 2. — IV, 35.
laus : I, 9, 8 ; 10, 7 ; 12, 7. — II, 1, 3 ; 8, 2 ; 33, 2 ; 34, 1.

— III, 14, 6 ; 22, 1.3 ; 30, 2 ; 37, 15. — IV, 15, 1.3.4.5.
legio : I, 10, 1.4.5. — III, 21, 4.
lepra : I, 27, 3.
leprosus : I, 10, 17. — IV, 6, 1.
leuigo : II, Cap. 9.
leuita : II, 2, 3.
lex : III, 37, 19.
libenter : I, 2, 2. — II, 6, 1. — III, 17, 10 ; 37, 10. — IV, 5, 9 ; 15, 1.
liber, a, um : II, Prol. 1 ; 2, 3. — III, 1, 8 ; 22, 3. — IV, 37, 10 ; 60, 1.
liberalis : II, Prol. 1.
libere : II, Prol. 1. — III, 34, 4 ; 35, 4.
libero : II, Cap. 16.30. — III, 25, 2 ; 37, 11.17. — IV, Cap. 59 ; 6, 1 ; 40, 12 ; 55, 4.
libertas : I, 1, 3. — III, 1, 8. — IV, 60, 1.
libet : I, 2, 6 ; 10, 20. — III, 15, 16. — IV, 46, 9.
libido : II, 8, 4.
ligo : I, 10, 8. — II, Cap. 31 ; 23, 6 ; 31, 2.3. — III, 16, 9.10 ; 18, 3 ; 22, 2.3 ; 31, 3 ; 37, 10.15. — IV, 36, *14* ; 55, 3.
linea : I, 9, 16.
lingua : I, 4, 8.11.14. — II, 23, 2.3. — III, Cap. 32 ; 3, 2 ; 15, 10.16 ; 26, 4 ; 32, 1.2.3.4. — IV, 27, 11.12 ; 30, *3* ; 34, *2* ; 37, 4 ; 53, 1.
litterae : II, Prol. 1 ; 1, 1. — III, 37, 19. — IV, 15, 3 ; 27, 7.
locutio : II, 22, 5 ; 23, 1 ; 27, 1 ; 38, 5. — III, Cap. 32 ; 15, 14.16 ; 19, 5. — IV, 4, 2 ; 27, 12.
lubricus : IV, 54, 1 ; 55, 2.
lucerna : II, 20, 1.
lucrum : I, 7, 5. — III, 14, 14 ; 17, *12*. — IV, 27, 3 ; 61, 2.
luctus : II, 8, 8 ; 11, 1 ; 17, 1 ; 32, 1. — IV, 4, *3*.4.6 ; 14, 1.
luculentus : II, 36. — IV, 42, 1.
lucus : II, 8, 10.11.
lugeo : III, 33, 5. — IV, 32, 2 ; 40, 8.
lumen : I, 10, 8. — II, 3, 5 ; 35, 6. — III, 2, 3 ; 5, 1 ; 24, 1 ; 29, 3.4 ; 30, 6. — IV, 1, 1 ; 11, 1.3 ; 16, 5 ; 35 ; 38, 5.
lux : I, 8, 5 ; 10, 8.18. — II, 15, 3 ; 35, 2.3.4.6.7. — III, 29, 3 ; 30, 6. — IV, 1, 5 ; 11, 2 ; 13, 3 ; 14, 3 ; 16, 5.6 ; 17, 1 ; 26, 1 ; 27, 13 ; 34, 1 ; 36, 4 ; 37, 9.16 ; 41, *1* ; 43, 2.
luxuria : III, 32, 4.
luxuriosus : IV, 36, 14 ; 38, 4.

macto : III, 26, 9. — IV, 58, 1 ; 61, 1.
macula : IV, 33, 2.
magicus : I, 4, 3.6 ; 10, 4.
magister : I, 1, 5.6.7 ; 2, 5.7.10.11 ; 4, 6 ; 9, 5. — II, 2, 3 ; 3, 14 ; 8, 4.10. — III, 14, 8 ; 15, 5.
magisterium : I, 1, 6 ; 9, 7. — II, 2, 3 ; 36. — III, 14, 5.
magistra : I, 2, 10. — IV, 16, 6.7.
magnificus : IV, 54, 1 ; 55, 1.
magnitudo : I, 4, 1 ; 7, 12. — III, 19, 3 ; 37, 5. — IV, 23, 2 ; 37, 9.
maiestas : III, 34, 2. — IV, 19, 2.3.
maior : III, Prol. — IV, 1, 5 ; 37, 11 ; 42, 1.

maledico : I, 10, 15. — II, 8, 12. — III, 15, 8.9.
maledictio : III, 15, 8.10.
maledicus : III, 15, 9.
maleficus : I, 4, 3 ; 10, 4.
malignus : I, 10, 2.6.7. — II, 2, 1 ; 11, 1 ; 13, 3 ; 30, 1. — III, 4, 1.3 ; 6, 2 ; 7, 4.5.6.8 ; 14, 3 ; 19, 5 ; 21, 2.4 ; 26, 2 ; 33, 2.3.5. — IV, 19, 3 ; 40, 8 ; 43, 3.
malitia : II, 8, 10. — III, 5, 4 ; 15, 6.7.10 ; 37, 21. — IV, 42, 4.
mancipium : I, 1, 2. — III, 20, 1.2.
mandatum : II, 11, 1. — III, 15, 4. — IV, 4, 2 ; 11, 3 ; 18, 1 ; 58, 1.
mansionarius : I, Cap. 5 ; 5, 2. — III, Cap. 24.25 ; 25, 1.
mansuetudo : I, 2, 10 ; 7, 1 ; 10, 9. — III, 2, 1 ; 11, 3.
mappula : II, Cap. 19 ; 19, 1.2.
mare : I, Prol. 5 ; 8, *6*. — II, 15, 1. — III, 11, 5 ; 36, 2.3. — IV, 10 ; 59, 3.5.
maritus : III, 17, 2. — IV, 14, 1.
martyr : I, 4, 20 ; 5, 2 ; 9, 8 ; 10, 2. — II, 16, 1 ; 38, 2.3. — III, 19, 2.3 ; 26, 9 ; 27 ; 28, 2.4 ; 30, 2 ; 31, 5.7.8 ; 37, 4 ; 38, 2. — IV, Cap. 53 ; 6, 1 ; 13, 3 ; 21 ; 27, 3 ; 32, 3 ; 54, 2 ; 56, 1.
martyrium : III, 26, 7.8.9 ; 28, 2.3.
matrimonium : III, 26, 5.
matrona : I, 10, 2.
matta : II, 11, 2.
memini : III, 33, 9. — IV, 15, 2 ; 40, 2 ; 52.
memorabilis : III, 13, 1 ; 24, 1. — IV, 14, 5.
meditor : II, 3, 3. — IV, 49, 2.
melioro : III, 24, 1.
melote : II, 7, 3.
memoria : I, Prol. 5.6.9 ; 2, 7 ; 3, 2 ; 8, 1 ; 9, 8.10 ; 10, 1.20. — II, 23, 4. — III, Prol. ; 7, 1 ; 8, 1 ; 16, 1.9 ; 22, 1 ; 26, 9 ; 33, 1.8.9 ; 37, 1. — IV, 34, 3 ; 37, 16 ; 40, 6 ; 42, 3 ; 59, 2.
memoro : III, 9, 2 ; 10, 1.
mendax : III, 4, 3.
mensa : I, 9, 8. — II, 1, 1 ; 20, 1 ; 33, 2.3. — III, 5, 2. — IV, 9, 2.
mentior : I, 4, 19. — II, 12, 2 ; 30, 3. — IV, 1, 5.
merces : I, 7, 5 ; 9, 16. — III, 24, 2 ; 37, 17. — IV, 14, 3 ; 41, *5* ; 58, 1.
mereo(r) : I, 8, 5. — II, 1, 7. — III, 22, 3 ; 25, 1. — IV, 27, 14 ; 61, 2.
meridianus : I, 3, 3.
merito : III, 22, 3.
meritum : I, 2, 7 ; 4, 1.20 ; 5, 2.4 ; 8, 5 ; 12, 5. — II, 7, 3 ; 15, 3 ; 17, 1 ; 24, 2 ; 38, 3. — III, 15, 13.19 ; 19, 3 ; 22, 3 ; 26, 7 ; 31, 8 ; 34, 6. — IV, Cap. 21 ; 15, 2 ; 16, 2 ; 21 ; 36, 6.13 ; 38, 3 ; 46, 8.
merula : II, 2, 1.
metuo : I, 10, 2. — III, 14, 5 ; 16, 5 ; 34, 2.
metus : III, 3, 2 ; 7, 10. — IV, 49, 3.
migro : II, 3, 11. — III, 38, 1. — IV, 27, 7 ; 49, 3.
miles : I, 10, 9.10. — III, 11, 1. — IV, Cap. 37 ; 37, 7.16.
militia : IV, 27, 4.
milito : III, 31, 7.
minister : III, 5, 2 ; 11, 6 ; 12, 2.

ministerium : II, 20, 1. — III, 16, 8.
mino(r), a(ri)s : I, 2, 2 ; 6, 1 ; 10, 13. — II, 23, 1. — III, 27. — IV, 46, 1.2.
mirabilis : I, 10, 17. — III, 2, 2. — IV, 34, 5.
mirabiliter : III, 21, 5 ; 36, 4.
miraculum : I, 2, 6.7.8.12 ; 4, 6 ; 5, 3.4.6 ; 7, 3.4 ; 9, 1.5. 6.17 ; 10, 10.11.20 ; 12, 5.7. — II, Cap. 27.33 ; 7, 4 ; 29, 2 ; 30, 2.3.7 ; 31, 4 ; 32, 4 ; 33, 5 ; 35, 2.4 ; 36 ; 38, 1.3. 5. — III, Prol. ; 1, 10 ; 10, 1 ; 11, 4 ; 12, 1.4 ; 13, 1 ; 14, 2.5 ; 15, 5.18 ; 16, 2 ; 17, 6.7.13 ; 18, 3 ; 19, 1.4 ; 21, 5 ; 22, 4 ; 23, 1 ; 29, 1 ; 30, 7 ; 31, 5 ; 32, 4 ; 33, 1.6 ; 35, 2 ; 36, 1.2. — IV, Cap. 6 ; 6, 1.2 ; 14, 5 ; 21 ; 28, 5.
mirificus : II, 32, 3. — III, 30, 5.
miror : I, 4, 14.19 ; 9, 16. — II, 7, 2. — III, 3, 2 ; 5, 5 ; 7, 6 ; 17, 4 ; 22, 3 ; 24, 3 ; 28, 5 ; 32, 1.2. — III, 33, 3.9 ; 37, 9.15.18 ; 38, 1. — IV, 18, 2 ; 22, 1 ; 27, 12 ; 36, 3.
mirus : I, 2, 4 ; 4, 19 ; 5, 3 ; 6, 2 ; 7, 1 ; 8, 4 ; 9, 16 ; 10, 15. — II, 7, 2 ; 8, 8 ; 11, 2 ; 23, 6 ; 30, 2 ; 31, 3.4 ; 33, 5 ; 35, 3.5.6. — III, 5, 5 ; 9, 1 ; 10, 1 ; 15, 8.11.17 ; 16, 10 ; 19, 1.5 ; 21, 5 ; 24, 3 ; 28, 2 ; 29, 4 ; 31, 8 ; 32, 1 ; 35, 6 ; 37, 1.5.8.18. — IV, 16, 2.5 ; 17, 2 ; 27, 6 ; 30, 5 ; 36, 11 ; 37, 9 ; 42, 1 ; 43, 4 ; 57, 17.
miser : I, 9, 8 ; 10, 6. — III, 4, 2 ; 20, 2 ; 21, 3 ; 22, 2. — IV, 46, 5.
miserabilis : III, 35, 3. — IV, 11, 2.
miseratio : III, 7, 10.
misericordia : III, 7, 1 ; 14, 8 ; 28, 5 ; 37, *21*. — IV, 27, 6 ; 28, 1 ; 37, 2 ; 41, *2* ; 59, 4.
missae : I, 9, 8. — II, 23, 4. — III, 3, 2 ; 30, 3.4.5.6. — IV, 33, 2 ; 58, 2.
mitigo : I, 7, 1 ; 9, 12.
mitis : I, 10, 9.
mobilitas : II, 25, 1.
moderatus : III, 17, 5.
modernus : III, 25, 3.
modestus : II, 21, 1.
modius : II, Cap. 21 ; 21, 2.
moereo : II, 17, 1. — IV, 57, 6.
moeror : I, Prol. 1.3. — II, 22, 3 ; 23, 5. — III, 33, 7 ; 34, 2 ; 37, 1. — IV, 36, 4 ; 57, 10.
moleste : III, 37, 2.
monachicus : I, 4, 3 ; 5, 1.
monachus : I, Cap. 3.11 ; 3, 2.4 ; 4, 3.4.5.6.21 ; 7, 1. — II, Cap. 4.13.24.25.30.36 ; 1, 4 ; 3, 13 ; 4, 1.2.3 ; 6, 2 ; 7, 1 ; 8, 5 ; 10, 1 ; 11, 1 ; 13, 1 ; 19, 1 ; 20, 1 ; 24, 1 ; 25, 1.2 ; 28, 1.2 ; 30, 1 ; 31, 1 ; 36. — III, Cap. 16.17.18. 26 ; 14, 5 ; 15, 2 ; 17, 1 ; 23, 1 ; 29, 1 ; 37, 1. — IV, Cap. 9.22.37.40.49.57 ; 15, 5 ; 22, 1 ; 27, 6.9 ; 36, 4 ; 37, 3 ; 40, 7.10 ; 57, 8.13.
monasterium : I, Cap. 1.2.3. 7.8 ; Prol. 3 ; 1, 3.4 ; 2, 1.2. 4.5.8.9.11 ; 3, 1.2.5 ; 4, 1.3.4. 6.7.10.12.15.21 ; 7, 1.2.3.5. 6 ; 8, 1.3.4. — II, Cap. 17. 22.25 ; Prol. 2 ; 1, 5 ; 3, 2.3. 4.13 ; 4, 1.2 ; 5, 1.2 ; 13, 1 ; 14, 1.2 ; 17, 1.2 ; 18 ; 19, 1 ; 21, 1 ; 22, 1.3 ; 23, 1.2 ; 24,

1 ; 25, 1.2 ; 27, 1.2 ; 28, 1 ; 29, 1 ; 31, 2 ; 32, 1.2 ; 33, 2.4 ; 34, 1.2 ; 35, 1. — III, 13, 1 ; 14, 4.5.6 ; 15, 2 ; 18, 1 ; 23, 1.2.3.5 ; 29, 1 ; 33, 1. 2.3.4.7.9 ; 36, 1.2 ; 38, 1.3. — IV, 9, 1.2 ; 10 ; 11, 1.3.4 ; 13, 1 ; 14, 3.4.5 ; 16, 1 ; 22, 1 ; 23, 1 ; 27, 4.6.9.10 ; 31, 1 ; 33, 1 ; 36, 1.3.4 ; 37, 3 ; 40, 2.10.11 ; 49, 2.4.5.6.7 ; 57, 8.10.11.14.16.

mons : I, Cap. 7 ; 1, 4 ; 7, 1.2. — II, 1, 6 ; 5, 1.2.3 ; 8, 10. — III, Cap. 16.17 ; 16, 1.4. 5.6.7.9 ; 17, 1 ; 23, 1. — IV, 16, 1.

morior : I, 4, 4 ; 9, 8. — II, 3, *11* ; 8, 9 ; 15, 1 ; 30, 3 ; 33, 3. — III, Cap. 17 ; 1, 5 ; 5, 3 ; 13, 4 ; 17, 7.9.*12* ; 23, 2 ; 28, 1 ; 31, 8 ; 35, 2 ; 37, 10. 11.12.18. — IV, Cap. 27. 35. 51 ; 3, 1.2.*3* ; 4, *6*.8 ; 5, 1 ; 6, 1.2 ; 7 ; 15, 4 ; 16, 6 ; 17, 2 ; 19, 1.4 ; 24, 2.3 ; 26, 5 ; 27, 2.4.5.8.11.13 ; 31, 3.4 ; 35 ; 36, 3.10 ; 37, 4 ; 40, 11 ; 44, 3 ; 46, 9 ; 47, 1 ; 49, 6.7 ; 54, 2 ; 57, 10.11.12 ; 60, *2*.

mors : I, Prol. 3 ; 9, 13.18 ; 10, 17.19 ; 12, 2. — II, Cap. 23 ; 3, 3.4.12 ; 8, 7.8.9. — III, 1, 9 ; 5, 4 ; 8, 2 ; 11, 2.3.4 ; 14, 9 ; 15, 2.6.18 ; 16, 5 ; 17, 9 ; 27 ; 31, 7 ; 36, 2.3 ; 37, 10.12.13.15.17.18 ; 38, 5. — IV, Cap. 25.28.31.32.33.36. 41.48.49.57 ; 2, 3 ; 4, 7.8 ; 6, 1 ; 12, 3.5 ; 14, 1 ; 15, 4 ; 19,2 ; 20, 4 ; 21 ; 24, 2.3 ; 25, 1 ; 27, 5.6.13 ; 28, 2 ; 30, 1 ; 32, 2.4 ; 33, 3 ; 36, 2 ; 37, 4.6.14 ; 39 ; 40, 3.9.13 ; 41, 4 ; 42, 4 ; 43, 3.4 ; 47, 2 ; 48 ; 49, 1 ; 52 ; 53, 3 ; 54, 2 ; 57, 2.6.11.12.13.14 ; 59, 6 ; 60, 1.2.

mortalis : I, 2, 2 ; 9, 7. — III, 28, 1. — IV, 20, 4 ; 36, 3 ; 47, 2.

mortalitas : IV, 3, 2 ; 19, 2 ; 27, 6.10.

mortuus : I, 10, 17.19. — II, Cap. 32. — III, 17, 7 ; 33, 1. — IV, Cap. 52 ; 17, 3 ; 21 ; 30, 3 ; 32, 2.4 ; 34, *1* ; 36, 9 ; 52 ; 57, 1.7 ; 58, 1 ; 59, 3.6.

mos : I, 1, 2 ; 3, 3 ; 4, 11 ; 5, 2 ; 7, 1 ; 9, 1.2.3.16.18. — — II, Prol. 1 ; 3, 2.3.4.14 ; 8, 1.3 ; 12, 1.2 ; 19, 1 ; 23, 4.6 ; 27, 2.3 ; 33, 2 ; 35, 1 ; 36. — III, 5, 2 ; 14, 6 ; 16, 2 ; 17, 1 ; 18, 1 ; 23, 1 ; 24, 1 ; 28, 1 ; 35, 1 ; 38, 2.3. — IV, 4, 9.10 ; 16, 2.6 ; 17, 3 ; 18, 2 ; 28, 3 ; 32, 3 ; 40, 10 ; 57, 5.

muliebris : III, 16, 5.

mulier : I, 2, 5.6. — II, Cap. 38 ; 12, 2 ; 16, 5 ; 21, 3 ; 38, 1. — III, 1, 2 ; 2, 2 ; 16, 5 ; 17, 2.3.4.5 ; 37, 5. — IV, 1, 3 ; 12, 3 ; 14, 2 ; 28, 2.

mulomedicus : II, 30, 1.

multitudo : I, 9, 15 ; 10, 1. — II, 8, 10.11 ; 19, 1. — III, Cap. 28 ; 16, 7.8 ; 28, 1 ; 29, 3 ; 30, 2 ; 38, 3. — IV, 16, 5.

munditia : I, 4, 9. — III, 15, 13. — IV, 1, 1.

mundus, a, um : I, 10, 7. — III, 15, 12.

mundus, i : I, 8, 4. — II, Cap. 35 ; Prol. 1 ; 1, 3 ; 2,

3 ; 8, 9 ; 16, 5 ; 23, 2 ; 35, 3.5.6.7 ; 36. — III, 15, 14 ; 26, 4.9 ; 31, 2 ; 34, 6 ; 37, 21.22 ; 38, 1.3. — IV, 4, 3 ; 5, 8 ; 8 ; 9, 1 ; 14, 1 ; 20, 1. 3.4 ; 34, 4.5 ; 36, 12 ; 40, 6 ; 43, 2 ; 45, 2.
munus : I, 10, 10.13. — III, 1, 7 ; 12, 2 ; 26, 5 ; 32, 1 ; 37, 17. — IV, 57, 5 ; 61, 2 ; 62, 1.
mysterium : II, 8, 9 ; 15, 3. — III, 7, 6. — IV, Cap. 60. 61 ; 27, 9 ; 36, 2 ; 44, 3 ; 50, 4.5 ; 58, 2 ; 60, 2.3 ; 61, 1.
mysticus : IV, 11, 4.

natalicius : I, 9, 8.
natura : I, 5, 2. — II, 22, 4. — III, 15, 13. — IV, 14, 2 ; 47, 2.
naturalis : IV, 27, 9.
naturaliter : I, 7, 2.
necessitas : I, 5, 2 ; 6, 1. — II, 5, 3. — III, 9, 2 ; 16, 2. — IV, 40, 2 ; 57, 3.
nefandus : III, 7, 2 ; 28, 1.
nefas : IV, 33, 1 ; 46, 2.
negotium : I, Prol. 1.4.
nepos : I, 9, 3.10. — III, 16, 7.
nequitia : III, 7, 4 ; 11, 1. — IV, 46, 4.
nescio : II, 38, 1. — III, 14, 3 ; 18, 1 ; 26, 5 ; 37, 19. — IV, 2, 2 ; 4, 9 ; 16, 2 ; 27, 3 ; 34, 5 ; 40, 10 ; 57, 16 ; 59, 6.
nimietas : II, 25, 1. — III, 36, 2. — IV, 16, 5.
nimius : II, 3, 5. — III, 37, 13. — IV, 14, 2 ; 28, 2 ; 40, 7 ; 57, 3.10 ; 59, 2.
nobilis : I, 2, 11 ; 4, 8 ; 9, 8 ; 10, 2 . — II, 3, 14 ; 17, 1 ; 23, 2. — III, 2, 1.2 ; 14, 4 ; 21, 1. — IV, 9, 1 ; 14, 1 ; 17, 2 ; 28, 5 ; 32, 1 ; 55, 1.
nobilitas : II, 23, 2.
norma : II, 3, 3.
notarius : I, 8, 1. — III, 10, 3.
notitia : I, 4, 11 ; 8, 7.
nouitas : I, Prol. 6. — IV, 13, 4.
nox : I, 4, 15 ; 10, 8. — II, 5, 2 ; 22, 2 ; 33, 2.4 ; 35, 2. — III, 4, 2 ; 7, 4 ; 14, 6 ; 17, 2 ; 25, 1 ; 30, 4 ; 31, 3 ; 33, 2. 3 ; 37, 11 ; 38, 2. — IV, 8 ; 18, 1 ; 33, 1 ; 43, 2 ; 49, 3 ; 53, 2 ; 54, 2 ; 56, 1 ; 55, 2 ; 57, 15.
noxius : III, 15, 10.14.16.
nudo : IV, 17, 2 ; 28, 3.
nudus : I, 9, 16. — II, 2, 2 ; 8, 4. — III, 14, 8.
numerus : IV, 36, 7.
nutrio : I, 7, 1 ; 9, 1.17.18. — II, 3, 14. — III, 10, 1.2 ; 23, 1. — IV, Cap. 19 ; 1, 3 ; 16, 4 ; 19, 1.2.4 ; 27, 12 ; 32, 5.
nutritor : III, 13, 1 ; 25, 2.
nutrix : II, 1, 1.2 ; 23, 4.
nutus : II, 30, 2.

obeo : III, 37, 1. — IV, 10 ; 27, 5.
obiectio : II, 16, 9.
obitus : I, 8, 2.4. — II, 34, 1 ; 35, 4 ; 37, 1. — III, 8, 1. — IV, 11, 3.
oblatio : I, 10, 10. — II, Cap. 23 ; 23, 4.5. — III, 26, 4.5.6. — IV, Cap. 59 ; 57, 2.5.7.16 ; 59, 5.6 ; 60, 2.
obliuiscor : I, 4, 7. — II, 19, 2. — III, 33, 9.
oboedientia : I, 1, 6 ; 10, 15. — II, 7, 3 ; 8, 8. — IV, 16, 2 ; 37, 11.

oboedio : I, 4, 3. — II, 8, 3. — III, 10, 4 ; 20, 1. — IV, 27, 2 ; 36, 8.
obsequium : I, 9, 11. — II, 14, 1 ; 23, 2. — III, 7, 4.8 ; 15, 3 ; 18, 3. — IV, 5, 4 ; 18, 1. 2 ; 27, 9 ; 35 ; 57, 4.5 ; 59, 3.
obsequor : II, 14, 2. — III, 7, 6 ; 11, 4. — IV, 42, 3 ; 57, 5.8.
obsessus : I, 10, 1.6. — II, 16, 1. — III, 13, 1. — IV, 43, 3.
obstupesco : III, 13, 4.
occupatio : I, Prol. 1.3.
occupo : I, Prol. 6 ; 4, 11.19. — II, 27, 2. — III, 10, 2 ; 33, 9 ; 38, 5. — IV, 28, 1 ; 55, 2.
oculus : I, 4, 18 ; 5, 5.6 ; 9, 12. 16.18 ; 10, 7.8.18. — II, Cap. 35 ; 3, 5.7 ; 8, 4.12 ; 10, 2 ; 13, 2.3 ; 14, 1 ; 31, 3.4 ; 32, 3 ; 34, 1 ; 35, 3.5.7 ; 38, 4. — III, Prol. ; 2, 3 ; 5, 1 ; 6, 2 ; 7, 2.7 ; 14, 3 ; 15, 7. 11 ; 17, 4.11 ; 24, 2 ; 34, *1* ; 38, 2. — IV, 1, 2 ; 5, 5.6.7 ; 7 ; 8 ; 11, 1 ; 16, 3.5 ; 18, 3 ; 19, 3 ; 27, 1 ; 33, 4 ; 34, *1* ; 40, 7 ; 43, 4.
odor : III, 30, 5. — IV, 15, 5 ; 16, 5.6.7 ; 17, 2 ; 28, 4.5 ; 37, 8.
offero : I, 2, 2 ; 10, 10. — II, 3, 4 ; 23, 5. — III, 14, 4.5 ; 15, 18 ; 22, 3 ; 26, 4 ; 37, 17. — IV, 5.6.7.14 ; 58, 1 ; 59, 1.3 ; 62, *1*.
officium : I, 4, 11 ; 9, 1.13. — IV, 16, 3 ; 59, 2.
oleum : I, 5, 2 ; 7, 5.6. — II, Cap. 29 ; 28, 1.2 ; 29, 1.2. — III, 37, 2.3.
olla : I, 11. — IV, 31, 3 ; 36, 12.
olus : *v*. holus.
operarius : III, 14, 6 ; 37, 4.7.
operor : I, 7, *6*. — III, 12, 4. — IV, 4, *8* ; 5, 7 ; 37, 16 ; 38, 1 ; 41, *2* ; 42, 5 ; 58, 1.
opinio : I, 4, 11 ; 5, 4. — II, 8, 2. — III, 15, 11 ; 18, 3.
opinor : I, Prol. 8. — III, 9, 2.
optio : IV, 36, 7.8.9.
opus : I, 4, 3.9.13.21 ; 7, 5.*6* ; 9, 7.8.10.11 ; 10, 7 ; 12, 1. 4. — III, Prol. ; 1, 6 ; 9, 1 ; 17, 5 ; 19, 5 ; 22, 1 ; 26, 1 ; 34, 4 ; 37, 8 ; 38, 5. — IV, 4, *8* ; 5, 3.7 ; 8 ; 14, 3 ; 28, 1 ; 32, 5 ; 34, 5 ; 36, 13 ; 38, 4 ; 41, *2*.5 ; 42, 1.5 ; 43, 4 ; 46, 7 ; 47, 3 ; 51 ; 58, 1.
oraculum : II, 8, 11.
oratio : I, 2, 2.3.4.9 ; 4, 1.14. 17 ; 7, 2.3 ; 8, 6 ; 9, 4.17. 18 ; 10, 1.5.8.18 ; 12, 1. — II, Cap. 9 ; 1, 2.7 ; 4, 1.2.3 ; 5, 2 ; 9 ; 10, 2 ; 11, 1.2 ; 13, 1.3 ; 15, 2 ; 25, 2 ; 27, 2 ; 29, 1 ; 30, 1.2.4 ; 31, 3 ; 32, 3 ; 33, 3 ; 35, 2 ; 37, 2. — III, 3, 2 ; 6, 2 ; 7, 8 ; 9, 3 ; 14, 2.9.10 ; 15, 2.3.11.*16* ; 17, 3.4.7 ; 22, 3 ; 33, 5.7.8 ; 35, 4 ; 38, 2. — IV, 7 ; 11, 4 ; 12, 4 ; 14, 3 ; 16, 2.3 ; 17, 1.3 ; 20, 1 ; 31, 2 ; 40, 4.5 ; 46, 8 ; 61, 2.
oratorium : I, 2, 4 ; 4, 20.21 ; 7, 3 ; 10, 2.3. — II, 4, 3 ; 8, 5 ; 22, 1 ; 30, 1 ; 37, 2.4. — III, 7, 8 ; 15, 2.3 ; 33, 8 ; 35, 4. — IV, 11, 4.
ordinatio : III, 23, 2. — IV, 12, 3.
ordino : II, 22, 1. — III, 23, 1.
ordo : I, 4, 8 ; 8, 3 ; 9, 16. — II, 3, 12 ; 16, 1.2.3 ; 20, 2 ;

22, 4 ; 35, 4.5.8. — III, 8, 2 ; 13, 1 ; 36, 2. — IV, 12, 2 ; 27, 5 ; 36, 13 ; 42, 1 ; 59, 4.
oro : I, 2, 6 ; 4, 7 ; 7, 6 ; 8, 5. — II, 4, 2 ; 5, 2 ; 9 ; 11, 2 ; 17, 1 ; 29, 1 ; 30, 3 ; 31, 4. — III, 14, 2.3 ; 15, 11 ; 16, 3 ; 17, 3 ; 33, 1.5 ; 35, 4 ; 37, 2.14.16.17. — IV, 40, 3.5 ; 46, 6.7.8 ; 49, 3.
os, oris : I, 1, 2 ; 4, 7.*9* ; 9, 8. 18. — II, 8, 3.12 ; 16, *6.8* ; 23, 1 ; 25, 2. — III, 1, 2 ; 5, 3.4 ; 14, 3 ; 15, 13.14.*15*. 16 ; 16, 3 ; 32, 3 ; 33, 5 ; 35, 2 ; 37, 7. — IV, 11, 4 ; 16, 2 ; 40, 4.11 ; 49, 4 ; 57, 11 ; 60, 2.
os, ossis : I, 10, 14.19. — II, 11, 2. — III, 21, 5. — IV, 6, 2 ; 21 ; 33, 3.4.
ostensio : I, 2, 7 ; 12, 4.
otiosus : I, 1, 1. — III, 15, 10. 13.14.16. — IV, 4, 14.

paenitentia : I, 12, 1.3. — II, 6, 2 ; 8, 7. — III, 31, 6 ; 37, 22. — IV, 46, 7 ; 62, 2.
paeniteo : II, 19, 2. — III, 15, 15 ; 34, 1. — IV, 40, 12.
palatium : III, 36, 1.
palma : II, 32, 3. — III, 19, 5 ; 28, 2.
panis : I, 9, 9 ; 11. — II, Cap. 8 ; 1, 5.6 ; 3, *6* ; 8, 2. 3 ; 21, 1. — III, 1, 4 ; 18, 2 ; 33, 5 ; 37, 4.5.6.7.8. — IV, 57, 6 ; 59, 5.
papa : III, Cap. 2.3 ; 8, 1 ; 16, 1. — IV, 31, 3.4.
paradisus : III, 7, 10. — IV, 1, 1.2.
paralysis : IV, 16, 3.
paralyticus : III, 25, 1. — IV, Cap. 15 ; 15, 2.
parco : II, 12, 2 ; 33, 4. — III, 26, 4.
parens : I, 1.2 ; 10, 5. — II, 24, 1. — IV, Cap. 19 ; 1, 1.2 ; 18, 2 ; 19, 1.
parochia : III, 38, 2.
parricida : III, 31, 6.
particeps : III, 28, 1.
pascha : II, 1, 7.
paschalis : I, 10, 17. — II, 1, 6.7. — III, 31, 3 ; 33, 7. — IV, 27, 7 ; 33, 1.
passio : III, 26, 7.8. — IV, 60, 3 ; 61, 1.
pastor : II, 1, 8. — III, 8, 2 ; 15, 4 ; 25, 2.
pastoralis : I, Prol. 4. — III, 8, 2.
pater (*sens propre*) : I, 4, 6.8 ; 8, 6. — II, 26 ; 32, 3. — III, Cap. 31 : 21, 1.2 ; 31, 2. 3.4.6.7 ; 34, *3*.4.5. — IV, 2, 1 ; 13, 1.2.4 ; 19, 3.4 ; 31, 2 ; 34, *2* ; 36, 7. (*Dieu*) : I, 7, *6* ; 9, 6. — II, 38, 4. — III, 32, 2. — IV, 1, 4 ; 11, 2 ; 36, *13*. (*évêque*) : I, 4, 3.14.17 ; 9, 14 ; 10, 13. — III, 5, 2 ; 8, 1. (*prêtre*) : I, 12, 1. — III, 37, 11. — IV, 57, 6. (*abbé*) : I, 2, 9.10.11 ; 4, 1.4.6.7.9 ; 7, 1.3.5. — II, 1, 5 ; 3, 2.4.12.13 ; 4, 2.7 ; 7, 2.3 ; 8, 4.12 ; 11, 1 ; 12, 2 ; 13, 1.3 ; 17, 1 ; 20, 1 ; 21, 1.5 ; 22, 1.2.3.4 ; 24, 2 ; 25, 1 ; 27, 1 ; 31, 2 ; 32, 1 ; 33, 1 ; 35, 3 ; 36 ; 38, 1. — III, 14, 1 ; 21, 1 ; 23, 1.2.3 ; 33, 1.2.3 ; 36, 1. — IV, 9, 1 ; 11, 1 ; 20, 1.2 ; 23, 1. (*anciens*) : I, 3, 5 ; 7, 3. — III,

Prol. ; 25, 3. (*divers*) : I, 10, 11. — III, 25, 2. — IV, 34, *2*.5.
paterfamilias : I, 12, 1.
patientia : I, 2, 8. — IV, 11, 2 ; 15, 4 ; 16, 2 ; 19, 4 ; 20, 1 ; 40, 9.
patria : I, Prol. 9 ; 1, 1 ; 4, 10. — II, 35, 1. — IV, 1, 1.2 ; 26, 2 ; 49, 2.
patricius : I, 1, 1. — II, 35, 1. — IV, Cap. 54 ; 14, 1 ; 27, 10 ; 31, 3.4 ; 54, 1.
patrocinium : II, 38, 2.
pauper : I, 9, 4.10.16.17 ; 10, 11. — II, 6, *1*. — IV, 4, 7 ; 9, 1 ; 15, 2.3 ; 16, 2 ; 42, 1.
paupercula : III, 17, 2.
paupertas : I, 9, 2. — III, 14, 5. — IV, 20, 1.
paueo : III, 36, 4.
pauito : III, 7, 6.
pauor : I, 4, 14. — III, 1, 9 ; 7, 4 ; 24, 2. — IV, 16, 5 ; 40, 8 ; 48.
pax : III, 26, 8.9 ; 28, 2.3 ; 36, 3.
peccator : III, 17, 7 ; 37, 22. — IV, 19, 4 ; 25, 1 ; 28, 6 ; 30, 3 ; 45, 1.2.
peccatum : I, 2, 11 ; 3, 4 ; 12, 1. — II, 2, 2 ; 32, 3. — III, 1, 8 ; 15, 9. — IV, 11, 2 ; 14, 4 ; 20, 3 ; 25, 1 ; 33, 2 ; 40, 5 ; 41, 4.5 ; 42, 4 ; 43, 5 ; 46, 2.3 ; 49, 3 ; 52 ; 53, 3 ; 55, 4 ; 57, 6.11 ; 62, 1.
pecco : I, 2, 10. — IV, 1, 1 ; 3, 2 ; 43, 4 ; 46, 2.3.
pectus : I, 2, 6.7.11. — II, 2, 1 ; 24, 2 ; 33, 5. — IV, 40, 3.
pecunia : I, 2, 4. — III, 14, 4. — IV, 9, 1 ; 51 ; 57, *11*.
pellis : I, 4, 10. — II, 1, 8.
perditio : III, 7, 5. — IV, 57, *11*.
peregrinus : I, 10, 6.7. — III, 14, 3.8. — IV, 15, 4 ; 37, 12.
perennis : I, 8, 5. — III, 34, 2. — IV, 14, 3.
pereo : III, 37, *21*. — IV, 39.
perfecte : II, 23, 2 ; 35, 1. — IV, 3, 2 ; 11, 1 ; 16, 3 ; 37, 14 ; 38, 4 ; 43, 2.
perfectio : II, 1, 2.
perfectus : II, 3, 11. — III, 14, 12 ; 34, 2. — IV, Cap. 29 ; 1, 2 ; 16, 3 ; 26, 1.
perfidia : I, 10, 5. — II, 31, 1. — III, 31, 3.7 ; 32, 1. — IV, 2, 2.
perfidus : II, 14, 1. — III, 11, 1.2 ; 13, 1 ; 31, 3.7.
peruersitas : II, 8, 4.
peruersus : II, 31, 2. — III, 15, 5 ; 37, 22. — IV, 20, 2.
pestilentia : III, 8, 2. — IV, 37, 7 ; 40, 3.
pestis : II, 8, 2. — III, 15, 11.
phantasticus : II, 10, 2.
pie : I, 9, 10. — II, 1, 5.
pietas : I, 2, 6 ; 10, 7. — II, 21, 4. — III, 1, 3 ; 13, 2 ; 17, 9.13 ; 30, 1.3 ; 37, 5. — IV, 37, 2.16.
piscis : I, 1, 1.2.
pius : II, 1, 2. — IV, 43, 4 ; 46, 5.
placeo : I, 1, 8 ; 4, 11.21 ; 9, 7.18.19 ; 10, 19 ; 12, 6. — II, Prol. 1 ; 2, 5 ; 3, 10 ; 10, 1 ; 33, 5 ; 38, 5. — III, 14, 14 ; 16, 11 ; 17, 12 ; 30, 2. — IV, 3, 3 ; 5, 9 ; 25, 2.
placidus : II, 3, 4. — IV, 20, 2.
plango : I, 12, 2. — II, 17, 1. — III, 8, 1. — IV, 32, 2.
platea : I, 10, 6. — IV, 16, 7.

poculum : III, 5, 2.3 ; 26, *8*.
podagra : I, 6, 1. — IV, 28, 3.
poena : I, Prol. 3 ; 10, 7. — II, 16, 2 ; 31, 1. — III, 5, 3 ; 12, 3 ; 14, 9 ; 15, 5 ; 22, 3 ; 37, 16. — IV, 11, 2 ; 27, 14 ; 32, 5 ; 34, 4 ; 37, 5 ; 38, 6 ; 39 ; 45, 2 ; 46, 2.
poenalis : III, 15, 10. — IV, Cap. 40 ; 12, 5 ; 36, 14 ; 40, 1 ; 42, 3 ; 43, 3.6.
poenaliter : II, 2, 2. — IV, 30, 2.
pons : IV, 37, 8.10.12 ; 38, 2.3.
pontifex : I, 4, 8.11.14.15.16. 19. — III, 2, 1.2 ; 3, 1 ; 19, 2 ; 36, 1.
pontificatus : IV, 42, 1.
popularis : III, 1, 6 ; 15, 14.
populus : I, 4, 6 ; 10, 2. — III, 2, 3 ; 3, 2 ; 11, 2.3 ; 13, 2 ; 14, 13 ; 15, 15 ; 30, 1.2.3. — IV, 33, 2 ; 42, 3 ; 60, 2.
portus : I, Prol. 5. — III, 36, 4. — IV, 59, 3.
possessio : I, 10, 12. — II, 33, 2. — III, 14, 5.
possessiuncula : III, 21, 1.
possessor : III, 1, 7 ; 26, 5 ; 38, 3.
postulatio : II, 30, 3.
postulo : I, 8, 4.5 ; 9, 8. — II, 7, 2 ; 28, 1. — III, 1, 1 ; 14, 8 ; 15, 17 ; 33, 3.8 ; 37, 3. 15. — IV, 62, 1.
potens : III, 21, 4. — IV, 37, 3.
potentia : III, 12, 4. — IV, 37, 9.
potestas : II, 8, 9 ; 30, 2.3.4 ; 31, 3.4 ; 32, 4. — III, 21, 4. — IV, 24, 3.
praeceptum : III, 10, 3.4 ; 11, 6 ; 12, 4 ; 15, 17 ; 37, 19. — IV, 27, 2.
praecipio : I, 3, 2 ; 4, 7.12.15. 16 ; 6, 1 ; 7, 5.6 ; 9, 3.5 ; 10, 13. — II, 8, 3 ; 16, 2. — III, 9, 3 ; 10, 3 ; 11, 4.6 ; 14, 8 ; 15, 3.4.17 ; 16, 7 ; 20, 1 ; 37, 16. — IV, 27, 4 ; 36, 2.8.
praecordia : II, 13, 3.
praedestinatio : I, 8, 5.6.
praedestino : I, 8, 5.6.
praedicamentum : I, Prol. 9.
praedicatio : I, 4, 8.9.11. — II, 8, 11. — III, 17, 7. — IV, 11, 4.
praedicator : II, 3, 11 ; 16, 4. — III, 31, 8. — IV, 4, 10.
praedico, as : I, 4, 8. — III, 31, 1. — IV, 11, 3 ; 46, 2.
praedico, is : II, 11, 3 ; 37, 3. — III, 14, 9. — IV, Cap. 27 ; 26, 5 ; 27, 3.13 ; 36, 1.10 ; 37, 9.10.12 ; 41, 4 ; 42, 4 ; 49, 6 ; 50, 6 ; 57, 3.9.
praedium : II, 22, 1.3. — III, 14, 4 ; 38, 3.
praefectus : III, 10, 1. — IV, 54, 1.
praelium : II, 8, 10.
praemortuus : IV, 40, 3.5.
praenuntio : II, 15, 1.
praepositus : I, Cap. 2.7 ; 2, 1 ; 3, 1 ; 7, 1. — II, 8, 5 ; 22, 2. — IV, 57, 11.14.
praesentia : II, 3, 13 ; 38, 3. — III, 24, 2 ; 36, 3. — IV, 40, 8.
praestolor : II, 22, 1.
praesul : I, 4, 19. — IV, 42, 2.
praesum : I, 4, 2.12 ; 8, 1. — II, Prol. 2 ; 3, 2.3. — III, 15, 2. — IV, 13, 1 ; 22, 1 ; 33, 1 ; 42, 1 ; 49, 5 ; 57, 3 ; 59, 2.
praesumo : I, 2, 6.10 ; 3, 4 ; 4, 8.11.16 ; 9, 3.19 ; 10, 3.

— II, 7, 2 ; 8, 7. — III, 6, 2 ; 7, 1.6 ; 10, 3 ; 14, 9 ; 26, 2.5.9 ; 30, 5 ; 33, 4. — IV, 46, 2.
praesumptio : I, 10, 3. — II, 14, 2 ; 16, 1. — III, 34, 2. — IV, 25 ; 55, 4.
prauitas : III, 14, 7 ; 31, 7. — IV, 54, 1.
prauus : I, 10, 7. — II, 8, 1. — III, 7, 7. — IV, 32, 5.
precor : III, 16, 7. — IV, 34, 4.
presbyter : I, Cap. 12 ; 9, 1. 3.4.10.11.12.13 ; 10, 3 ; 12, 2. — II, 1, 6.7 ; 8, 1.3.6.7. — III, Cap. 20.22.23.35.37 ; 15, 1 ; 20, 1.2 ; 23, 1.2.3.4 , 35, 1.4 ; 37, 1.12. — IV; Cap. 12.57 ; 12, 2 ; 32, 3.4 ; 37, 12 ; 40, 10 ; 57, 3.5.7 ; 58, 1 ; 59, 2.
presbytera : IV, 12, 2.
presbyteratus : I, 9, 13.
pretium : I, 9, 10.11 ; 10, 10. 13.15. — III, 1, 1. —[54, 1.
prex : I, 4, 1 ; 8, 5.6 ; 9, 8.10. 19 ; 10, 5.10.18.19. — II, 3, 2 ; 16, 1 ; 25, 1 ; 30, 2. — III, 2, 2 ; 14, 2 ; 15, 2.16.17. 18 ; 22, 3 ; 31, 2 ; 33, 8. — IV, 42, 4 ; 52.
primarius : III, 21, 1.
princeps : III, 32, 3.
prior : I, Prol. 5 ; 10, 13. — II, 16, 2. — III, Prol. ; 4, 4 ; 14, 1.
priuo : II, 23, 4.5. — IV, 61, 2,
probatio : III, 11, 1. — IV, 37. 10.
probo : I, 5, 6 ; 7, 6 ; 8, 6 ; 10, 7. — II, 18. — III, 5, 1 ; 33, 9 ; 35, 3. — IV, 3, *3* ; 27, 12 ; 37, 6 ; 41, *5*.
procedo : I, 10, 2. — III, 1, 3. — IV, 27, 2 ; 33, 3 ; 50, 4.5.
processio : I, 10, 2.
propheta : I, 4, 19. — II, 16, 6.8 ; 21, 3 ; 22, 4 ; 37, 21. — IV, Cap. 35 ; 35 ; 41, 1 ; 50, 5.
prophetia : I, 4, 19. — II, Cap. 15.17.37 ; 11, 3 ; 14, 1 ; 15, 3 ; 21, 3.4. — III, 5, 1 ; 8, 1.2 ; 11, 6 ; 14, 5.10 ; 24, 3.
propheticus : II, 16, 8.
propheto : II, 21, 4.
prosper : III, 38, 4.
prosperitas : III, 1, 3.
prosterno : I, 2, 3.4.10. — II, 15, 1.3 ; 32, 4. — III, 15, 3 ; 16, 5. — IV, 40, 5.
protectio : III, 20, 3.
prouectus : II, 8, 2.
prouidentia : III, 16, 8.
prouideo : III, 5, 2. — IV, 57, 10.
prouincia : I, Cap. 4.11.12 ; 2, 2 ; 4, 1.8.21 ; 5, 4 ; 10, 20 ; 11. — II, Prol. 1. — III, Cap. 20.22.35.37 ; 5, 1 ; 20, 1 ; 22, 1 ; 25, 3 ; 26, 1 ; 37, 1. — IV, 12, 1 ; 22, 1 ; 23, 1 ; 24, 1 ; 33, 1 ; 53, 1.
proximus : III, 37, 18 ; 38, 5. — IV, 4, 10.
pruna : I, 10, 6 ; 11.
psallo : III, 22, 2. — IV, 11, 4 ; 15, 4 ; 16, 7 ; 22, 1 ; 36, 2. 3.
psalmista : IV, 44, 1.
psalmodia : II, 4, 2. — III, 31, 5. — IV, 16, 7 ; 22, 2 ; 49, 4.
psalmus : IV, 11, 4 ; 15, 4.
psyatium : II, 11, 2.
pudor : III, 14, 8.

puella : I, 10, 3. — II, 8, 4. — III, Cap. 21 ; 21, 1. — IV, Cap. 18 ; 18, 1.2.3 ; 37, 16.
puellaris : IV, 18, 1.2.
puer : I, 1, 1 ; 2, 6 ; 4, 13.14. 16.19 ; 9, 4.16.17.18.19 ; 10, 13.14.15. — II, Cap. 20 ; 1, 2 ; 7, 1 ; 18 ; 21, 3 ; 26 ; 32, 3. — III, 5, 2.3 ; 13, 3 ; 14, 9 ; 16, 6 ; 18, 3 ; 19, 4 ; 33, 2.3.4.5.7 ; 35, 4. — IV, Cap. 19.27.40 ; 1, 3.5 ; 13, 1.2.3.4 ; 19, 3 ; 27, 2.10.12 ; 32, 3.4 ; 36, 8.9 ; 37, 16 ; 40, 2 ; 50, 4.
puerilis : II, 3, 14.
pueritia : II, Prol. 1.
puerulus : I, 9, 3 ; 10, 12.13. 14.15. — II, Cap. 11.24 ; 4, 2.3 ; 5, 2 ; 11, 1 ; 24, 1.
pugna : II, 8, 13.
pugno : II, 8, 10.
pugnus : I, 9, 17.
pulcher : I, Prol. 4 ; 12, 2.
purgatorius : IV, Cap. 41 ; 40, 13 ; 41, 3.5.
puritas : III, 15, 13.
purus : II, 38, 3. — IV, 7.
pusillanimitas : II, 21, 1.

quadra : I, 11.
quies : I, Prol. 4.5. — II, 35, 2.
quiesco : I, 3, 3. — II, 13, 2 ; 17, 2 ; 22, 4 ; 31, 3 ; 35, 2 ; 38, 1. — III, 4, 2 ; 14, 7 ; 26, 8 ; 38, 2.
quietus : II, 20, 1.

rapio : II, 3, 9 ; 35, 7. — III, 26, 5 ; 32, 1.
ratio : I, 4, 19 ; 8, 7. — II, 3, 12 ; 16, 9 ; 21, 5 ; 23, 7. — III, 15, 17 ; 24, 3 ; 38, 5. — IV, Cap. 30 ; 1, 6 ; 2, 3 ; 3, 3 ; 4, 1.3.4.5.6.7.*8* ; 5, 8 ; 6, 3. 7 ; 29, 2 ; 30, 4.5 ; 37, 1 ; 41, *2* ; 43, 5 ; 47, 1.
reatus : II, 6, 2 ; 13, 3. — IV, 19, 4 ; 33, 4 ; 57, 13.
recens : III, 16, 11.
rectitudo : II, 3, 3.
rector : III, 15, 2 ; 28, 5.
redemptio : II, 8.9. — IV, 9, 1.
redemptor : I, 9, 6.7 ; 12, 7. — II, 8, 1. — III, 21, 4 ; 36, 3 ; 37, 19. — IV, 26, 1 ; 44, 3.
rediuiuus : I, 12, 3.
refectio : I, 10, 20. — II, 1, 6.7 ; 8, 3 ; 21, 1. — III, 5, 3. — IV, 13, 2.
refectorium : II, 22, 1.
reficio : II, 13, 2. — III, 33, 7. — IV, 13, 2.
regia : III, 29, 3.
regimen : I, 2, 8. — II, 23, 6.
regnum : I, 8, 5. — III, 1, 5 ; 15, 9 ; 31, 2.7 ; 34, 2.4.5. — IV, Cap. 19.34 ; 10 ; 19, 1 ; 26, 1 ; 33, 5.
rego : II, Prol. 2. — III, 15, 2. — IV, 5, 4 ; 12, 2.
regula : II, Cap. 12.36 ; 1, 5 ; 12, 1 ; 36. — III, 18, 1 ; 21, 4 ; 28, 3. — IV, 9, 1 ; 46, 9 ; 57, 10.
regularis : II, 3, 3.
regulariter : IV, 57, 13.
regulus : I, 4, 6.
relatio : I, Prol. 10 ; 4, 21 ; 5, 1 ; 7, 1 ; 10, 1. — II, 15, 4 ; 33, 4. — III, 1, 10 ; 10, 1 ; 15, 1.
religiosus : I, 1, 4 ; 2, 1 ; 5, 1. — II, 1, 2 ; 2, 1 ; 3, 14 ; 12, 1 ; 13, 1 ; 23, 2 ; 31, 1 ; 35, 4. — III, 1, 10 ; 5, 1 ; 8, 1 ;

14, 3 ; 16, 1.6. — IV, Cap. 35 ; 10 ; 15, 3 ; 20, 1 ; 23, 1 ; 35 ; 38, 1 ; 59, 2.
reliquiae : I, 10, 2. — II, 38, 2. — III, 30, 2. — IV, 43, 2.
reprehendo : III, 14, 12 ; 15, 15. — IV, 4, 6 ; 57, 13.
reprehensibilis : III, 14, 10. 13.
reprobus : IV, 24, 3 ; 29, 1.
responsum : II, 12, 1 ; 13, 1 ; 22, 3. — III, 32, 3 ; 36, 1.
restis : II, 1, 5.
resurgo : I, 9, 5. — IV, 44, 3,
resurrectio : II, 1, 7. — III, 17, 8. — IV, 3, 2 ; 26, 4.
resuscitatio : IV, Cap. 37.
resuscito : I, 10, 17. — II, 32, 2.3. — III, 17, 7.
retribuo : IV, 58, 1.
retributio : III, 24, 2. — IV, 26, 3 ; 29, 1 ; 34, 4 ; 36, 13.
retributor : IV, 17, 1.
reuelatio : II, 16, 7 ; 22, 3 ; 37, 3. — III, 23, 2. — IV, Cap. 27.49 ; 27, 1.4.9 ; 38, 1 ; 43, 1 ; 49, 1 ; 50, 2.4.5.6 ; 53, 2.
reuerenter : IV, 50, 5.
reuerentia : III, 3, 2 ; 11, 3 ; 12, 3 ; 37, 13. — IV, 35.
reuertor : I, 2, 4. — II, 2, 2 ; 3, 6.8 ; 7, 2.3. — III, 15, 4. 6 ; 31, 4. — IV, 36, 9.
reus : I, 2, 10 ; 12, 2. — IV, 33, 2.
rex : I, 2, 1. — II, Cap. 14.15 ; 14, 1.2 ; 15, 1.2.3 ; 21, 3 ; 31, 1. — III, Cap. 31 ; 1, 1.3.4. 5.6.7.8 ; 5, 1.2 ; 6, 1.2 ; 11, 1.2 ; 12, 2.3 ; 13, 1.2 ; 15, 15 ; 18, 2.3 ; 19, 1 ; 31, 1.2. 5.6.7.8 ; 32, 1. — IV, Cap. 31 ; 31, 2.3.4 ; 50, 5.
ridiculus : IV, 37, 16.
rogo : I, 4, 17 ; 10, 14.15 ; 12, 1.5. — II, 32, 3 ; 33, 1.2.3.4. — III, 1, 3 ; 2, 3 ; 5, 2 ; 17, 3. — IV, 14, 4 ; 28, 5 ; 34, 2.
rogus : IV, 32, 4.5.
ruina : II, 15, 3. — III, 7, 1.5.8.
rupes : I, 1, 4 ; 8, 2. — II, 1, 5 ; 5, 1.2.3. — III, 16, 7.
rusticanus : I, Prol. 10.
rusticus : I, 4, 11.20 ; 5, 4.5.6 ; 12, 1. — II, Cap. 31 ; 8, 10 ; 31, 1.2.3 ; 32, 1.2. — III, Cap. 27 ; 14, 3 ; 16, 7 ; 21, 2 ; 27.

sabanum : III, 17, 2. — IV, 57, 4.
sabbatum : I, 10, 17. — III, 33, 7. — IV, Cap. 38 ; 33, 1 ; 38, 1.
sacer : I, Prol. 2.10 ; 4, 8. 10. 21. — II, 16, 2.3.7 ; 33, 2 ; 34, 3. — III, 17, 8. — IV, Cap. 17.57.61 ; 15, 3 ; 24, 3 ; 29, 1 ; 38, 6 ; 44, 3 ; 49, 2 ; 50, 2 ; 52 ; 53, 2.3.4 ; 56, 3 ; 57, 2.7 ; 58, 2 ; 59, 5.6 ; 60, 2.
sacerdos : I, 12, 1. — II, 8, 4. — III, 11, 6 ; 22, 1 ; 28, 5 ; 30, 1.5 ; 37, 1. — IV, 60, 3.
sacerdotalis : III, 7, 2 ; 13, 1.
sacramentum : III, 7, 9. — IV, 11, 4.
sacrarium : III, 30, 3.
sacratus : I, 10, 17. — III, 23, 5 ; 33, 7. — IV, 33, 1.
sacrificium : II, 8, 10. — III, 3, 2. — IV, 57, 14.16 ; 58, 1 ; 59, 1.3 ; 60, 1.3.
sacrilegium : III, 7, 3.
sacrilegus : II, 8, 10. — III, 27 ; 28, 1.5 ; 31, 3.

saecularis : I, Prol. 1.4. — II, 8, 1. — III, 15, 14.16 ; 26, 9. — IV, 14, 3 ; 20, 1 ; 27, 3.9 ; 40, 5.
saeculum : I, Prol. 6 ; 12, 4. — III, 28, 2. — IV, 37, 3 ; 41, *2*.3 ; 43, 1.2 ; 60, 1.
saeuio : I, 2, 4. — II, 31, 2. — III, 26, 4 ; 36, 2. — IV, 22, 1.
saeuitia : I, 2, 10. — III, 28, 5 ; 29, 1.
saeuus : III, 11, 2.
sagum : II, 11, 2.
salus : I, 4, 4.6 ; 10, 4.15. — II, Cap. 4 ; 26 ; 27, 3 ; 38, 1. — III, 7, 9 ; 31, 6 ; 33, 4 ; 35, 1 ; 37, 18. — IV, 13, 2 ; 34, 2 ; 40, 2 ; 41, *1* ; 42, 3 ; 60, 2.
sanctimonialis : I, 4, 5. — II, 19, 1 ; 23, 2 ; 33, 2.3. — III, 7, 2.5 ; 14, 1 ; 21, 3 ; 26, 5 ; 33, 2.3. — IV, Cap. 53 ; 14, 4.5 ; 16, 1 ; 53, 1.
sanctitas : I, 4, 1 ; 5, 2.4 ; 6, 2. — III, 11, 1 ; 35, 1 ; 37, 13. 15. — IV, 17, 1 ; 23, 2 ; 24, 2 ; 42, 1.
sanctus : I, 1, 4 ; 4, 1.3.5 ; 5, 4 ; 7, 1 ; 8, 1.5 ; 9, 8.9.10. 19 ; 10, 6.10.13. — II, Prol. 1 ; 2, 1 ; 3, 5.10.13 ; 8, 1.10 ; 13, 3 ; 14, 1 ; 16, 1.5 ; 23, 6 ; 25, 2 ; 29, 1 ; 31, 3 ; 32, 4 ; 36 ; 37, 1.3. — III, 1, 9 ; 7, 5 ; 10, 4 ; 13, 1 ; 15, 2 ; 16, 3 ; 18, 1 ; 19, 5 ; 22, 1 ; 37, 14. — IV, Cap. 6. 48 ; 12, 2.4.5 ; 14, 2 ; 16, 7 ; 18, 3 ; 20, 4 ; 21 ; 26, 4 ; 28, 6 ; 29, 1 ; 35 ; 40, 2 ; 46, 6. 8 ; 48 ; 50, 6 ; 56, 1 ; 57, 6.
sanguis : II, 37, 2. — III, 36, 3. — IV, 11, 4 ; 36, 2 ; 60, 1.2.
sanitas : II, 16, 1.
sano : II, Cap. 38 ; 16, 1 ; 38, 1. — III, 37, 16.
sanus : I, 10, 5. — II, 1, 2 ; 16, 2. — III, 35, 4. — IV, 28, 3 ; 30, 4 ; 37, 16 ; 54, 2.
sapiens : III, 1, 4.5. — IV, 4, *7* ; 30, 3 ; 50, 3.4.
sapienter : II, Prol. 1.
sapientia : IV, 4, *8* ; 41, *2*.
scienter : II, Prol. 1. — III, 26, 6.
scientia : III, 17, 10 ; 37, 20. — IV, 4, *8* ; 41, *2* ; 49, 2.
scio : I, 10, 17. — II, 1, 7 ; 16, *6*.8 ; 21, 3. — III, 14, 10 ; 15, 11 ; 37, 19. — IV, 21 ; 34, 5 ; 41, 6 ; 42, 1 ; 46, 3 ; 50, 2.6 ; 55, 1 ; 59, 6 ; 62, 1.
scrinium : I, 8, 1.
scriptura : I, 4, 10. — II, 16, 7 ; 22, 4. — III, 17, 10 ; 18, 1. — IV, 15, 3 ; 44, 3 ; 50, 2.
scrupulum : III, 24, 3.
secreto : III, 17, 1 ; 33, 8.
secretum : I, 8, 7. — II, 1, 4 ; 16, 3.7 ; 34, 1. — III, 1, 6 ; 17, 11. — IV, 27, 1 ; 44, 3.
secretus : I, Prol. 1 ; 10, 6. — III, 14, 2.
secundus : II, 22, 1.
senex : I, 9, 15.16 ; 10, 11.16. 17. — III, 12, 2 ; 21, 1 ; 23, 2 ; 33, 3.4.5. — IV, 11, 2 ; 13, 2 ; 32, 1 ; 36, 1 ; 37, 16 ; 49, 6.
senilis : II, Prol. 1.
senior : I, Prol. 10. — II, 30, 1. — III, Prol. ; 2, 1 ; 25, 1 ; 32, 1.3.
senium : II, 15, 3. — III, 5, 1.3.

sensus : II, 35, 8 ; 38, 1. — IV, 4, 1.

sententia : I, 4, 16.19 ; 9, 9. 13. — II, 23, 1.3. — III, 8, 2 ; 14, 5 ; 16, 5. — IV, 3, 3 ; 4, 1.2.6.7.8 ; 12, 5 ; 34, 1 ; 38, 4 ; 41, 3 ; 42, 1 ; 47, 3 ; 57, 13.

sepelio : I, 10, 17. — II, Cap. 24 ; 23, 4 ; 24, 1 ; 37, 4. — III, 11, 4 ; 13, 3 ; 17, 2 ; 22, 1.2 ; 23, 3.4. — IV, Cap. 52.53.56 ; 9, 2 ; 28, 2.4 ; 30, 3 ; 49, 7 ; 52 ; 53, 1 ; 54, 1.2 ; 55, 2.4 ; 56, 1. 3 ; 57, 13.

sepulcrum : I, 4, 20.21. — II, 23, 4 ; 34, 2. — III, Cap. 22 ; 11, 4 ; 13, 3 ; 23, 2.3.4 ; 38, 2. — IV, 28, 4.5 ; 33, 3 ; 49, 5.7 ; 52 ; 55, 3 ; 56, 2.

sepultura : I, 10, 17. — II, 24, 1.2 ; 34, 2 ; 37, 2. — III, 11, 6. — IV, Cap. 33.54 ; 15, 5 ; 33, 3 ; 49, 5 ; 56, 1.

sequor : I, 3, 2.4 ; 4, 16. — II, 1, 1.2 ; 2, 1 ; 7, 1 ; 9, 7 ; 16, 7 ; 21, 2 ; 35, 3. — III, 5, 3 ; 8, 2 ; 9, 3 ; 11, 3 ; 14, 2 ; 23, 2 ; 28, 2 ; 31, 7 ; 38, 3. — IV, 27, 5 ; 40, 2 ; 50, *4* ; 56, 1.

sermo : I, 9, 13 ; 10, 13. — II, 23, 1.2 ; 36. — III, 1, 4 ; 15, 10. — IV, 41, 4 ; 43, 6 ; 57, 11.

serpens : I, 3, 2.3.4. — II, 18. — III, 14, 9 ; 15, 11.12 ; 16, 3.4 ; 35, 2.

seruio : II, 20, 1 ; 31, 4. — III, 21, 1 ; 25, 1. — IV, 5, 4 ; 11, 4 ; 15, 3 ; 22, 2 ; 37, 11 ; 57, 8.

seruitium : II, 3, 13 ; 20, 1. — III, 1, 2.8 ; 14, 5. — IV, 14, 3 ; 49, 6.

seruus : III, 1, 2.3.7.8 ; 37, 8. — IV, 62, 2. (— Dei) : I, 2, 2.3.5 ; 4, 14.16. — II, Cap. 11.12.19 ; 2, 1 ; 4, 2 ; 13, 1 ; 22, 2 ; 23, 5. — III, Cap. 14.15.33 ; 6, 2 ; 16, 9 ; 17, 3 ; 33, 4. — IV, Cap. 20 ; 10. (— Domini) : II, 8, 2. — III, 37, 12.

sexus : I, 4, 1. — III, 16, 5. — IV, 16, 7.

signo : I, 8, 3 ; 11. — II, 20, 1. — III, 7, 6 ; 26, 8 ; 35, 2. — IV, 40, 4 ; 44, *2*.3.

signum : I, Prol. 7.8.9 ; 1, 6 ; 2, 7.8.12 ; 3, 5 ; 11 ; 12, 4. 5.6. — II, 3, 13 ; 8, 9 ; 20, 1 ; 23, 7 ; 30, 2 ; 37, 1.3 ; 38, 3. — III, 13, 3.4 ; 15, 5.18 ; 25, 1.2 ; 32, 4 ; 38, 3. — IV, 21 ; 28, 3 ; 43, 2 ; 57, 7. (— crucis) : I, 1, 4 ; 4, 7 ; 10, 8.9 ; 11. — II, Cap. 3 ; 2, 1 ; 3, 4. — III, 5, 4 ; 6, 2 ; 7, 3.6 ; 35, 2. — IV, 40, 4.

silenter : III, 5, 2 ; 14, 8 ; 35, 4.

silentium : I, 7, 2 ; 8, 3 ; 9, 15. — II, 3, 11 ; 37, 1 ; 38, 5. — III, 4, 2 ; 31, 3.5 ; 32, 1 ; 38, 5. — IV, 16, 2.

sileo : I, 4, 20 ; 8, 2.3 ; 10, 11. — II, 26. — III, 6, 1 ; 9, 1 ; 15, 1.11 ; 30, 1 ; 36, 1. — IV, 12, 1 ; 13, 1 ; 14, 1 ; 18, 1 ; 28, 1 ; 36, 7 ; 57, 8.

similitudo : III, 15, 13. — IV, 5, 4.

simplex : I, 9, 19. — III, 15, 13 ; 33, 1 ; 37, 18. — IV, 11, 4.

simplicitas : I, 4, 21. — III, 15, 2.6.8.13 ; 33, 1 ; 35, 1 ; 37, 1. — IV, 14, 3 ; 27, 6.10.

simpliciter : III, 33, 1.
sincope : *v.* syncope.
sindo : I, 10, 3.
sinus : I, 2, 5.6 ; 9, 12.13. — II, 8, 10 ; 19, 1.2 ; 35, 6. — IV, 8 ; 19, 3 ; 34, *1.2* ; 36, 12.
sitio : I, 5, 4. — II, 7, 4 ; 38, 4. — III, 12, 3 ; 34, 2.
situla : I, 1, 2. — III, 16, 10.
socialiter : IV, 36, 6.
societas : III, 34, 2. — IV, 12, 5.
soliditas : III, 1, 9 ; 19, 2.
solidus : I, 9, 11.13. — II, Cap. 27 ; 27, 1.2. — IV, 1, 5 ; 57, 11.16.
solitarius : III, Cap. 26 ; 16, 1 ; 26, 1. — IV, 31, 2.
solitudo : II, 3, 5.9. — III, 7, 4 ; 16, 2 ; 38, 3. — IV, 37, 3.
sollemnia : I, 9, 8. — II, 23, 4. — III, 3, 2 ; 29, 2 ; 30, 3. 5.6. — IV, 58, 2.
sollemnitas : II, 1, 6.7.
solubilis : IV, 57, 12.
soluo : I, 3, 4 ; 12, 1. — II, Cap. 31 ; 23, 6 ; 31, 3. — III, 3, 2. — IV, Cap. 59 ; 12, 3. 5 ; 15, 4 ; 40, 5 ; 44, *2*.3 ; 49, 1 ; 59, 1 ; 62, 1.
solutio : III, 25, 2. — IV, 26, 2.
somnium : III, 1, 6. — IV. Cap. 50.51 ; 27, 9 ; 50, 2.3, 4.5.6 ; 51.
somnus : II, 22, 2. — III, 35, 3. — IV, 37, 4 ; 59, 5.
soror : I, 10, 17. — II, Cap. 33. 34 ; 33, 2.4 ; 34, 1. — III, 33, 4. — IV, 12, 2 ; 14, 4.5 ; 17, 1 ; 18, 1.
spargo : I, Prol. 4. — III, 15, 13.
spata : III, 37, 14.
spatarius : II, 14, 1. — III, 6, 2. — IV, 27, 12.
species : I, Prol. 4. — II, 2, 1 ; 30, 1 ; 34, 1. — III, 7, 2.5 ; 16, 5 ; 34, 1. — IV, 11, 4 ; 14, 2.
spectabilis : IV, 32, 2.
spectaculum : III, 11, 1.2.3 ; 37, 13.15.
spectator : II, 3, 5.
speculatio : II, 35, 3.
specus : II, Cap. 38 ; 1, 4.5.6. 8 ; 38, 1. — III, 16, 1.2.3.5. 7.9.10.
spelunca : III, 16, 3.8.
sperno : III, 12, 2 ; 26, 6.
spero : I, 9, 19. — III, 15, 7. — IV, 5, *5* ; 11, 2 ; 50, *3* ; 60, 1.
spes : II, 3, 14 ; 6, 1. — III, 3, 2 ; 7, 10. — IV, 34, 2.
spina : II, 2, 2 ; 3, 1.
spiritalis : II, 22, 4 ; 33, 4. — III, 15, 2. — IV, Cap. 1.40 ; 4, 8 ; 14, 1.3 ; 40, 1 ; 43, 2.
spiritaliter : II, 22, 4 ; 38, 4. — IV, 36, 11.
spiritus : I, 4, 13.14.19.21 ; 10, 1.4.6. — II, Cap. 18.20 ; 8, 8.9 ; 12, 2 ; 13, 4 ; 14, 1 ; 16, *3.4.5*.6 ; 20, 1.2 ; 21, 3.4 ; 22, 4 ; 23, 6 ; 31, 2 ; 37, 2 ; 38, 4. — III, 5, 1.2 ; 7, 5.6 ; 8, 1.2 ; 11, 6 ; 14, 3.5.10.14 ; 21, 4 ; 24, 3 ; 26, 6 ; 33, 7 ; 34, 2 ; 37, 18. — IV, Cap. 3. 30.57 ; 1, 1.2.4 ; 3, 1.2. ; 4, 8 ; 5, 4 ; 9, 2 ; 12, 3 ; 14, 1.3 ; 17, 3 ; 18, 3 ; 22, 1.2 ; 24, 1 ; 30, 1.2.4 ; 33, 2 ; 37, 12 ; 40, 3.7.8.11 ; 43, 3 ; 50, 6 ; 55, 2 ; 56,1 ; 57, 6.7. (diuinus —) : I, 1, 6. (paraclitus —) : II, 38, 4. (sanctus —) : I, 1, 6 ; 9, 6. — II, 21, 3. — IV, 1, 4.5 ; 11, 2 ; 41, 3 ; 42, 1.

splendor : II, 35, 2.3. — IV, 13, 2 ; 16, 5.
sponte : II, 33, 4. — III, 17, 10 ; 21, 4.
stabilitas : I, 4, 20. — III, 7, 10.
statuo : II, 3, 13 ; 8, 5.
status : II, 8, 2. — III, 14, 14 ; 25, 2.
stipendium : I, 9, 2.17. — IV, 20, 2 ; 51 ; 57, 8.
stola : III, 24, 1.
studeo : I, 10, 7.13.16.19. — II, 11, 1. — III, 5, 1 ; 15, 7.11 ; 26, 4.6. — IV, 13, 1 ; 15, 3 ; 22, 2 ; 27, 6 ; 57, 14.
studiose : I, 10, 11. — II, 36. — IV, 15, 3 ; 36, 5 ; 49, 2.
studiosus : III, 18, 1. — IV, 16, 2.
studium : I, 4, 1.4.9 ; 7, 1 ; 10, 1. — II, Prol. 1 ; 1, 1 ; 4, 1.3; 8, 1 ; 11, 1.—III, Prol.; 1, 2 ; 9, 2 ; 11, 1 ; 15, 2 ; 26, 4. — IV, 9, 1 ; 28, 1.
stulte : II, 19, 2.
stultiloquium : IV, 53, 1.
stultitia : II, 4, 1.
stultus : I, 5, 4. — II, 8, 10. — III, 15, 16. — IV, 1, 5 ; 4, 7.
stupeo : I, 10, 15. — II, 8, 8 ; 34, 2 ; 35, 5. — III, 5, 5 ; 19, 5 ; 30, 7 ; 31, 8 ; 32, 1 ; 37, 8.
stupesco : II, 35, 4.
suauis : II, 35, 1.
suauitas : III, 30, 5. — IV, 15, 5 ; 16, 5.7 ; 17, 2 ; 37, 8 ; 49, 5.
subcinericius : I, 11.
subdiaconus : II, 8, 1 ; 28, 1. — III, 17, 1.3.4.5.
subsequor : I, 4, 9.13.14 ; 10, 7 ; 12, 1. — II, 31, 2. — III, 14, 2 ; 29, 3. — IV, 37, 5 ; 43, 2 ; 49, 7.
subsidium : I, 9, 17. — III, 14, 4.
subtilitas : IV, 4, 9 ; 27, 1.2.3 ; 46, 9.
subtiliter : II, 22, 2 ; 35, 4 ; 36. — III, 7, 6 ; 35, 4. — IV, 3, 3 ; 14, 5 ; 36, 5 ; 38, 1 ; 47, 3 ; 57, 9.
superbe : III, 12, 4.
superbia : II, 20, 1.2 ; 28, 2. — III, 1, 3 ; 4, 2 ; 14, 3.14. — IV, 40, 6.
superbus : I, 4, 13 ; 5, 6. — II, Cap. 20 ; 8, 9.—IV, 36, 14.
superior : II, 35, 7. — III, 17, 14 ; 34, *3*.5 ; 35, 4 ; 36, 3.4. — IV, 3, 2 ; 13, 2 ; 27, 4 ; 44, 1.
superius : I, 10, 20. — III, 16, 9 ; 26, 9 ; 33, 1. — IV, 6, 3 ; 7, 1 ; 34, 1 ; 37, 14.16 ; 40, 6 ; 42, 3 ; 43, 6.
supernus : I, 4, 4.15. — II, 2, 2. — III, 11, 3 ; 14, 14 ; 20, 3 ; 29, 1 ; 30, 1 ; 31, 5 ; 37, 17 ; 38, 5.
supplicium : II, 31, 1. — III, 34, 2.4.5. — IV, Cap. 34 ; 3, 2 ; 37, 3 ; 46, *1*.3.5.8 ; 57, 14.16.
susceptio : II, 22, 1.
suscipio : I, 4, 3 ; 7, 5.6 ; 10, 10.15. — II, 6, 1 ; 8, 2 ; 18. — III, 26, 5 ; 36, 3 ; 37, 10. 14.17. — IV, 4, 1.2 ; 5, 9 ; 15, 3.4.5 ; 17, 1 ; 20, 4 ; 40, 7 ; 48 ; 57, 4.5 ; 59, 5.
suscito : I, 2, 5. — II, Cap. 32. — III, Cap. 17 ; 17, 8 ; 33, 1.
suspendo : II, 23, 1 ; 31, 1. — IV, 22, 1.

suspense : II, 23, 1.
suspiro : II, 35, 1. — III, 34, 3. 4.
syncope : III, 33, 7.

taceo : I, Prol. 2 ; 4, 8 ; 9, 6.7. — II, 27, 1. — III, 1, 5 ; 17, 5.8 ; 32, 1. — IV, 15, 4 ; 37, 4.
tacitus : I, 2, 8. — II, 20, 1.2. — III, 14, 8 ; 26, 6.
taedium : II, 25, 1.
talentum : III, 24, 3. — IV, 62, 2.
tantillus : IV, 12, 4.
tarditas : II, 35, 8.
temeritas : IV, 55, 4.
temero : I, 4, 21. — II, 16, 1. — III, 29, 4.
tempestas : I, Prol. 5. — II, 15, 3. — III, 36, 2. — IV, 27, 13 ; 28, 2 ; 59, 2.4.
templum : I, 9, 9. — II, 8, 11 ; 21, 3. — III, 7, 2.6.8.
temporalis : III, 1, 5 ; 17, 5 ; 37, 18 ; 38, 4. — IV, 28, 1 ; 57, 8.
temporaliter : II, Prol. 1.
temptatio : I, 4, 1 ; 5, 3. — II, Cap. 2 ; 2, 1.3.4. — III, 7, 2.3.5.7.8 ; 16, 5. — IV, 4, 1.8.
temptator : II, 2, 1.
tempto : I, 4, 2. — IV, 4, 3.
tenebrae : II, 8, 2 ; 33, 2 ; 35, 2. — III, 2, 3 ; 30, 6. — IV, 1, 3.5 ; 11, 1.2 ; 14, 3 ; 43, 2.
terra : I, 2, 10 ; 4, 21 ; 9, 18 ; 12, 2.3. — II, Cap. 24 ; 14, 2 ; 15, 1 ; 23, 6 ; 24, 2 ; 28, 1 ; 30, 1 ; 31, 3 ; 35, 7. — III, 1, 7 ; 3, 1.2 ; 7, 8 ; 9, 3 ; 10, 3 ; 13, 3 ; 14, 1.5.13 ; 15, 3.18 ; 16, 5.6 ; 25, 1 ; 34, *3*. 4 ; 35,6 ; 37, 8.14 ; 38, 3. — IV, 3, *3* ; 10 ; 23, 2 ; 24, 1 ; 26, *3* ; 32, 4 ; 33, 3 ; 36, 12 ; 40, 5 ; 43, 6 ; 44, 1.*2*.3 ; 57, 11 ; 59, 5 ; 60, 3.
terrenus : I, Prol. 4 ; 5, 2. — II, 4, 1. — III, 15, 13 ; 31, 2. — IV, 27, 3 ; 28, 1.
terreo : III, 36, 4. — IV, 16, 5 ; 20, 4 ; 22, 1.
terribilis : III, 20, 3 ; 24, 3 ; 38, 3. — IV, 27, 14 ; 33, 1 ; 36, 10 ; 40, 10.
terribiliter : I, 9, 5. — II, 8, 6.
terror : II, 31, 2. — III, 1, 9 ; 16, 3 ; 30, 4.5. — IV, 15, 4.
testificor : III, 6, 1. — IV, 27, 11.
testimonium : I, 11 ; 12, 6. — II, 2, 4.5 ; 3, 12. — IV, 30, 4 ; 37, 14 ; 56, 2.
testis : III, 7, 1. — IV, 4, 2 ; 22, 2.
testor : I, 2, 10. — III, 5, 1 ; 8, 1 ; 9, 2 ; 11, 3 ; 12, 2 ; 20, 1 ; 27, 1 ; 30, 1.7 ; 32, 3. — IV, 2, 1 ; 4, 7 ; 12, 4 ; 17, 3 ; 19, 3 ; 20, 1 ; 28, 5 ; 34, *2* ; 35 ; 36, 12 ; 37, 3.12 ; 40, 2 ; 53, 1 ; 54, 1 ; 55, 1 ; 56, 1 ; 59, 2.5.
timor : I, 4, 13 ; 9, 9. — III, 7, 10 ; 34, 2. — IV, 12, 1 ; 16, 5 ; 20, 4.
tintinabulum : II, 1, 5.
tormentum : I, 4, 21. — II, 31, 1.2. — III, 18, 3 ; 32, 1. — IV, Cap. 36 ; 30, 2.5 ; 34, *2*.3 ; 36, 12.14 ; 37, 2.4 ; 46, 1.9.
torqueo : II, 31, 1.
tortitudo : II, 3, 3.
tranquille : III, 14, 7.
tranquillitas : II, 3, 5.

tranquillus : II, 2, 4 ; 3, 4.
transeo : III, 14, 10 ; 31, 2.
transitorius : II, 4, 1. — III, 1, 3 ; 27.
transitus : IV, Cap. 14.15.16. 17.18.20.23.24.58.
tremebundus : II, 6, 2. — IV, 33, 2.
tremefactus : I, 3, 3. — II, 12, 2 ; 31, 3. — III, 5, 3.
tremo : I, 4, 13.14. — II, 25, 2 ; 32, 3. — IV, 16, 6 ; 19, 3 ; 23, 2 ; 40, 7.10 ; 49, 7.
trepidatio : III, 13, 3.
trepido : IV, 33, 2.
trepidus : II, 14, 2.
tribulatio : III, 30, 7. — IV, 41, 5.
tribunal : III, 1, 6.
tribunus : III, 19, 1.2.
tripedica : II, 30, 1.
tristis : I, 10, 17. — III, 14, 9 ; 33, 8. — IV, 19, 5 ; 36, 4 ; 57, 14.
tristitia : IV, 36, 3 ; 57, 13.
triticum : I, 9, 17. — II, 1, 1 ; 21, 1.
tumidus : IV, 40, 6.
tumulus : IV, 33, 3.
tunica : I, 9, 16. — III, 15, 18.
turba : III, 2, 3 ; 7, 4.6 ; 11, 2 ; 15, 14 ; 37, 15. — IV, 4, 1 ; 16, 5.
turbo, as : II, 32, 1. — III, 7, 4 ; 35, 4 ; 36, 3. — IV, 40, 7.8.
turbo, inis : I, 4, 20. — II, 15, 3.
turgidus : III, 1, 3.
typus : III, 1, 3.

uaco : I, 8, 1 ; 9, 10. — III, 15, 10 ; 17, 4 ; 23, 4 ; 38, 3. — IV, 15, 3 ; 20, 1 ; 42, 1.
uacuus : I, 2, 4 ; 9, 10. — II, Cap. 29 ; 29, 1.2. — III, 7, 6 ; 22, 3 ; 36, 5 ; 37, 2.20.
uallis : I, 4, 12 ; 12, 1. — II, 1, 6 ; 38, 1. — III, 16, 6.
uanga : III, 14, 6.
uanitas : IV, 50, 6.
uas : I, 7, 5 ; 9, 3.4.14. — II, 3, 4 ; 7, 1 ; 28, 1.2 ; 29, 2. — III, 7, 6 ; 36, 2.
uasculum : I, 7, 6 ; 9, 3.4.14. — II, 18. — III, 24, 3 ; 26, 1 ; 37, 3.
uenenum : II, Cap. 8 ; 3, 4 ; 8, 2 ; 27, 3. — III, 5, 3.4.
ueneratio : III, 11, 3 ; 12, 1 ; 24, 2.
ueneror : I, 1, 7. — II, 8, 9. — III, 6, 2 ; 13, 3 ; 31, 5 ; 37, 15. — IV, 4, 10.
uenia : III, 34, 2. — IV, 42, 5 ; 62, 1.
uepres : II, 2, 2 ; 6, 1.
ueraciter : I, 9, 1. — III, 4, 3 ; 31, 5. — IV, 1, 3 ; 5, 5 ; 12, 4.
uerax : III, 8, 1 ; 10, 1 ; 17, 1 ; 34, 3. — IV, 4, 2.8 ; 55, 1.
uerbum (*Christ*) : III, 32, 2.
uerecundia : I, 10, 2. — III, 7, 8 ; 14, 9. — IV, 33, 2.
uerecundor : III, 7, 7.
ueritas : I, 1, 7 ; 2, 11 ; 4, 6. 18 ; 7, 6 ; 9, 13 ; 10, 7. — II, 38, 4. — III, 12, 4 ; 21, 4 ; 27 ; 31, 8 ; 32, 1 ; 35, 1 ; 37, 1. — IV, 4, 5.8 ; 26, 1 ; 28, 6 ; 30, 3.5 ; 36, 13.14 ; 41, 3 ; 46, 1.7 ; 54, 1 ; 62, 1.2.
uertex : III, 16, 4.
uesania : I, 10, 9.10. — III, 11, 1.
uesper : III, 15, 6 ; 33, 9 ; 37, 10 ; 38, 2. — IV, 22, 1 ; 54, 2.
uesperesco : I, 10, 6.17. — III, 7, 3.

uespertinus : II, 20, 1.
uestibulum : I, 9, 18.
uestimentum : I, 9, 12. 16. — II, 4, 2. — III, 14, 8 ; 15, 18 ; 17, 2 ; 18, 2.3 ; 19, 4. — — IV, 23, 1 ; 27, 2 ; 56, 2 ; 57, 4.
uestis : I, 4, 10. — II, 14, 1. — III, 15, 19 ; 18, 3. — IV, 13, 3 ; 18, 1 ; 43, 3.
uestitus : IV, 38, 1.
uexatio : I, 10, 3.4. — III, 33, 3.5.
uexo : I, 4, 7.21 ; 10, 2. — II, 30, 1. — III, 6, 2 ; 14, 3 ; 21, 3 ; 33, 2.4. — IV, 6, 1.
uiaticum : IV, 16, 7.
uiator : II, 13, 1.
uicarius : II, 33, 4. — III, 1, 7.
uicis : II, 17, 2 ; 23, 6. — III, 1, 2 ; 5, 2.
uictima : IV, Cap. 60 ; 59, 3.6 ; 60, 2.
uictor : III, 19, 5.
uictoria : II, 8, 13. — III, 19, 5.
uicus : I, 4, 10. — II, 19, 1.
uidua : III, 1, 1.3.7. — IV, 36, 7.
uigilia : II, 35, 2. — IV, 37, 4.
uigilo : I, 4, 4. — III, 20, 3 ; 38, 2. — IV, 27, 9 ; 59, 5.
uilla : I, 1, 1.
uindicta : III, 15, 7.
uinea : I, 9, 2.3 ; 12, 1.
uinum : I, 9, 3.4.9.14. — II, 3, 4 ; 18. — III, 5, 2.3. — IV, 33, 1.
uiolenter : III, 29, 2. — IV, 55, 2.
uiolentus : I, 9, 10.
uirgineus : IV, 18, 3.
uirginitas : III, 21, 1.
uirgo : I, 4, 4.6.7 ; 9, 12 ; 12, 1. — III, 33, 2. — IV, Cap. 17 ; 14, 5 ; 16, 1 ; 18, 1.3.
uirtus : I, Prol. 7.9 ; 1, 3.6 ; 2, 1.6.7.8.12 ; 4, 26 ; 5, 3 ; 7, 1.3 ; 9, 5 ; 10, 1.10.11.19 ; 11 ; 12, 4.5. — II, 2, 3 ; 3, 1.13 ; 6, 1 ; 7, 3 ; 8, 1.9.10 ; 16, 9 ; 23, 1.7 ; 29, 2 ; 30, 2 ; 33, 3.5. — III, Prol. ; 1, 10 ; 3, 2 ; 5, 5 ; 6, 2 ; 7, 1 ; 9, 1 ; 10, 1.4 ; 14, 10 ; 15, 2.5.13. 18.19 ; 16, 4 ; 17, 5.8 ; 18, 3 ; 19, 5 ; 20, 3 ; 24, 2 ; 26, 7 ; 28, 4 ; 31, 2 ; 32, 2.4 ; 33, 7.8 ; 35, 1.2.3 ; 37, 1.9.17. 18.20. — IV, Cap. 6.60 ; 6, 2 ; 12, 4 ; 16, 1.3 ; 17, 1 ; 20, 1.3 ; 31, 2 ; 59, 4.
uis : I, 9, 7 ; 10, 3. — II, 23, 1 ; 31, 3 ; 38, 5. — III, 12, 3 ; 16, 3 ; 29, 3 ; 33, 10 ; 37, 4. 18. — IV, 5, 4 ; 16, 6 ; 20, 4 ; 27, 1.2.3 ; 46, 9 ; 59, 2.
uiscera : III, 5, 4 ; 17, 9 ; 35, 2.
uisibilis : III, 17, 7. — IV, 1, 3.4 ; 2, 2 ; 4, 7 ; 5, 6.7.8.9 ; 6, 3 ; 30, 2 ; 60, 3.
uisio : I. 4, 1.8 ; 5, 4 ; 12, 2. — II, Cap. 22 ; 8, 12 ; 22, 2.3. 4 ; 35, 6 ; 37, 3. — III, Cap. 38 ; 4, 7 ; 24, 3 ; 25, 1. 2 ; 34, 2 ; 36, 3 ; 38, 2. — IV, Cap. 37 ; 1, 1 ; 11, 1 ; 12, 5 ; 13, 4 ; 14, 4 ; 17, 1 ; 18, 1.3 ; 27, 4.5 ; 34, 5 ; 40, 9 ; 49, 3.4.5.6 ; 50, 5.6 ; 54, 2 ; 57, 15.16 ; 58, 1.
uisitatio : I, 4, 5. — II, 35, 1.
uisus : I, Prol. 10 ; 4, 16. — II, Cap. 31 ; 1, 6. — IV, 37, 7.
uitalis : III, 33, 7. — IV, Cap. 3 ; 3, 1 ; 5, 1 ; 12, 3 ; 15, 4 ; 32, 2 ; 40, 3.

uitium : I, 2, 11. — II, Prol. 1 ; 2, 3. — III, 14, 12 ; 16, 5. — IV, 18, 4 ; 38, 3.4 ; 40, 6.10 ; 46, 9.
uiuifico : III, 17, 13. — IV, 1, 4 ; 5, 4.7.8 ; 30, 1.2.
ultio : I, 9, 9. — IV, 37, 11 ; 43, 4 ; 46, 5 ; 56, 3.
ultor : III, 14, 3.
unanimitas : IV, 42, 1.
unanimiter : II, 3, 5.10.
uncia : III, 21, 1.2.
unda : II, 7, 1.2. — III, 19, 2. — IV, 59, 2.4.5.
unigenitus : I, 9, 6. — II, 32, 2. — IV, 1, 4 ; 60, 2.3.
uocabulum : II, 1, 3. — III, 35, 3. — IV, 11, 1 ; 16, 3.
uocatio : III, 22, 1. — IV, 27, 6 ; 36, 5.
uoco : I, 8, 2.3.4 ; 9, 4. — III, 27, 11 ; 36, 2.9.
uoluntarie : III, 1, 8.
uoluntas : I, 9, 7. — II, 30, ; 2 38, 5. — IV, 20, 2 ; 40, 2 ; 46, 7.
uoluptas : I, 10, 2. — II, Prol. 1 ; 2, 1.2.3. — IV, 4, *5*.6 ; 40, 6.
urgeo : I, 4, 5. — II, 27, 1. — III, 7, 7 ; 9, 2 ; 14, 2. — IV, 20, 4.
ursus : III, 11, 1.2 ; 15, 3.4.5. 6.7 ; 26, 3.
usitatus : III, 14, 6 ; 16, 3.
utilitas : I, 2, 2.9.11 ; 9, 7. — III, 15, 10 ; 38, 5. — IV, 4, 4 ; 9, 1 ; 31, 1 ; 40, 12.
utiliter : II, 35, 8.
uulgo : II, 2, 1 ; 11, 2 ; 18.
uulnus : II, 2, 2. — IV, 28, 3.
uulpes : I, 9, *18*.

xenium : III, 12, 2 ; 14, 9 ; 21, 2.

zelus : I, 4, 6. — III, 15, 2. — IV, 42, 1.

III. INDEX GRAMMATICAL

Ces relevés ne prétendent pas être complets. On s'est contenté de noter quelques phénomènes, illustrés — sauf exception — par un nombre limité d'exemples.

I. FORME ET SENS DES MOTS

SUBSTANTIFS

I. Déclinaison :

Ire déclin. : animabus IV, 15, 1 ; 28, 1 ; 52 ; 57, 1.

IIe déclin. : laci II, 6, 1 ; portico IV, 15, 2 ; tonitruo II, 33, 4 ; tonitruos II, 33, 4.

IIIe déclin. : arbitris IV, 37, 13 ; uesperis III, 15, 6. — diaconem I, 10, 14 ; diacone II, 23, 5 ; diaconibus I, 10, 18 (*mais* diaconus I, 10, 15 *etc.* ; diaconum II, 35, 4 ; diacono I, 10, 15 ; diaconi II, 23, 4).

Indéclin. : Ferentis (?) I, 9, 14 ; Fundis I, 1, 3 ; Merolis III, 11, 1.

Déclin. grecque : extasi II, 3, 9 ; Geneseos IV, 39, 1 ; hereseos III, 30, 1 *et* 32, 4 (*mais* heresem III, 31, 2) ; Moysen II, 8, 8 ; paralysin IV, 16, 3 ; sincopin III, 33, 7.

II. Abstrait pour concret :

iuxta carnis huius putredinem I, 4, 3 ; curarum densitas I, 4, 19 ; densitatem ueprium II, 6, 1 ; aquarum profunditas II, 6, 1 ; peruersitatem libidinis II, 8, 4 ; susceptionem hospitum II, 22, 1 ; in ipsa montis celsitudine II, 30, 1 ; cum clamoris magnitudine II, 35, 4 ; pestilentiae immanitate (uastati sunt) III, 8, 2 ; immensitatem pluuiae (ferre) III, 12, 3 ; apud... Dei... munditiam III, 15, 13 ; ex petrae duritia III, 16, 2 ; quem medicina... appellat III, 35, 3 ; dulcedo laudis caelestis (solet erumpere) IV, 15, 1 ; maiestatem Dei (blasphemare) IV, 19, 2 ; maiestatis nomen (blasphemauit) IV, 19, 3 ; magnitudine lucis plenae (mansiones) IV, 37, 9 ; putredo uitiorum (defluit) IV, 38, 3.

III. Pluriel pour singulier :

amicitiis I, Prol. 2 ; aquas I, 2, 7 ; aquas... aquas II, 7, 2 ; aquis II, 7, 3 ; Graeciarum III, 3, 1 ; uenena III, 5, 5 ; ianuae III, 19, 2 ; aquarum III, 19, 3 ; Hispanias III, 30, 8 ; Hispaniarum III, 31, 1 ; amicitiis III, 31, 1 ; barbas IV, 14, 2 ; amicitiis IV, 32, 1 ; balnea IV, 57, 5.

IV. Acceptions :

locus = monasterium IV, 36, 4 ; locus = prouincia I, 12, 1 *et* IV, 53, 1 ; locus (*sort dans l'au-delà*) I, 10, 18.19 ; IV, 37, 6.8.10.11.14. 15 ; 38, 3. — manus *métaph.* : manus tuae locutionis II, 22, 5 ; magna grauitatis... manu IV, 18, 2.

ADJECTIFS ET PARTICIPES

I. Double préfixe :

indissimilis II, 37, 3 ; inperterritus III, 16, 3 ; superinpositos I, 10, 14.

II. Déclinaison :

(domine) meus IV, 14, 4 ; liberiori II, Prol. 1 ; obsequentum II, 14, 2 ; absentum IV, 34, 3.

III. Comparatif :

Formation : iuuenior II, 3, 14 ; IV, 14, 5 (*mais* iunior III, 38, 1). *Remplace positif* : liberiori II, Prol. 1 ; honestioribus 1, 1 ; tenerioribus 8, 5 ; tardiori 12, 1 ; 13, 1.2 ; 33, 2 ; nobiliori 23, 2. — secretioribus III, 14, 2 ; nobilioris 21, 1. — tardior IV, 13, 2.

ADVERBES ET LOCUTIONS ADVERBIALES

Comparatif remplace positif : arctius II, 1, 1. — citius I, 4, 11 ; 5, 3 ; 10, 15 ; II, 27, 3 ; III, Prol. ; 1, 2.5 ; 14, 6 ; 15, 17 ; 22, 3 ; 23, 3 ; 24, 1 ; 33, 8 ; IV, 13, 1 ; 36, 8 ; 37, 7. — diutius I, 10, 18 ; III, 37, 14. — familiarius II, 31, 4. — immoderatius III, 33, 4. — longius II, 7, 1 ; 13, 2 ; 14, 1 ; III, 16, 9 ; 29, 3 ; IV, 51. — propius IV, 12, 2. — saepius II, 4, 1 ; 23, 4 ; III, 1, 4 ; IV, 57, 5. — tardius II, 12, 2.
Locution avec mente : deuota mente II, 30, 2 ; tota mente IV, 60, 1 (*cf.* proterua... mente I, 4, 14 ; secura... mente IV, 20, 3).
Repente = « *aussitôt* » : I, 4, 5 *et* 10, 3 ; III, 7, 8 ; 14, 3 ; 15, 18 (*cf.* cum repente I, 2, 7 ; repente ut I, 4, 14 = *mox ut*).

PRONOMS

Nom. sing. : isdem II, 35, 1 *etc.*
Nom. plur. : hii IV, 53, 3 *etc.*
Nom. fém. plur. : haec IV, 16, 2.

VERBES

I. Recomposition :

collegendas I, 4, 10 *etc.* ; intellegunt I, 5, 6 *etc.* ; inclausus III, 12, 3 *et* IV, 10.

II. Conjugaison :

conteruit II, 11, 1 ; exiebat I, 12, 2 ; exiebant II, 23, 4 ; inquies (*prés.*) IV, 6, 1 ; lacessiunt I, 5, 3 ; prosiliuit III, 7, 5 ; rediebat III, 33, 9 *et* IV, 31, 2 ; seruerat IV, 20, 2 ; spondit II, 22, 1 ; transiebat I, Prol. 3 *et* IV, 49, 6.

II. SYNTAXE

NOMBRE

Pluriel de politesse : rogat pater uester ne fatigari debeatis I, 4, 17.

CAS

I. Génitif :

1. *Remplace ablatif* : opus caballi non habeo I, 2, 3.
2. *Remplace accusatif* : uitae recolo I, Prol. 5 ; malorum suorum recolit III, 34, 2 ; dulcedinis recolo III, 37, 1.
3. *Remplace adjectif* : ceruicem crudelitatis II, 31, 3 ; sonitum terroris III, 30, 4 ; exemplum formidinis IV, 33, 2 (*cf.* debilitatis formidinem III, 28, 3).
4. *Après indéfini* : aliquantum intellectus II, 2, 4. — noui aliquid I, Prol. 2 ; aliquid inperfectionis IV, 16, 3 ; uulneris aliquid IV, 28, 3 ; aliquid caritatis IV, 57, 14. — multum temporis IV, 42, 3. — nihil feritatis III, 15, 3. — quicquam aedificii I, 6, 2. — tantum mali IV, 57, 10.
5. *Gén. d'identité* : populorum turbis III, 2, 3 ; humanitatis pietate III, 13, 2 ; sanctimonialis uitae conuersationem III, 14, 1 ;

uita... sanctae conuersationis III, 15, 1 ; populi turba III, 30, 3 (*cf.* bonitate utilitatis III, 15, 10 ; dono miraculi III, 32, 4 ; ereptionis... remedium IV, 57, 14).

6. *Gén. remplacé par préposition* : de personis omnibus... uerba I, Prol. 10 ; si quid de scientia II, Prol. 1 ; monacho de Monte Marsico III, Cap. 16 ; de quo... uiro aliud miraculum (cognoui) III, 11, 4 ; signum... de alia... incisione III, 13, 3 ; de his quae egerat extrema quaedam III, 37, 1 ; de domo... quae sit utilitas (ostendit) IV, 4, 4. — omnis ex illo (monasterio) congregatio II, 3, 2 ; ex quo (monasterio) ... monachi III, 15, 2 ; multi ex nostris III, 16, 1 ; nihil... ex his III, 33, 9. — omnes in eius corpore nerui III, 25, 2 ; omne in eis corpus IV, 16, 5 ; in errore suo participes III, 28, 1 (*cf.* conscium in illa uirtute II, 7, 3 ; in Honorato uenerari abstinentiam I, 1, 2 ; quanta esset in Benedicto gratia II, 16, 1).

II. Datif :

1. *Remplace génitif* : huic ecclesiae episcopus non eris I, 9, 13 ; quibus... debeat... misereri IV, 11, 2.

2. *Datif éthique* : sedebam mihi I, 4, 7 ; sibique eas abscondit in sinu II, 19, 1 ; tibique eas in sinu misisti II, 19, 2 ; sibi... quietum sedere II, 20, 1 ; sibi cum illis sororibus iocabatur III, 33, 4.

3. *Dat. remplacé par prép.* : ad Abraham... dixit I, 8, 6 ; ad... uocem respondit dicens III, 21, 3 ; ad haec... respondit dicens IV, 27, 7. — redde in hoc corpusculo animam II, 32, 3.

III. Ablatif :

Remplacé par prép. : ex humilitate mitigabat I, 7, 1 ; ex... infirmitate fatigata IV, 14, 4. — in graui iracundia exarsit I, 2, 8 (cf. III, 17, 9.12). *V. aussi* Prépositions : *In.* — defunctum per nomen uocauit I, 4, 21.

IV. Accusatif :

Accus. sujet (*attraction*) : moerorem... quem... patior...uetus est I, Prol. 3 ; me... quem uides... dominus fui IV, 57, 6.

ADJECTIFS

I. Comparatif :

Précédé de tam : tam citius III, 24, 1.

Remplacé par magis : rem... magis adhuc mirabilem I, 10, 17.

Complément avec ab : amplius a iumento... ab homine stulto IV, 4, 7.

II. Superlatif :

Précédé de tam : tam deuotissime IV, 57, 5.

Équivalents : ualde... amicus IV, 32, 1 ; ualde... intentus III, 11, 1 ; laboriosum ualde III, 20, 3 ; uir uitae ualde laudabilis IV, 35, 1 ; ualde mirum I, 5, 3 *et* 9, 19 ; II, 35, 5 ; III, 19, 5 ; IV, 57, 17 ; ualde miserabilis III, 35, 3 ; ridiculum est ualde IV, 37, 5 ; uir ualde uenerabilis III, 16, 1. — uehementer stupenda II, 35, 5 ; III, 19, 5 *et* 37, 8.

ADVERBES

Remplace adjectif : ualde infra (= inferius) credidi hoc.

Corrélation : non tam (quia)... sed (quia)... III, 24, 3.

PRONOMS ; ADJECTIFS ET ADVERBES PRONOMINAUX

I. Questions de lieu :

Vbi pour quo : ubi uis ire I, 2, 9 ; ibi ire disposui I, 1, 9 ; ibi proice II, 8, 3 ; ibi perueniens II, 8, 11 ; illic ingressi sunt II, 17, 2 ; ubi uadis II, 30, 1 ; ubi... peruenisset II, 32, 3 ; illic intrare III, 30, 5 ; illic... uenit III, 36, 1 ; conuenisse hic IV, 12, 4 ; ubi ductus fuerat IV, 32, 4.

Vnde pour qua : iter unde uenire consueuerat I, 3, 2 ; hinc ad me ingredere I, 3, 4.

II. Particularités diverses :

Alius pour alter : die alio (*le lendemain*) I, 7, 5 *et* 10, 17 ; nocte... alia IV, 49, 3 (*mais* die... altera I, 2, 9 *et* 10, 14).

Alter pour alius : dum alter aspiceret IV, 20, 2 ; de quo... alter uidit IV, 38, 1.

Aliquid pour quicquam : dicere aliquid nullo modo potuerunt IV, 20, 4.

Aliquid superflu : tractare de eius aliquid morte conati sunt II, 3, 3 ; plus se caeteris aliquid fuisse meminerunt II, 23, 2.

Omnis pour totus : corpusculum... omne II, 32, 3 ; omnis domus III 1, 9 ; omne... corpus IV, 16, 5 ; mons omnis IV, 23, 2.

Qualis pour quis : uerbis qualibus ualuit I, 9, 17 (*cf.* quale uultis pretium dabo I, 10, 13).

Quicquam pour aliquid : quia ultra uires suas uoluit quicquam praesumere I, 3, 10.

Tanti pour tot : tantorum uirorum manus II, 9 (*cf.* tantos... fuisse audio... uiros III, 19, 5).

Vnde pour de quo : Vnde... narrasse me memini quod... IV, 15, 2.

Vnus, article indéf. : una Dei famula I, 4, 7 ; cum uno paruo puerulo I, 9, 3 ; cum uno paruulo infante III, 13, 2 ; unus frater cuius... IV, 36, 4.

PRÉPOSITIONS

Ad (*but*) *avant ab* (*point de départ*) : ad... specum a... cella II, 1, 5 ; ad... gratiam a... mente II, 1, 8 ; ad fidem Dei ab idolorum cultu II, 19, 1 ; ad terram tuam a me III, 1, 7 ; ad ecclesiam... ab eodem monte III, 17, 1 (*mais* a seruitio ad libertatem III, 1, 8 ; ab otiosis ad noxia III, 15, 16 ; ab... herese ad... fidem III, 31, 1).

Gratia avant son régime : gratia exhortationis III, 21, 2.

In (= *cum*) descendentibus in timore periculum II, 5, 1 ; in quanta uelocitate II, 14, 2 ; in summa uelocitate III, 20, 1. — (= *per*) in obiectione... patuit causa II, 16, 9. — (*superflu*) in graui iracundia exarsit I, 2, 8 ; equo in cursu fatigato I, 4, 16 ; redde in hoc corpusculo animam II, 32, 3 ; in utraque... sententia demonstratur IV, 4, 8 ; allegationi in qua... cogimur credere IV, 6, 3 ; mihi... in amicitiis... iungebatur IV, 32, 1 (*cf.* I, Prol. 2 ; III, 31, 1),

In + ablatif (*mouvement*) [1] : in Campaniae partibus... uenit I, 2, 4 ; cum... in uasis omnibus misisset I, 9, 4 ; cumque... uenisset in eodem monasterio II, 4, 2 ; tali... in loco proice II, 8, 3 ; in quo... ingressus est II, 30, 1 ; in Corinthi partibus aduenit III, 2, 1 ; in eisdem partibus deuenisset III, 5, 2 ; in locis istis non exeas (*mais* exire... in loca eadem) III, 10, 3 ; in suis rapere domibus III, 14, 4 ; sese in lamentis dedit III, 15, 6 ; se in... montis foramine contulit III, 16, 2 ; proiecti in ignibus III, 18, 3 ; in eisdem apibus rapinam... ingerere III, 26, 2 ; in eis ...saeuire III, 26, 4 ; in multis speciebus... diuiditur III, 34, 1 ; uela in undis proiecta III, 36, 2 ; in tanto... culmine erexit III, 37, 18 ; in quo... dum uenissent IV, 22, 1 ; in secretis caelestibus... oculum... mittunt IV, 27, 1 ; uersi in uulneribus IV, 28, 3 ; reductus in corpore est IV, 37, 6 ; formemus in proximis gratiam benignitatis IV, 62, 3.

Per omnia (*absolument, certainement*) : sciens per omnia IV, 19, 1 ; oportet ut per omnia... credas IV, 29, 1 ; necesse est per omnia ut... IV, 29, 1.

Post : post tergum ductis oculis I, Prol. 5 ; reuersi post se I, 2, 3 ; post semetipsum concidit I, 3, 3 ; post terga respexit II, 7, 2.

---

1. On a omis les cas nombreux et peu sûrs où le mot régi se termine par une voyelle susceptible d'être suivie de *-m*. — Comparer III, 4, 1 : *Corinthi deuenit* ; III, 6, 1 : *Narniis uenisset* (cf. I, 9, 14 : *Ferentis reuersi sunt*, mais il s'agit peut-être d'un indéclinable). Inversement III, 37, 4 ; *eos uerbis consolabatur foras*. Voir aussi plus haut PRONOMS, QUESTIONS DE LIEU.

Sub = cum : sub celeritate I, 4, 7.13 ; sub breuitate II, 16, 7 ; sub omni celeritate III, 1, 5 (*mais* tanta... celeritate II, 31, 3) ; sub festinatione III, 7, 7 ; sub omni festinatione III, 11, 4 ; sub festinatione (*bis*) III, 11, 6 ; sub omni asperitate III, 12, 2.

Super = post : super eum uiuere nolebat I, 8, 4 ; ne septem dies super te...faciam I, 8, 4.

VERBES

I. Voix :

Déponents devenus actifs : minare (*inf.*) I, 2, 2 ; largire (*inf.*) I, 9, 10 (*mais* largiri II, 23, 6) ; merui II, 1, 7 ; meruit IV, 27, 14 *et* 61, 2.

Déponents à sens passif : dum... fuisset ...depopulata III, 1, 1 ; ab illo... uenerantur III, 6, 2 ; ut... experiretur Israel III, 14, 4 (? *Cf. Jg 3, 4* : Israelem) ; a... fidelibus uenerari III, 31, 5 ; depopulatae urbes III, 38, 3 ; uenerari debes IV, 4, 10 ; a cunctis... abominatus sit IV, 57, 11 ; ab omnibus esset abominatus IV, 57, 13.

Intransitif à sens passif : ne ... panis a coquentibus remansisset (= relictus esset) III, 37, 5 (*cf.* ne cui... remansisset *ibid.*).

II. Régime :

Conuenit impers. avec deux datifs : suis illorumque moribus conuenire non posse II, 3, 2 ; quia uestris ac meis moribus non conueniret II, 3, 4.

III. Temps :

Présent pour futur : insinuo si ...distinguo I, Prol. 7 ; narro *etc.* Prol. 10 ; recedis 2, 5 ; obtinere 2, 7 ; facio 4, 3 ; ecce... subsequor 4, 13 ; si... non egredimur, iam crastina non eximus 4, 15 ; si... audis... citius agnoscis 5, 3 ; loquimur 12, 7. — si... audis citus agnoscis II, 3, 12 ; uenio... emendo 4, 2 ; non facio 13, 1 ; regnas 15, 1 ; manc - paris 16, 1 ; inuenis 18 ; uenio... ostendo 22, 1 ; uenire 22, 2 ; excommunico 23, 3 ; priuare 23, 4 ; replico 30, 4. — facio III, 1, 5 ; habes 8, 1 ; eicit 14, 3 ; leuat 15, 12 ; capit 22, 2 ; restituit 25, 1 ; conticescimus 25, 3 ; narro 33, 1 ; ingreditur 33, 5 ; narro 37, 1 ; occidere 37, 16. — respondet IV, 2, 1 ; inuenio... laboro 6, 1 ; suscipio 17, 1 ; sileo 18, 1 ; eicio... redit 28, 2 ; uenire 40, 2 ; audire 40, 11 ; cognoscis 42, 3 ; ostendimus 52 ; retribuo 58 ; soluit... sumit 62, 1 ; exigimur 62, 2.

Parfait pour futur (*prophétique*) : mortuus est I, 9, 8.

Futur pour présent (*esse auxiliaire*) : facturus non eris IV, 49, 6.

Participe présent à sens passé : benedicentes II, 1, 7 ; cognoscentes II, 1, 8 ; faciens II, 9 ; euntes IV, 36, 4.

Parfait pour présent (*esse auxiliaire*) : inclausus fuit III, 16, 1. — fuerit laxatum IV, 25, 1 ; recordatus fueris IV, 62, 1 (= *Vulg.*).

Plus-que-parfait pour imparfait (*esse auxiliaire*) : missus fuerat II, 19, 1 (*ainsi 24 fois*). — egressus fuisset I, 2, 11 (*ainsi 18 fois*).

Plus-que-parfait pour imparfait (*verbes périphrastiques*) :

1. *Debeo* : consensum... praebuit ut... deduci debuisset I, 4, 11. *Ainsi* I, 4, 15 ; 5, 4 ; 9, 10 ; 9, 17. — II, 5, 1 ; 8, 9 ; 22, 1.2.3 ; 28, 1. — III, 2, 1 ; 30, 2 ; 31, 5 ; 34, 5 (ut... commemorari debuisset ; *cf. Reg. 7, 23 = Ep. 7, 26* : ut... diceretur) ; 37, 2 ; 37, 10 (*bis*) ; 37, 12 ; 38, 5. — IV, 15, 4 ; 27, 3.6 ; 28, 4 ; 32, 5 ; 37, 4 ; 42, 3 ; 54, 1.

2. *Possum* : ita ut tremeret atque... uix sufficere lingua potuisset I, 4, 14. *Ainsi* I, 7, 2 ; 8, 16 ; 9, 2.12.14. — II, 1, 2 ; 3, 11 ; 9 ; 16, 1 ; 21, 1 ; 22, 1.3 ; 28, 2 ; 32, 4. — III, 4, 1 ; 8, 2 ; 13, 3 ; 15, 2.18 ; 16, 6.7 ; 26, 4 ; 35, 3. — IV, Cap. 57 ; 12, 3 ; 13, 1 ; 20, 4 (*bis*) ; 28, 2 ; 36, 11 ; 38, 1 ; 40, 12 ; 42, 5 ; 57, 13.

3. *Volo* : si... uoluissem... stilus... non susciperet I, Prol. 10. *Ainsi* III, 2, 2 ; 15, 4. — IV, 37, 12 ; 57, 5.

Plus-que-parfait pour imparfait (*autres cas*) : uas quod tenuerat... submittens II, 7, 1 ; defensoris filius fuerat qui... tenebat II, 20, 1 ; quae fuerat dignus audire mandauit III, 26, 5.

Imparfait pour plus-que-parfait : esset I, 2, 6 ; inuaderent I, 9, 4 ; ageret I, 9, 8 ; excederet... relinqueret... inueniret II, 3, 5 ; despicerent... ponerent... scirent IV, 6, 1 ; diligeret IV, 11, 1.

IV. Modes :

1. *Indicatif dans l'interrogation indirecte* : meminit qualis... fuit I, Prol. 3 ; perpendo... quid tolero Prol. 4 ; dicas si... reliquit 1, 8 ; perpendis... quantum... ualeat 2, 7 ; indicauit... qualiter accepit 4, 8 ; cognosce... in quanta... custodia sunt 4, 18 ; nosse cuius... esse potuit 5, 3 ; pensandus est cuius... fuit 5, 6 ; probari... si potest 8, 6 ; perpende... quam dilectum... adtendit 12, 3. — respondeas si... debuit II, 3, 10 ; non aspicitis quis est qui... trahit 4, 2 ; nuntiauerunt... in quanta uelocitate fuerant deprehensi 14, 2 ; inuenis quid intus habet 18 ; unde corripiebatur ignorabat 19, 2 ; narrauit quanto... spiritu intumuerat et quae... dicebat 20, 2 ; ad memoriam rediit quae... mandauit 23, 4 ; quale... miraculum ualuit obtinere subiungam 31, 4. — cuius uitae... fuerat memores III, 13, 3 ; pensa... quam grauis culpa est 15, 9 ; monstrare... quantae uirtutis fuerat 16, 4 ; perpende ...in quo... uertice stetit 16, 4 ; scis... quid conuenit 37, 12. — ostenditur in quo... culmine sedebat IV, 20, 3 ; ostendit quid... pertulit 33, 4 ; nosse si... agnoscunt 33, 5 ; datur intelligi quae erit 35, 1 ; discere... si... credendus est 40, 13 ; perpendo quae dicis 43, 5 ; indicauit... qualiter... natauerat et quotiens... supersederat 59, 4.

2. *Indicatif à l'irréel* : si... fuit, unde... rediit ? II, 3, 6. — despiciendus... fuerat etiam si blandiretur III, 38, 4 ; multa... fuerant quae debuissent 38, 5. — si... non susceperat, cur... admonebat IV, 4, 2 ; si... bonum est manducare... melius fuisse uidebatur 4, 4 ; unde sperare debuit terminum 11, 2 ; si... non iret... erubescebat, sin... iret pertimescebat 33, 2.

3. *Infinitif après dico = « j'ordonne »* : eum sibi inpleri dixit III, 37, 2 (*mais* dicens ut... redderet II, 27, 2 ; dic episcopo proiciat IV, 54, 2).

4. *Infinitif de but* : te misi hominem deducere, non faenum portare I, 4, 14 ; ad fratres uado potionem eis dare II, 30, 1.

5. *Infinitif pour subjonctif* : ut habeatis qualiter minare I, 2, 2.

6. *Infinitif et supin* : quod dictu nefas est IV, 33, 1 ; quod dici nefas est IV, 46, 2.

7. *Subjonctif par attraction* : seruaret II, 16, 3 ; euerteret III, 9, 2.

V. Auxiliaires périphrastiques :

1. *Coepi* : coeperunt... inridere I, 1, 1. *Ainsi* I, 1, 2 ; 2, 2.4 ; 4, 2 ; 5, 4.5 ; 6, 2 ; 8, 4 ; 9, 3.4.11.12 ; 10, 4. — II, 1, 1 ; 3, 3 ; 19, 2 ; 31, 3. — III, 14, 4.5 ; 15, 5.6 ; 16, 10 ; 17, 4.5 ; 20, 1.3 ; 21, 2 ; 29, 2 ; 31, 2 ; 33, 3.9 ; 37, 2.4. — IV, 13, 3 ; 14, 2 ; 18, 3 ; 19, 3.5 ; 22, 1 ; 33, 2 ; 35, 1 ; 36, 8 ; 40, 3.4.5.7 ; 57, 10.14.

2. *Conor* : tractare... conati sunt II, 3, 3. *Ainsi* III, 26, 3.

3. *Consueui* : infligere... consueuerant I, Prol. 1. *Ainsi* Prol. 3 ; 1, 1 ; 2, 1.5 ; 3, 2 ; 4, 19 ; 9, 16.18. — II, 14, 1 ; 23, 4. — III, 9, 1 ; 15, 6.18 ; 16, 9.10 ; 26, 3 ; 32, 1 ; 33, 2 ; 37, 1. — IV, 13, 1 ; 19, 2 ; 31, 1 ; 33, 1 ; 37, 3.5 ; 38, 1 ; 40, 6.10 ; 49, 4 ; 57, 3.8 ; 58, 1 ; 59, 1.

4. *Curo* : fratres... mittere... curabat II, 19, 1. *Ainsi* I, 4, 19. — II, 6, 2. — III, 7, 3 ; 11, 4 ; 16, 9 ; 21, 1. — IV, 11, 3 ; 20, 1 ; 34, 3.

5. *Debeo* (*toujours au subjonctif sauf debuit III, 38, 5*) :

après ut/ne : occasionem quaeris ne debeas praestare I, 4, 3. *Ainsi* I, 4, 11.15.17 ; 5, 4 ; 9, 10.17. — II, 2, 3.5 ; 3, 2 ; 5, 1 ; 22, 1 ; 28, 1 ; 31, 3. — III, 2, 1 (*bis*) ; 20, 3 ; 25, 2 ; 30, 2 ; 34, 5 ; 37, 2.10(*bis*).12 ; 38, 5. — IV, 11, 2 ; 15, 4 ; 27, 3.6 ; 28, 4 ; 36, 8 ; 37, 4 ; 42, 3 ; 46, 4.

après quatenus : quatenus illic fieri hortus deberet II, 6, 1. *Ainsi* III, 31, 5.

après un pronom : uiderent... quod... amare debuissent II, 8, 9. *Ainsi* II, 22, 1 ; 27, 1. — III, 38, 5. — IV, 24, 2 ; 32, 5 ; 54, 1.

après un adverbe : quaero ubi requiescere debeam I, 10, 6. *Ainsi* II, 22, 2.3. — III, 37, 17 ; 38, 5. — IV, 41, 4.

6. *Dignor* : exaudire... dignatur Deus I, 9, 19. *Ainsi* II, 1, 6 ; 5, 3 ; 15, 1. — III, 15, 18 ; 16, 7. — IV, 12, 3 ; 33, 4 ; 57, 13.

7. *Habeo* : uelle habuit (= uoluit) I, 9, 6. — accepta habent (= acceperunt) III, 14, 12 ; cognitum habuit (= cognouit) 38, 1 (*cf.* ausum... haberet [= auderet] 33, 5).

8. *Incipio* : ut ...febrire inciperet I, 4, 4.

9. *Inuenior* : sic ut... inueniretur diuisum II, 1, 1.

10. *Mereo(r)* : obtinere... ut... exire mereretur III, 22, 3 ; peteret ut sanari mereretur 25, 1. — percipere meruit IV, 27, 14 ; obtinere meruit 61, 2.

11. *Permittor* : ut... sentire minime permittantur IV, 15, 1.

12. *Possum* :

après ut/ne : ita ut... uix sufficere lingua potuisset I, 4, 14. *Ainsi* I, 8, 6 ; 9, 2. — II, 1, 2 ; 3, 1 ; 9 ; 16, 1 ; 21, 1 ; 28, 2. — III, 8, 2 ; 12, 2 ; 15, 2. — IV, Cap. 57 ; 12, 3 ; 20, 4 ; 28, 2 ; 40, 12 ; 42, 5.

après quatenus : quatenus... potuisset euellere III, 16, 7.

après un pronom : piscem... qui... potuisset... sufficere I, 1, 2. *Ainsi* I, 1, 4 ; 2, 8 ; 5, 3 ; 9, 14. — II, 1, 5 ; 22, 1.— III, 3, 2 ; 4, 1 ; 8, 1 ; 13, 1 ; 15, 18 ; 26, 3.4 ; 27. — IV, 15, 2.3 ; 20, 4 ; 23, 1 ; 36, 11 ; 38, 1 ; 43, 3.

après un adverbe : quamlibet parum oleum exire potuisset I, 7, 5. *Ainsi* I, 9, 12. — III, 16 ; 6 ; 35, 3. — IV, 30, 4 ; 34, 3 ; 57, 13 ; 59, 3.

après diverses conjonctions : requisitus si construere... potuisset II, 21, 3. *Ainsi* III, 13, 3 ; 16, 7. — IV, 13, 1 ; 59, 6.

à l'infinitif : numquidnam credendum est huic... spiritum adesse potuisse ? II, 21, 3. *Ainsi* III, 14, 3 ; 26, 7. — IV, 18, 4 ; 38, 6,

13. *Praesumo* : qui... facere contumeliam praesumpsisset I, 2, 10. *Ainsi* I, 3, 4. — III, 26, 2.

14. *Soleo* : cum multa... de eo soleant narrare III, 15, 18. *Ainsi* III, 17, 1. — IV, 15, 1 ; 17, 1 ; 32, 5 ; 36, 1.12 ; 38, 1 ; 40, 1 ; 51, 6 ; 57, 2.5.

15. *Studeo* : *v. Index Verborum.*

16. *Sum* : ut est lingua... animam... necans I, 4, 11.

17. *Valeo* : uix... ualeo uidere I, Prol. 5. *Ainsi* I, 4, 15. — II, 33, 1 (*bis*). — III, 22, 3 ; 38, 5. — IV, Cap. 57 ; 1, 2 ; 5, 1 ; 20, 1 ; 25, 2 ; 47, 2 ; 51, 6 ; 53, 3 ; 57, 1.

18. *Videor* : oliuae... inesse uidebantur I, 7, 5. *Ainsi* I, 6, 1.2 ; 7, 6 ; 11. — II, 22, 1 ; 27, 3 ; 28, 2. — III, 14, 10. — IV, 4, 4 ; 36, 12 ; 37, 8.15.16 ; 43, 1 ; 44, 1 ; 57, 2.7.

CONJONCTIONS

I. Coordination :

Sed = autem (sens faible) : II, 19, 1. — IV, 36, 8 ; 57, 13 ; 59, 3.

II. Subordination :

Cum de liaison [1] (*= et tum*) : susceptus est... cum non post multos dies... digressus est I, 4, 4 ; cui respondit... cum ecce... uir... ueniebat 4, 14 ; nec... curauit cum repente turbo... extulit 4, 20 ; seque... in orationem dedit cum mane facto... fratres uenerunt atque inuenerunt 7, 2 ; Constantius... discessit cum subito... pauperes uenerunt 9, 10 ; incubuit... cum non post multos dies... reddidit 10, 5. — animum... accendit... cum subito... reuersus est II, 2, 2 ; minus crudelis fuit cum non multo post... adiit 15, 2 ; in oratione fuit occupatus cum die tertio is... rediit 27, 2 ; rediit cum ecce post triduum... uidit 34, 1. — coepit imitari... cum repente Datius... surrexit III, 4, 2 ; praeparauit cum non post multos dies senex... peruenit 23, 2 ; sonitus excreuit cum subito... insonuit 30, 4 ; aspexit... cum repente... inuenit 37, 5 ; ibi... quieuit cum nocte media nec dormiebat nec... uigilare poterat... atque... martyr... astitit 38, 2. — feminae... circumsterunt cum subito... uidit IV, 17, 2 ; indicauit cum post uicesimum... diem... correpta est 18, 3 ; denuntiauit... cum die alio... mori coeperunt 27, 5 ; coeperunt... orare... cum repente coepit... clamare 40, 4 ; eisdem est uerbis admonitus cum post quinque dies... defunctus est 49, 3 ; pondere sum grauatus... cum ecce... quidam apparuit 59, 5.

Cum subito, mox = mox ut (*« dès que »*) : mox... reperisset I, 9, 16 ; mox... sunt ingressae 10, 2 ; mox... edidit 10, 9. — moxque... declinauit II, 8, 6 ; qui mox uenit (?) 9. — cumque... subito conspexisset III, 1, 6 ; mox... sepultum... fuerit 11, 4 ; mox... incubuit 14, 3 ; mox se... contulit 16, 2 ; mox eum... signauerit 35, 2. — mox... aliquid obstitisset IV, 19, 2.

Quamuis + indic. : quamuis... non ualuit II, 27, 3 ; quamuis... nesciebat III, 37, 20.

---

1. Nous appelons ainsi *Cum* placé en tête de phrase, à la manière d'un relatif de liaison, et signifiant « et alors... », ou « et ensuite ». La conjonction est toujours suivie d'une locution temporelle qui la précise (*repente, subito, ecce ; die alio, mane facto, non multo post*, etc.). Ce tour se rencontre chez Sulpice Sévère, *Ep.* 2, 3 (*cum repente*) ; *Dial.* 1, 11 et 2, 3 (*cum* seul) ; *Dial.* 2, 2 et 6 (*cum interim*) ; *Dial.* 3, 15 (*cum interea*). Grégoire l'emploie deux fois après un verbe à l'imparfait (I, 4, 14 ; *cum ecce* ; III, 24, 1 : *lampadis refouebat lumen cum repente beatus Petrus... constitit* ; cf. Sulp. Sév., *Dial.* 2, 6 et 3, 15), ce qui correspond à une expression française (« Il ranimait les lampes, quand saint Pierre lui apparut »). Au contraire, quand le verbe précédent est au parfait — ce qui est presque toujours le cas —, le tour n'a pas d'équivalent littéral en français. Les copistes et les éditeurs ont eux-mêmes hésité à mainte reprise devant ce tour, comme on le voit dans notre apparat critique.

Quatenus relayant ut : ut sic monasteriis praeesset quatenus... discurreret I, 4, 10. *Ainsi* I, 7, 5.6 ; 10, 7. — II, 1, 2.6 ; 6, 1 ; 8, 9 ; 13, 4 ; 33, 3. — III, 7, 1.5 ; 8, 2 ; 14, 12.13 ; 15, 7 ; 17, 3 ; 37, 12. — IV, 1, 4 ; 11, 3 ; 19, 4 ; 46, 5 ; 47, 2 ; 56, 4 ; 57, 10 (*on trouve aussi quatenus... ut* : II, 22, 4 ; III, 23, 2 *et* 33, 8, *ainsi que ut... ut* : II, 9 ; IV, 15, 5).

Quia, quod pour quin : dubium non fuit quia I, 8, 2 ; dubium non est quod 10, 19 ; nec dubium est quia 12, 5. — dubium non erat quod III, 16, 7 ; ut dubium non esset quod 33, 1 ; de quo dubium non esset quod 37, 13.

Si (= *ne*) : nec uerita est si... foedaretur IV, 14, 2. — (= *num*) : dicas... si reliquit I, 1, 8. *Ainsi* II, 3, 10 ; III, 13, 3 *et* 33, 9 ; IV, 25, 2 ; 33, 5 ; 40, 13 ; 57, 14. — (= *quod*) : mirum non est si... apparuit IV, 36, 11.

Sicut = *ut* (*causal, « vu que »*) : sicut... moris est ut I, 4, 11 ; sicut quidam... solent quaerere 9, 8. — sicut prauis... semper grauis est uita II, 3, 3 ; sicut perfidae mentis fuit 14, 1 ; sicut terrere solet... poena 16, 2 ; sicut nonnullis solet nobilitas... parere ignobilitatem 23, 2. — sicut... facta... innotescere... solent III, Prol. ; sicut iocundi erat... uultus 37, 2 ; sicut sunt nimiae crudelitatis 37, 13. — sicut nobilibus... morientibus multi conueniunt IV, 17, 2.

III. STYLISTIQUE

ALLITÉRATION

iter inter aquas I, 2, 7 ; conspiciens concupiuit 4, 7 ; uero ualde uilis in uestibus 4, 10 ; uir uitae uenerabilis 9, 1 *etc.* — dispensatione disponit II, 21, 4 ; sepultura separaret 34, 2. — cui quia III, 6, 1 ; uirum tantae uirtutis uidit 6, 2 ; uae uae uas uacuum 7, 6 ; ibi sibi 9, 3 ; Praenestinae... praeeminet 23, 1 ; laborantesque Langobardos laeto uultu 37, 2. — requisita rem retulit IV, 18, 2. *V. aussi* PARONOMASIE.

ANACOLUTHE

signa... atque uirtutes aut... factas... aut... suppressa I, Prol. 7 ; uellem... narrares neque... uideatur qualiter... tenenda sit... qualiter declaratur Prol. 9 ; est plane sed si sit qui uelit imitari 2, 8 (cf. IV, 2, 2) ; clericus... qui ea quae... narrat... non sunt premenda 9, 15. — praeire... consedisse III, 7, 3 ; quando... egressus est tantumque crescens ut 19, 2 ; fur qui... timuerat hunc mortuus tenebat 22, 2 ; hoc ei currentes per circuitum et carmine... dedicantes 28, 1. —

habent... fidem sed utinam in Deum IV, 2, 2 ; hinc... redarguendi sunt quia... cur... non credunt ? 2, 2 ; alia quae... profert alia uero in quibus... disserat 4, 3 ; quotiens... fuisset... qualiter... natauerat et quotiens... supersederat 59, 6. *V. aussi* ASYMÉTRIE.

ASYMÉTRIE

magna debet... dispensatio et quam sit multiplex agnosci IV, 43, 4. *V. aussi* ANACOLUTHE.

CHIASME

alimentum corpori aut membra dedisset sopori IV, 49, 4.

ELLIPSE

per illum ad quem uadis (te adiuro) I, 8, 4 ; exterritus cur... praesumpsisset I, 4, 16.

ÉQUIVOQUE

sperauit ab eo (Castorio) ut eum (Basilium)... committeret I, 4, 3 ; eius (Seueri) enim eum (patremfamilias) lacrimis Dominus donauit I, 12, 2.

HYPALLAGE

ceruicem crudelitatis rigidae (rigidam) II, 31, 3 ; temptationis uitio (temptatione uitii ?) II, 2, 3 *et* III, 16 , 5 ; scisse non nouerant (nescisse nouerant ?) IV, 27, 13 ; mysterio reuelationis (mysterii reuelatione ?) IV, 50, 4.

HYPERBATE

qua dilectus Domino caelum Benedictus ascendit II, 37, 3.

OXYMORE

scienter nescius et sapienter indoctus II, Prol. 1 ; indocta scientia... doctam ignorantiam III, 37, 20.

PARONOMASIE

humilitatis... utilitatis I, 9, 7 ; subiectus... subactus I, 10, 16. — uiri uirtute II, 16, 9 ; uirtutis uirum III, 6, 2 ; 19, 5 ; 35, 3. — uoluit sed non ualuit II, 33, 1. — indicens... indicans II, 37, 1. — in habitu... habitabant III, 15, 2. — in prece sua... in praeceptis suis III, 15, 17. — rugiebant et fugiebant III, 26, 3. — tendere... tenere III, 28, 1. — aquas... in portu non ualuit portare III, 36, 5. — cum... ueneris et... inueneris IV, 57, 6.

PÉRIPHRASES INTERROGATIVES

quidnam hoc esse dicimus I, 2, 7 (*sic* III, 14, 11) ; quidnam hoc esset quod 2, 11 ; quidnam hoc esse dicimus ut 10, 7 ; quid esse dicimus quod 12, 4 (*sic* II, 38, 2 ; IV, 38, 2 ; *cf.* III, 31, 21). — quid ergo quod II, 3, 8 ; quis est qui 4, 2 ; quid est quod 20, 1. — quid fuisse meriti dicimus quod III, 15, 13. — quid est hoc... quod IV, 24, 2 *et* 37, 15 ; quid habetis quod 36, 4 ; quidnam est ...quod 37, 1 ; numquidnam dicimus 46, 1.

PLÉONASME

quale quantumque I, 2, 5 ; noti ac nobiles 2, 11 ; quantus qualisque 4, 20 ; subito... repente 9, 12. — longe lateque II, 8, 1 ; acceperat habere 31, 4 ; quod uel quale 37, 1. — citius et sub omni celeritate III, 1, 5 ; inmensis uocibus magnisque clamoribus 4, 2 ; longe lateque 14, 6 ; sine intermissione semper 24, 2 ; talibus tantisque 26, 9 ; sufficienter pleneque 37, 6 ; quasi... segetis more 38, 3. — presbiteram... ad se propius accedere numquam sinebat eamque sibimet propinquare nulla occasione permittens 12, 2 ; quantulo adnisu ualuit ut loqui potuisset 12, 3 ; ita ut per hoc 15, 5 ; iam modo 57, 15.

REDONDANCE

quod dum... cerneret quia... exiebant II, 23, 4. — quod... credendum est quia... hoc obtinuit ut IV, 42, 5.

RÉPÉTITION

in... congregationem... in uirtutibus I, 2, 12 ; fur uero uenire consueuerat... unde fur uenire consueuerat 3, 2 ; in itinere in transuersum 3, 2 ; timore correptus est coepit timere 4, 13 ; in... urbe... in...

habitu 5, 1 ; uero... uero 5, 4 ; in ea in... uitibus 9, 2 ; ita... ut... ita... ac si 10, 15. — tradidit... se tradidit II, 1, 4 ; reuersus... reuersus 4, 1 ; in cella sua in psyatio 11, 2 ; locutionis... locutione 22, 5 ; quadam... quidam 27, 1 ; remaneret... remaneret 28, 2 ; ad... uim... ad terram 31, 3 ; ab infirmis potest mentibus dubitari... potest mens infirma dubitare 38, 3. — ad hospitandum... ad hospitandum III, 4, 1 ; in terram... in orationem 7, 8 ; isdem... eundem 15, 11 ; contigit ut... contigit 16, 10 (*cf.* 18, 3-19, 1 ; 19, 4-5) ; eidem... isdem... easdem 22, 1 ; in stola... in pauimento 24, 1 ; despiciens... despicere 31, 2 ; in hac re in Sanctulo 37, 18. — uidi... uidetur... uidere IV, 5, 1 ; posito... positi 10 ; cumque cum eis 15, 4 ; quam praefatus sum... quam praedixi... quam praediximus 16, 2-3 ; se dicebant... dicebant 16, 7 ; in quibus... in quo 20, 3 ; eiusdem... eadem... isdem 27, 10 ; per omnia... per omnia 29, 1 ; hoc... hoc 41, 6 ; eadem eiusdem 53, 2 ; isdem... eodem 57, 3.

RIME

miraculi... magistri... reguli... saluti... cognosceret... audisset I, 4, 6 *etc.* — locutionis... mentis II, 22, 5 ; signorum... uerborum 23, 7 *etc.*

MOTS SUPERFLUS

cum : nisi forte cum... reducitur III, 17, 13. — *enclit. -que* : tantumque crescens III, 19, 2. — *quia* : res mira... quia... loquebantur III, 32, 1 (*cf.* mira ualde res : quaerentes I, 2, 4 ; *mais* mira res contigit quia I, 8, 4).

TABLES

Les chiffres arabes non précédés d'un chiffre romain désignent les pages de l'Introduction (tome I), avec les numéros des notes en exposant le cas échéant.

Les références commençant par un chiffre romain (I, II, III, IV) indiquent les sections du texte (livre en chiffres romains, chapitre et paragraphe en chiffres arabes).

Les sigles n et nc désignent respectivement les notes sous le texte et les notes complémentaires placées en fin de volume.

Dans la première table (citations scripturaires), l'astérisque marque les simples rapprochements et allusions, signalés par le sigle cf. dans l'apparat des citations. Dans la cinquième table (mots latins et grecs), il marque les mots grecs.

L'abréviation Add. désigne les *Addenda et Corrigenda* (tomes I et II) placés dans ce volume avant l'Index (p. 215-219).

I. TABLE DES CITATIONS SCRIPTURAIRES

Genèse

1, 1-31 : *III, 37, 8
2, 7 : n IV, 5, 8
2, 16-17 : *IV, 1, 1
3 : *IV, 1, 1
6, 13 : *III, 38, 2
17, 5 : I, 8, 6
17, 17 : nc III, 14, 10
18, 12-15 : nc III, 14, 10
19, 11 : n I, 2, 4
19, 24 : IV, 39 et n
21, 6 : nc III, 14, 10
21, 9 : nc III, 14, 10
21, 12 : I, 8, 6
22, 17 : I, 8, 6
24, 15 : n II, 16, 9
25, 21 : I, 8, 6
37, 5-10 : IV, 50, 4
40-41 : n III, 1, 5

Exode

3, 2-4, 17 : *I, 1, 7
34, 13 : n II, 8, 11

Lévitique

15, 16 : n IV, 33, 2
19, 26 : IV, 50, 3

Nombres

8, 24 : 106[106]
8, 24-25 : II, 2, 3-4 et n
11, 29 : n I, 4, 11
20, 7-11 : II, 8, 8 ; III, 16, 2

Deutéronome

7, 5 : n II, 8, 11
13, 4 : n III, 11, 3
34, 8 : n IV, 57, 16

Josué

9, 4-5 : n III, 14, 8
15, 18-19 : III, 34, 3 et nc

Juges

1, 14-15 : III, 34, 3 et nc
3, 1-4 : III, 14, 13 et n

I Samuel

1, 15 : nc II, Prol. 1
1, 18 : IV, 61, 2 et n
2, 35 : nc II, 3, 7
9, 19-20 : nc II, 21, 3-4
12, 14 : n III, 11, 3
12, 17-18 : n II, 33, 3
16, 7 : n III, 7, 1
16, 12 : nc I, Prol. 4

II Samuel

1, 10 : nc II, 8, 7
1, 11-12 : II, 8, 8
1, 23 : n II, 34, 2
7, 1-17 : II, 21, 3
16, 1-4 : I, 4, 19
19, 24-30 : *I, 4, 19

I Rois

8, 10-11 : n III, 30, 5
13, 4 : n III, 37, 15
13, 6 : n III, 37, 16
13, 28 : IV, 25, 1
14, 6 : n II, 14, 2
17, 4-6 : II, 8, 8
17, 16 : n I, 9, 14
18, 30-38 : n II, 33, 3

II Rois

1, 10 : n III, 15, 9
1, 16-17 : 132[96]

2, 13-14 : I, 2, 7
2, 23-24 : n I, 9, 9 ; nc IV, 19, 4
3, 14-25 : 132[96]
4, 1-7 : 111[2] ; I, 7, 4 ; n I, 7, 6 ; n III, 37, 3
4, 6 : n II, 29, 1
4, 7 : n II, 27, 2
4, 27 : II, 21, 3-4 et nc
4, 34-35 : n II, 32, 3
4, 35 : n III, 17, 4
5, 22-27 : n I, 10, 10
5, 25-26 : n II, 13, 4
5, 26 : II, 13, 4 ; n II, 19, 2
5, 27 : n III, 15, 7
6, 5-7 : II, 8, 8
6, 17 : n II, 4, 2
6, 18 : n I, 2, 4
6, 20 : n II, 4, 2
8, 7-15 : 132[96]
8, 12 : n II, 15, 1
9, 13 : n II, 37, 3
13, 14-19 : 132[96]

I Chroniques

21, 26 : n III, 30, 5

II Chroniques

5, 13-14 : n III, 30, 5
7, 1-3 : n III, 30, 5

Tobie

1, 4 : n IV, 18, 1

II Maccabées

5, 2-3 : Add., p. 219 (III, 38, 3)
6, 18 : n III, 27
7, 4.7 : Add., p. 218 (III, 13, 2)
7, 27 : n II, 1, 4

Job

9, 13 : n III, 16, 7-8
24, 12 : n IV, 24, 3
24, 20 : IV, 38, 4 et n
41, 9-11 : n I, 12, 2
41, 9-12 : n II, 8, 12

Psaumes

15, 10 : n III, 21, 1
30, 23 : n II, 3, 9
56, 8 : n IV, 6, 1
85, 13 : IV, 44, 1 et n
107, 2 : n IV, 6, 1
117, 1 : IV, 41, 2 et n
117, 19-20 : IV, 36, 2 et n
118, 13 : II, 16, 6 et n ; II, 16, 8
148, 12 : n IV, 37, 16
150, 1 : n IV, 36, 2
150, 6 : n IV, 36, 2

Proverbes

3, 12 : n IV, 11, 1
24, 12 : n II, 3, 5
28, 9 : III, 15, 16 et n

Ecclésiaste

2, 24 : n IV, 4, 3
3, 5 : III, 37, 22
3, 18 : IV, 3, 3
3, 19-20 : IV, 3, 3 et n
3, 19 : IV, 4, 6-7 et n
5, 2 : IV, 50, 4 et n
5, 17 : IV, 4, 3 et n nc IV, 4, 3-4 ;
6, 8 : IV, 4, 7 et n
7, 3 : IV, 4, 3-4 et n
9, 10 : IV, 4, 8 et n ; IV, 41, 2 et n ; n IV, 41, 1 ; n IV, 58, 1
11, 6 : n IV, 58, 1
11, 9-10 : IV, 4, 5 et n
12, 3 : n II, 16, 9
12, 13 : IV, 4, 2 et n nc IV, 4, 2

Sagesse

4, 7 : IV, 24, 2 et n ; nc IV, 24, 2
9, 15 : n II, 16, 7
16, 18-19 : n III, 18, 3
19, 19-20 : n III, 18, 3

Siracide

8, 8 : *II, 8, 7
27, 6 : n IV, 41, 5
34, 7 : IV, 50, 3 et n
45, 1 : *II, 37, 3

Isaïe

6, 5 : III, 15, 15 et n
14, 13-14 : III, 4, 2 et n
46, 8 : n I, Prol. 4
49, 8 : IV, 41, 4 et n
51, 16 : 137[115] ; I, 4, 8
55, 10-11 : n II, 23, 1
57, 1 : III, 37, 21 et n
61, 7 : IV, 26, 3 et n

Jérémie

1, 9 : 137[115] ; I, 4, 8 et n
50, 26 : III, 37, 22

Lamentations

3, 48 : III, 34, 1 et n

Baruch

3, 9 : n IV, 11, 3

Ézéchiel

18, 20 : n IV, 24, 2
40, 38 : n III, 34, 3-4

Daniel

1, 5 : n II, 1, 4
2, 29 : IV, 50, 5 et n
2, 31 : IV, 50, 5 et n
3, 23-24 : III, 18, 3
3, 91-94 : III, 18, 3 ; n III, 18, 2-3 ; n III, 36, 5
4, 24 : n IV, 9, 1
7, 10 : 152[48]
8, 27 : III, 24, 3 et n
13, 5 : n II, 19, 2
14, 32-38 : n II, 1, 6 ; II, 22, 4 et n

Habacuc

3, 16 : n II, 3, 9

Matthieu

2, 1-12 : n II, 1, 6-8
2, 13 : IV, 50, 4
3, 4 : n II, 1, 8
5, 3 : n II, 6, 1
5, 8 : n IV, 1, 1 ; n IV, 7
5, 15-16 : *II, 1, 6
5, 22 : n IV, 30, 4
5, 23-24 : IV, 62, 1
5, 44 : IV, 46, 6
6, 23 : I, 10, 7
7, 13-14 : III, 28, 2
7, 14 : IV, 38, 3
7, 22 : 87[17]
8, 3 : n II, 27, 3
8, 29 : n II, 8, 12
8, 31 : n III, 21, 3 ; III, 21, 4 et n ; III, 30, 3
9, 27-31 : I, 9, 6
9, 30-31 : n I, 9, 6-7
10, 8 : n I, 10, 10 ; nc I 10, 10 ; *I, 10, 17 et nc
10, 16 : n IV, 11, 4
11, 5 : *I, 10, 17 ; n IV, 6, 1
11, 30 : *II, 8, 1
12, 32 : IV, 41, 3 et n
12, 36 : *I, 1, 1 ; n III, 15, 10 ; n IV, 41, 4
12, 39 : II, 8, 9
13, 4 : n II, 2, 1

13, 30 : IV, 36, 14 et n ; n IV, 45, 1-2
14, 13-21 : *III, 37, 8
14, 17 : n II, 21, 1
14, 28-29 : *I, 12, 5 ; II, 7, 2 ; II, 8, 8
14, 29 : n I, 12, 5
16, 4 : II, 8, 9
16, 19 : II, 23, 6
17, 2 : n IV, 13, 3
17, 9 : I, 9, 5 et n
18, 23-35 : IV, 62, 2 et n
20, 9-10 : IV, 36, 13 et n
20, 20-23 : III, 26, 8
20, 22-23 : n III, 26, 8
21, 8 : n II, 37, 3
24, 28 : IV, 26, 1 et n
25, 14-30 : n III, 24, 3
25, 41 : IV, 30, 5 et n ; nc IV, 45, 1-2
25, 46 : IV, 46, 1 et n ; nc IV, 45, 1-2
27, 19 : n I, 4, 16
27, 50 : n IV, 40, 4
27, 63 : n III, 14, 3

Marc

1, 41 : n II, 27, 3
5, 9 : *I, 10, 4-5
6, 38 : n II, 21, 1
7, 32-37 : n III, 3, 2
9, 22 : nc I, 10, 6
16, 5 : n IV, 27, 4
16, 17 : n III, 35, 2
16, 18 : III, 35, 1 ; *III, 35, 4

Luc

1, 51-52 : n III, 12, 4
2, 8-20 : n II, 1, 6-8
3, 22 : *II, 34, 1
4, 35 : *III, 21, 3
5, 8 : n II, 32, 2
5, 13 : n II, 27, 3
7, 22 : n IV, 6, 1
7, 42 : n II, 33, 5
7, 47 : n II, 33, 5
8, 30 : *I, 10, 4-5
9, 13 : n II, 21, 1
12, 33 : n IV, 37, 16
15, 11-17 : II, 3, 6
15, 17 : n II, 3, 6
16, 15 : I, 4, 18
16, 19-22 : IV, 34, 1 et n
16, 22 : n II, 35, 3
16, 23-28 : IV, 34, 2 et n
16, 24 : IV, 30, 3 et n ; IV, 34, 4
16, 25 : IV, 34, 4
17, 37 : n IV, 26, 1-2
21, 13 : n IV, 37, 14
23, 34 : n IV, 42, 4

Jean

1 : n II, 8, 9 ; n II, 30, 2
1, 1 : III, 32, 2
1, 3 : III, 32, 2 ; n IV, 1, 4
1, 9 : 107[111] ; II, 8, 9 ; n IV, 38, 5
1, 12 : 107[111] ; II, 30, 2 ; n IV, 1, 4
1, 14 : 107[108.111] ; n II, 23, 6 ; n IV, 1, 4
1, 16 : 107[111] ; II, 8, 9 et nc
2, 1-10 : n I, 5, 2 ; n III, 37, 3
3, 5 : n IV, 19, 1
3, 8 : II, 21, 3 et n
4, 21 : n III, 33, 5
4, 46-53 : I, 4, 6 ; n II, 38, 3
5, 17 : 46[3] ; 47[7] ; 111[3] I, 7, 6 et n
6, 9 : n II, 21, 1
6, 12 : *III, 37, 6

6, 63 : n IV, 1, 4
10, 15 : n IV, 6, 1
10, 17 : n IV, 6, 1
10, 18 : n IV, 6, 1
11, 1-44 : 137[116] ; n I, 10, 17 ; III, 17, 8
11, 34 : n II, 32, 2
11, 39 : n IV, 28, 4
11, 43 : n I, 10, 18
12, 24 : III, 31, 8 et n
12, 35 : IV, 41, 1
14, 2 : n IV, 36, 6 ; IV, 36, 13 et n ; n IV, 36, 14 ; n IV, 37, 9 ; n IV, 45, 1-2
14, 16 : n IV, 11, 2
15, 3 : n III, 37, 19
16, 7 : II, 38, 4 ; n IV, 1, 4
18, 11 : III, 37, 16
21, 15-17 : III, 25, 2

Actes

1, 10 : n IV, 27, 4
3, 1-10 : n III, 3, 2
3, 6-7 : n III, 25, 2
5, 1-10 : II, 30, 3
8, 18-24 : n I, 10, 10
8, 20 : n III, 15, 9
9, 1 : *III, 17, 9
9, 1-19 : III, 17, 8
9, 3 : n III, 29,3
9, 4 : *II, 8, 12
9, 8 : n III, 29,3
9, 24-25 : II, 3, 11
9, 36-42 : n I, 10, 17
9, 38 : n III, 29, 3
9, 40 : II, 30, 3
12, 2 : III, 26, 8
12, 11 : II, 3, 8
13, 11 : n III, 29, 3
15, 10 : n II, 32, 2
16, 18 : *III, 10, 3
20, 7-12 : n I, 10, 17
20, 12 : n II, 15, 6
22, 6 : n III, 29, 3
22, 11 : n III, 29, 3
22, 19-20 : *III, 17, 9
26, 10-11 : *III, 17, 9
26, 13 : n III, 29, 3
26, 14 : n II, 14, 2
27, 9 : nc III, 36, 1
27, 14-38 : *I, 12, 5 et n
27, 22-24 : II, 17, 2
27, 24-44 : n III, 36, 5
28, 11-16 : nc III, 7, 2
28, 15 : nc III, 7, 2

Romains

1, 1 : *III, 10, 3
2, 4 : n IV, 40, 9
6, 9 : IV, 60, 2 et n
6, 17 : III, 1, 8
6, 20 : III, 1, 8
8, 5-13 : n III, 24, 3
8, 15 : n IV, 1, 4
8, 26 : n III, 37, 20
11, 6 : I, 4, 9
11, 33 : 80[157] ; n II, 16, 4 ; II, 16, 6 et n ; II, 16, 8
11, 34 : 80[156] ; II, 16, 4 et n ; n II, 16, 6
13, 10 : III, 37, 19 et n
13, 11-12 : n IV, 43, 1-2

I Corinthiens

2, 2 : III, 17, 10
2, 9-10 : II, 16, 5 et n
2, 11-12 : II, 16, 5 et n
2, 12 : n IV, 1, 4
2, 14 : n III, 24, 3
3, 11-15 : 151 ; IV, 41, 5 et n
3, 16 : *I, 9, 9
5, 5 : n II, 16, 3 ; n III, 21, 4
6, 7 : n II, 30, 2

6, 10 : III, 15, 9 et n
6, 17 : 107[109] ; II, 16, 3 et n ; n III, 21, 4
7, 2-3 : nc III, 17, 11
7, 3 : III, 17, 11
7, 32 : n II, Prol. 1
9, 11 : n II, 1, 8
9, 22 : IV, 4, 10 et n
13, 2-3 : nc III, 34, 4
14, 22 : 91[35]
15, 9-10 : I, 12, 5
15, 54 : n IV, 3, 2

II Corinthiens

5, 1 : n IV, 26, 1 ; IV, 26, 2 et n
5, 4 : n II, 16, 7 ; n IV, 3, 2
6, 2 : IV, 41, 1 et n
6, 16 : *I, 9, 9
7, 8 : n III, 14, 9
11, 25 : I, 12, 5 et n ; III, 17, 10
11, 32-33 : II, 3, 11
12, 2 : III, 17, 11
12, 7-9 : II, 33, 1
12, 10 : III, 17, 12
12, 15 : *III, 17, 9

Galates

2, 20 : III, 17, 12
4, 6 : n IV, 1, 4
5, 1 : n III, 24, 1

Éphésiens

1, 13-14 : n IV, 1, 4
3, 9-10 : n IV, 43, 4

Philippiens

1, 21 : II, 3, 11 ; III, 17, 12
1, 23 : II, 3, 11 ; IV, 26, 2 et n
2, 7 : III, 1, 8
2, 17 : *III, 17, 9

I Thessaloniciens

2, 7 : III, 17, 10
2, 8 : III, 17, 9

I Timothée

1, 13 : n IV, 42, 4
1, 20 : n II, 16, 2
4, 16 : n II, 3, 5
5, 20 : n 28, 2

II Timothée

2, 4 : n II, Prol. 1
2, 25-26 : IV, 46, 7
4, 8 : n IV, 49, 4

Hébreux

1, 14 : n III, 16, 7-8
11, 1 : IV 5, 5 et n
12, 4 : n IV, 61, 1
12, 6 : n IV, 11, 1
12, 22 : n III, 35, 6 ; n IV, 18, 4
12, 22-23 : n IV, 1, 2 ; n IV, 5, 4

I Pierre

2, 5 : n III, 37, 22

I Jean

1, 1 : n IV, 11, 3
2, 15 : n III, 38, 4
3, 16 : n III, 1, 8 ; n IV, 6, 1 ; III, 37, 19 et n
4, 8 : II, 33, 5
4, 16 : II, 33, 5 ; III, 37, 19 et n

Apocalypse

2, 10 : n IV, 49, 4
3, 11 : n IV, 49, 4
5, 1-5 : IV, 44, 2 et n
6, 11 : IV, 26, 4 et n
7, 13 : n IV, 27, 4
20, 6 : n IV, 37, 4
20, 14 : n IV, 37, 4

II. TABLE DES AUTEURS ANCIENS

ABDIAS

Historia certaminis apostolici (Paris, 1566)

Livre V, p. 66-67 : 113[11] ; n III, 5, 3-4

Acta Petri cum Simone (Lipsius)

32 : n I, 4, 6

Acta Petri et Pauli (Lipsius)

16-19 : nc III, 7, 2

ADAMNAN

De locis sanctis (CC 175, 183)

III, 4, 21 : nc I, 9, 10

Vita Columbae (Anderson)

Praef. II : 142[6]

I, 1 et 43 : 142[6]

II, 39 et 45 : 142[6]

AGATHIAS

Historiae (Keydell)

II, 1 et 4 : n I, 2, 4

AGNELLUS

Liber Pontificalis Ecclesiae Ravennatis (Mommsen)

94 : n IV, 27, 10

AMBROISE DE MILAN

De excessu Satyri (PL 16, 1289)

1, 43 et 46 : nc III, 36, 3

2, 1 : 78[150]

2, 2 : n IV, 57, 7

2, 42 : 78[150]

De obitu Theodosii (PL 16, 1385)

3 : n IV, 57, 7 et 16

Epistulae (PL 16, 876)

45-49 et 58 : n III, 10, 2

AMMON

Epistula (Halkin)

16 : nc II, 21, 3-4

AMPHILOQUE (Ps.)

Vita Basilii (PL 73, 293)

6 : n II, 24, 2

ANASTASE LE SINAÏTE

Quaestiones (PG 89, 311)

120 : n IV, 50, 2

ANONYME DE VALOIS

Chronicon (Mommsen)

15, 88-93 : n III, 2, 1 et 3

Apophtegmes, *v. aussi Vitae Patrum*

Série alphabétique (PG 65, 71)

Épiphane 4 : n III, 15, 2

Jean Colobos 1 : n II, 1, 4

Jean Colobos 40 : n II, 37, 3

Série anonyme (Nau)

135 : n IV, 32, 3-4 ; nc IV, 37, 47[6]

190 : nc IV, 11, 4

191 : 133[99] ; n III, 7, 9 ; nc III, 7, 2
252 : nc III, 37, 20
295 : nc III, 18, 2
355 : nc III, 15, 2-5
368 : nc IV, 24, 2

Série complémentaire (Regnault)

1461 (N 461) : nc III, 15, 2-5

Aristote

Fragmenta (Rose)

12 : n IV, 1, 3

Arnobe

Aduersus nationes (PL 5, 713)

2, 8-10 : n IV, 2, 1-2
2, 53 : nc III, 38, 5

Athanase

Vita Antonii (Bartelink) 114 ; 118-122

1, 1-2 : n II, Prol. 1
3, 1-2 : n II, 3, 5
3-4 : 122[38]
5-6 : n II, 2, 1-2
6, 1-4 : n II, 4, 2
7 : 122[38]
8 : n II, 1, 5
9, 5 et 9 : n III, 4, 2
11, 4 : n IV, 57, 11
12 : 122[38] : n II, 1, 5
13, 2-4 : n II, 8, 12
14 : 122[38]
14, 7 : n II, 8, 1
15, 3 : n II, 8, 1
16-43 : 122[38]
24, 1 : n I, 12, 2 ; n II, 8, 12
29, 4-5 : n III, 21, 4
31, 1 : n IV, 50, 6
34, 3 : n II, 13, 4
45 et 47 : 122[38]
48, 2 : n II, 32, 2-3
49, 3 : II, 32, 2
50-51 : 122[38]
50, 9 : n I, 9, 15 ; n III, 10, 3
52, 2-4 : n III, 4, 2
52, 3 : n III, 15, 3
54, 4 : n II, 5, 2-3
55 : 122[38]
56,1 : n II, 30, 4
58, 4 : n II, 30, 4
59, 2 : n II, 7, 1
60, 1-3 : n II, 35, 3
60, 4-9 : n II, 7, 2
60, 9 : n I, 9, 5
60, 10 : n II, 35, 4
67-80 : 122[38]
67,2 : n III, 15, 11 ; n III, 17, 3
81 : n II, 15, 1
82, 3 : n II, 15, 3
82, 4-13 : n II, 17, 1
82, 6-10 : n III, 30, 3
84, 1-2 : n II, 30, 4
84, 6 : n II, 15, 1
85 : 122[38]
86, 6 : n I, 10, 13-14
87, 2 : n II, 8, 1
89 : 122[38] ; n IV, 11, 3
89, 2 : n II, 37, 1
91 : 122[38]
91, 8-9 : n II, 7, 3
92, 1 : n IV, 12, 4
93 : 122[38]

V. Antonii (Évagre, PL 73, 125)

8 (132 b) : n III, 4, 2
25 (149 d) : n III, 16, 3
32 (153 d) : n I, 9, 5

Augustin

Confessiones (PL 32, 659)

1, 4, 4 : n IV, 5, 4
4, 11, 16 : n IV, 15, 4

4, 15, 27 : n IV, 15, 4
6, 3, 3 : n I, Prol. 1
6, 5, 7 : IV, n, 2, 1-2
7, 5, 7 : n IV, 5, 4
8, 12, 28 : n I, Prol. 1
8, 19 : I, 5, 4

Contra Faustum (PL 42, 207)

22, 52-56 : I, Prol. 4

De ciuitate Dei (PL 32, 659)

1, 10 : nc III, 1, 1
5, 10 : n I, 8, 5-6
12, 22 : n IV, 3, 2
14, 19 : 102[89]
19-22 : 116-117
19, 26 : n IV, 47, 2
20, 3 : n IV, 4, 2
20, 25 : n IV, 40, 13
21, 2-9 : n IV, 3, 2
21, 3, 1 : n IV, 47, 2
21, 10 : n IV, 29, 2
21, 10, 1 : n IV, 30, 1-2
21, 10, 1-2 : 151[44] ; n IV, 30, 4-5
21, 10, 2 : n IV, 30, 3
21, 11 : n IV, 46, 3
21, 12 : n IV, 46, 5
21, 13 : n IV, 40, 13 ; n IV, 41, 3 ; n IV, 46, 4
21, 16 : n IV, 40, 13
21, 17 : n IV, 46, 1 ; nc IV, 46, 1
21, 18, 1 : 151[41] ; n IV, 46, 6 et 9
21, 18, 2 : n IV, 46, 2
21, 23 : n IV, 46, 1
21, 24, 1 : n IV, 46, 7
21, 24, 2 : 151[45] ; n IV, 41, 3 ; n IV, 46, 8
21, 24, 4 : n IV, 46, 2
21, 26, 2 : n IV, 41, 5
21, 26, 2-4 : n IV, 41, 4
21, 26, 4 : 151[45] ; nc I, 10, 4 ; n IV, 41, 3 et 5
21, 27, 4 : n IV, 41, 4
21, 27, 5 : 152[49] ; n IV, 41, 6
22, 8-9 : 150[33] ; n IV, 6, 1
22, 8 : 41[64] ; 94[50] ; 117[24]
22, 8, 3 et 10 : 140[120]
22, 29-30 : 150[38]

De cura pro mortuis gerenda (PL 40, 591) 116-117

1, 2 : n IV, 59, 6
4, 6 : n IV, 52
7, 9 : n IV, 25, 1
12, 15 : 111[5] ; 112 ; 130[86] ; 131 ; 134-135 ; 151[43] ; n IV, 32, 3-4 ; n IV, 37, 1 et 6-7
14, 17 : 151[42] ; n IV, 34, 3
17, 21 : n II, 22, 2 et 4
18, 22 : 152[49] ; n IV, 57, 2 ; n IV, 59, 6 ; n IV, 60, 1

De fide et operibus (PL 40, 197)

25 : n IV, 46, 1

De fide rerum quae non uidentur (PL 40, 171)

1-4 : n IV, 2, 1-2

De Genesi ad litteram (PL 34, 245)

12, 17, 35-36 : n III, 35, 3

De magistro (PL 32, 1193)

36-46 : n I, 1, 6

De moribus Ecclesiae (PL 32, 1309)

I, 66 : n II, 1, 5

De opere monachorum (PL 40, 547)

29, 37 : 185
39-41 : n II, 7, 2

De ordine (PL 32, 977)

I, 3, 6 : n I, 5, 2

De sermone Domini in monte (PL 34, 1229)
1, 3 : n II, 6, 1
Enarrationes in Psalmos (PL 36, 67)
Ps. 72, 14 : n II, 3, 9
Ps. 85, 17-18 : n IV, 44, 1
Enchiridion (PL 40, 231) 116-117
68 : n IV, 41, 5
69 : n IV, 40, 13 ; n IV, 41, 3-4
92 : n IV, 47, 2
93 : n IV, 45, 1-2
110 : 152[49] ; n IV, 41, 6 ; n IV, 57, 2
111 : n IV, 45, 1-2 ; n IV, 47, 2
112 : n IV, 46, 1-2
Epistulae (PL 33, 13)
77-78 : n IV, 11, 1
130, 28 : n III, 37, 20
137, 1 : nc II, 36
138, 14 : nc II, 36
158, 3 : n IV, 37, 9 et 16
159, 3-4 : nc III, 38, 5
In Iohannis Epistulam tractatus (PL 35, 1977)
3, 13 : n I, 1, 6
Praeceptum (Verheijen)
4, 5 : n II, 3, 5
Sermones (PL 38, 23)
44, 2 : n III, 17, 7 (cf. Add., p. 218)
44, 7 : n III, 14, 3 (cf. Add., p. 218)
69, 2 : n I, 12, 4
96, 2 : n II, 3, 6
242, 1 : n III, 37, 8
322, 24 : n I, 5, 2
Tractatus in Euangelium Iohannis (PL 35, 1379)
8, 1 : 95[53] ; n III, 37, 8
9, 1 : 95[53] ; n III, 37, 8
24, 1 : 95[53] ; n III, 37, 8

AURÉLIEN D'ARLES
Regula monachorum (PL 68, 385)
15 et 34 : n II, 33, 2
46 : n III, 23, 1

AVIT DE VIENNE
Epistulae (PL 59, 219)
32 : n II, 35, 1

BASILE DE CÉSARÉE
Petites Règles (PG 31, 1052)
267 : nc IV, 45, 1-2

BÈDE LE VÉNÉRABLE
Historia ecclesiastica gentis Anglorum (PL 95, 21) 94[52]
1, 30 et 32 : nc III, 7, 8
2, 7 : 142[7]
3, 6 et 8 : 142[7]
4, 3 et 9 : 142[7]
4, 14 et 22-23 : 142[7]
4, 25 : 142[7]
5, 12-13 et 19 : 142[7]
Vita Cuthberti (PL 94, 733)
13-14 et 18-19 : 142[7]
43 : 142[7]

BENOÎT DE NURSIE
Regula monachorum (SC 181-182)
88-89 ; 103[94] ; 122-123 ; 143 ; 155-158 ; 160[72] ; n I, 2, 8 ; n II, 22, 1
Prol 20 : n I, 9, 7 ; n III, 21, 1

Prol 35-37 : n IV, 40, 9
Prol 36 : n IV, 32, 5 ; n IV, 40, 8
Prol 39 : n I, 2, 8
Prol 43 : n IV, 32, 5
2, 12 : 32[25]
4, 8 : n II, 24, 1
5-6 : n IV, 16, 2
5, 1 : n II, 29, 2
5, 9 : n II, 33, 3
5, 16-18 : n I, 10, 7
7, 12-13 : n II, 3, 7
20, 3 : n II, 17, 1
23-30 : n II, 23, 3
25, 2-6 : n IV, 57, 13
28, T : n II, 4, 3
33 : n IV, 57, 10
41 : n III, 15, 4
41, 1 : n II, 20, 1
41, 4 : n II, 32, 1
41, 7-9 : n II, 20, 1
41, 8-9 : n II, 33, 2
44, 1 : n II, 19, 2
44, 2-4 : n II, 13, 3
46, 1-3 : n II, 6, 2
48, 7-8 : n II, 32, 1
49, 4 : n II, 17, 1
51 : n II, 12, 1-2
51, 1 : n II, 12, 1
52, 4 : n II, 17, 1
53, 4-5 : n II, 1, 7
55, 9 : n IV, 23, 1
55, 14 : n I, 4, 10
55, 15 : n II, 11, 2
55, 18-19 : n IV, 55, 13
55, 19 : n II, 19, 1
58 : 156-157
58, 1-2 : n II, 36
61, 2 : n IV, 36, 4
61, 13 : n I, 4, 3
62, 1 : n III, 23, 1
62, 9 : n II, 4, 3
63, 11-12 : n II, 7, 1
65 : n II, 22, 1
65, 7 : n I, 2, 8
66, 7 : n I, 7, 5
70, 1 : nc II, 23, 3
70, 3 : n II, 28, 2

Boèce

De consolatione philosophiae (PL 63, 579)

II, 7 : n II, 35, 5

In Porphyrium dialogi a Victorino translatum (PL 64,9)
79[153]

Callinicus

Vita Hypatii (SC 177)

22 : nc I, 10, 10
28 : nc I, 4, 3-6
30 : nc II, 8, 11
51 : n IV, 13, 3

Capitulum de omnibus uitiis (Rochais)

p. 42, 24 : n III, 33, 5

Cassien

Conlationes (CSEL 13)
115-116

1, 14, 4-10 : nc III, 38, 5
2, 9 : 34[33]
2, 13, 4-5 et 7 : n II, 2, 1
4, 6, 4-5 : nc III, 14, 13
4, 8 : nc II, 2, 4
4, 21, 2 : n II, 11, 2
6, 7-9 : n IV, 24, 3
6, 11, 2 : nc IV, 24, 2 ; nc IV, 40, 13
7, 2, 1-2 : 128[75] ; n I, 4, 1
7, 22, 1 : n III, 21, 4
7, 25, 2 : nc IV, 24, 2; nc IV, 40, 13
7, 26, 1 : n IV, 25, 1
7, 26, 3 : n III, 16, 5
8, 3, 4 : n II, 36

8, 16, 1-4 : 129[83] ; 131-134 ; n III, 7, 3-7 ; nc III, 7, 3-9 et 7-8
8, 16, 4 : n II, 2, 1
8, 18, 2 : n II, 2, 1
9, 6, 1-3 : n II, 4, 2
9, 26-27 : n III, 34, 1
9, 29, 1-2 : n III, 34, 2
11, 6-8 : n III, 34, 2
12, 12, 5 : nc III, 17, 9-12
14, 16, 6-7 : nc III, 37, 20
15, 2 et 6 : n I, 12, 4
15, 8 : nc III, 17, 7
15, 9 : n I, 12, 4
16, 18, 1 : n I, 10, 7
16, 22, 1 : n I, 10, 7
20, 1-2 : n II, 35, 2
21, 1, 3 : n II, 1, 8
21, 25, 3 : n III, 33, 9
21, 29 : n II, 1, 7
24, 15, 3-4 : 102[89]

Institutiones (SC 109)

1, 7 : n II, 7, 3
2, 3, 1-4 : n I, 1, 6
2, 5, 5 : n IV, 57, 6
3, 12 : n I, 9, 8
4, 3 et 13 : n IV, 57, 10
4, 16, 1 : n II, 6, 2
4, 25 : n II, 28, 2
4, 39 et 43 : n III, 34, 2
5, 27 : n III, 15, 2
12, 2-3 et 8 : 133[100]
12, 27 et 29 : 133[100]

Cassiodore

Historia ecclesiastica tripartita (PL 69, 879)

2, 24 : nc IV, 37, 6
3, 8 : nc I, 4, 19
6, 1 : nc III, 7, 3-6
6, 45 : n IV, 31, 3-4
8, 7 : nc II, 8, 11
8, 34 : nc I, 10, 15
9, 45 : n II, 15, 1
9, 46 : nc III, 35, 2
9, 47 : n I, 2, 4
9, 48 : nc II, 28-29
10, 6 : nc III, 29, 2
10, 27 : nc II, 23, 3
12, 10 : nc I, 6, 2

Variae (CC 96)

1, 4, 14 : nc III, 1, 1
1, 27 : n IV, 9, 1
1, 38 : n II, 14, 1
2, 10 : n IV, 9, 1
3, 36 : n I, 1, 1
4, 22-23 : n I, 4, 3
5, 23 : n II, 14, 1
6, 15 : n III, 18, 1
7, 11 : n II, 20, 1
9, 22-23 : n I, 1, 1
11, 1 : n II, 35, 1
12, 20 : n III, 3, 1
12, 22-28 : n II, 21, 1
12, 26 : n II, Prol. 1

Césaire d'Arles

Regula monachorum (PL 67, 1099)

11 : n II, 33, 2

Regula uirginum (Morin)

43 : n IV, 23, 1
73 : n III, 33, 1

Sermones (CC 103-104)

40, 4 : nc IV, 14, 4
52, 1 : n III, 26, 7
115, 5 : Add., p. 217 (III, 7, 8)
127, 1 : nc IV, 19, 4
142, 7 : Add., p. 218 (III, 14, 3 et 17, 7)
147, 6-7 : 152[48]
150, 1 : n IV, 44, 1
179, 4-5 et 8 : 152[48]
202, 1 : nc II, 23, 2
206, 3 : 152[48]

211, 4 : 48[12]
Chronica Theodericiana : *v.* Anonyme de Valois

Chronicon Sublacense (Morghen)
n II, 1, 1 ; nc II, 3, 13
p. 18 : n II, 1, 5

Cicéron

Brutus
XIX, 76 : nc II, 36
De diuinatione
1, 64 : n IV, 27, 5 ; nc IV, 27, 1
De natura deorum
2, 33, 85 : n IV, 1, 3
De somnio Scipionis
6, 20 : n II, 35, 5

Clément (Ps.)

Recognitiones (GCS 51)
1, 13 : n IV, 14, 4
3, 66 et 68-69 : nc II, 3, 13
6, 15 : nc II, 3, 13

Conciles

Concile d'Agde (506)
Can. 27 : n III, 23, 1
Concile d'Auxerre (561-605)
Can. 12 : n II, 24, 2
Can. 15 : n II, 34, 2
Concile de Constantinople « in Trullo » (692)
Can. 83 : n II, 24, 2
Concile d'Hippone (393)
Can. 4 : n II, 24, 2
Concile de Narbonne (589)
Can. 11 : nc III, 37, 19
Concile de Nicée (325)
Can. 3 : nc III, 7, 1
Concile d'Orange (527)
n II, 35, 1
Concile d'Orléans V (549)
Can. 19 : n II, 1, 4
Concile de Rome (499)
n III, 7, 1 ; n IV, 32, 3-4
Conciles de Rome (501-502)
n III, 7, 1
Concile de Rome (595)
n III, 12, 2 ; n III, 17, 1
6 : n II, 31, 4
Concile de Rome (743)
n III, 17, 1

Constance de Lyon

Vita Germani (SC 112)
7 : n IV, 31, 2
33 : nc II, 28-29
38 : nc I, 12, 1

Consultationes Zacchaei et Apollonii (PL 20, 1071)
2, 20 : 78[150]

Corpus Inscriptionum Latinarum
X, 1-2, 4503 : n II, 35, 3
X, 1-2, 6218 : n III, 7, 1
XI, 2914 : n III, 17, 1
XI, 4164 : n III, 6, 1 (cf. Add., p. 217)

Cummian

Vita Columbae (Colgan)
25 : 142[6]

Cyprien de Carthage

De lapsis (PL 4, 465)
24 : n IV, 27, 13
24-26 : n I, 4, 7
De mortalitate (PL 4, 583)
19 : n IV, 40, 9

Epistulae (PL 4, 224)

63, 14 : n IV, 61, 1

CYPRIEN DE TOULON : *voir Vita Caesarii*

CYRILLE DE SCYTHOPOLIS 121

Vita Cyriaci (Schwartz)

15-16 : n III, 15, 3

Vita Euthymii (Schwartz)

8 : n II, 1, 8
17 : n II, 28-29 ; n II, 28, 2 ; n II, 29, 1-2
38 : n II, 5, 2-3
39 : n II, 37, 1
43 : n II, 22, 4
46 : n I, 9, 14
48 : n II, 18
59 : n III, 22, 2-3
77 : n II, 1, 6

Vita Iohannis (Schwartz)

11 : n II, 22, 4
12 : n II, 21, 2

Vita Sabae (Schwartz)

12 : n III, 16, 3
15 : n II, 1, 8
17 : n II, 5, 2-3
18 : n II, 35, 1
27 : n II, 1, 6 ; n II, 2, 1 ; n II, 8, 12 ; n III, 4, 3
31 : n II, 27, 2
33 et 35 : n II, 3, 10
36 : n II, 35, 1
40 : n II, 35, 1
43 : n II, 35, 1 ; n IV, 16, 7
44 : n II, 37, 2
46 : n I, 9, 14
49 : n III, 15, 3

Vita Theodosii (Schwartz)

5 : n I, 8, 4

DENYS LE PETIT

Vita Pachomii (Van Cranenburgh)

7 : n II, 1, 4
11 : n II, 2, 2
28 : n II, 12, 2 ; n II, 33, 2 ; nc II, 34, 2
29 : n 1, 4, 4
43 : n II, 11, 2

DONAT DE BESANÇON

Regula (Vogüé)

Prol. 19 : n II, 36
56, 5 : n II, 22, 1

ÉNÉE DE GAZA

Theophrastus (PG 85, 871) 116[21–22]

col. 995 : nc II, 32, 1-3 ; nc III, 17, 5
col. 1000-1001 : n III, 32, 1 et 3

ENNODE DE PAVIE

Epistulae (PL 63, 13)

9, 23 : n II, 35, 1

ÉPIPHANE DE SALAMINE

Aduersus haereses (PG 41, 173)

80, 9 : n III, 14, 5

Epistula clericorum Mediolanensium ad legatos Francorum (PL 69, 114)

col. 118 c : III, 4, 1

ÉTIENNE II

Epistulae (PL 89, 993)

8 : n IV, 14, 3

EUCHER DE LYON

Ad Valerianum de contemptu mundi (PL 50, 711)

col. 722-723 : nc III, 38, 4

EUGIPPE

Vita Seuerini (Noll) 121

Praef. : n IV, 42, 2

4, 6-12 : 123[40]
6, 1 : n II, 32, 1-2
6, 2 : n II, 32, 2
7 : n II, 15, 1
8 : n I, 10, 13-14
10, 2 : n II, 7, 1
11, 2 : n II, 8, 10
12 : n I, 9, 15
12, 6 : n II, 29, 2 ; n III, 10, 4
15, 3 : n III, 10, 3
16, 4 : n III, 17, 3
16, 4-5 : n I, 10, 18 ; n III, 17, 5
16, 6 : n I, 9, 5
17, 2-3 : 123[40]
19, 2 : n I, 4, 13 ; n II, 15, 1
28 : n II, 29, 1
28, 5 : n II, 33, 4
29, 2-3 : n III, 15, 3
32, 2 : n II, 15, 1
34, 1-2 : n II, 26
35 : n IV, 11, 2
35, 1 : n II, 6, 1
39 : 123[40]
39, 1 : n II, 8, 5 ; n II, 35, 2
40, 2-3 : n II, 15, 1
40-41 : n II, 37, 1
43, 1-7 : 123[40]
43, 8 : n III, 36, 3 ; n IV, 15, 4
43, 8-9 : n IV, 36, 2

EUSÈBE DE CÉSARÉE

Historia ecclesiastica : v. RUFIN

Praeparatio euangelica (PG 21, 21)

11, 36 : n IV, 37, 6

EUSÈBE GALLICAN

Homiliae (CC 101)

35, 7 : nc IV, 14, 4
72, 8 : nc III, 17, 7

ÉVAGRE LE PONTIQUE

Sententiae (PL 20, 1181)

col. 1186 c : nc II, 36

Traité pratique (SC 171)

81 : n IV, 2, 1-2
89 : 102[89]

Excerpta Sangallensia (Mommsen)

713-715 : n IV, 27, 10

FACUNDUS D'HERMIANE

Pro defensione trium capitulorum (PL 67, 527)

4, 3 : n III, 4, 1

FAUSTE DE RIEZ, *v.* EUSÈBE GALL.

FERRAND DE CARTHAGE

Vita Fulgentii (PL 65, 117) 121-122.

16 : n IV, 9, 1
17 : n II, 8, 1
21 : n II, 7, 3
36 : n IV, 57, 12
38 : n II, 35, 2
43 : n II, 17, 1
49 : 122[36] ; n II, 7, 3 ; n II, 37, 1 ; n III, 36, 3
50 : n III, 17, 5
53 : n II, 7, 1
62 : n II, 37, 1

FERRÉOL D'UZÈS

Regula (PL 66, 959)

4 : n II, 33, 2
16 : n II, 35, 2

24 : n II, 22, 1
31 : n I, 9, 16

FRONTIN
De aquaeductu
93 : n II, 1, 3

FRUCTUEUX DE BRAGA
Regulae (PL 87, 1099)
I, 10 : n II, 22, 1
II, 19 : n II, 11, 2

FULGENCE DE RUSPE
Epistulae (PL 65, 303)
2 : n IV, 14, 1

GAUDENCE DE BRESCIA
Sermones (PL 20, 827)
17 : n III, 27

GÉLASE I
Epistulae (PL 59, 13)
38 : n I, 6, 1

GEORGES DE SYKÉON
Vita Theodori (Festugière)
19 : n II, 1, 4
Gesta martyrum, v. *Passions*

GILBERT D'AUXERRE
Vita Romani (Mabillon) 143

GRÉGOIRE DE NAZIANZE
Carmina (PG 37, 397)
II, I, 11 : nc III, 30, 6
Epistulae (Gallay)
43, 5 : nc III, 37, 19
Orationes (PG 35, 396)
21, 33 : Add., p. 217 (II, 24, 1)

GRÉGOIRE DE NYSSE
De mortuis (Heil)
p. 37-38 : n IV, 1, 3
Vita Gregorii (PG 46, 893)
col. 917 b : n I, 7, 2
Vita Macrinae (SC 178)
p. 13, 18-19 : nc II, 34, 2
p. 35, 14-20 : nc II, 34, 2

GRÉGOIRE DE TOURS
35[35] ; 36[39] ; 94[52] ; 119-12
De gloria confessorum (PL 71, 827)
2 : n IV, 6, 1
26 : nc II, 16, 5
30 : n II, 37, 3
32 : n III, 23, 4
33 : n IV, 6, 1
38 (37) : n II, 35, 2
42 : n III, 23, 4
46 : n I, 7, 3 ; n II, 1, 2
64 : n III, 17, 4
65 : n IV, 59, 4-5
75 : n II, 34, 2 ; n III, 23, 4
77 : n II, 8, 10
80 : n II, 22, 2 ; n III, 13, 3
84 : n III, 13, 3 ; n IV, 28, 4
102 : n III, 13, 3
104 : n IV, 28, 4
106 : n I, 1, 3
110 : n I, 9, 1 ; n II, 28-29 ; nc II, 28-29 ; nc III, 1, 9
De gloria martyrum (PL 71, 705)
6 : n III, 36, 2
10 : n III, 18, 2
20 : n IV, 6, 1
25 : n IV, 27, 13
33 : n IV, 54, 2
40 : n IV, 31, 3-4
44 : n III, 11, 5

46 : n II, 2, 2
53 : n IV, 6, 1
56 : n II, 22, 2
58 : n IV, 6, 1
63 : 33[28] ; n III, 13,3 ; n IV, 28, 4
69 : n IV, 27, 13
74 : n IV, 6, 1
77 : n IV, 27, 13
79 : n I, 10, 13-14
84 : n IV, 28, 4
89 : n IV, 55, 3
91 : n II, 34, 1
96 : n III, 27
100 : n III, 38, 2
101 : n III, 22, 1
103 : n IV, 6, 1
104 : n IV, 28, 4
106 : n IV, 56, 1-2 ; n IV, 57, 11 et 15
107 : n II, 2, 1; n II, 3, 4

De miraculis sancti Iuliani (PL 71, 801)

2 : n III, 13, 3
6 : n II, 33, 3
19 : n IV, 6, 1
34 : n III, 30, 5
39 : n IV, 6, 1
42 : n I, 10, 3
45 : n I, 10, 4

De miraculis sancti Martini (PL 71, 913)

1, 2 : n II, 16, 2
1, 4 : n IV, 15, 4
1, 5 : n II, 35, 4
1, 11 : n IV, 59, 1
1, 13-16 : n II, 8, 11
1, 23 : n IV, 59, 1
1, 26-27 : n I, 10, 4
1, 31 : n II, 11, 1 ; n IV, 6, 1
1, 38 : n I, 10, 4 ; n III, 16, 6
2, 18 : n III, 37, 3
2, 20 : n II, 38, 1
2, 25 : n II, 8, 11
2, 47 : n III, 3, 2
2, 53 : n II, 13, 1 ; n II, 16, 2 ; n IV, 27, 13
2, 58 : n III 33, 7
2, 60 : 55[34]
4, 10 : n III, 10, 3
4, 16 et 26 : n II, 31, 3
4, 30 : n IV, 16, 3
4, 31 : n II, 5, 2-3
4, 32 : n I, 6, 2
4, 35 : n II, 31, 3
4, 36 : n I, 10, 4
4, 39 et 41 : n II, 31, 3
4, 47 : n I, 6, 2

Historia Francorum (PL 71, 159)

1, 39 : n IV, 12, 2
1, 42 : n II, 34, 2
2, 1 : n I, 9, 11
2, 3 : n I, 10, 8 ; n IV, 27, 13
2, 34 : n III, 31, 6
2, 37 : n III, 37, 15
3, 12 : n IV, 27, 13
3, 15 : n III, 1, 2
3, 17 : n III, 5, 3
3, 28 : n III, 11, 5
3, 29 : n III, 15, 18
3, 32 : n I, 2, 4
4, 9 : n I, 2, 4
4, 12 : n III, 23, 3
4, 31 : 34[33] ; n IV, 42, 5
4, 33 : n IV, 37, 8 et 10
4, 34 : n III, 11, 5
4, 36 : n II, 8, 6
4, 52 : 34[33]
5, 3 : n II, 20, 1
5, 24 : 34[33] ; 35[36]
5, 37 : n III, 5, 3 ; n IV, 40, 4
5, 39 : n III, 31, 1-2 et 5
5, 46 : 80[158]
6, 6 : n II, 35, 2 ; n II, 37, 2 ; n III, 16, 9-10 ; n III, 37, 15

6, 8 : n III, 16, 10
6, 18 : n III, 31, 2
6, 24 : n II, 35, 2-3
6, 29 : n III, 31, 2 ; n IV, 12, 4
6, 40 et 43 : n III, 31, 2
7, 1 : n I, 10, 18-19 ; n II, 35, 2 ; n II, 37, 2 ; n III, 16, 10 ; n IV, 37, 8
7, 35 : n I, 4, 21
8, 5 : n IV, 31, 3
8, 12 : n I, 4, 21
8, 15 : n II, 8, 11 ; n II, 9 ; n III, 17, 4
8, 16 : n IV, 6, 1
8, 28 : n III, 31, 4
8, 40 : n IV, 55, 3
8, 46 : n III, 31, 6
9, 3 : n III, 3, 2
9, 6 : n IV, 40, 10
9, 8 : n III, 37, 10
9, 15 : n III, 31, 7
10, 1 : 25[4] ; 26[6] ; 120[29] ; n III, 19, 2 ; n III, 33, 7 ; n IV, 19, 2 ; n IV, 27, 4
10, 8 : n III, 26, 5
10, 13 : 42[65] ; n III, 38, 5 ; n IV, 6, 1 ; n IV, 29, 1
10, 20 : n III, 11, 5
10, 24 : n III, 27
10, 29 : n IV, 12, 4

Vita Patrum (PL 71, 1009) 121

1, 5 : n II, 15, 1 ; n III, 14, 5
3, 1 : n III, 14, 2
4, 3 : n I, 10, 13-15
5, 2 : n II, 3, 4 ; n II, 18
5, 3 : n II, 10, 2
6, 2 : n II, 8, 10-11
7, 1 : n IV, 28, 1
7, 4 : n III, 13, 4
8, 8 : n IV, 27, 13
10, 4 : n IV, 16, 5
11, 1 : n III, 16, 3 et 5-6
11, 2 : n II, 1, 5 ; n III, 16, 2
14, 2 : n I, 3, 2-4 ; n III, 14, 7
15, 1 : n III, 16, 9
17, Prol. : n III, 11, 5
17, 3 : n II, 8, 12
17, 5 : 36[40]
18, 1 : n II, 8, 5
19, 1 : n I, 8, 1
19, 2 : n II, 11, 2
19, 4 : n III, 38, 2

HÉRACLIDE, *v. aussi* PALLADE

Paradisus (PL 74, 243) 113 ; 117

1, 253 c : n II, 3, 4
1, 254 d : n II, 35, 4 ; n IV, 31, 3
2, 258 a : n II, 1, 1
2, 259 d : n II, 33, 2
2, 262 c : n II, 36
3, 264 b : n III, 15, 2
6, 268-269 : n II, 10, 2
6, 268 a : n II, 16, 2
6, 269 c : n I, 10, 4
6, 271 cd : n II, 8, 12
6, 271 c : n II, 2, 1
6, 273 bc : n III, 14, 2
6, 273 d : nc III, 37, 2
6, 274-275 : n II, 16, 1
6, 284 a : n III, 15, 6
6, 286 a : n III, 15, 6
10, 286 b : n II, 32, 2
10, 286 c : n II, 8, 12
13, 290 ab : n III, 20, 1
17, 294 bc : n I, 4, 1-2
22, 301 b : 132[94] ; n II, 15, 1
22, 302 bc : n II, 20, 2
22, 302 d : n III, 16, 5
22, 303 d : n II, 33, 2
24, 305 c : n III, 1, 2
28, 313 c : n II, 5, 2-3
32, 318 a : n III, 16, 9
38, 326 a : n III, 37, 15

39, 326 b : n III, 37, 5-7
48 : n II, 3, 13
48, 332 b : n IV, 14, 5
56, 338 b : n IV, 15, 2
56, 338 c : n III, 17, 3
56, 338 d : n IV, 16, 2
57, 341 a : n III, 37, 16
58, 341 cd : n III, 37, 5
58, 342 ab : n III, 26, 6

HILAIRE D'ARLES

Vita Honorati (SC 235)
10 : nc II, 1, 3
26 : nc II, 36

Historia monachorum in Aegypto (PL 21, 387)
113 ; 117
1, 391 b : n III, 16, 5-6
1, 391 c : 129[81] ; n II, 15, 1
1, 391-392 : n II, 22, 2
1, 394 bc : n II, 14, 2
1, 395 b : n III, 14, 10
1, 396 c : n III, 14, 10
1, 405 a : 129[81] ; 132[94] ; n II, 15, 1
2, 407 b : n III, 14, 8
7, 411 a : n II, 4, 2
7, 415 b ; n II, 22, 2
7, 416 ac : n II, 1, 7 ; nc II, 1, 6
7, 416 bc : n II, 21, 2
7, 417 a : n II, 28, 1
7, 418 bc : n III, 14, 10
7, 419 b : n III, 16, 9
8, 421 ab : 128[74] ; n I, 3, 2 ; n III, 14, 7
8, 421 b : n III, 10, 4 ; n III, 14, 7
9, 423 c : n II, 1, 4 ; n III, 37, 5
9, 425 a : n I, 12, 3
9, 425 b : n II, 7, 2
9, 425 c : n II, 21, 2
10, 429 b : n II, 35, 3
11, 431 c : n II, 21, 1 ; n III, 37, 5
15, 433 d : n II, 1, 4
16, 438 b : n II, 35, 3
16, 439 c : n II, 21, 2
16, 429 b : n II, 35, 3
17-18 : n I, 7, 5
28, 451 ab : n II, 16, 2
29, 454 bd : n II, 4, 2
30, 456 b : n II, 32, 2
31 : n III, 15, 6

Historia monachorum grecque (Festugière)
9, 6-7 : n I, 3, 2

HORSIÈSE

Épîtres (Orlandi-Vogüé)
II, col. III, 39-40 : nc IV, 24, 2

Liber (Boon)
52 : n II, 16, 9

IGNACE D'ANTIOCHE

Epistula ad Romanos (SC 10)
5, 2 : n III, 11, 2

IRÉNÉE DE LYON

Aduersus Haereses (PG 7, 433)
II, 31, 2 : nc II, 32, 3

ISIDORE DE SÉVILLE

De uiris inlustribus (PL 83, 1017)
37 (24) : nc II, 36

Historia Gothorum (PL 83, 1057)
49 : n III, 31, 1-2
52 : n III, 31, 6-7

Regula monachorum (PL 83, 867)
9, 2 : n II, 22, 1
13, 1 : n II, 33, 2

Itinerarium Einsidlense (CC 175, 331)
p. 332, 30 : n III, 26, 8

JEAN DE BICLAR
Chronicon (PL 72, 863)
an. 576 : n III, 26, 2
an. 579 : n III, 31, 1-2
an. 584 : n III, 31, 2
an. 585 : n III, 31, 4
an. 586 : n III, 31, 6
an. 587 : n III, 31, 7

JEAN CHRYSOSTOME
Homiliae in Ep. ad Romanos (PG 60, 583)
25, 4 : n IV, 46, 2
De sacerdotio (Nairn)
3, 4, 177-180 : n IV, 60, 2-3
6, 4, 519-522 : n IV, 60, 2-3

JEAN CLIMAQUE
Scala paradisi (PG 88, 624)
4, 689 c : n I, 8, 4
6, 796 d : nc IV, 37, 3-4

JEAN DIACRE
Vita Gregorii (PL 75, 61)
1, 32 : n III, 36, 1
2, 2 : n II, 38, 4
2, 11 : 45[83]
2, 13 : 83[166]
4, 75 : n II, 38, 4

JEAN MOSCHUS
Pré spirituel (SC 12)
3 : n I, 2, 1
15 : n III, 37, 15-16
35 : n IV, 31, 4
37 : nc III, 1, 5-7
38 : n IV, 27, 4
40 : n IV, 56, 1
57 : n IV, 10
70 : n III, 37, 15-16
88 : n IV, 55, 3
90 : n III, 23, 3
94 : nc III, 5, 3-4
105 : nc II, 2, 1
107 : n III, 15, 3
112 : n III, 37, 19
147 : 141[1]
150 : nc I, 4, 11-16
151 : 141[1]
157-158 : n III, 15, 4
163 : nc II, 8, 3
174 : nc III, 11, 5
183 : nc 1, 6, 2 ; nc 1, 7, 5
192 : 121[34] ; 141[1] ; n IV, 57, 8-16
198 : nc III, 7, 6
210 : nc I, 2, 8-10

JÉRÔME
Commentarius in Ecclesiasten (CC 72, 249)
1, 1 : nc IV, 4, 1
7, 3 : nc IV, 4, 3-4
12, 13 : nc IV, 4, 2
Contra Vigilantium (PL 23, 339)
12 : nc IV, 33, 2
De Antichristo in Danielem (CC 75 A, 914)
11 (920) : Add., p. 217 (III, 12, 2)
De uiris inlustribus (PL 23, 603)
15 : n IV, 15, 1
Epistulae (PL 22, 325)
22, 28 : n III, 16, 9

22, 33 : n IV, 57, 9
22, 33 : n IV, 57, 11 et 13
22, 36 : n II, 1, 5
22, 37 : n I, 9, 8
24, 5 : n IV, 17, 3
48, 15 : n I, 10, 2
60, 18 : n II, 35, 5
104, 32 : 33[28]
107, 10 : n III, 34, 3-4

Liber interpretationis hebraicorum nominum (CC 72, 59)

p. 67, 15-16 : nc III, 14, 10

Praefatio in Libros Salomonis (PL 28, 1241)

1242 a : n IV, 4, 1

Praefatio in Regulam Pachomii (Boon)

4 : n II, 7, 3

Vita Hilarionis (PL 23, 29) 121 ; 122[37]

5 : n II, 2, 1-2 ; n III, 34, 3-4
10 : n II, 7, 2
12 : n II, 2, 2
14 : n II, 32, 2 ; n III, 19, 3
18 : n I, 10, 4 et 10
19 : n IV, 16, 3
21 : n I, 4, 4
22 : n I, 10, 10
23 : n I, 10, 9
28 : n III, 26, 6
31 : n I, 9, 15
32 : n II, 33, 3
33 : n II, 1, 3
37 : n I, 10, 10
40 : n III, 19, 3
43 : n II, 1, 3 ; n II, 8, 10 et 12
46 : n II, 38, 1 ; n IV, 28, 4

Vita Malchi (PL 23, 55) 121[32]

3 : n I, 1, 3

Vita Pauli (PL 23, 17) 121[32]

3 : n II, 2, 2
5 : n II, 1, 4
8 : n II, 32, 3
9 : n II, 1, 7
10 : n II, 8, 3
14 : n II, 35, 3
15 : n II, 17, 1 ; n II, 37, 2

JONAS DE BOBBIO

Vita Burgundofarae (PL 87, 1070)

7 et 10-13 : 141[2]
15-17 : 141[2]

Vita Columbani (PL 87, 1011)

15 et 27 : nc III, 26, 3
29 : n I, 8, 4

JORDANES

De origine Getarum (PL 69, 1251)

4 : n III, 38, 3
52 : nc II, 3, 14
60 : nc III, 36, 4

De origine Romanorum (Mommsen)

380 : n II, 15, 2

JULIEN POMÈRE

De uita contemplatiua (PL 59, 415)

1, 17 et 23 : n II, 36

JUSTINIEN

Codex (Krüger)

I, 27, 4 : III, n, 32, 1 et 3

Novelles (Schöll-Kroll)

5, 2 : n II, 1, 4
133, 3 : n II, 34, 2

Juvénal
Satires
8, 20 : nc II, 23, 2

Léon le Grand
Epistulae (PL 54, 593)
118, 2 : n I, 4, 8
119, 6 : n I, 4, 8
120, 6 : n I, 4, 8
Sermones (PL 54, 141)
47, 1 : n III, 26, 8-9
85, 4 : n II, 2, 2

Léon d'Ostie
Chronica monasterii Cassinensis (Wattenbach)
1, 2 : n II, 17, 2

Léonce de Neapolis
Vita Iohannis Eleemosynarii (PL 73, 337)
22 : 121[35] ; n III, 1, 2
24 : 121[35] ; n IV, 59, 1
50 : n III, 23, 4

Liberatus
Breuiarium (PL 68, 969)
21 : n III, 3, 1
Liber Pontificalis (Duchesne)
I, 104-107 : n III, 2, 1 et 3
I, 170 : n I, 7, 2
I, 212 : n IV, 32, 3-4
I, 220 : n III, 7, 1
I, 226 : n IV, 56, 1
I, 233 : n II, 1, 1
I, 252 : n IV, 17, 1
I, 260-261 : n IV, 42, 1
I, 262 : n II, 8, 11
I, 270 : n II, 35, 3
I, 275-276 : n III, 2, 1 et 3
I, 276 : n IV, 31, 4
I, 287-288 : n III, 3, 1
I, 291 : n II, 21, 1 ; n III, 4, 1
I, 296 : n IV, 13, 3
I, 303 : n I, 9, 13 ; n III, 13, 1
I, 312 : n III, 30, 2 ; n IV, 17, 1 ; n IV, 27, 4 ; n IV, 36, 7
I, 317 : n III, 20, 1
I, 346-347 : n III, 11, 1
I, 435 : 165[4]
I, 502 : n IV, 27, 6
I, 505 : n IV, 56, 1
I, 806 : n IV, 14, 3
II, 2 : n III, 26, 8
II, 11 : n IV, 13, 1
II, 24 : n IV, 13, 1
II, 28 : n IV, 14, 3
II, 50 : n III, 26, 8
II, 122 : n II, 1, 3
De locis martyrum (CC 175, 315)
12 : nc IV, 27, 3

Lucien de Samosate
Philopseudès
14 : n I, 4, 4
25 : n IV, 37, 6
30-31 : nc III, 4, 1-3

Macrobe
In somnium Scipionis
I, 5, 1 : n II, 35, 5

Marc Diacre
Vita Porphyrii (Grégoire-Kugener)
34-36 : nc IV, 31, 2-3
57 : nc III, 36, 3
66-68 : nc IV, 27, 11-12

Marc le Moine
Versus (PL 80, 183)
v. 22 : n II, 8, 10
v. 36-37 : n III, 16, 9

MARCELLIN

Chronicon (Mommsen)

a. 484 : n III, 32, 1 et 3
a. 525 : n III, 2, 1 et 3

Marcellini comitis Auctarium (Mommsen)

a. 535 : n III, 3, 1
a. 542, 3 : n II, 14, 1
a. 545, 1 : n II, 15, 2
a. 545, 4 : n III, 6, 1 ; n III, 13, 1
a. 547, 5 : n II, 15, 3 ; n III, 13, 1

MARIUS D'AVENCHES

Chronica (Mommsen)

a. 555, 4 : n I, 2, 4

Memoriale Qualiter (CCM 1)

4 : n III, 33, 5

De miraculis sancti Stephani (PL 41, 833)

Prol. : n I, Prol. 10
1, 9-10 : n IV, 59, 1
2, 3 : n I, 9, 3

Notitia Africae (PL 58, 269)

276 a : n IV, 37, 3

Notitia ecclesiarum urbis Romae (CC 175, 305)

16 : n III, 27
38-40 : nc III, 24, 1

ODON DE GLANFEUIL

Vita Mauri (Mabillon) 143

OPTAT DE MILÈVE

De schismate Donatistarum (PL 11, 883)

2, 19 : n II, 28, 2

Ordo monasterii (Verheijen)

8 : n II, 12, 1

Ordines Romani (Andrieu)

I, 98 : n III, 3, 2
I, 99 et 108 : n II, 23, 4
XLII : n III, 30, 3

ORIGÈNE

Contra Celsum (SC 150)

8, 36 : n I, 4, 7

Entretien avec Héraclide (Scherer)

p. 167-175 : nc III, 38, 5

OROSE, v. PAUL OROSE

PACHÔME

Praecepta (Boon)

56 : n II, 12, 1
88 : n II, 11, 2

PALLADE, *v. aussi* HÉRACLIDE

Dialogus de uita S. Iohannis Chrysostomi (PG 47, 5) 115[19]

Historia Lausiaca (Bartelink) 113

2, 1 : n II, 1, 4
2, 40 : n II, 3, 4
4, 4 : n II, 35, 4 ; n IV, 31, 3
7, 4 : n II, 1, 1
8, 5 : n II, 33, 2
11, 4 : n II, 2, 2
11, 5 : n II, 36
14 : n III, 15, 2
17, 3-4 : n II, 16, 2
17, 6-9 : n II, 10, 2
18, 7 : n II, 2, 1 ; n II, 8, 12
18, 14-15 : n III, 14, 2
18, 16 : nc III, 37, 19
18, 19-21 : n II, 16, 1
22, 1-9 : n III, 15, 6
22, 10 : n II, 32, 2
25, 2 : n III, 20, 1

29, 2-5 : n I, 4, 1-2
32, 5 : n II, 1, 4
32, 7 : n III, 1, 2
35, 2 : n II, 15, 1
35, 5-7 : n II, 20, 2
35, 13 : n II, 33, 2 ; n III, 16, 5
38, 11 : n II, 2, 2
39, 4-5 : n II, 5, 2-3
50 : n III, 37, 15
51 : n III, 37, 5-7
59, 1 : n II, 3, 13
60 : n IV, 14, 5
68 : n III, 17, 3
68, 2 : n IV, 15, 1
69, 1 : n IV, 16, 2
70, 5 : n III, 37, 16
71, 3 : n III, 37, 5
71, 4 : n III, 26, 6

Passions.
113 ; 133[101] ; n III, 14, 6

Acta Cypriani (Rütten)
5, 3 : n I, 9, 16

Passio Agathae (BHL 133-136)
n III, 15, 18

Passio Anastasiae (Delehaye)
17 : n III, 27

Passio Bartholomaei (Bonnet)
9 : nc III, 13, 2

Passio Donati (Mombritius)
111[1] ; 112[7] ; n I, 7, 3

Passio Eleutherii (BHL 2450)
n IV, 13, 3

Passio Felicitatis (BHL 2853)
112[7]

Passio Iuliani et Basilissae (Salmon)
46 : n I, 10, 4

Passio Perpetuae et Felicitatis (Rütten)
11 : n II, 35, 3 ; n II, 37, 3
19, 3 : n III, 11, 2

Passio Proculi Bononiensis (BHL 6954)
n I, 9, 8

Passio Proculi Interamnensis (BHL 6955-6957)
n I, 9, 8

PAUL DIACRE

Historia Langobardorum (PL 95, 433)
1, 2 : n III, 38, 3
1, 16-17 : n IV, 27, 12
2, 4 : n IV, 27, 10
2, 20 : n III, 15, 2
2, 25 : n IV, 55, 2
2, 26 : n I, 4, 21 ; n III, 37, 4 ; n IV, 27, 10 et 12
2, 28 : nc I, 2, 8
2, 29 : n III, 5, 3
2, 32 : n III, 26, 2
3, 16 : n III, 19, 1
3, 23 : n III, 19, 2
3, 29 et 34 : n III, 19, 1
4, 5 : 40[61] ; n III, 19, 1
4, 17 : n II, 17, 2
4, 22 : n III, 37, 14
4, 44 : n III, 29, 2 ; n III, 37, 14
4, 52 : nc II, 10, 1
5, 6 : n III, 37, 14
5, 29 : n IV, 27, 10
6, 8 : n III, 2, 2
6, 40 : n II, 17, 2

PAUL ÉVERGÈTINOS
Sunagôgè (Matthaiou) 142, 9
IV, 5, 2, 36-38 : nc III, 15, 2-5

PAUL OROSE
Historiae (PL 31, 663)
4, 15 : n III, 38, 3
5, 15 : n II, 36
7, 15 : n III, 33, 7

PAULIN DE MILAN
Vita Ambrosii (Bastiaensen) 121
2 : n II, 1, 2
20 : n III, 37, 15
32 : n III, 13, 3 ; n IV, 28, 4
41 : n III, 38, 4
47 : n IV, 17, 1

PAULIN DE NOLE
Carmina (PL 61, 437)
20, 62-300 : nc I, 10, 13-14
21, 345-364 : n III, 1, 3
24, 617 : n III, 34, 3-4
Epistulae (PL 61, 153)
5, 15 : n III, 1, 3
11, 14 : n III, 1, 3
26 : n III, 15, 2
32, 17 : n III, 7, 1
39, 4 : n III, 1, 3
49 : n IV, 59, 4-5

PÉLAGE Ier
Epistulae (Gassó-Batlle)
10 : n III, 9, 1
36 : n I, 4, 12
52 : n IV, 54, 1
59 : n IV, 54, 1
63 : n I, 4, 3 et 9
68 : n III, 14, 4 ; n III, 29, 2
82 : n III, 29, 2

PÉLAGE II
Epistula ad Gregorium (PL 72, 703)
n III, 36, 1
Epistulae ad episcopos Istriae (PL 72, 706)
3, 710 c : n III, 38, 1

PHILON D'ALEXANDRIE
De fuga (Starobinsky-Safran)
37 : n II, 2, 4

PIERRE DU MONT-CASSIN
Vita Placidi (Mabillon) 143
12 : n II, 35, 1 ; n III, 16, 9

PLATON
Respublica
7, 1-2 : n IV, 1, 3

PLINE L'ANCIEN
Historia naturalis
3, 17 : n II, 1, 3
7, 52 : nc 11, 4 ; nc 12, 4 ; nc 32, 2-4
8, 223 : nc III, 4, 2

PLINE LE JEUNE
Epistulae
7, 27, 4-11 : nc III, 4, 1-3

PLUTARQUE
De anima
I : n IV, 37, 6

Pontifical Romano-germanique du Xe siècle (Vogel)
XIV, 3 : n II, 23, 4

Pontius

Vita Cypriani (Bastiaensen) 121-122

12 : 122[36]

Possidius

Vita Augustini (Bastiaensen)

121-122

26 : nc III, 7, 1

29 : 122[36] ; n III, 25, 1

Procope de Césarée

De bello Gothico (Haury) II, 35, 1

1, 1 : n IV, 31, 4
1, 3 : n II, 14, 1
1, 16-17 : n III, 6, 1
1, 24 et 27 : n IV, 54, 1
2, 6 : n II, 6, 1
2, 7 : n III, 4, 1 ; n IV, 54, 1
2, 11 : n III, 6, 1
2, 12 : n III, 4, 1
2, 16 : n II, 14, 1
2, 20 : n II, 21, 1
2, 21 : n II, 4, 1 ; n II, 14, 1
2, 22 : n II, 14, 1
3, 5 : n II, 14, 1 ; n III, 6, 1
3, 6 : n I, 2, 2-3 ; n II, 14, 1 ; n II, 15, 2 ; n II, 31, 1 ; n III, 5, 2 ; n III, 6, 1
3, 10 : n II, 15, 2
3, 11 : n III, 6, 1
3, 12 : n III, 6, 1 ; n III, 13, 1
3, 13 : n III, 11, 1
3, 15 : n II, 15, 2
3, 18 : n III, 5, 2
3, 19 : n II, 14, 1
3, 20-22 : n II, 15, 3
3, 22 : n III, 11, 1 ; n III, 13, 3
3, 25 : n II, 15, 2 ; n III, 13, 1
3, 30 : n II, 15, 2
3, 35 : n III, 13, 1
4, 29 : n I, 10, 12
4, 32 : n II, 15, 2
4, 33 : n III, 6, 1 ; n IV, 54, 1
4, 34 : n I, 10, 12

De bello Vandalico (Haury)

1, 5 : n III, 1, 1
1, 8 : n III, 32, 1 et 3-4

Prudence

Peristephanon (PL 60, 275)

3, 161-173 : n II, 34, 1 ; n IV, 11, 4

Regesto Sublacense del sec. XI (Allodi-Levi) n II, 1, 1,

p. 29 et 35 : n I, 8, 1
p. 86 et 155 : n IV, 13, 1
p. 170-171 : n IV, 13, 1

Règles.

Règle du Maître (SC 105-106)

81[161] ; 156 ; n I, 2, 9 ; n II, 3, 13 ; n II, 8, 5 ; n II, 22, 1

Ths 16 : n I, 9, 7 ; n III, 21, 1
Ths 35-37 : n IV, 40, 9
Ths 36 : n IV, 32, 5 ; n IV, 40, 8
Ths 39 : n I, 2, 8
Ths 43 : n IV, 32, 5
1, 45-46 : n III, 14, 8
1, 72 : n III, 26, 2
2, 12 : 32[25]
2, 41-42 : n I, 2, 11
2, 44 : n IV, 4, 1
3, 8 : n II, 24, 1
5, 9 : n II, 33, 3
7-9 : n IV, 16, 2
7, 1 : n II, 29, 2
7, 24 : n III, 28, 2

7, 47-59 : n III, 28, 2
7, 52 : n III, 11, 3
7, 59 : n III, 26, 9
7, 70-74 : n I, 10, 7
8, 6-16 : n IV, 5, 2-3
8, 6-17 : n IV, 5, 6
8, 27 : n II, 20, 1
9, 7 : n II, 25, 1
9, 16 : n I, 2, 8 ; n II, 25, 1
10, 12-13 : n II, 3, 7
10, 113 : n IV, 37, 8
11, 6-7 : n IV, 37, 11
11, 40-90 : n II, 23, 3
11, 68 : n III, 33, 5
11, 76 : n III, 14, 10
12, 1-5 : n II, 23, 3
13, 45-49 : n IV, 57, 13
13, 61 et 67 : n I, 4, 14
14, 17 : n II, 23, 6
14, 21 : n I, 4, 14
15, 19-27 et 39 : n III, 33, 5
15, 48 : n II, 12, 1
16, 18-19 : n III, 1, 4
17, 10 : n III, 17, 2
19, 23 : n III, 17, 2
19, 25 : n II, 11, 2
20, 10 : n I, 2, 11
21, 1 : n II, 24, 2 ; n III, 36, 3
21, 4 : n III, 36, 3
21, 6 : n I, 2, 8 ; n II, 25, 1
21, 14 : n II, 25, 1
22, 6 : n II, 25, 1
23, 3 et 17-19 : n I, 4, 7
23, 27 et 32 : n II, 3, 4
24, 23 : n II, 13, 1
25, 8 et 10 : n II, 31, 3
26, 2 : n II, 8, 3
26, 3 : n I, 11
28 : n III, 15, 4
29, 6 : n I, 5, 2
38 et 43 : n I, 9, 8
50, 72-73 : n III, 1, 3
53, 1 : n I, 11
53, 44 : n II, 31, 3
54, 1 : n I, 4, 12
55, 4-6 : n II, 10, 2
56, 3-7 : n II, 10, 2
57, 4 et 7 : n I, 4, 10
57, 10 : n I, 4, 10
61 : n II, 12, 1-2
61, 2 ; n II, 22, 3
61, 5-10 : n II, 13, 2
61, 16 et 18 : n II, 12, 1
62 : n II, 13, 2
69, 10 : n II, 11, 2
71 : n II, 1, 7
76 : n I, 4, 15 ; n II, 8, 1
76, 1-2 : n IV, 57, 5
78, 4 : n III, 1, 3
80, 7-9 : n II, 23, 3
81, 7 : n I, 4, 10
81, 25-27 : n I, 4, 14
81, 31 : n II 11, 2
82 : n IV, 57, 10
83, 4 : n II, 22, 3
83, 5 : n III, 17, 3
83, 8 : n II, 22, 3
83, 9 : n I, 4, 8
86 : n I, 4, 13 ; n II, 32, 1
86, 7 : n IV, 51
86, 27 : n III, 1, 3
90, 29 : n III, 26, 9
90, 65-66 : n II, 24, 1
90, 79-81 : n II, 7, 2
92, 8 : n II, 22, 3
92, 28-32 : n I, 1, 6
93, 8 : n IV, 57, 14
95, 18-21 : n I, 7, 5

Règle des Quatre Pères (Neufville)

4, 16 : n III, 17, 3

Regula cuiusdam Patris (Villegas)

21 : n I, 2, 2-3

Regula Tarnantensis (Villegas)

9, 14 : n II, 12, 1

Rufin, v. aussi *Historia mon.*

Historia ecclesiastica (Mommsen)

2, 23, 6 : nc IV, 17, 3
3, 26, 4 : nc III, 38, 5
3, 36, 8 : nc III, 11, 2-3
3, 39, 9 : nc III, 5, 3-4
4, 15, 37 : nc III, 18, 2 ; nc IV, 15, 5
4, 26, 1 : nc II, 36
5, 1, 42 et 51 : nc III, 11, 2-3
5, 2, 6 : nc IV, 40, 5
5, 7, 2 : nc II, 32, 2
5, 21, 4 : nc II, 36
6, 9, 2-3 : nc I, 5, 2
6, 9, 4 : nc I, 5, 3
6, 37 : nc III, 38, 5
7, 15, 17 : nc III, 4, 3
7, 25 : n III, 10, 3
7, 28, 2 : 111[1] ; n I, 7, 2 ; nc I, 7, 2 ; nc III, 7, 3-9
10 (1), 5 : n I, 3, 2-4 ; n III, 14, 7 ; III, 22, 2-3
10 (1), 6 : nc III, 7, 1
10 (1), 11 : nc II, 9 (PL 21, 482 a)
11 (2), 9 : nc II, 36
11 (2), 19 et 32 : 129[81]

Rutilius Namatianus

De reditu suo

I, 249-260 : n IV, 56, 3

Sacramentaires

Sacramentaire gélasien (Mohlberg)

III, 16, 1260 : n II, 23, 4

Sacramentaire de Vérone (Mohlberg)

1239 et 1258 : n III, 36, 4

Salvien

Ad ecclesiam (PL 53, 173)

2, 58-59 : nc IV, 2, 1-2
3, 7 : nc IV, 18, 2
4, 38-39 : nc IV, 2, 1-2

De gubernatione Dei (PL 53, 25)

Praef. : nc II, 36
5, 4 : nc III, 35, 3

Sénèque

Quaestiones naturales

Praef. 8 : n II, 35, 5
Praef. 17 : n II, 35, 6-7

Sidoine Apollinaire

Epistulae (Loyen)

5, 17 : n II, 1, 1

Sirice

Epistulae (PL 13, 1131)

1, 9 : n IV, 12, 3

Socrate

Historia ecclesiastica (PG 67, 30)

1, 12 : n I, 3, 2
4, 19 : nc II, 8, 11
7, 38 : nc I, 6, 2

Sozomène

Historia ecclesiastica (PG 67, 843)

7, 22 : n II, 15, 1
7, 25 : n I, 2, 4 ; nc III, 35, 2
7, 26 : nc II, 28-29

Sulpice Sévère

Dialogi (CSEL 1, 152) 114-119

1, 10 : 48[12] ; n II, 1, 5
1, 10-22 : 114[17]

1, 11 : n II, 7, 3 ; n III, 37, 5
1, 12 : n III, 15, 2
1, 14 : n II, 8, 3 ; n III, 10, 4
1, 18 : n III, 18, 2
1, 19 : n II, 1, 4
1, 22 : n II, 2, 1
1, 24-25 : n II, 8, 8
2 : 114[17]
2, 1 : n II, 28, 1-2 ; n II, 29, 1
2, 2 : n II, 13, 1 ; n II, 35, 3
2, 3 : 129[77] ; 131 ; n I, 2, 2-3
2, 4 : 128[73] ; n I, 2, 5-6 ; n II, 32, 2
2, 9 : n I, 10, 9
2, 11-12 : 123[40]
2, 13 : n IV, 31, 4
3, 1 : 78[150] ; n I, Prol. 3
3, 2-15 : 115[18]
3, 2 : n II, 27, 2
3, 3 : n II, 28, 2 ; n II, 29, 1
3, 3-4 : n III, 33, 5
3, 4 : n II, 1, 6
3, 5 : 78[150] ; n I, Prol. 10
3, 8 : 132[95] ; n I, 4, 16 ; n II, 15, 2
3, 9 : n III, 10, 3-4
3, 15 : n I, 9, 10-13 ; n II, 3, 4 ; n II, 11, 1

Epistulae (SC 133)
114[16] ; 118

1, 6 : n I, 12, 5
2, 2-3 : n III, 38, 2
2, 9-11 : n III, 26, 8
3, 6 : n II, 37, 1
3, 10-11 : 142[5]

Vita Martini (SC 133)
114 ; 117-121 ; 190

6, 1 : n II, 11, 1 ; n II, 30, 1
7, 1-6 : n I, 12, 2
7, 5-6 : n I, 10, 18
7, 7 : n I, 10, 17
10, 8 : n II, 3, 14
11, 4-5 : n II, 8, 12
13-15 : n II, 8, 11
13, 1 : n II, 8, 10
14, 1 : n II, 8, 10
14, 2 : n I, 6, 2
15, 2-3 : n III, 37, 15
20, 4-7 : n III, 5, 2
20, 8-9 : 129[80] ; n II, 15, 1
21, 2 : n II, 11, 1 ; n II, 30, 1
22, 1-3 : n II, 8, 12
25, 4-8 : 123[40]
27, 3 : n II, 8, 1
25-27 : 123[40]

Symbole de Nicée-Constantinople
n IV, 1, 4

SYMÉON LE NOUVEAU THÉOLOGIEN

Livre d'éthique (SC 122)
I, p. 296-305 : n IV, 1, 3

TACITE

Annales
14, 22 : n II, 1, 3

TAYON DE SARAGOSSE

Sententiae (PL 80, 727)
Praef. 2 (729) : n IV, 37, 3

De terminatione prouinciarum Italiae (CC 176, 349)
13 : n III, 15, 2

TERTULLIEN

De anima (Waszinck)
51 : n III, 23, 4
53, 5 : n IV, 26, 5

De oratione (CC 1, 257)
25, 6 : n I, 9, 8

THÉODORE DE PÉTRA

Vita Theodosii (Festugière)
9 : n II, 4, 2

THÉODORET DE CYR
Historia ecclesiastica (PG 82, 879)
1, 21 : nc IV, 37, 6
1, 33 : nc I, 4, 19
3, 3 : nc III, 7, 3-6
3, 24 : n IV, 31, 3-4
5, 21 : nc I, 10, 15
5, 32 : nc III, 29, 2
5, 36 : nc II, 23, 3
Historia religiosa (SC 234 et 257)
Prol. 11 (1292-1293) : n I, Prol. 8.10
1, 4 : Add., p. 218 (III, 15, 7)
1, 5-6 et 9 : Add., p. 215
2, 6 : Add., p. 215 et 216 (I, 9, 15)
2, 8 : Add., p. 216 (II, 5, 2-3)
2, 11 : Add., p. 215
2, 14 : n IV, 31, 3
2, 17 : nc II, 7, 3
3, 1 et 8 : Add., p. 215
3, 9 : Add., p. 216 (I, 4, 6)
3, 22 : Add., p. 218 (III, 25, 1)
6, 2 : Add., p. 218 (III, 15, 3)
6, 4 : Add., p. 217 (II, 8, 11-12)
6, 10 : Add., p. 218 (III, 15, 3)
6, 11 : Add., p. 215
9, 12 : Add., p. 216 (I, 2, 4)
9, 14-15 : Add., p. 215
10, 2 : Add., p. 215
10, 7 : Add., p. 216 (II, 5, 2-3)
12, 6 : Add., p. 216 (I, 2, 4)
14, 4 : Add., p. 216 (I, 2, 2-3)
15, 2 : Add., p. 218 (III, 37, 15-16)
15, 3 : Add., p. 218 (III, 16, 5)
16, 1 : Add., p. 217 (II, 8, 11-12)
21, 23 : Add., p. 218 (III, 16, 3)
26, 10 : 120[31] ; n III, 16, 9
28, 1 et 5 : Add., p. 217 (II, 8, 11-12)

THÉON
Progymnasmata
4 : 115[20]

TITE LIVE
Annales
22, 1 : n III, 38, 3
45, 12 : n III, 12, 2

Translatio Benedicti et Scholasticae in Galliam (Weber)
lignes 17-23 : n II, 34, 2

URANIUS
De obitu Paulini (PL 53, 859)
3 : n III, 1, 1 ; n IV, 13, 3
4 : 111[4] ; n III, 1, 9
6 : n III, 1, 1

VARRON
De re rustica
2, 10 : nc I, 4, 1

VENANCE FORTUNAT
119[28]
Vita Germani (PL 88, 453)
67 : nc II, 22, 2
77 : nc II, 35, 2

VENANCE FORTUNAT (Ps.)
Add., p. 219
Vita Amantii (PL 88, 513)
5 : nc I, 2, 2-3
6 : nc I, 3, 2-4
9 : nc I, 2, 2-3
10 : nc II, 28, 2
Vita Maurilii (PL 88, 563)
6 : nc II, 8, 11

15 : nc III, 1, 5-7
19 : nc II, 8-11

Vita Medardi (PL 88, 533)

2 : nc I, 9, 16-17
3 : nc III, 17, 1
4 : nc I, 3, 2-4

Vita Remigii (PL 88, 527)

3 : nc II, 8, 3
5 : nc I, 6, 2

VICTOR DE TUNNUNA

Chronica (PL 68, 941)

a. 479 : n III, 32, 1 et 3
a. 554 : n III, 4, 1

VICTOR DE VITE

De persecutione Vandalica (PL 58, 179)

1, 1-2 : n II, 31, 1
1, 4 : n IV, 37, 3
1, 8 : n III, 1, 1
1, 10 : n IV, 59, 1
1, 12 : n IV, 27, 13
2, 6 : n II, 37, 3 ; n III, 30, 3 et 5-6
2, 8 : n IV, 16, 3
2, 17 : n I, 10, 18 ; n II, 32, 2 ; n III, 25, 1
5, 6 : n III, 32, 1-3
5, 11 : n IV, 16, 3

VIRGILE

Aeneides

1, 91 : n III, 36, 3
1, 122-123 : n III, 36, 2
4, 3 : n II, 16, 9
6 : n IV, 37, 8

Vies de saints

Vita Alexandri (PO 6, 658)

7 : n III, 14, 5
8 : n III, 33, 5
18 : n III, 14, 5

Vita Basilii : *v*. AMPHILOQUE (Ps.)

Vita Caesarii (PL 67, 1001)

I, 3 : n I, 9, 16
I, 17 : n I, 6, 2
I, 25 : n I, 1, 6
I, 28 : nc I, 2, 6
I, 34 : n II, 3, 4
I, 36 : n I, 9, 15 ; n III, 15, 16-17
I, 39 : n II, 28, 2
I, 44 : n II, 34, 2
II, 7 : n II, 21, 1-2 ; n II, 28-29
II, 9-12 : n II, 35, 1
II, 17 : n II, 2, 1
II, 18 : n III, 4, 3
II, 19 : n II, Prol. 1
II, 21-22 : n I, 6, 2
II, 30 : n II, 8, 12
II, 33 : n II, 37, 1
II, 47 : n I, 1, 3

Vita Cerbonii (BHL 1728-1729)

n III, 10, 2

Vita Cuthberti (BHL 2019)

IV, 13 : n II, 24, 2

Vita Danielis Stylitae (Delehaye)

13 et 19 : nc III, 14, 2-3
46 : n IV, 12, 4
81 : nc III, 35, 2

Vita Frigdiani (BHL 3174)

n III, 9, 1

Vita Frontonii (BHL 3189-3190)

5-6 : n II, 1, 6 ; nc II, 1, 6

Vita Fructuosi (BHL 3194)

10 : t. II, p. 451

Vies coptes de S. Pachôme (Lefort)
Bo 39 : n II, 21, 2
Bo 82 : n I, 10, 18
Vies grecques de S. Pachôme (Halkin)
G¹ 39 : n II, 21, 2
G¹ 48 : nc II, 21, 3-4
G¹ 69 : n III, 14, 3
G¹ 112 : n I, 4, 3
G² 29 : nc II, 34, 2
G² 54 : n III, 14, 3
Paral. 28 : n I, 4, 7
Vita Pachomii : v. Denys *et Vita Posthumii*
Vitae Patrum (PL 73, 101) nc II, 1, 6
3, 31-34 : n II, 33, 2
3, 216 : n IV, 32, 3-4 ; nc IV, 37, 4-6
5, 3, 20 : nc IV, 37, 4-6
5, 5, 24 : 129[84] ; nc III, 7, 7-8
5, 5, 38 : nc IV, 11, 4
5, 5, 39 : 129[84] ; 131-134 ; n III, 7, 4-9 ; nc III, 7, 7-8
5, 10, 84 : nc III, 37, 20
5, 11, 51 : n III, 16, 4
5, 12, 14 : n II, 33, 3
5, 14, 18 : nc III, 18, 2
5, 15, 89 : nc II, 1, 5
5, 17, 18 : nc III, 15, 2-5
6, 1, 5 : nc II, 17, 1
6, 1, 13 : nc IV, 24, 2
6, 3, 13 : n IV, 12, 5 ; n IV, 15, 1 ; n IV, 40, 11
Vita Patrum Emeritensium (PL 80, 115)
t. II, p. 451
Praef. : 141[3]
1 et 3 : 142[4]
6-7 et 10 : 142[4]
12 : 142[4-5]
13 : nc II, 28-29
16 : 142[4] ; 154[56]
20-21 : 142[4]
Vita Patrum Iurensium (SC 142)
121
62 : n II, 36
62-67 : n 123[40]
64 : n III, 38, 2
73 : n I, 4, 13
76 : n III, 34, 3-4
93 : nc III, 14, 3
102 : n II, 22, 2
104 : n IV, 15, 2 ; n IV, 38, 1
113 : n I, 2, 2-3
116 : n IV, 12, 3
124 : n IV, 15, 4
130 : n II, 35, 2
132-138 : n I, 2, 5-6
143-144 : n III, 10, 3
150 : n II, 23, 3
156 : n II, 38, 2
159 : n II, 35, 2
165 : n IV, 14, 5
167-174 : 123[40]
168 : n III, 14, 10
176 : Add., p. 217 (II, 33, 4)
Vita Posthumii (Pachomii) (PL 73, 429)
nc II, 1, 6
Vita Siluestri (Mombritius)
n I, 7, 2
Vita Symeonis Stylitae (PL 73, 325)
9 : nc III, 16, 5
Vita Symeonis Stylitae Iunioris (Van den Ven)
38 : nc III, 16, 3-4
66 : nc III, 2, 2
116 : nc II, 8, 1-6
125 : nc III, 16, 3-4

161 et 164 : nc II, 8, 10
172 : nc III, 11, 5
177 : nc II, 7, 3
180 : nc II, 27, 1-2
215-216 : nc II, 13, 3
221 et 223 : nc II, 8, 10
234 : nc III, 14, 2-3

Zénon de Vérone
Sermones (PL 11, 253)
n III, 19, 2

Zosime
Epistulae (PL 20, 642)
2, 2 : n IV, 15, 2

III. TABLE DES CITATIONS GRÉGORIENNES

Epistolae (PL 77, 441)
31 ; 34 ; 80-81

1, 1 : 44[76] ; 45[84] ; n IV, 59, 6
1, 3 : 44[76]
1, 5 : n I, Prol. 1 et 3-5
1, 5-7 : n I, Prol.
1, 6 : n I, Prol. 1
1, 7 : n I, Prol. 5
1, 15 : n III, 11, 4
1, 16 : 25[4] ; n IV, 19, 2
1, 17 : n III, 19, 1
1, 22 : n I, 7, 1
1, 25 : n III, 17, 9-12 ; nc III, 17, 11
1, 34 : n III, 15, 10 ; n III, 26, 6 ; n IV, 4, 8 ; n IV, 41, 1
1, 35 : n III, 7, 9
1, 42 : n IV, 57, 11
1, 43 : n III, 31, 7 ; nc I, Prol. 4-5
1, 44 : n I, 4, 17
1, 47 : n III, 7, 9
1, 52 : n III, 20, 1
1, 61 : n I, 4, 17
1, 65 : n I, 8, 1
1, 68 : nc I, Prol. 2
1, 72 : n IV, 59, 2
1, 73 : 44[76]
2, 7 : n I, 7, 1
2, 13 : n III, 38, 2
2, 16-17 : n IV, 31, 2
2, 32 : 44[76] ; 80[158] ; n III, 7, 9 ; n IV, 57, 11 ; n IV, 59, 6
2, 35 : nc III, 37, 19
2, 36 : n I, 5, 6
2, 39 : n III, 8, 2
2, 43 : n III, 17, 1
2, 51 : n IV, 37, 3
3, 1 : 44[77]
3, 13-14 : 134[102] ; n III, 7, 1
3, 15 : 159[68] ; n II, 8, 1
3, 19 : n III, 30, 1
3, 20 : n I, 4, 12
3, 28 : n II, 26
3, 29 : n III, 38, 3
3, 30 : n IV, 55, 2
3, 40 : 44[78] ; nc I, Prol. 2
3, 50 : n I, 8, 1
3, 51 : 25[1] ; 27[10] ; 28[11] ; 44[80] ; 123[41] ; n I, Prol.2 ; n I, 7, 1 ; n I, 8, 1
3, 53 : n IV, 40, 10
3, 55 : n IV, 31, 2
3, 56 : 44[75] ; 44[79] ; n I, 8, 1 ; nc I, Prol. 2
3, 64 : n III, 29, 2 ; n III, 38, 2
3, 66 : n IV, 36, 7
4, 2 : n III, 20, 1
4, 6 : n II, 17, 1
4, 19 : n III, 30, 2
4, 21-22 : 26[8] ; n III, 9, 1
4, 25-26 : n II, 8, 10
4, 30 : 31[20] ; 112[10]
4, 32 : n IV, 40, 10
4, 33 : nc I, Prol. 2
4, 39 : n IV, 36, 7
4, 46 : n II, 1, 1
4, 47 : 159[68] ; n II, 18
5, 3 et 7 : n III, 9, 1
5, 8 : n II, 7, 9
5, 17 : 25[2] ; n I, 7, 1

5, 18 : n I, 4, 11 ; n IV, 40, 10
5, 20 : n IV, 38, 3
5, 31 : n IV, 37, 11
5, 34 : 44[79-81] ; n I, Prol. 2
5, 44 : n I, 9, 10
5, 48 : nc III, 37, 19
5, 49 : n III, 31, 1,
5, 54-55 : n III, 8, 2
6, 14 : n IV, 40, 10
6, 21 : n III, 38, 2
6, 24 : 44[75] ; 44[81]
6, 43-44 : n III, 26, 6
6, 61 : 44[81] ; n III, 20, 1
6, 66 : n IV, 40, 10
7, 4 : n IV, 62, 1
7, 5 : n IV, 40, 10
7, 12 : n III, 33, 7
7, 18 : n II, 35, 1
7, 22 : n IV, 31, 2
7, 25 : n IV, 14, 4
7, 26 : 31[19-20] ; 34[30] ; 92[41] ; 153[50] ; n III, 19, 1 ; n III, 34, 2-5 ; n III, 36, 4 ; n IV, 16, 1 ; n IV, 19, 1
7, 32 : 159[68] ; n II, 18
7, 34 : 92[42]
8, 3 : n IV, 54, 1
8, 5 : n IV, 36, 7
8, 11 : n IV, 49, 5
8, 16 : n I, Prol. 2
8, 24 : n II, Cap. 8
8, 29 : 112[8]
9, 3 : n IV, 54, 1
9, 4 : 44[82] ; n IV, 13, 1
9, 6 : n III, 7, 9
9, 7 : nc IV, 12, 2
9, 12 : n III, 3, 2
9, 16 : n I, 6, 1
9, 24 : n II, 35, 1
9, 25 : 134[102]
9, 27 : n I, Prol. 1
9, 43 : n IV, 13, 1
9, 46 : n III, 19, 1
9, 52 : nc II, 8, 10
9, 55 : n III, 7, 9
9, 61 : n III, 31, 7
9, 73 : n II, 35, 1
9, 89-90 : n I, 6, 1
9, 98 : n IV, 13, 1
9, 121 : n III, 31, 1,
9, 122 : n III, 31, 7
10, 1 : n I, 5, 1
10, 3 : n IV, 32, 2
10, 8 : n III, 10, 1
10, 9 : n III, 20, 1
10, 34 : nc III, 37, 19
10, 44 : n II, 35, 1
10, 52 : n III, 10, 1
10, 61 : n II, 1, 5
11, 24 : n III, 19, 1
11, 28 : 87[17] ; 87[20] ; n I, 7, 6 ; n III, 31, 8 ; nc I, 5, 3
11, 30 : n IV, 11, 1
11, 37 : nc III, 7, 8
11, 44 : 31[20] ; nc II, 25, 2 ; n IV, 40, 5
11, 56 : 112[9]
11, 64 : n IV, 33, 2 ; nc IV, 33, 2
11, 67 : n IV, 37, 3
11, 71 : n IV, 37, 11
11, 76 : n III, 7, 8 ; nc III, 7, 8
12, 24 : n II, 12, 1
12, 39 : n II, 8, 1
13, 12 : n III, 7, 9
13, 29 : n IV, 13, 1
13, 35-36 : n III, 7, 8 ; n IV, 12, 1
14, 4 : 159[68] ; n II, 18
14, 7 : n III, 38, 2
14, 11 : n I, 6, 1
App. 5 : 134[102] ; n IV, 16, 1 ; n IV, 27, 2 ; n IV, 32, 4 ; n IV, 57, 3
App. 5, 4 : nc IV, 42, 2

App. 5, 6 : n IV, 37, 11
App. 9 : n IV, 13, 1 ; n IV, 27, 2
PLS 4, 1576 : n IV, 49, 5

Homiliae in Euangelia (PL 76, 1075)

29-30 ; 32 ; 66 ; 80-81 ; 90[34] ; 92[43] ; 120[29]

I, *Praef.* : 29[16] ; 33[28] ; n I, Prol. 2
1-20 : 34
1, 1 : n III, 3
1, 5 : n II, 15, 3 ; n III, 38, 4
2, 1 : 91[38] ; n IV, 1, 1-2
2, 4 : n II, 22, 5
2, 7 : n IV, 5, 1-3 et 5
3, 3 : 112[7]
3, 4 : n III, 26, 8-9
4, 3 : 90[33] ; 91[39] ; n I, 12, 4 ; n III, 17, 7
5, 4 : n IV, 11, 4
9, 1 et 5 : n IV, 9, 1
9, 7 : n IV, 38, 1
10, 7 : n III, 14, 10
11, 1 : n II, Prol. 1
11, 3 : n III, 26, 8
11, 5 : n III, 14, 10-11
11, 9 : n III, 26, 9
12, 3 : n I, 4, 11
12, 7 : 29[15] ; 35[37] ; n IV, 40, 6-9
13, 5 : n IV, 4, 5
13, 6 : n IV, 4, 8
15, 2 : nc IV, 61, 2
15, 5 : 29[15] ; n IV, 15, 2
17, 4 : n IV, 37, 11
17, 8 : n III, 26, 4
17, 16 : n III, 38, 3
17, 18 : 81[161] ; n III, 17, 1
19, 7 : 29[15]; n II, 6, 1 ; n II, 25, 2 ; n III, 38, 5 ; n IV, 40, 2-3
21-40 : 34
21, 1 : n II, 22, 5
23, 1 : n IV, 33, 3
23, 2 : 29[15] ; n I, Prol. 10 ; n III, Prol. ; n IV, 57, 6
24, 2 : n I, Prol. 5
24, 4 : 53[29]
25, 2 : n III, 28, 2
26, 2 : n II, 38, 4
26, 3 : n III, 22, 4
26, 6 : n III, 17, 13
26, 8 : n IV, 5, 5
26, 12 : 95[53] ; 150[35]
27, 1 : n IV, 19, 2
27, 3 : n III, 26, 9
27, 4 : n III, 26, 8
27, 6 : n II, 33, 1
27, 9 : 112[7]
28, 1 : n II, 38, 3
28, 3 : 112[7] ; n II, Prol. 1
29, 4 : 87[17] ; 90[32] ; 91[39] ; n 1, Prol. 7 ; n III, 17, 7
29, 6 : n I, 2, 8
30, 1 : n II, 38, 4
30, 5 : n IV, 11, 4
30, 10 : n I, Prol. 9 ; nc I, 9, 9
32, 1 : n I, 4, 19
32, 6 : 45[85] ; 91[39] ; 92[44] ; n I, 9, 19 ; n III, 38, 5 ; n IV, 6, 1-3
32, 7 : 29[15] ; 92[45] ; n I, Prol. 10 ; n IV, 5, 5
33, 1 : n III, 1, 9
33, 7 : n II, 2, 2
34, 3 : 55[33]
34, 4 : n II, 3, 1
34, 4-5 : n IV, 12, 2
34, 11 : n III, 37, 19
34, 15 : n II, 22, 5
34, 16 : n IV, 12, 2
34, 18 : 29[15] ; n I, 7, 1 ; n II, 35, 2 ; n IV, 14, 4 ; n IV, 49, 3

35, 2 : n IV, 37, 14
35, 7 : n III, 26, 8
35, 7-8 : n I, 5, 6
35, 7-9 : n III, 26, 9
35, 8 : 29[15] ; n I, 5, 5 ; n I, 9, 12 ; n II, Prol. 1 ; n III, 33, 1 ; n III, 37, 20 ; n IV, 20, 1-2 et 4 ; n IV, 34, 5 ; n IV, 40, 6
36, 1 : n IV, 1, 1-2
36, 7 : n II, 3, 6
36, 13 : 28[12] ; 29[15] ; n IV, 28, 1 ; n IV, 28, 3 et 5
37, 6 : n IV, 38, 1
37, 7 : n IV, 60, 1-3 ; n IV, 62, 3
37, 8 : 29[15] ; 93[47] ; n II, 13, 1 ; n IV, 59, 1
37, 9 : 29[15] ; 93[47] ; n II, 13, 1 ; n III, 6, 1 ; n IV, 13, 3 ; n IV, 49, 3 ; n IV, 58, 1 ; n IV, 61, 1
37, 10 : n IV, 60, 1
38, 4 : 35[34]
38, 14-16 : n III, 28, 3
38, 15 : 29[15] ; 32[26] ; 93[48] ; n I, Prol. 9 ; n IV, 17, 1
38, 16 : 25[3] ; 29[15] ; 64[73] ; n II, 25, 2 ; n IV, 40, 2-5
39, 10 : 29[15] ; 32[26] ; n I, Prol. 9 ; n IV, 40, 10
40, 7-8 : n IV, 46, 9
40, 8 : n IV, 34, 4-5
40, 11 : 29[15] ; n IV, 16, 1

Homiliae in Ezechielem prophetam (CC 142)
27[9] ; 34 ; 80-81

I, 1, 3 : n IV, 50, 5
I, 1, 10 : n II, 6, 2
I, 1, 13 : n I, 4, 19
I, 1, 15 : n II, 21, 3-4 ; n IV, 25, 1
I, 1, 16 : n II, 21, 3
I, 2, 3 : n IV, 4, 5
I, 2, 21 : n II, 38, 5
I, 5, 14-15 : 91[39]
I, 6, 19 : n II, 38, 5
I, 8, 9 : n IV, 62, 1
I, 8, 16 : n IV, 5, 4
I, 8, 19 : n III, 15, 15 ; n III, 24, 3
I, 9, 9 : n III, 38, 3
I, 9, 31 : n III, 17, 9-12
I, 9, 32 : n IV, 11, 2
I, 11, 5-6 : n I, Prol. ; n I, Prol. 5
I, 11, 6 : n I, Prol. 1 ; n III, 15, 16-17
I, 11, 26-29 : nc IV, 61, 2
I, 12, 25 : n III, 14, 10
II, *Praef.* : n I, 4, 19
II, 1, 5 : n III, 37, 19
II, 1, 7 : nc IV, 41, 4
II, 1, 16 : n II, 16, 7
II, 3, 23 : 91[39] ; n II, 38, 5
II, 4, 6 : n IV, 36, 13
II, 4, 19 : n IV, 44, 3
II, 5, 10 : n IV, 5, 4
II, 5, 13 : 185
II, 5, 14 : n I, 2, 8
II, 5, 15 : 53[29]
II, 5, 22 : n II, 15, 3
II, 6, 9 : n II, 30, 3
II, 6, 16 : 55[33]
II, 6, 22 : n II, 15, 3 ; n III, 38, 3
II, 7, 3 : n I, Prol. 9
II, 7, 4 et 11 : 53[29]
II, 7, 15 et 20 : n III, 7, 10
II, 8, 15-22 : n III, 34, 3-4
II, 9, 6 : n I, Prol. 10
II, 9, 12 : n II, 2, 4
II, 10, 14 : n III, 34, 3-4
II, 10, 17 : 55[33]

II, 10, 20-21 : n III, 34, 2
Fragm. II : n IV, 44, 3

Expositio in Canticum Canticorum (CC 144, 3)
34[32] ; 80-81

1 : n IV, 1, 1
18 : n III, 34, 2

In Librum Primum Regum Expositiones (CC 144, 49)
33[29], 34[32] ; 80-81 ; 156-157

1, 36 : nc II, Prol. 1 ; n IV, 11, 3
1, 90 : nc II, 8, 9
2, 12 : n III, 4, 2
2, 51 : n IV, 4, 10
2, 69 : n IV, 38, 1
2, 70 : nc II, 3, 7
2, 76 : n I, 1, 7
2, 94 : n IV, 4, 8 ; n IV, 41, 1
2, 107 : n IV, 41, 3
2, 108 : n IV, 41, 5
2, 133 : nc II, 8, 9
2, 157-158 : nc IV, 46, 1
3, 17 : n IV, 4, 10
3, 33 : nc II, 8, 9
3, 58 : 55[33]
3, 119 et 121 : nc I, Prol. 6
3, 122 et 124 : nc I, Prol. 6
3, 151 : n II, 16, 5
3, 159 : n II, 38, 5
3, 168 : n IV, 46, 9
4, 7 : n II, 16, 3
4, 19 et 26 : 55[33]
4, 61 : nc II, 8, 9
4, 70 : n II, 3, 2-3
4, 82 : n II, 16, 5
4, 83 : n III, 17, 13
4, 100 : 32[25] ; nc III, 17, 11
4, 101 et 106 : nc I, Prol. 1
4, 123 : nc II, 8, 9 ; n IV, 49, 2
4, 126 : nc I, 9, 7
4, 141 : n IV, 4, 10
4, 174 : nc II, 8, 9
4, 180 : n I, 1, 6 ; nc III, 33, 9
4, 183 : n I, 1, 6
4, 217 : n II, 38, 5
5, 16 : n III, 21, 4
5, 23 : n IV, 11, 4
5, 25 : n I, 4, 15
5, 31 : 185
5, 34 : n III, 17, 7
5, 76 : 55[33]
5, 93 : n II, 1, 5
5, 112 : n IV, 4, 10
5, 145 : n I, 9, 5
5, 148 : n III, 34, 2
5, 153 : n III, 14, 12-13
5, 155 : n IV, 19, 2
5, 164 : n IV, 37, 12
5, 178 : n II, 3, 10
5, 179 : n II, 3, 5
5, 180 : n I, 4, 19 ; n II, 3, 5
5, 182 : nc II, 8, 9
5, 195 : n IV, 12, 3
5, 203 : 55[33]
5, 212 : n II, 38, 5
6, 55 : n IV, 12, 3
6, 71 : nc II, 1, 5
6, 82 : n III, 1, 2
6, 91-93 : nc I, Prol. 4
6, 109 : nc II, 8, 9

Moralia in Job (PL 75-76)
34 ; 66 ; 80-81 ; 105

Lettre-Préf. 1 : 103[92] ; n I, Prol. ; n I, Prol. 5 ; n II, Prol. 1 ; n III, 36, 1
Lettre-Préf. 2 : 33[28]
Lettre-Préf. 5 : n III, 33, 7 ; nc III, 37, 20
Praef. 20 : n IV, 26, 3-4
1, 30 : n II, 38, 4
2, 1 : n III, 7, 10
2, 16 : n III, 21, 4
2, 20 : n IV, 5, 4

2, : n I, 9, 19
2, 89 : n II, 21, 3-4
2, 90 et 92 : n II, 38, 4
3, 17 : n III, 15, 15
4, *Praef.* 1 : n IV, 4, 3-5 ; n IV, 32, 1
4, 2 : n III, 15, 9
4, 5 : n IV, 3, 2 ; n IV, 47, 2
4, 6 : n IV, 3, 1
4, 56 : n IV, 26, 1-2
4, 67 : n III, 24, 3
4, 68 : nc I, Prol. 4
4, 70 : n IV, 36, 13
4, 72 : 81[161]
5, 34 : n III, 37, 21
5, 57-62 : 153[54]
5, 61 : n I, 5, 3 ; n IV, 1, 1-2
5, 65 : n II, 38, 4
5, 71 : n III, 37, 21
5, 76 : n III, 15, 16-17
6, 6 : n I, Prol. 4
6, 18 : 95[53]
6, 54 : n IV, 4, 10
7, 58 : n III, 15, 10
7, 60 : n III, 15, 15
8, 29 : n IV, 4, 8
8, 30 : n IV, 41, 1
8, 34-35 : 153[54]
8, 41 : n II, 38, 4
8, 42-43 : 30[18] ; n IV, 50, 2
8, 42 : n IV, 50, 3-5 ; nc IV, 50, 3
8, 43 : n IV, 50, 6
8, 49 : n IV, 1, 2
9, 26 : n III, 16, 7-8
9, 32 : n IV, 19, 1 et 4
9, 40 : n IV, 3, 3
9, 98 : n IV, 36, 14 ; n IV, 45, 1-2
9, 100 : n IV, 3, 2
9, 102 : n III, 18, 3
10, 7 : n II, 16, 4
10, 14 : n IV, 5, 4
10, 27 : n III, 15, 16-17
10, 104 : n IV, 4, 8
11-16 : 33[28-29] ; 34[32]
11, 7 : n IV, 3, 1
11, 16 : n III, 17, 9-12
13, 26 : n IV, 61, 1
13, 49 : n IV, 44, 1
14, 23 : n IV, 38, 4
14, 56 : n III, 33, 7
14, 68-79 : 150[35]
15, 20 : n IV, 5, 5
15, 21 : n IV, 3, 2 ; n IV, 47, 2-3
15, 35 : n IV, 30, 4 ; n IV, 32, 5
15, 47 : 35[37]
15, 52 : n I, Prol. 4 ; n IV, 1, 1 ; n IV, 5, 6
15, 57 : n I, 10, 6
15, 66 : n II, 16, 5
16, 6 : n IV, 62, 2
16, 12 : n IV, 5, 4
16, 26 : n III, 15, 16-17
16, 32 : n IV, 1, 1-2
16, 33 : n III, 22, 4 ; n IV, 1, 1
16, 38 : n IV, 5, 4
16, 53 : n II, 22, 5
16, 68 : 53[29] ; 55[53]
16, 69 : n IV, 24, 3
16, 83 : n IV, 38, 4
18, 15 : n III, 15, 16-17
18, 78 et 92 : n II, 16, 5
19, 9-12 : n III, 14, 12-13
19, 10 : n II, 21, 4
19, 11 : n II, 3, 11 ; n II, 33, 1
19, 23 : n IV, 39
19, 36 : n I, 9, 6-7
19, 37 : n I, 9, 7
19, 40 : n II, 6, 1
20, 66 : n II, Prol. 1
21, 4 : n I, 4, 19
21, 5-6 : n II, 3, 14
21, 19 : n IV, 37, 13
21, 22 : n II, 22, 5
21, 25 : n II, 6, 1

21, 35 : n III, 38, 3
22, 9 : n II, 6, 2
22, 12 : n III, 14, 10
22, 26 : n IV, 60, 1
22, 31 : n III, 37, 13
22, 33 : n I, 5, 6
22, 36 : n II, 3, 9
22, 54 : n I, 4, 11 ; n IV, 25, 1
23, 21 : n II, 2, 4
23, 40-43 : 153[54]
23, 41 : n II, 3, 9 ; n III, 34, 2
23, 42 : n II, 35, 3
24, 4 : n IV, 1, 1
24, 8 : n IV, 4, 5
24, 10-11 : n III, 34, 2
24, 15-18 : n I, Prol. 6
24, 20 : n III, 14, 11
24, 34 : n IV, 48 ; n IV, 49, 1
25, 28 : n IV, 43, 5
26, 1 : n I, 5, 6
26, 20 : n I, Prol. 4
26, 21 : n III, 38, 4
26, 30-31 : n II, 2, 1
26, 40-43 : 153[54]
26, 41 : n II, 3, 9
26, 49 : n II, 6, 1
26, 66 et 81 : n II, 22, 5
27, 29 : n IV, 26, 1
27, 36 : 90[34]
27, 36-37 : 90[33] ; 91[39] ; n I, Prol. 7
27, 37 : n III, 17, 7 et 13
27, 41 : 91[38]
27, 77 : n III, 17, 6
28, 13 : n II, 16, 4 ; n II, 21, 4
28, 20 : n III, 14, 12-13
28, 21 : nc IV, 27, 3
28, 25 : n II, 4, 2
28, 37 : 91[38]
29, 4 : n IV, 26, 1-2
29, 15-17 : n III, 26, 8
29, 54 : n III, 17, 9-12
30, 6 : 91[38]
30, 37 : n I, Prol. 9
30, 50 : 185
31, 2 : 91[38] ; n I, Prol. 9
31, 22 : n IV, 20, 3
31, 58 : n II, 3, 11
31, 94 : n I, Prol. 3
31, 104 : n III, 17, 9-12
31, 105 : n IV, 26, 1
32, 50 : III, 21, 4
33, 35-36 : n II, 2, 2
33, 43 : n IV, 61, 2
33, 68 : n IV, 41, 5
34, 5 : n IV, 1, 1
34, 7 : 87[17] ; n IV, 37, 14
34, 12-13 : n III, 14, 14
34, 20 : n III, 28, 3
34, 35-38 : 30[18] ; 74[124] ; n IV, 46, 1 ; nc IV, 46, 1
34, 35 : n IV, 46, 2
34, 36 : n IV, 46, 3
34, 37 : n IV, 46, 4-5
34, 38 : n IV, 46, 6-9
34, 44 : n III, 14, 12-13
34, 48-56 : 133[100]
35, 3 : n III, 15, 15
35, 17 : 55[33]
35, 25 : n IV, 26, 3-4
35, 46 : n IV, 36, 7
35, 49 : n II, Prol. 1

Regulae Pastoralis Liber (PL 77, 13)

31 ; 34 ; 54[31-32] ; 55[33-34] ; 80-81 ; 189[38]
1, 9 : n I, Prol. 5
2, 5 : n III, 17, 9-12 ; nc III, 17, 11
2, 6 : n III, 4, 2
3, 14 : n III, 15, 10
3, 25 : n III, 15, 15 ; n IV, 4, 5
3, 29 : n III, 34, 1

Registrum Epistularum (MGH, *Epist.* 1-2)

1, 1 : 44[76] ; 45[84] ; n IV, 59, 6

1, 3 : 44[76]
1, 5-7 : n I, Prol.
1, 5 : n I, Prol. 1 et 3-5
1, 6 : n I, Prol. 1
1, 7 : n I, Prol. 5
1, 14 : nc III, 17, 11
1, 14a : n IV, 49, 5
1, 15 : n III, 11, 4
1, 16 : 25[4] ; n IV, 19, 2
1, 17 : n III, 19, 1
1, 21 : n I, 7, 1
1, 24 : n I, Prol. 1 ; n III, 17, 9-12
1, 33 : n III, 15, 10 ; n III, 26, 6 ; n IV, 4, 8 ; n IV, 41, 1
1, 34 : n III, 7, 9
1, 40 : n IV, 57, 10
1, 41 : n III, 31, 7 ; nc I, Prol. 4-5
1, 42 : n I, 4, 17 ; n IV, 37, 11
1, 45 : n III, 7, 9
1, 50 : n III, 20, 1
1, 59 : n I, 4, 17
1, 63 : n I, 8, 1
1, 66 : nc I, Prol. 2
1, 70 : n IV, 59, 2
1, 71 : 44[76]
2, 4 : n III, 6, 1
2, 8 : n I, 7, 1 ; n IV, 49, 5
2, 16 : n III, 38, 2
2, 19 : n IV, 31, 2
2, 24 : n III, 17, 1
2, 28 : nc III, 37, 19
2, 31 : n I, 5, 6
2, 33 : n IV, 31, 1
2, 38 : 44[76] ; 80[158] ; n III, 7, 9 ; n IV, 57, 11 ; n IV, 59, 6
2, 40 : n III, 8, 2
2, 49 : n IV, 37, 3
2, 51 : n IV, 31, 2
3, 1 : 44[77]
3, 13-14 : 134[102] ; n III, 7, 1
3, 15 : 159[68] ; n II, 8, 1
3, 19 : n III, 30, 2
3, 20 : n I, 4, 12
3, 28 : n II, 26
3, 29 : n III, 38, 3
3, 30 : n I, 8, 1 ; n IV, 55, 2
3, 39 : 44[78] ; nc I, Prol. 2
3, 40 : n I, 8, 1
3, 50 : 25[1] ; 27[10] ; 28[11] ; 44[80] ; 123[41] ; n I, Prol. 2 ; n I, 7, 1 ; n I, 8, 1
3, 52 : n IV, 40, 10
3, 54 : 44[75] ; 44[79] ; nc I, Prol. 2
3, 63 : n IV, 40, 10
3, 64 : n IV, 36, 7
4, 2 : n III, 20, 1
4, 6 : n II, 17, 1
4, 19 : n III, 30, 2
4, 21-22 : 26[8] ; n III, 9, 1
4, 23 et 26 : n II, 8, 10
4, 30 : 31[20] ; 112[10]
4, 31 : nc I, Prol. 2
4, 37 : n IV, 36, 7
4, 44 : n II, 1, 1
5, 5 : n III, 9, 1
5, 6 : 159[68] ; n II, 18
5, 7 : n III, 7, 9
5, 17 : n III, 9, 1
5, 20 : 25[2] ; n I, 7, 1
5, 27 : n I, 9, 10
5, 28 : 44[79] ; 44[81] ; n I, Prol. 2
5, 31 : n IV, 37, 11
5, 37 : n III, 38, 3
5, 44 : n IV, 40, 10
5, 51 : nc III, 37, 19
5, 53 : n III, 31, 1
5, 53a : 33[28] ; 103[92] ; n I, Prol. ; n I, Prol. 5 ; n II, Prol. 1 ; n III, 33, 7 ; n III, 36, 1 ; nc III, 37, 20 ; n IV, 32, 1
5, 57a : 134[102] ; n III, 6, 1 ; n IV, 16, 1 ; n IV,

27, 2 ; n IV, 32, 4 ; n IV, 37, 11 ; n IV, 57, 3 ; nc IV, 42, 2
5, 59-60 : n III, 8, 2
6, 14 : n IV, 40, 10
6, 21 : III, 38, 2
6, 24 : 44[75] ; 44[81]
6, 31 : 44[81] ; n III, 20, 1
6, 40-41 : n III, 26, 6
6, 62 : n IV, 40, 10
7, 4 : n IV, 40, 10
7, 5 : n IV, 62, 1
7, 12 : n III, 33, 9
7, 18 : n II, 35, 1
7, 19 : n IV, 31, 1
7, 22 : n IV, 14, 4
7, 23 : 31[19-20] ; 34[30] ; 92[41] ; 153[50] ; n III, 19, 1 ; n III, 34, 2-5 ; n III, 34, 3 et 5 ; n III, 36, 4 ; n IV, 16, 1 ; 19, 1
7, 29 : 159[68] ; n II, 18
7, 37 : 92[42]
8, 3 : n IV, 54, 1
8, 10 : n IV, 36, 7
8, 12 : n IV, 49, 5
8, 18 : n I, Prol. 2
8, 24 : n II, Cap. 8
8, 28 : 112[8] ; n IV, 58, 1
8, 35 : n IV, 54, 1
9, 5 : n III, 10, 1
9, 8 : n II, 8, 1
9, 10 : n IV, 32, 2
9, 11 : 44[82] ; n IV, 13, 1
9, 26 : n III, 3, 2
9, 38 : III, 7, 9
9, 44 : n IV, 13, 1
9, 45 : 134[102]
9, 51 : n I, 6, 1
9, 67 : n IV, 13, 1
9, 72 : n III, 20, 1
9, 77 : n I, Prol. 1
9, 99-100 : n I, 6, 1
9, 112 : n III, 19, 1
9, 143 : n II, 35, 1
9, 147 : nc II, 8, 10
9, 162 et 164 : n II, 35, 1
9, 166 : n III, 29, 2 ; n III, 38, 2
9, 174 : n III, 19, 1
9, 195 : n III, 7, 9
9, 197 : nc IV, 12, 2
9, 227 : n III, 31, 1
9, 227a-229 : n III, 31, 7
10, 1 : n I, 5, 1
10, 8 : n III, 10, 1
10, 13 : nc III, 37, 19
10, 18 : n II, 1, 5
11, 15 : n IV, 13, 1 ; n IV, 27, 2
11, 18 : n IV, 11, 1
11, 26 : 31[20] ; nc II, 25, 2 ; n IV, 40, 5
11, 36 : 87[17] ; 87[20] ; n I, 7, 6 ; n III, 31, 8 ; nc I, 5, 3
11, 37 : nc III, 7, 8
11, 40 : 112[9]
11, 52 : n IV, 37, 3
11, 53 : n IV, 37, 11
11, 56 : n III, 7, 8 ; nc III, 7, 8,
11, 56a, 7 : n IV, 33, 2 ; nc IV, 33, 2
12, 6 : n II, 12, 1
13, 15 : n III, 7, 9
13, 28 : n IV, 13, 1
13, 38-39 : n III, 7, 8 ; n IV, 12, 1
14, 4 : 159[68] ; n II, 18
14, 7 : n III, 38, 2
14, 11 : n I, 6, 1
App. 1 : n IV, 32, 1

IV. TABLE DES NOMS PROPRES

Le sigle TA désigne la Table des auteurs anciens

Abraham, moine : n III, 14, 2
Abraham, patriarche : n IV, 34, 2-3
Acontius : n I, 5, 2
Adamnan : 142 ; v. TA
Addas : n III, 37, 15
Adéodat : n II, 1, 5 ; n IV, 9, 1
Adige : n III, 19, 1
Adriaen, M. : n IV, 50, 5
Adriatique : 73[122] ; n III, 36, 2 et 4 ; nc III, 36, 4 ; n IV, 10
Aemiliana I : n IV, 17, 1
Aemiliana II : n IV, 17, 1 et 3
Affile : 100 ; 157[66] ; 158 ; n II, 1, 1 ; n III, 25, 1
Afrique : 62 ; 113[12] ; 130 ; 154[55] ; 154[57] ; n III, 1, 1 ; n III, 11, 1 ; n III, 32, 3
Agapit : 63[60] ; n III, 3, 1 ; n III, 5, 1 ; nc I, 4, 11-16 ; n IV, 36, 7
Agathe : 62[58] ; 64 ; n III, 15, 18 ; n III, 30, 2-3
Agathon : n IV, 59, 2
Agde : n 1, 10, 3-4 ; v. TA Conciles
Agnellus : 134[102] ; n III, 7, 1
Agrestia : n II, 35, 1
Agricola : n III, 11, 5
Alamans : n I, 2, 4
Alatri : n II, 35, 1
Albareda, A. : 169[14]
Albi : n III, 16, 10
Albinus : n I, 4, 9
Alboin : nc I, 2, 8
Alcibiade : n II, 3, 5
Alexandre : nc III, 11, 2-3
Alexandrie : 112 ; nc II, 1, 6 ; nc III, 7, 6
Amalasonte : III, 3, 1
Amalécite : nc II, 8, 7
Amant, prêtre : n I, 9, 19 ; n III, Cap. 35 ; n III, 35, 1 et 4 ; nc III, 35, 2
Amante, R. : n II, 1, 3 ; n III, 7, 3
Amants (les Deux) : n III, 23, 4
Ambroise : 121 ; n I, Prol. 1 ; n III, 37, 15 ; v. TA Ambroise et Paulin
Amiatinus : n II, 35, 1
Amiternum : 57[37] ; 62 ; n I, 4, 3 et 20 ; n I, 12, 1
Ammon : 128 ; n I, 3, 2 ; n II, 32, 2 ; n II, 33, 2 ; n III, 14, 7
Ammonius (Égypte) : n II, 2, 2
Ammonius (Rome) : 43[72]
Amoun (Amun) : n I, 9, 5 ; n II, 7, 2 ; n II, 35, 4
Anastase, abbé : 63[66] ; 155 ; n I, 7, 1
Anastase, empereur : n IV, 27, 4 ; n IV, 31, 4
Ancône : 56 ; 57[37] ; 62 ; n I,

5, 2 ; n I, 6, 1 ; n I, 7, 1 ; n III, 24, 1
André, apôtre : n III, 7, 8 ; nc II, 25, 2
André (Aquin) : n III, 8, 2
André (Fondi) : 42 ; 129 ; 132-134 ; n III, 7, 1-2 ; n III, 32, 4
André (Formies) : n III, 7, 1
André (S.), monastère : 64-65 ; nc II, 25, 2 ; IV, 15, 5 ; n IV, 27, 4 ; n IV, 36, 7 ; n IV, 37, 3 ; n IV, 40, 5 ; n IV, 49, 5 et 7 ; voir Cliuus Scauri
André et Lucie (S.), monastère : n IV, 13, 1
André de Marmorariis (S.), monastère : n IV, 13, 1
Angers : nc III, 1, 5-7
Angleterre : 87 ; 142 ; 169 ; n III, 7, 8 ; nc III, 7, 8
Angoulême : n III, 5, 3 ; n III, 16, 10
Angulus : n IV, 42, 3 ; n IV, 57, 4
Anio : 101 ; 157 ; n II, 1, 3 ; n II, 3, 13
Anne : nc II, Prol. 1 ; nc IV, 61, 2
Antéchrist : 87[17] ; n III, 28, 3
Anthemius : nc I, Prol. 2
Anthime : n I, 7, 3
Antin, P. : 9 ; 191 ; nc III 14, 10
Antinoè : n II, 3, 13
Antioche : nc II, 7, 3 ; nc III, 1, 5-7 ; nc IV, 37, 6
Antiochus : n III, 12, 2
Antium : n I, 3, 5
Antoine (Égypte) : 118 ; n II, Prol. 1 ; n II, 3, 5 ; n II, 15, 1 et 3 ; n II, 17, 1 ; n II, 32, 2 ; n III, 4, 2 ; n III, 10, 3 ; n III, 16, 3 ; n IV, 11, 3 ; n IV, 12, 4 ; v. TA Athanase
Antoine (Rome) : n III, 34, 2 ; n IV, 49, 2-3
Antonelli, F. : n II, 1, 4
Antonin : n IV, 55, 3
Antrodoco : n I, 12, 1-2
Apamée : nc I, 10, 15
Aphrodisios : n II, 37, 2
Apollinare Nuovo (S.) : n II, 8, 11
Apollon : 133 ; n II, 8, 10 ; n III, 7, 3 et 8 ; nc III, 7, 3-9
Apollonius : 78[150] ; n II, 21, 2 ; n II, 22, 2 ; n II, 28, 1 ; nc II, 1, 6
Appia (Via) : n I, 1, 3 ; n I, 3, 5 ; n III, 7, 3 ; nc III, 7, 2 ; nc IV, 27, 3
Aptonius : 125 ; n II, 26
Apulie : n III, 5, 2
Aquae Tauri : n IV, 57, 3
Aquila (L') : n I, 4, 3 et 20 ; n I, 12, 1
Aquino (Aquin) : n II, 16, 1 ; n III, 8, 1-2
Arabie : nc III, 38, 3
Aredius (Yrieix) : n III, 11, 5 ; n IV, 12, 4
Arezzo : n I, 7, 3
Arianisme, Ariens : 40 ; 47 ; 61 ; n III, 2, 1 ; n III, 24, 1 ; n III, 28, 5 ; n III, 29, 2-3 ; n III, 30, 2-3 et 5-6 ; n III, 30, 8 ; n III, 32, 1 ; nc III, 29, 2 ; nc III, 30, 6
Arignotus : nc III, 4, 1-3
Aristée : nc IV, 11, 4
Aristodème : n III, 5, 3
Aristote : 124[44] ; v. TA
Arles : n I, 1, 3 ; n III, 33, 1
Armellini, M. : 170[20]

ARMENIUS : n II, 26
ARMENTARIUS : 38[48] ; 39 ; n I, 9, 19 ; n IV, 27, 10 ; n IV, 28, 1 ; n IV, 43, 3-4
ARNO : n III, 9, 2
ARPINUM : n I, 3, 5
ASELLA : IV, 17, 3 ; nc IV, 17, 3
ASTERIUS : n III, 8, 1
ATHALARIC : n I, 1, 1
ATHANASE : 118 ; nc I, 4, 19 ; nc III, 7, 6 ; n IV, 40 10 ; v. TA
ATHÈNES : nc III, 4, 1-3
ATHÉNODORE : nc III, 4, 1-3
ATTALE : nc III, 11, 2-3
AUBIN, P. : n I, 4, 18
AUERBACH, E. : 31[21] ; 33[27] ; 143[10]
AUGUSTIN (Cantorbéry) : 87 ; n IV, 33, 2
AUGUSTIN (Hippone) : 12, 41 ; 73 ; 92 ; 116-117 ; 121 ; 140 ; 147[26] ; 149-153 ; 161 ; nc III, 7, 1 ; n IV, 11, 2 ; v. TA AUGUSTIN et POSSIDIUS
AURELIA (Via) : n III, 17, 1
AURÉLIEN : n IV, 27, 2
AURUNCI : n III, 7, 3
AUSARIS (Auser) : n III, 9, 2
AUSONI : n I, 1, 3
AUTHARI : n III, 19, 1
AUTUN : 10 ; 173
AUVERGNE : n I, 3, 2
AVAGLIANO, F. : 10 ; 178
AVIT : n III, 31, 6 ; v. TA
AVITIEN : 132 ; n II, 15, 2
AXA : n III, 33, 3-4

BADUARIUS : n III, 26, 2
BALNEUM CICERONIS : n I, 3, 5
BARTHÉLEMY : nc III, 13, 2
BASILE : 63[66] ; n I, 4, 3
BATANY, J. : 81[161]
BATIFFOL, P. : 32[22-23] ; 117
BATLLE, C. : 172[26]
BECKER, P. : 10
BÈDE : 142 ; v. TA
BÉLISAIRE : n III, 3, 1 ; n IV, 13, 3
BENEDICTA : n I, 8, 4
BÉNÉDICTINS de Saint-Maur v. MAURISTES
BÉNÉVENT : nc III, 26, 1
BENOÎT (Campanie) : 97[65]
BENOÎT de Nursie : 7 ; 9 ; 51-53 ; 55[33] ; 57-60 ; 61 ; 63 ; 66-67 ; 88-89 ; 91 ; 97[65] ; 99[81] ; 100-103 ; 106-109 ; 114 ; 119-127 ; 131-132 ; 143 ; 164 ; 153-160 ; 185-191. — Livre I, n 4, 15 ; 5, 2 ; 7, 5 ; 9, 3.12.17 ; 10, 17. — Livre II, n Cap., etc. — Livre III, n 3, 2 ; 5, 1 ; 8, 1 ; 11, 6 ; 13, 2 ; 14, 1.3 ; 15, 2.12.18 ; 16, 4-5.9 ; 18, 1 ; 19, 5 ; 23, 2 ; 25, 1 ; 26, 4 ; 37, 20. — Livre IV, n 8 ; 9, 1-2 ; 11, 1.4 ; 18, 3 ; 20, 2-3 ; 42, 1 ; 49, 6 ; 57, 14. — nc IV, 16, 5-7. — Addenda, t. II, p. 451
BENOÎT, serviteur de Sébastien : n III, 15, 2
BENOÎT-SUR-LOIRE (S.) : 171[76]
BERNARD : n II, 3, 5
BESNIER (M.) : IV, 37, 3
BIAGIO (S.) : n II, 1, 5
BIANCHI, R. : n II, 1, 3 ; n III, 7, 3
BISENZIO : n III, 17, 1
BLAISE, A. : nc IV, 12, 2
BLANDINE : nc III, 11, 2-3
BLIDIN : n II, 14, 1

Bloch, M. : n III, 24, 1
Bobbio : 141 ; 167 ; 171[25]
Boèce : 79 ; 114 ; n IV, 14, 1 ; v. TA
Boesch Gajano, S. : 144[17]
Boglioni, P. : 145[18]
Bologne : n I, 9, 8
Bolsena : n III, 17, 1
Bomarzo : n I, 9, 1
Boniface, diacre : n III, 20, 1 ; n III, 29, 1
Boniface, évêque : 56 ; 57[36] ; 126 ; 191 ; n I, 7, 6 ; n I, 9, 1-2 et 8 ; n I, 9, 15-18 ; n I, 12, 1 ; n II, 27, 2 ; n III, 5, 3
Boniface, moine : 43[72] ; n III, 29, 1 ; n IV, 22, 1
Boniface IV, pape : n III, 20, 1
Boniface VIII, pape : n III, 22, 1
Boniface, prêtre : n IV, 27, 2
Bonitus : n II, 17, 2
Bonnet, M. : 34[33] ; 35[35] ; 36[40] ; 175[30]
Bonosus : n IV, 11, 2
Bourges : n III, 13, 3
Brazzel, K. : 34[31-32] ; 83[166]
Brechter, H. S. : n II, 17, 2 ; n III, 8, 2 ; n III, 33, 9
Brescia : 65[76] ; 170[20] ; n III, 27 ; n IV, 54, 1
Brice : n I, 9, 10-13
Brioude : 119
Brown, P. R. L. : 36[40] ; 144[17]
Bruckner, A. : 173[27]
Bruttium : nc III, 1, 1
Buccellinus : n I, 2, 4
Bulgares : n IV, 27, 12
Bulteau, L. : 190
Burgondes : n III, 31, 6 ; nc III, 14, 3
Burgundofara (Fare): 141
Butler, C. : 103[93]
Buxentum : n III, 17, 1
Byzance : 41
Byzantins : n I, 10, 9 ; n III, 4, 1 ; n III, 5, 2 ; n III, 6, 1 ; n III, 31, 2

Caelius : 25[3] ; n IV, 15, 2 et 5 ; n IV, 36, 7
Cagliari : 44
Caluppan : n III, 16, 2-3 et 6
Cambridge : 189[40]
Campanie : 44 ; 57[37] ; 159[69] ; n I, 1, 3 ; n I, 2, 4 ; n II, 21, 1 ; n II, 31, 1 ; n II, 35, 1 ; n III, 18, 2 ; n III, 26, 2 ; nc I, Prol. 2 ; n IV, 23, 1
Campi : n III, 15, 2 ; n IV, 11, 1
Cample : n IV, 11, 1
Candes : n II, 38, 1
Candide, abbé : n IV, 49, 5
Candide, évêque : n III, 17, 1
Canivet, P. : nc II, 7, 3
Cantorbéry : n IV, 33, 2
Canusium (Canosa) : 62 ; 65[80] ; 126 ; n II, 14, 1 ; n II, 15, 3 ; n III, 5, 1-2
Capène (Porte) : n IV, 27, 2
Capoue : 65[80] ; n I, 2, 4 ; n I, 9, 10 ; n IV, 9, 2 ; n IV, 42, 3 ; v. Germain
Cappelletti, G. : 11
Carcopino, J. : n I, 3, 5
Carinola : n III, 16, 1
Carosi, P. : 7 ; n II, 3, 2 et 13 ; n II, 8, 1 et 4 ; nc II, 3, 13
Carrucci, A. : nc II, 3, 13
Carthage : 140 ; n III, 30, 3 et 5-6 ; nc III, 1, 1
Cartier, E. : 190
Casinum : n II, 8, 10
Cassin : n III, 8, 2 ; v. Mont-Cassin

Cassiodore : 84[168] ; v. TA
Cassius : 76 ; 77[144] ; 93[47] ; n III, 6, 1 ; n IV, 14, 2 ; n IV, 58, 1-2 ; n IV, 61, 1
Castel Sant' Elia : n I, 8, 1
Castellion : n III, 4, 3
Castorius (Castor), évêque : n I, 4, 3
Castorius (Castor), laïc : 137 ; n III, 14, 1
Catellus : n I, 4, 9
Caton : n IV, 42, 5
Catry, P. : 10 ; n I, Prol. 4
Cave, G. : 144[15]
Centumcellae : 28[12] ; 127 ; 191[48] ; n IV, 28, 1 ; n IV, 57, 3
Ceci, G. : n I, 10, 12
Cerbonius : n III, 8, 1 ; n III, 11, 1.4.6 ; n III, 26, 3 ; n III, 37, 12-13 ; nc III, 11, 1
Césaire d'Arles : 121 ; n II, 28-29 ; nc I, 2, 6 ; v. TA Césaire et *Vita Caesarii*
Césarée : nc II, 3, 13 ; nc IV, 31, 2-3
Chapman, J. : 159[70] ; n I, 1, 1 ; n I, 2, 5 ; n II, 3, 14 ; n II, 11, 1 ; n II, 26 ; n IV, 9, 1
Chilpéric : n III, 14, 5 ; n IV, 31, 3
Choreb : nc IV, 37, 3-4
Christ : 46[3], etc. ; n I, 7, 4, etc.
Chrysanthe : n III, 29, 2
Chrysaorius (Chryserius) ; 35[37] ; 38[49] ; n I, 12, 1 ; n IV, 40, 6-7
Chypre : n I, 3, 2 ; n II, 38, 1 ; n IV, 59, 1
Cicéron : 124[44] ; n I, 3, 5 ; v. TA
Circeo (Monte) : n I, 3, 5
Città di Castello : n III, 35, 1
Città Sant'Angelo : n IV, 42, 3
Civitavecchia : 191[48] ; n IV, 28, 1 ; n IV, 57, 3
Claude : n I, Prol. 2
Clément (S.), église : 65[78] ; 15, 2.5 ; n IV, 16, 1
Clément (S.), monastère : nc II, 3, 13
Clermont : n I, 10, 13-14 ; n II, 34, 2 ; n III, 14, 2
Cliuus Scauri : 45[83] ; 65 ; n I, 7, 1 ; n IV, 27, 4 ; v. André (S.)
Clotaire : n III, 11, 5
Coccius, H. : 31[21] ; 144[15]
Coens, M. : nc II, 1, 6
Coleman Norton, P. R. : 115[20]
Cologne : n III, 13, 3
Colomban : nc III, 26, 3
Colombás, G. : 165[2]
Colonna : n III, 23, 1
Columba : 142
Conon : n III, 37, 15
Conserans : n III, 13, 3
Constance, évêque : n II, 16, 1
Constance, mansionnaire : 37[43] ; 56 ; 89 ; n I, Cap. 5 ; n I, 5, 2.5 ; n I, 9, 2 ; n III, 24, 1 ; n III, 37, 9
Constance, prêtre : n I, 9, 12 ; n III, 5, 3 ; n III, 10, 2
Constantin, abbé : 158 ; n II, Prol. 2 ; n II, 17, 2
Constantin, empereur : n I, 7, 2 ; n III, 36, 2 ; nc I, 4, 19
Constantina : 31[20]
Constantinople : 28[12] ; 31 ;

41 ; 62 ; 64 ; 65[76] ; 120[31] ; 125 ; 130 ; 154 ; n II, 18. — Livre III, n 2, 1.3 ; 3, 1 ; 4, 1 ; 5, 1 ; 31, 1 ; 32, 3 ; 36, 1. — nc III, 2, 1 ; 14, 2-3 ; 29, 2 ; 30, 6. — Livre IV, n 27, 4 ; 37, 5 ; 40, 10. — nc IV, 31, 2-3. — V. TA Symbole
Contatori, A. : n II, 22, 1
Conte, P. : nc III, 11, 1
Conte-Colino, G. : n I, 1, 3
Cordoue : n III, 31, 2
Corfidius : nc IV, 32, 2-4
Corinthe : n III, 4, 1.4 ; nc III, 4, 1-3
Cosme et Damien (S.), église : n III, 24, 1 ; n IV, 14, 4
Cosme et Damien (S.), monastère : n II, 3, 2 ; n IV, 57, 8
Courcelle, P. : 31[21] ; 124[44] ; 161[74-75] ; n II, 2, 1-2 ; n II, 3, 5 ; n II, 3, 8 ; n II, 35, 5 ; n II, 37, 8 ; nc II, 23, 2
Cozza Luzzi, J. : 171 ; 174[28]
Cremascoli, G. : nc IV, 45, 1-2 ; Add., p. 219 (III, 38, 5)
Crotone : 62 ; n III, 36, 4
Cumes : n I, 3, 5
Cumquodeus : 38[49] ; n IV, 27, 10 ; n IV, 28, 1 ; n IV, 36, 8 ; n IV, 40, 6
Cunill, M : 165[2]
Cures Sabinorum : n I, 4, 12
Curma, curiale : 111 ; 130 ; n IV, 32, 3-4 ; n IV, 37, 1 et 6-7
Curma, forgeron : 130 ; n IV, 32, 3-4 ; n IV, 37, 6
Cusack, P. A. : 10 ; 129[79] ; 161[77-78] ; n II, 2, 1-2 ; nc II, 1, 5
Cuthbert : 142 ; n II, 24, 2
Cyprien : 121 ; v. TA Cyprien et Pontius
Cyriaque : n III, 15, 3
Cyrille de Scythopolis : 121 ; v. TA

Dagens, C. : 103[92] ; 153[54] ; 161[78] ; n II, Prol. 1 ; nc III, 2, 1 ; nc III, 38, 3-4
Damas : n II, 3, 11 ; n III, 29, 3
Damase : n IV, 16, 1 ; n IV, 32, 3-4
Damien : v. Cosme
Daniel, prophète : 136 ; nc III, 18, 2 ; Add., p. 215
Daniel, stylite : nc III, 14, 2-3 ; nc III, 35, 2
Darida : 131 ; n I, 2, 2-3
Datius : 63[60] ; n III, 4, 1-2 et 4 ; nc III, 4, 1-3
David : 107[107] ; 136 ; n I, 4, 19 ; nc I, Prol. 4 ; nc I, 4, 19 ; nc II, 8, 7 ; n IV, 12, 5
Decius : n I, 1, 1
Delehaye, H. : n I, 9, 8
Demetrius : n I, 3, 5
Denay, N. : 11
Denys le Petit : n IV, 14, 1 ; v. TA
Deusdedit, cordonnier : 38[48]; 39 ; 72 ; n IV, 38, 1
Deusdedit, *honestus uir* : n IV, 32, 1
Didier : n II, 8, 11 ; nc II, 34, 2
Didyme : n IV, 31, 3
Diglio, V. : 83[166]
Disciola : n IV, 12, 4
Dold, A. : 171 ; 189
Dominica : 92[42]
Domitius : n III, 38, 2
Donat : 11 ; n I, 7, 3

DOUCET, M. : 153[54] ; 161[78] ; n II, 2, 1-2
DRACONTIUS : nc II, 36
DUCHESNE, L. : 26[5] ; 37[43] ; n I, 4, 9.12 ; n I, 9, 1.13 ; n III, 17, 1 ; n III, 38, 1 ; n IV, 13, 1 ; n IV, 27, 10
DUDDEN, F. H. : 31[21] ; 85
DUFNER, G. : 143[10]
DUFOURCQ, A. : n I, 4, 11 ; n III, 20, 1
DULCITIUS : n III, 10, 1

EBUSUM : n IV, 37, 3
ECCLÉSIASTE : 67 ; n IV, 4, 1 et 9-10 ; n IV, 50, 4
EFFIDE : n II, 1, 1 ; v. AFFILE
ÉGYPTE : 113-115 ; 118-119 ; 133 ; n I, 7, 5 ; n IV, 57, 13
ELBE (Ile d') : n III, 11, 4
ÉLEUTHÈRE : n I, 9, 19. — Livre III, n 14, 1 ; 21, 1 ; 29, 1 ; 33, 1.4.6 ; 37, 2. — Livre IV, n 12, 1 ; 13, 3 ; 22, 1 ; 36, 1
ÉLIE, moine : n I, 4, 1-2 ; n II, 2, 3 ; n III, 37, 6-7
ÉLIE, prophète : 136 ; n I, 2, 7 ; n III, 14, 12-13 ; n III, 15, 9 ; Add., p. 215
ÉLISÉE : 49[19] ; 111 ; 135-136 ; 138 ; 161[73]. — Livre I : n 2, 4.7 ; 7, 4.6. — Livre II, n 4, 2 ; 6, 2 ; 8, 3.8 ; 13, 4 ; 21, 3 ; 27, 2 ; 32, 3. — Livre III, n 37, 3. — nc IV, 19, 4 — Add., p. 215
ELYMAS : n III, 29, 3
ÉMILIE : n II, 21, 1
ÉNÉE DE GAZA : 154[57] ; v. TA
ENNODE : 84[168] ; v. TA
ENSSLIN, N. : n I, 1, 1
EPARCHIUS : n III, 16, 10
EPHREM : nc III, 1, 5-7
ÉPIDAURE : n III, 19, 3
ÉPIPHANE : n III, 15, 2 ; nc II, 28-29 ; v. TA
ÉPIPHANIE : n IV, 17, 3 ; n IV, 59, 1
EQUITIUS, abbé : 56 ; 57[36] ; 63[66] ; 64 ; 94[51] ; 100[86] ; 128 ; 135 ; 137 ; 155. — Livre I, n 4, 1.3-4.10-11.20 ; 9, 17. — Livre II, n 2, 3 ; 3, 13 ; 14, 1 ; 37, 4. — Livre III, n 26, 4. — Livre IV, n 11, 1. — nc I, 4, 1
EQUITIUS, diacre : nc I, 10, 15
ERNOUT, A. : nc III, 4, 2
ESPAGNE : 62 ; 65[76] ; 141 ; 154[56] ; n IV, 37, 3 ; t. II, p. 451
ESQUILIN : n III, 30, 2 ; n IV, 13, 1 ; n IV, 15, 2
ETHELBERT : nc III, 7, 8
ÉTHIOPIEN : Add., p. 218 (III, 16, 3)
ÉTIENNE, abbé (Nursie) : n IV, 12, 1
ÉTIENNE, abbé (Rieti) : 69[93] ; n I, 5, 5 ; n I, 9, 2 ; n I, 10, 1 ; n II, 8, 4 ; n III, 37, 20 ; n IV, 20, 1-3
ÉTIENNE, forgeron : 111 ; 112[6] ; 130 ; 134-135
ÉTIENNE, *illustris* : 38[49] ; 71-72 ; 74 ; 111 ; 112[6] ; 127 ; 130 ; 134-135. — Livre IV, n 37, 12 ; 38, 4 ; 40, 6 ; 53, 2. — nc IV, 37, 3-4.6
ÉTIENNE, *optio* : 38[49]
ÉTIENNE II, pape : n IV, 14, 3
ÉTIENNE, prêtre : n III, 20, 1
ÉTIENNE (S.), église : I, 5, 2
ÉTIENNE (S.), monastère : n IV, 14, 3
ETNA : n III, 15, 18

EUASA : n IV, 37, 3
EUCHITES : n III, 14, 2
EUGÈNE : n I, 10, 8.18 ; n II, 32, 2 ; n III, 25, 1
EUGIPPE : 121 ; 161[73] ; n IV, 14, 1 ; v. TA
EULALIE : n II, 34, 1 ; n IV, 11, 4
EULALIUS : n III, 26, 5
EULOGE : 112 ; 141[1]
EUMORPHE : 38[49] ; 74 ; n IV, 36, 11
EUSÈBE (S.) : n IV, 13, 1
EUSTATHE : nc IV, 37, 6
EUTHICIUS : 94[51] ; n II, 1, 2 ; n III, 15, 2.18 ; n III, 26, 4 ; n IV, 11, 1
EUTHYME : n II, 28-29 ; v. TA CYRILLE DE SCYTH.
EUTICIUS : n III, 38, 1-2
EUTIZIO (S.) : n III, 15, 2 ; n IV, 11, 1
EUTYCHIUS, évêque : 81[161] ; 150[35]
EUTYCHIUS, martyr : n I, 9, 8 ; V. EUTICIUS
ÉVAGRE D'ANTIOCHE : n III, 16, 3 ; v. TA ATHANASE
ÉVAGRE LE PONTIQUE : n II, 2, 2 ; n II, 36 ; v. TA
ÉVODE D'UZALIS : n IV, 37, 9.16
EWALD, P. : n III, 6, 1
EXHILARATUS : 159[68] ; n I, 4, 15 ; n II, 18 ; n III, 14, 9

FABIUS : 79 ; 115
FAILLON, M : nc II, 1, 2
FAUSTE (Ps.) : 143[12] ; v. TA *Vita Mauri*
FAUSTE (Riez) : 152[48] ; nc IV, 4, 4
FAUSTE (basilique de) : n III, 30, 3 et 5-6
FAUSTIN : n IV, 54, 2
FÉLICITÉ : 112 ; nc IV, 27, 3
FÉLIX (Bourges) : n III, 13, 3
FÉLIX (Carthage) : n I, 10, 18 ; n III, 25, 1
FÉLIX (Fondi) : 43[72]
FÉLIX (Nole) : n III, 1, 3 ; n IV, 52
FÉLIX (Nursie) : 137
FÉLIX III, pape : n IV, 17, 1
FÉLIX (Porto) : 127[72]. — L. IV, n 27, 6 ; 53, 1 ; 57, 3
FÉLIX, prêtre (Rome) : n IV, 27, 2
FERENTINUM : n III, 38, 1
FERENTIS : 27 ; 56-57 ; 62 ; 191[48] ; n I, 9, 1.8.12 ; n I, 10, 2 ; n III, 38, 1-2
FERRARI, G. : n I, 3, 5 ; n II, Prol. 2 ; n IV, 13, 1 ; n IV, 14, 3
FERRÉOL : n III, 13, 3
FESTUGIÈRE, A.-J. : 10 (cf. t. II, p. 451) ; n I, 2, 1-3 ; n II, Prol. 1 ; n II, 36 ; n III, 16, 9. — nc II, 21, 3-4 ; III, 7, 2 ; 37, 2.19 ; 38, 5 ; IV, 12, 2 ; 16, 5-7 ; 27, 9 ; 42, 2 ; 50, 3
FESTUS : n I, 9, 10
FIESOLE : n II, 35, 1
FLAVIEN : 141[1]
FLAVIUS : n III, 15, 2
FLEURY-SUR-LOIRE : nc II, 34, 2
FLORENCE : n II, 14, 1
FLORENT (laïc) : 140[120]
FLORENT (moine) : n I, 9, 19. — Livre III, n 15, 2.3.6.8 ; 20, 1 ; 26, 3 ; 33, 4 ; 37, 1. — n IV, 14, 3. — t. II, p. 451
FLORENT, prêtre (Rome) : n IV, 32, 3-4

FLORENT, prêtre (Subiaco) : 59[45] ; 101 ; 159[68] ; n II, 8, 4.7
FLORENT, sous-diacre : 159[68] ; n II, 8, 1
FLORIDUS : n III, 13, 1 ; n III, 35, 1.4
FOERSTER, W. : 143[10]
FONDI : 42 ; 56-57 ; 62 ; 128-129 ; 131-135 ; 155 ; n I, 1, 3 ; n I, 2, 4.12 ; n I, 7, 1 ; n I, 8, 2 ; n II, 4, 3 ; n II, 13, 3 ; n III, 7, 1.3.8 ; n III, 14, 7 ; n III, 32, 4 ; nc III, 7, 2
FONTAINE, J. : 190[46]
FORMIES : n I, 3, 5 ; n III, 7, 1
FORTUNAT, abbé : 57[36]. — Livre I, n 3, 5 ; 4, 21 ; 9, 19 ; 10, 20
FORTUNAT, évêque : 56 ; 57[36] ; 94[51] ; 137 ; 191 ; n I, 10, 1.17.18 ; n I, 12, 4 ; n II, 38, 1 ; n III, 15, 18 ; n IV, 16, 2
FORUM APPII : nc III, 7, 2
FORUM CLAUDII : n III, 16, 1
FORUM POPILII : n III, 16, 1
FRANÇOIS, J. : 164[1]
FRANCS : 47[9] ; n I, 2, 4 ; n III, 15, 18 ; n III, 37, 15 ; Add., p. 216 (I, 2, 4)
FRIGDIANUS : n III, 9, 1
FROGER, J. : 156[59]
FRONTON, abbé : nc II, 1, 6
FRONTONIUS, évêque : n III, 5, 3
FRUCTUEUX : t. II, p. 451
FULGENCE (Otricoli) : n III, 12, 2
FULGENCE (Ruspe) : 121 ; n III, 36, 3 ; n IV, 14, 1 ; v. TA FERRAND
FULRADE : n IV, 14, 3
FUNK, J. : 190
GABAON : n III, 14, 8
GABIENUS : nc IV, 12, 4
GABIES : I, 4, 12
GADDANAS : n III, 37, 15
GAÈTE : n I, 1, 3
GAIFFIER, B. de : 10 ; 161[73] ; nc III, 26, 1
GALATÔN (TÔN) : n IV, 40, 10
GALATIE : n IV, 40, 10
GALLA : 65[78] ; 124[48] ; n I, 8, 4 ; n I, 9, 19 ; n III, 14, 1. — Livre IV, n 14, 1-5 ; 31, 3 ; 38, 1 ; 49, 3-4.
GALLICCIOLLI, J. B. : 170
GALLUS : 78[150] ; 114 ; 115[18]
GAMS, P. : 11
GAUDENCE : n III, 27 ; v. TA
GAULE : 94[52] ; 115 ; 119-121 ; 141 ; 156 ; n I, 9, 13 ; n II, 35, 1 ; n III, 16, 9 ; nc II, 28-29 ; nc III, 37, 19 ; n IV, 12, 4
GAZA : 154[57] ; v. ÉNÉE
GÊNES : 65[76] ; n IV, 55, 2
GENNADE : nc III, 38, 5
GENSÉRIC : nc III, 1, 1
GÉORGIE : nc II, 9 ; n IV, 37, 3
GÉRASIME : n III, 15, 2
GERMAIN (Auxerre) : nc II, 28-29
GERMAIN (Bethléem) : nc II, 2, 4
GERMAIN (Capoue) : 53 ; 102 ; 127 ; n II, 35, 3 ; n IV, 42, 3 ; n IV, 57, 4.7
GERMAIN (Paris) : nc II, 22, 2 ; nc II, 35, 2
GÉRONTIUS : n I, 8, 2
GIEZI : n I, 10, 10 ; n II, 13, 4
GILBERT : 143 ; v. TA
GILISSEN, L. : 10
GILLET, R. : 32[22] ; 33[27-28]
GIOVANNI DELL'ACQUA (S.) : n II, 5, 2-3

GISO : n I, 10, 13-14
GIULIANO (S.) : n III, 14, 4
GOMACHARIUS : n I, 10, 13-14
GONDEBAUD : n III, 31, 6
GORDIANA : 93[48] ; n IV, 17, 1
GORDIANUS I : n IV, 17, 1
GORDIANUS II : n IV, 17, 1 ; n IV, 36, 7
GORDIEN, prêtre : n IV, 42, 1
GORDIEN (Ps.) : 143[12] ; v. TA PIERRE
GOTHS : 47[9] ; 60[50] ; 63[61] ; 157 ; n I, 9, 14 ; n I, 10, 12 ; n II, 6, 1 ; n II, 31, 1.3. — Livre III, n 4, 1 ; 11, 1 ; 18, 2 ; 37, 12-13 ; 38, 3. — nc III, 1, 1 ; III, 2, 1 ; IV, 54, 1
GOUSSAINVILLE, P. : 169
GRÈCE : 61[52] ; 62 ; 64
GRÉGOIRE (Langres) : n III, 13, 3 ; n IV, 28, 1
GRÉGOIRE (Nysse) : nc II, 36
GRÉGOIRE III, pape : n IV, 14, 3
GRÉGOIRE, R. : 143[11] ; Add., p. 217 (III, 12, 2)
GRÉGOIRE LE THAUMATURGE : 111 ; n I, 7, 2 ; nc III, 7, 3-9
GRÉGOIRE DE TOURS : 154[56–57] ; n IV, 6, 1 ; v. TA
GREGORIA : n III, 14, 1 ; n III, 29, 1. — Livre IV, n 14, 4 ; 16, 1 ; 22, 1
GROSS, K. : 161[74] ; nc II, 37, 1-4
GROTTA FERRATA : 171
GUMARI : n III, 11, 6

HABACUC : n II, 22, 4
HADRIEN : n IV, 14, 3
HAEFTEN, B. : 169 ; 170[18]
HAGGERTY KRAPPE, A. : n III, 14, 9
HANSLIK, R. : 167
HARTMANN, L., n I, 3, 5 ; n III, 6, 1
HAZAEL : n II, 15, 1
HÉBREUX : n III, 37, 15
HÉGÉSIPPE : nc IV, 17, 3
HÉLÈNE : n III, 36, 2
HELI : n IV, 37, 12
HELLENUS : n II, 21, 2
HERCULANUS : 90[31] ; 94[51] ; n I, 5, 1 ; n III, 13, 1.3
HERMÉNÉGILDE : 37 ; 62[58] ; 94[51] ; 154[56–57] ; n III, 1, 8 ; n III, 31, 1-5
HERUNDO : n III, 23, 1
HERWEGEN, I. : 160[72]
HIBERIA : n IV, 37, 3
HILAIRE : n III, 23, 4
HILARION : n II, 1, 2 ; n II, 38, 1. — Livre III, n 15, 2 ; 19, 3 ; 26, 6
HILPISCH, S. : 160[72]
HIPPONE : 41
HONORAT (Arles) : nc II, 1, 3 ; nc III, 17, 7
HONORAT (Fondi) : 56 ; 94[51] ; 135 ; 155 ; 191 ; n I, 2, 5.6.8 ; n I, 5, 5
HONORAT (Subiaco) : 125 ; 132 ; 158 ; n II, Prol. 2 ; n II, 15, 4
HOR : n III, 14, 8
HORACE : n I, 7, 2
HORTENSIUS : n I, 10, 13-14
HOSPITIUS : n II, 35, 2 ; n II, 37, 2 ; n III, 16, 10 ; n III, 37, 15
HUELSEN, C. : n IV, 13, 1
HUNERIC : 154[55] ; n III, 32, 1
HYPATIOS : nc I, 4, 3-6 ; nc I, 10, 10 ; v. TA CALLINICUS

IBERIA : n IV, 37, 3

IBÉRIQUE (péninsule) : n IV, 37, 3
ICONIUM : 38[50] ; 65[76]
ILICI : n IV, 37, 3
ILLYRICUM : 43[72] ; n I, 9, 13 ; n IV, 37, 3
ILURCO, ILURO : n IV, 37, 3
INDE : n III, 14, 9
INGUNDE : n III, 31, 1.5
INNOCENT : 140
INTEROCRIUM : n I, 12, 1
IONA : 142
IONIENNE (mer) : n III, 36, 4
IRÉNÉE : 112
IRLANDE : 142 ; n III, 9, 1
ISAAC : 126. — Livre III, n 14, 1-4.6-8 ; 15, 8 ; 26, 4 ; 33, 4 ; 37, 2 ; nc 14, 10. — Livre IV, n 20, 1 ; 43, 3-4
ISAÏE, moine : n III, 15, 2
ISAÏE, prophète : 137
ISAURIE : n IV, 40, 10
ISOLA DEL LIRI : n I, 3, 5
ISRAÉLITES : n IV, 57, 16 ; nc IV, 19, 4
ISTRIE : n III, 38, 1
ITALIE : 46-50 ; 118-123 ; 154-156, etc. — Livre I, n Prol. 7 ; 2, 4 ; 7, 5 ; 9, 13. — Livre II, n 21, 1. — Livre III, n 1, 1 ; 10, 1-2 ; 14, 2 ; 30, 8 ; 33, 1 ; 37, 2.21. — Livre IV, n 27, 12 ; 51, 1. — nc III, 1, 1 ; III, 7, 2
IVIÇA : 71 ; n IV, 37, 3

JACQUES LE MINEUR : nc IV, 17, 3
JAMES, Th. : 169
JANUARIUS (Cagliari) : 44
JANVIER (Naples) : nc III, 1, 9 ; n IV, 13, 3
JANVIER, diacre (Rome) : n IV, 56, 1
JANVIER, fils de Félicité : nc IV, 27, 3
JANVIER (S.), *Via Praenestina* : 65[78] ; n IV, 27, 3
JANVIER (S.), *Via Tiburtina* : 65[78] ; n IV, 27, 3 ; n IV, 56, 3
JEAN, apôtre : n II, 8, 2 ; n III, 5, 3-4
JEAN L'AUMÔNIER : n III, 23, 14 ; nc II, 1, 6 ; v. TA LÉONCE
JEAN BAPTISTE : 48 ; 135 ; 158 ; n I, 1, 7 ; nc III, 37, 14. — (oratoire) Livre II, n 8, 11 ; 30, 1 ; 37, 4
JEAN (BERGAME) : n III, 2, 2
JEAN (CÉSARÉE) : nc III, 36, 3 ; nc IV, 31, 2-3
JEAN CHRYSOSTOME : nc III, 29, 2 ; v. TA
JEAN (Herménégilde) : n III, 31, 1
JEAN (Lycopolis) : 129 ; 132. — Livre II, n 14, 2 ; 15 1 ; 20, 2 ; 22, 2.4 ; 28, 2 ; 33, 2. — L. III, n 16, 5-6
JEAN (moine) : n III, 15, 2
JEAN (moine-prêtre) : n II, 16, 2
JEAN MOSCHUS : 121-122 ; 141 ; nc II, 1, 6 ; v. TA
JEAN Ier, pape : 63[60] ; n III, 1, 6 ; n IV, 31, 4
JEAN III, pape : 63[62] ; 133 ; n I, 4, 11. — L. III, n 8, 1 ; 38, 1. — v. TA *Vitae Patrum* (L. 6)
JEAN ET PAUL (S.) : n IV, 36, 7
JEAN (Pérouse) : n III, 13, 1
JEAN (Syracuse) : n III, 26, 6

Jean, tribun : n III, 19, 1
Jean, *uir magnificus* : n III, 10, 1 ; n IV, 54, 1
Jérémie : 137
Jéricho : n I, 9, 14
Jéroboam : n II, 14, 2 ; n III, 37, 15
Jérôme (S.), abbaye : 164
Jérusalem : L. III, n 3, 2 ; 29, 3. — nc I, 5, 2-3 ; II, 2, 1. — L. IV, n 13, 1. — (céleste) : 48 : n III, 35, 6 ; n III, 37, 22 ; n IV, 18, 4
Jessé : nc II, 21, 3-4
Jésus : 137 ; n IV, 61, 1 ; v. Christ
Job : n I, 10, 7 ; n II, 35, 6-7 ; n III, 21, 4 ; v. Table III, *Moralia*
Jonas de Bobbio : 141 ; v. TA
Joseph : n III, 1, 5
Jovin : n III, 8, 2
Juglar, J. B. : 11
Juifs : n III, 7, 9 et 37, 15
Julien (Bostra) : nc III, 5, 3-4
Julien, défenseur (I) : n I, 4, 12 ; n II, 14, 2 et 31, 3
Julien, défenseur (II) : 43[72] ; n I, 4, 12 et 10, 1 ; n IV, 31, 1
Julien, empereur : n II, 35, 4 ; nc III, 7, 3-6 ; n IV, 31, 3; add., p. 217 (II, 24, 1)
Julien, martyr : 119 ; n I, 10, 3 ; n III, 30, 5 ; v. TA Grégoire de Tours
Julien Sabas : nc II, 7, 3 ; n IV, 31, 3
Julien (S.), monastère : n III, 14, 4
Julien, stylite : n IV, 10
Julienne : nc III, 7, 2
Jungmann, J. A. : n II, 23, 4
Jupiter : n II, 8, 10
Jura : 121 ; n I, 2, 5-6 ; v. TA *Vita Patrum Iurensium*
Justin : n III, 2, 1 et 26, 2
Justine : n III, 37, 15
Justinien : 63[64] ; 154[55] ; n III, 3, 1 et 32, 1.3
Justus : 38[51] ; 147 ; 191
Justus Barsabas : nc III, 5, 3-4
Juvénal (Narni) : 154[55] ; n III, 19, 2 ; nc II, 23, 2 ; n IV, 13, 3
Juvénal (?) : nc III, 7, 2

Kehr, P. F. : n II, 22, 1 ; n III, 14, 4 et 16, 1 ; n IV, 13, 1
Kinnirey, A. J. : 83[166]

Langres : v. Grégoire
Lanzoni, F. : 11. — L. I, n 4, 9 ; 5, 2 ; 6, 1. — L. III, n 9, 1 ; 10, 2 ; 15, 18 ; 29, 2 ; 35, 1 ; 38, 2. — L. IV, n 13, 3 ; 54, 1
Laporte, J. : 161[76] ; n II, 8, 4.13 et 10, 1
Latran : 65-78 ; 157[66] ; 158 ; n II, Prol. 2 et 17, 2
Lauicana (Via) : n III, 27
Laurent, diacre : n I, 4, 6 ; n IV, 42, 1
Laurent, évêque : n III, 9, 1
Laurent, *religiosus uir* : 43[72] ; 131 ; n I, 1, 4 et 2, 1
Laurent (S.), église en Sabine : 189[39] ; n IV, Cap. 53 et 53, 2
Laurent (S.), église à Subiaco : n II, 8, 1
Laurent Hors-les-Murs (S.) : n III, 16, 1

Laurent *in Damaso* (S.) : 65[78] ; n IV, 32, 3-4
Laurent (S.) oratoire : n I, 4, 20 ; n II, 37, 4
Laurent (S.), porte : 65[78] ; n IV, 27, 3 et 56, 1
Laurion : 43[72]
Lazare, frère de Marthe : 137 ; n I, 10, 17 ; n III, 17, 8.13 ; n IV, 28, 4
Lazare, pauvre : 90 ; n IV, 34, 4
Léandre : n III, 31, 1.7
Leclercq, J. : 156[59] ; 157[64]
Leo : n IV, 32, 3-4
Léon d'Ostie : 170[19] ; nc III, 26, 1 ; v. TA
Léon Ier, pape : 141[1]
Léon, séculier : n III, 1, 2
Léovigilde : 154[56-57] ; n III, 31, 2.6
Lérins : nc IV, 14, 4
Liberius, *magnificus* : 43[72] ; n IV, 55, 1
Liberius, patrice : n I, 1, 1 ; n II, 35, 1
Libertinus : 56 ; 89 ; 94[51] ; 128 ; 131 ; 135. — L. I, n 2, 2-3 et 5-6 ; 5, 5 ; 9, 14
Ligugé : n I, 12, 2
Ligurie : n III, 4, 1
Limousin : n III, 22, 1
Lipari : 65[76] ; n IV, 31, 2 et 36, 12
Lipsius, R. A. : nc III, 7, 2
Liri : 157
Liutfrit : 173[27]
Lombards : 36 ; 40[60] ; 41 ; 47 ; 61 ; 62[58] ; 63 ; 64[69] ; 69 ; 94[51] ; 157[66] ; 158. — L. I, n 4, 9.21 ; 9, 1. — L. II, n 1, 2. — L. III, n 7, 1 ; 8, 2 ; 11, 4 ; 14, 1 ; 26, 2 ; 29, 1.4 ; 31, 2 ; 37, 2.4.12-15 ; 38, 3. — nc III, 2, 1. — L. IV, n 13, 1 ; 22, 1 ; 23, 2 ; 24, 1 ; 27, 12 ; 55, 2
Lorenzo in Pizzoli (S.) : n I, 4, 20
Lorenzo (S.) à Norcia : n III, 37, 4
Lorsch : 171[25]
Loth : n I, 2, 4
Lowe, E. A. : 171[25] ; 173[27]
Loyal (M.) : 79
Luc : n I, Prol. 10
Lucanie : n III, 17, 1
Lucia della Tinta (S.) : n IV, 13, 1
Lucques : n III, 9, 1
Luna : 26 ; 43[72] ; n III, 9, 1 et 11, 4 ; v. Venance
Lupicin : 123[40] ; n III, 14, 5 et 38, 2 ; nc III, 14, 3 ; n IV, 12, 3
Lycaonie : n IV, 40, 10
Lyon : 112 ; n III, 26, 5 ; nc IV, 40, 5

Mabillon, J. : 143[12-13] ; n II, 22, 1
Macaire d'Alexandrie : n II, 16, 1 ; n III, 14, 2-3 ; nc III, 37, 19
Macaire d'Égypte : n II, 10, 2 et 16, 2
Macrine : nc II, 34, 2
Magno (S.) : n I, 1, 3
Mähler, M. : 161[73.77]
Maixent : n III, 37, 15
Mallet, J. : 10 ; 164 ; 172
Mallosus : n III, 13, 3
Malte : n I, 5, 1
Manselli, R. : nc III, 38, 3-4
Marc (S.), église : n III, 33, 1 ; n IV, 36, 1
Marc, évangéliste : n I, Prol. 10

MARCEL : 57[36] ; 137 ; n I, 10, 18 ; n IV, 28, 1

MARCELLIN (Amiterne) : n I, 4, 3

MARCELLIN (Ancône) : 56 ; 56 ; n I, 6, 1

MARCIEN : n II, 1, 6

MARGHERITA da Forcella (S.) n I, 4, 20

MARIE, mère du Christ : n IV, 18, 1

MARIE MAJEURE (S.) : 65[78] ; n III, 14, 1 ; n IV, 16, 1 ; v. suivant

MARIE AUX NEIGES (S.) : n II, 22, 2 ; v. précédent

MARIE, sœur de Lazare : 137 ; n I, 10, 17

MARINANGELI, G. : nc I, 4, 1

MARINI, G. L. : n III, 24, 1

MARKUS, R. A. : nc III, 7, 8

MARMOUTIER : n II, 3, 14

MARSES : n IV, 24, 1

MARSILI, S. : n II, 1, 1

MARTHE : 137 ; n I, 10, 17

MARTIN, ermite : n III, 16, 1.3.6.9 ; nc III, 16, 5

MARTIN, évêque : 114 ; 118 ; 128-129 ; 131-132. — L. I, n Prol. 3 ; 2, 2-3.5-6 ; 9, 10-11.13 ; 10, 18. — L. II, 8, 8 ; 11, 1 ; 15, 1-2 ; 27, 2 ; 28-29 ; 30, 1 ; 35, 4. 38, 1. — L. III, n 10, 3 ; 16, 6. — nc III, 1, 9. — L. IV, n 13, 3. — v. TA SULPICE SÉVÈRE

MARTIN (S.), oratoire : n II, 8, 11 et 37, 2

MARTIUS n I, 3, 2 ; n III, 5, 2

MARTYRIUS (Lycaonie) : n I, 11

MARTYRIUS (Valérie) : 56 ; n I, Cap. 11 et 11 ; n I, 12, 4

MASAI, F. : 10

MASONA : nc II, 28-29

MAUR (Norique) : n II, 7, 1

MAUR (Subiaco) : 58[41] ; 143. — L. II, n 3, 14 ; 8, 7 ; 35, 4

MAURES : n IV, 40, 7

MAURISTES : 164-166 ; 169 ; 171-172 ; 174 ; 190[42] ; n III, 17, 1 et 37, 14

MAXIME, abbé : nc IV, 14, 4

MAXIME, empereur : 129 ; n II, 15, 1

MAXIME, moine : n IV, 40, 7

MAXIME, séculier : n IV, 40, 7

MAXIMIEN (Pérouse) : n III, 13, 1

MAXIMIEN (Syracuse) : 25[1-2] ; 28 ; n I, 7, 1 ; n III, 36, 1 ; nc III, 36, 1. — L. IV, n 33, 1 ; 49, 5 ; 57, 11

MÉDABA : n I, 9, 14

MÉDARD : nc I, 9, 16-17 ; nc III, 17, 1 ; v. TA VENANCE FORT. (Ps.)

MEILLET, A. : nc III, 4, 2

MÉLÈCE : n III, 16, 9

MELLITUS : n I, 9, 19 ; n IV, 27, 10

MÉNANDRE : nc III, 38, 5

MENAS, ermite : 61[53] ; n III, 26, 4.7-8 ; nc III, 26, 1.3.8

MENAS, martyr : n III, 26, 8

MENAS (S.), église : n III, 26, 8 ; nc III, 26, 8

MENAS (S.), oratoire : nc III, 26, 1

MÉRIDA : 141 ; 154[56] ; v. TA *Vita Patrum Emeritensium*

MERULI(s) : n III, 11, 1

MERULUS : n I, 10, 1 ; n IV, 49, 4-5

MESSALIENS : n III, 14, 2.5

MESSINE : nc III, 36, 4

MEYVAERT, P. : nc II, 34, 2 ; n IV, 33, 2 ; nc IV, 33, 2
MICHEL : n IV, 12, 4
MIGNE, J. P. : 165 ; n IV, Cap.
MILAN : 61[52] ; 62 ; 166 ; 177 ; n I, 7, 3 ; n II, 2, 2 ; n III, 4, 1 et 13, 3 ; n IV, 55, 2
MILE (S.) : n IV, 40, 10
MITTERMÜLLER, R. : 171-172 ; 174
MOHRMANN, C. : 156[60]
MOÏSE : 135-136 ; n II, 8, 8 ; n IV, 57, 16 ; Add., p. 215
MOMBRITIUS, B. : 111[1] ; n I, 7, 2-3
MOMMSEN, Th. : n I, 1, 1 ; n III, 10, 1 et 16, 7-8
MONCHÔSIS : n I, 4, 7
MONEGUNDE : n III, 38, 2
MONT-CASSIN : 7 ; 9 ; 36 ; 58-59 ; 85 ; 100 ; 108 ; 126 ; 155 ; 157-159 ; 166-167 ; 170-171 ; 178. — L. II, n Prol. 2 ; 14, 1 ; 15, 4 ; 16, 1 ; 17, 2 ; 22, 1 ; 30, 1. — L. III, n 16, 6.9. — nc II, 34, 2
MONT MARSIQUE : 191[47] ; n III, 16, 1.9
MONTE ARGENTARO : 89 (cf. t. II, p. 451) ; n III, 17, 1 ; nc I, 2, 6
MONTE CAPRARIO : n III, 13, 3
MONTE LUCO : n III, 14, 4
MONTE MARSICO : v. MONT MARSIQUE
MONTE SAN STEFANO : n II, 22, 1
MONTSERRAT : 172
MORICCA, U. : 11-12 ; 14 ; 24 (cf. t. II, p. 451) ; 31[21] ; 43[72] ; 85 ; 123[43] ; 125 ; 138-139 ; 143[10] ; 144[15-16] ; 155 ; 162 ; 164 ; 166-188. — L. I, n 1, 4 ; 2, 4 ; 4, 12 ; 7, 1. — L. III, n 1, 1 ; 10, 2 ; 16, 1.9 ; 20, 1 ; 35, 1. — L. IV, n Cap. ; Cap. 12 ; 16, 1 ; 18, 1 ; 27, 10
MORIN, G. : Add., p. 218 (III, 14, 3)
MUGELLO : n II, 14, 1
MUNDÓ, A. : 143[14] ; 156[60-61] ; n II, 14, 1
MUNICH : 171
MURATORI, L. : 170[19]
MUSA : 37[46] ; 38 ; 39[57] ; 191 ; n IV, 18, 3

NAPLES : 159[68] ; n I, 2, 2-3 ; — L. II, n 8, 1 ; 14, 1 ; 35, 1
NARCISSE : nc I, 5, 2-4 ; nc III, 15, 7
NARNI : n III, 6, 1 et 12, 2 ; n IV, 13, 3 et 58, 1
NARSÈS : n I, 10, 12 ; n IV, 27, 10
NATHAN : n II, 21, 3
NAZAIRE : n III, 13, 3
NEPI : n I, 8, 1
NÉRON : n II, 1, 3 et 8, 4
NICE : n III, 16, 10
NICÉE : v. TA SYMBOLE
NITRIE : n I, 9, 5 ; n IV, 57, 9.11
NOCE (A. della) : 170
NOËL : n IV, 17, 3
NOLE : 62 ; 111 ; n III, Prol. et 1, 1.3 ; nc III, 1, 1 ; n IV, 13, 3 et 52
NOMENTUM : n I, 4, 12
NONNOSUS, laïc : n I, 7, 1
NONNOSUS, moine : 28 ; 56 ; 111 ; 135 ; 147[27] ; n I, 5, 2 et 7, 6 ; n III, 9, 3
NORCIA : n III, 15, 2 ; v. NURSIE
NORTHUMBRIE : 171[25]

NURSIE : 46[68] ; 47[1] ; 61[52] ; 65[80] ; 67 ; 89[29] ; 103 ; 137 ; 159[69]. — L. I, n 4, 1.8 ; 9, 19. — L. II, n Prol. 1 ; 1, 2. — L. III, n 15, 1-2.18 ; 37, 4.20. — L. IV, n Cap. 12 ; 11, 1 ; 12, 1 ; 18, 3

ODOACRE : n II, 15, 1
ODON DE GLANFEUIL : 143 ; v. TA
OMBRIE : n I, 9, 8 et 10, 2
ONOFRIO, C. d' : n II, 8, 5
ORANGE : n II, 35, 1
ORIENT : 113 ; n IV, 54, 1
ORIGÈNE : nc III, 38, 5 ; n IV, 46, 1 ; nc IV, 46, 1
ORIGÉNISTES : 66
ORTE : n IV, 13, 3
ORVIETO : n III, 17, 1
OSTIE : n II, 14, 1. — (Voie d') n III, 26, 8
OTRICOLI : n III, 12, 2
OYEND : 123[40]; n II, 35, 2 ; n IV, 14, 5 et 15, 4

PACHÔME : n II, 21, 2 ; nc III, 37, 19 ; v. TA PACHÔME et VIES
PAÈSIOS : n III, 15, 2
PAESIUS : n III, 15, 2
PALAMON : n II, 1, 4
PALLADE : 118 ; v. TA
PANCRACE au Latran (S.) : n II, Prol. 2
PANEPHYSIS : n III, 16, 5
PANTONI, A. : 7 ; 158[67]; n II, Prol. 2 et 8, 11
PAPHNUCE : n II, 21, 2
PAPIAS : nc III, 5, 3-4
PÂQUES : L. IV, n 27, 7 ; 33, 1.3 ; 59, 1
PASCAL Ier : n IV, 12, 2
PASCHASE : 38[51] ; 42[65-66] ; 73 ; 100 ; n II, 36 ; n IV, 42, 1.2 et 57, 4.6
PATERMUTIUS : n I, 12, 3 ; n II, 1, 4 et 7, 2 ; n II, 21, 2
PATLAGEAN, E. : 144[17]
PATRIZI-FORTI, F. : n III, 37, 4
PAUL, apôtre : 87 ; 90 ; 108[119]; 112 ; 136 ; n I, 9, 7 et 12, 5. — L. II, n 3, 11 ; 23, 6 ; 33, 1.5. — L. III, n 14, 12-13 ; 17, 9-12 ; 24, 1 ; 29, 3. — nc III, 7, 2 ; 17, 9-12. — L. IV, n 4, 10 ; 5, 5 ; 14, 4. — nc IV, 14, 4 — Add., p. 215
PAUL, ermite : n II, 17, 1 et 37, 2 ; v. TA JÉRÔME
PAUL EVERGÈTINOS : 142 ; v. TA
PAUL DE MÉRIDA (Ps.) : 141[3] ; 154[56] ; v. TA *Vita Patrum Emeritensium*
PAUL (Panephysis) : n III, 16, 5
PAUL LE SIMPLE : n III, 15, 6
PAUL (S.), église : 65[28] ; n III, 29, 2-3
PAULIN (Milan) : 121 ; v. TA
PAULIN (Nole) : 62 ; 88-89 ; 96 ; 111 ; 154[55] ; n II, 28-29. — L. III, n Prol. ; 1, 1-10 ; 37, 17. — nc III, 1, 1.5-7.9. — n IV, 13, 3 et 52 ; v. TA PAULIN et URANIUS
PAULIN II (Nole) : n III, 1, 1 ; nc III, 1, 1
PAULIN (Rome) : n I, 1, 1
PAULIN (Spolète) : n III, 14, 4 et 29, 2
PÉLAGE Ier : 133 ; n IV, 54, 1 ; v. TA PÉLAGE Ier et *Vitae Patrum*, L. 5
PÉLAGE II : L. III, n 16, 1 ;

32, 3 ; 36, 1. — L. IV, n 19, 2 ; 59, 2 ; v. TA
Pentecôte : n IV, 59, 1
Pentumis : n I, 7, 1 et 8, 1 ; v. Subpentoma
Peregrinus : 43[72] ; 125
Pérouse : 154[55] ; n I, 5, 1 ; n III, 13, 1.3 et 35, 1
Perrotti, R. : nc II, 3, 13
Perse, poète : 161[75] ; n II, 3, 5
Perses : n IV, 59, 1
Pescara : n IV, 42, 3
Petersen, J. M. : 10 ; 121[33] ; nc II, 17, 1 ; nc III, 4, 1-3 et 16,5
Petrini, P. A. : n III, 23, 1
Petronax : n II, 8, 11
Pfeilschifter, P. : 26[5.7] ; 27[9] ; 29[16]
Picenum : n II, 21, 1
Pierre, abbé : n IV, 49, 5 et 57, 11
Pierre (Alexandrie) : nc III, 6, 7
Pierre, apôtre : 43[71] ; 61 ; 64 ; 87 ; 91 ; 108[119] ; 112 ; 136 ; n I, 12, 5. — L. II, n 3, 8.11 ; 7, 2 ; 8, 8 ; 23, 6 ; 30, 3. — L. III, n 2, 3 ; 3, 2 ; 15, 9 ; 16, 4 ; 24, 1-2 ; 25, 2 ; 29, 3. — nc II, 3, 13 ; III, 7, 2. — n IV, 14, 4 ; nc IV, 14, 4 ; Add., p. 215
Pierre Diacre (Mont-Cassin) : 143 ; 170[19] ; nc II, 34, 2 et III, 26, 1 ; v. TA
Pierre, diacre (Rome) : 44-47 ; 79-80 ; 111-112 ; 134-136, etc. — n I, Prol. 2, etc. — nc I, Prol. 2
Pierre, moine : 38[50] ; 70[110] ; 97[65] ; nc IV, 37, 4-6
Pierre (S.), églises d'Affile : n III, 25, 1 ; Aurelia : n III, 17, 1 ; Pérouse : n III, 13, 3 ; Rome (Vatican) : 65[78] ; n III, 23, 5 et 24, 2 ; n III, 29, 3 ; n IV, 14, 3 et 38, 1
Pierre (S.), monastère (Préneste) : n III, 23, 1
Pierre (Spolète) : n III, 29, 2
Pietrangeli, C. : n II, 8, 5
Pirri, P. : n III, 15, 2 ; n IV, 11, 1
Placide : 58[41] ; 143 ; n I, 9, 3 ; n II, 3, 14 et 7, 2 ; v. TA Pierre du Mont-Cassin
Plaisance : 62 ; n III, 10, 2
Platon : 124[44] ; v. TA
Plezia, M. : 115[20]
Pluton : n IV, 37, 6
Pô : n I, 9, 15 ; n III, 19, 1
Poitiers : n I, 1, 3
Polimartium : n I, 9, 1
Polycarpe : nc III, 18, 2 ; nc IV, 15, 5
Pompée : n IV, 32, 3-4
Pompéi : n I, 3, 5
Popilius : n III, 12, 2
Populonia, Populonium : n III, 11, 4 ; nc III, 11, 1
Porcel, O. : n III, 33, 9
Porphyre, évêque : nc III, 36, 3 ; nc IV, 31, 2-3
Porphyre, philosophe : 79
Porto : 127[72] ; n III, 11, 1. — L. IV, n 27, 6 ; 57, 3 ; 59, 3 ; v. Félix (Porto)
Posidonius : nc IV, 27, 1
Postumianus : 114
Pourçain : n II, 10, 2
Pouzzoles : n I, 3, 5 ; nc III, 7, 2
Praeiectitius : n III, 6, 1

Praxède (S.) : n IV, 12, 2
Preci : n III, 15, 2
Préneste : 94[51] ; n III, 23, 1. — (Voie de) n IV, 27, 3
Prétextat (cimetière de) : n IV, 56, 1
Prétextat (magicien) : n I, 4, 3
Pretiosus : n IV, 49, 5 et 57, 11
Proba : n IV, 14, 1
Probus, abbé : L. IV, n 13, 1 ; 18, 1 ; 20, 1 ; 40, 6-7
Probus, évêque : n I, 4, 9, — L. IV, n 13, 1-3 ; 18, 1 ; 20, 1
Procope (Césarée) : 124[44] ; 154[57] ; v. TA
Procope (Rhodes) : nc IV, 31, 2-3
Proculus (Bologne) : n I, 9, 8
Proculus (Terni) : n I, 9, 8
Proiectitius : n IV, 32, 3-4
Pronulf : n III, 19, 1

Quadragesimus : n III, 17, 1 et 22, 1
Quirinal : n III, 30, 2
Quirini, A. : 170

Rachel : n I, Prol. 4 ; nc I, Prol. 4
Ravenne : 44 ; 63[66] ; 64[69] ; n I, 9, 14 et 10, 12 ; n II, 8, 11. — L. III, n 2, 1.3 ; 10, 1 ; 24, 1
Récarède : 154[56] ; n III, 31, 7
Recchia, V. : 32[22]
Redempta : 68[93] ; 93 ; n IV, 16, 1
Redemptus : 27 ; 63[62] ; 89[29] ; n I, 9, 1 ; n III, 38, 1-2
Regnault, L. : 10[1] ; t. II, p. 451
Renati (*monasterium*) : 65[78] ; n IV, 13, 1
Reparatus, sous-diacre : n III, 32, 3
Reparatus, *spectabilis uir* : 38[49] ; 72 ; 112[6] ; 127[91] ; n IV, 36, 8-9.11
Reticius : n III, 23, 4
Rhodes : IV, 27, 5 ; nc IV, 31, 2-3
Ricimer : n III, 30, 3
Rieti : 57[37]. — L. I, n 4, 3.9 ; 5, 5 ; 9, 2 ; 12, 1. — L. III, n 33, 1 ; 37, 20. — L. IV, n 13, 1.3 ; 18, 1 ; 20, 1
Riez : nc IV, 14, 4 ; v. TA Fauste
Riggo : 59[45] ; n I, 4, 15 ; n II, 14, 1-2 et 31, 2-3 ; n III, 6, 2
Rimini : nc III, 37, 19
Rivera, C. n I, 4, 1.9
Rochais, H. : n III, 33, 5
Romain, abbé : 143
Romain moine : n I, 9, 10 ; n II, 1, 4-5 ; n III, 14, 1
Romains : 47 ; 157[66] ; n II, 22, 1
Rome : 25-26 ; 44-45 ; 62-66 ; 119-121, etc. — L. I, n 3, 5 ; 4, 9.11.12.15 ; 7, 1 ; 8, 1 ; 10, 12. — L. II, n 1, 3 ; 14, 1 ; 15, 2-3. — L. III, n 1, 1 ; 4, 1 ; 7, 3 ; 9, 1 ; 10, 1 ; 11, 1 ; 13, 3 ; 14, 1 ; 17, 1 ; 18, 1 ; 19, 5 ; 24, 1 ; 25, 3 ; 29, 1 ; 30, 1.3 ; 38, 1. — nc III, 1, 1 ; 2, 1 ; 7, 2. — L. IV, n 16, 1 ; 19, 2 ; 22, 1 ; 31, 1 ; 35 ; 40, 10 ; 54, 1 ; 55, 1 ; 59, 2-3. — nc IV, 55, 1 ; 59, 2-3. — nc IV, 42, 2

ROMULA : n I, 10, 1 ; n IV, 16, 3
ROSWEYDE, H. : nc II, 1, 6
ROTHARI : n III, 29, 2
ROUGÉ, J. : add., p. 219 (III, 36, 2, 4)
ROUSSEAU, O. : 138[117] ; 161[73]
RUDERIC : n II, 14, 1
RUFIN : 118 ; v. TA
RUSELLAE : n III, 11, 4
RUSTICIANA : 31[20] ; n IV, 14, 1

SABAS : n I, 9, 14 ; n II, 3, 10 ; n III, 16, 3 ; n IV, 16, 7
SABATIER, P. : 185
SABIN (Canosa) : 63[60] ; 126 ; n I, 9, 13 ; n II, 15, 3 ; n III, 5, 1-5 et 11, 6
SABIN (Plaisance) : n I, 9, 15 ; n III, 10, 2
SABINE : n I, 4, 12 ; n IV, 27, 6
SACRO SPECO : n II, 1, 4
SADDUCÉENS : 42[65]
SAINT-GALL : 10 ; 173 ; 176
SAINTE-MARTHE, D. de : 45[83] ; 164 ; 165[2] ; 169 ; 176
SALARIA (Via) : n I, 12, 1
SALOMON : n IV, 50, 4
SALVIUS : n I, 10, 18 ; n II, 37, 2 ; n III, 16, 10
SAMNIUM : 131 ; 159 ; n I, 1, 3 et 2, 2-3 ; n III, 26, 2 ; n IV, 10
SAMUEL : n II, 16, 3 ; nc I, 4, 19 ; nc II, 21, 3-4
SANCTULUS : 89 ; 96 ; 97[64] ; n I, 5, 2 et 9, 19 ; n II, Prol. 1. — L. III, n 1, 7-8 ; 15, 1 ; 37, 1.2.11.14. 18.21. — nc III, 37, 20. — n IV, 15, 3 et 20, 1
SANSEGUNDO, L. : 165[2]
SARAGOSSE : n III, 15, 18
SARAPION : n II, 15, 3
SATAN : nc III, 16, 3-4
SATURUS : n III, 11, 2
SATYRUS : nc III, 36, 3
SAUGET, J. M. : 10 ; 178
SAUL : n II, 14, 2 ; n III, 17, 8 ; nc II, 8, 7
SCACCIA-SCARAFONI, C. : n II, 35, 1
SCANDINAVIE : n III, 38, 3
SCÉTÉ : nc I, 8, 5 ; nc II, 17, 1
SCHMITT, A. : n II, 35, 1
SCHOLASTIQUE : 53 ; 59[45] ; 67 ; 96[57] ; 126-127 ; 157[65] ; 161[73.75.77] ; 162[80] ; n II, 33, 2.5 et 34, 1-2 ; n III, 15, 11 et 23, 2 ; nc II, 34, 2 ; n IV, 11, 4 et 14, 4
SCHOLASTIQUE (S.), abbaye : n II, 8, 4 ; nc II, 3, 13
SCHRÖRS, H. : 160[72]
SCHUSTER, I. : 160[70] ; n II, 33, 2 et 34, 1 ; n III, 16, 9
SÉBASTE : n III, 27
SÉBASTIEN, martyr : n I, 10, 2
SÉBASTIEN, moine : n III, 15, 2
SÉBASTIEN (S.), monastère : n II, 35, 1
SECUNDINUS : 29[16]
SEPULCRI, A. : 83[166]
SÉRAPION : n III, 1, 2
SERCHIO : n III, 9, 2
SERENUS, évêque : n I, 6, 1
SERENUS, moine : 128 ; n I, 4, 1 ; n II, 2, 3
SERVANDUS : n II, 35, 1.4
SERVULUS (Seruulus) : 37[46] ; 39 ; 40[60] ; 93 ; n I, 10, 1. — L. IV, n 15, 3-4 ; 16, 2-3 ; 38, 1 ; 40, 4
SÉVÈRE, évêque : 25[4] ; cf. Add., p. 216 (II, 4, 2)
SÉVÈRE, prêtre : 56 ; 99[81] ; n I, 12, 1-2 et 4

Séverin, abbé : 121 ; 161[73] ; n I, 9, 5. — L. II, n 6, 1 ; 7, 1 ; 15, 1 ; 26 ; 32, 2. — L. III, n 10, 3 ; 17, 3.5 ; 30, 2. — L. IV, n 11, 2 ; 15, 4 ; 36, 2
Séverin, évêque : n II, 4, 2 (v. Add., p. 216)
Séville : n III, 31, 1.5
Sicile : 44-45 ; 47[1] ; 71 ; 74 ; 132[93] ; 150[39] ; n II, 15, 2; et 18, 1 ; nc III, 1, 1 et 7, 2. — L. IV, n 31, 1 ; 36, 12 ; 59, 6
Silvain : n I, 10, 18
Silvestre pape : n I, 7, 2
Silvestre (S.), monastère : nc II, 3, 13
Siméon (Égée) : n IV, 10
Simon le magicien : n I, 4, 6 et 10, 10 ; nc III, 38, 5
Simplicius : 158 ; n II, Prol. 2 et 17, 2
Sisbert : n III, 31, 4
Sixte (S.), église : 65[78] ; n I, 2, 5 ; n IV, 27, 2 ; v. Xyste
Solms, É. de : 190[41]
Socrate : n II, 3, 5
Sora : n IV, 23, 1 et 24, 1
Soracte : 56-57 ; 111. — L. I, n 2, 5-6 ; 7, 1-2 ; 8, 1
Soranus : n IV, 23, 1
Soriano : n III, 38, 2
Speciosus, *comitiacus* : n IV, 9, 1
Speciosus, moine : n IV, 9, 1 et 16, 1
Speciosus, prêtre (S. Clément) : n IV, 16, 1
Speciosus, prêtre (S. Laurent *in Damaso*) : n IV, 16, 1 et 32, 3-4
Spes (Hippone) : n IV, 11, 1
Spes (Nursie) : 67 ; 126-127 ; n I, 4, 1 et 9, 19. — L. II, n 3, 13 ; 34, 1 ; 37, 2. — n III, 15, 2. — L. IV, n 11, 1.4 ; 12, 1.3 ; 15, 4
Spiridion : 113[11] ; n I, 3, 2-4 ; n III, 14, 7 et 22, 2-3
Spolète : 61[52] ; 62[58] ; 126. — L. III, n 14, 1.4 ; 15, 1 ; 21, 1 ; 24, 1 ; 29, 1.3 ; 33, 1. — n IV, 12, 1 et 36, 1
Steidle, B. : 143[14] ; 161[74]
Stella, V. : 83[166]
Stephanus de montanis (S.) : n II, 22, 1
Stuttgart : 171[25] ; 189
Subiaco : 7 ; 9 ; 58-59 ; 94[51] ; 100 ; 104[95] ; 106 ; 136 ; 155 ; 157-159 ; 170 ; n I, 4, 1. — L. II, n Prol. 2 ; 1, 1.3 ; 3, 2.14 ; 15, 4 ; 38, 1. — n III, 16, 1 ; 18, 1. — nc II, 3, 13
Subpentoma (Sup-) : 56-57 ; 155 ; n I, 7, 1 ; n I, 8, 1
Subure : n III, 30, 2
Suessa : n III, 16, 1
Sulpice Sévère : 142 ; v. TA
Syméon Stylite : 120[31] ; n III, 16, 9 ; nc III, 16, 5
Syméon Stylite le Jeune : v. TA *Vita Symeonis Stylitae Iunioris*
Symmaque, pape : 155 ; n I, 4, 6.12 et 10, 1 ; n III, 1, 6 ; n IV, 42, 1-2
Symmaque, patrice : n IV, 14, 1 et 31, 3-4
Symmetrius (S.), monastère : n I, 3, 5
Syracuse : 28 ; n I, 7, 1 ; n III, 26, 6 ; n IV, 57, 11
Syrie : n III, 14, 2 et 16, 9 ; nc I, 10, 15
Syrus : 154[55] ; n IV, 55, 2

TABENNÉSIOTES : n III, 14, 2-3
TABURNO (Mont) : nc III, 26, 1
TANNACO : n IV, 40, 10
TARRACONAISE : n IV, 37, 3
TARRAGONE : n III, 31, 4
TARSILLA : n I, 10, 1 ; n IV, 17, 1.3 ; nc IV, 17, 3 ; v. THARSILLA
TATEO, F. 32^{22}
TAURIANA : 76 ; 77^{144}
TAYON : 81^{161} ; v. TA
TEILHARD DE CHARDIN, P. : 145 ; 148
TERASIA : n II, 28-29
TERNI : n I, 9, 8
TERRACINE : 134^{102} ; 155 ; 157-159 ; n I, 1, 3 ; n II, 22, 1 ; n III, 7, 1 ; n IV, 9, 1 et 16, 1
TERTULLUS : n II, 3, 14
THARSILLA : 93^{48} ; v. TARSILLA
THEOCTISTA : 31^{19-20} ; n III, 34, 3-4
THÉODAT : 63 ; n III, 3, 1
THÉODELINDE : 40 ; n III, 19, 1
THÉODORE (Antioche) : nc II, 7, 3
THÉODORE (Marseille) : n II, 35, 2
THÉODORE (Nitrie) : n I, 9, 5
THÉODORE (S. André) : 38 ; n IV, 40, 2-3
THÉODORE (Vatican) : 43^{72} ; n I, 5, 2 ; n III, 24, 1 ; n IV, 14, 4
THÉODORIC : 38^{49} ; 39 ; 63 ; 70^{108} ; n III, 1, 6 et 2, 1 ; nc II, 3, 14 ; nc IV, 31, 3-4 et 36, 12
THÉODOSE, abbé : n I, 8, 4 ; n II, 4, 2 ; v. TA CYRILLE et THÉODORE
THÉODOSE Ier, empereur : 129 ; 132 ; n II, 15, 1
THÉODOSE II : nc II, 23, 3
THÉON : n III, 22, 2-3
THÉOPHANE : 38^{48} ; 39 ; 69^{102} ; 93 ; 94^{51} ; n IV, 28, 1-2
THEOPROPUS : n I, 2, 1 ; n II, 17, 1 et 35, 4
THOMAS : n I, 9, 14
TIBRE : 26 ; n I, 10, 4 ; n III, 19, 1 ; n IV, 13, 1 et 32, 3-4
TIBURCE : 38^{50} ; 70^{108} ; 111^{6} ; n IV, 32, 3-4 et 40, 6
TIBURTINE (Voie) n IV, 27, 3 et 56, 1
TIFERNUM TIBERINUM : L. III, n Cap. 35 ; 13, 1 ; 35, 1
TIGRIDIS (*titulus*) : n IV, 27, 2
TIPASA : n III, 32, 1
TODI : 56-57 ; 137 ; n I, 10, 1-2 et 12
TOSCANE : 111 ; 191^{48} ; n I, 2, 2-3 ; n II, 21, 1 ; n III, 11, 4 ; v. TUSCIA
TOTILA : 59^{45} ; 61^{52} ; 63 ; 126 ; 129 ; 131-132 ; 154^{55} ; 161^{77}. — L. I, n 2, 2-3 ; 10, 12. — L. II, n 6, 1 ; 14, 1 ; 15, 1-3 ; 31, 1-3. — L. III, n 4, 1.4 ; 5, 1-2 ; 6, 1-2 ; 11, 1.3 ; 12, 1-2 ; 13, 1-3
TOUCAS, A. : 10 ; 178
TOURS : 94^{52} ; 119-120 ; n III, 5, 3 et 30, 5 ; v. MARTIN et TA GRÉGOIRE DE T., SULPICE SÉVÈRE
TRAJAN : n I, 5, 1
TRASIMÈNE : n III, 38, 3
TRIPOLI : nc II, 3, 13
TROAS : n III, 16, 6
TUSCIA : 57 ; 191^{48} ; n I, 4, 21 ; n I, 10, 2 ; n III, Cap. 35 et 9, 1 (T. Annonaria) ; v. TOSCANE

Tusculum : n I, 3, 5
Tyr : nc III, 11, 2-3
Tyrrhénienne (mer) : 73[122] ; 157 ; n IV, 10

Ughelli, F. : 11
Ulfilaic : n II, 9
Urgel : 172
Ursin (Bourges) : n III, 13, 3
Ursin (Nursie) : n IV, Cap. 12 et 12, 2
Ursus : n I, 4, 9
Ustica : 65[76]

Vaccari, A. : nc II, 1, 6
Valcastoriana : n IV, 11, 1
Valence : n III, 31, 2
Valens : n III, 20, 1
Valensin, A. : 148[30]
Valentin, défenseur : 38[49]
Valentin, diacre : n IV, 14, 5
Valentin, évêque : n I, 4, 3
Valentinien : 125[55] ; 157[66] ; 158 ; L. II, n Prol. 2 ; 13, 1 ; 17, 2 ; 24, 1
Valentio : 28[13] ; n I, 4, 20 ; n III, 22, 1 ; n IV, 22, 1 et 33, 1
Valérie : 56 ; 57[36-37] ; 63[66] ; 94[51] ; 155 ; 159. — L. I, n 3, 5 ; 4, 1.8.20 ; 9, 17 ; 10, 20 ; 12, 1. — L. III, n 15, 2 ; 18, 1 ; 20, 1 ; 22, 1. — L. IV, n 22, 1 ; 23, 1 ; 24, 1 ; 33, 1 ; 40, 6
Valérien, avocat : nc IV, 27, 9
Valérien, patrice : 38[49] (cf. Add., p. 215 ; n IV, 54, 1
Valerius : Add., p. 215 ; n III, 13, 3
Valgius : n IV, 59, 4-5
Vandales : 47[9] ; 154[55] ; n III, 1, 1.6 ; nc III, 1, 1
Van Uytfanghe, M. : 161[73]
Varaca : 38 ; 76 ; n III, 38, 2
Varron : nc IV, 32, 2-4 ; v. TA
Vaticane (basilique) : n III, 23, 5 ; nc III, 24, 1 ; n IV, 15, 2
Venance, consul : n I, 1, 1
Venance, évêque : 26 ; 43[72] ; 61[52] ; 66[87] ; n III, 9, 1 et 10, 1 ; n IV, 55, 1
Venance, moine : nc II, 1, 3
Venance, patrice (I) : n I, 1, 1
Venance, patrice (II) : n III, 26, 6
Venise : 170 ; 171[25]
Vérone : 62 ; 166-167 ; 177 ; n III, 19, 2
Vetus Latina : 185
Vicovaro : 101 ; n II, 3, 2
Victor (Capoue) : n II, 35, 3
Victor (Otricoli) : n III, 12, 1
Victor (Palerme) : n IV, 59, 2
Victorin Émilien : n II, 35, 2 ; n IV, 14, 4
Vienne : n III, 13, 3
Vincent : n III, 15, 18
Virgile : n I, 7, 2 ; v. TA
Visentium : n III, 17, 1
Vital, abbé : n II, 17, 2
Vital, évêque : n III, 7, 1
Vital, martyr : n III, 11, 5
Vitale Brovarone, A. : 31[21] ; 32[22] ; nc IV, 61, 2
Viterbe : 191[48] ; n I, 9, 1 ; n III, 38, 1
Vitigès : 63
Vogel, C. : n I, 12, 1 ; n II, 23, 4
Volci : n III, 17, 1
Volsinii : n III, 17, 1
Voss, B. R. : 78[150] ; 115[20]
Vulgate : 164 ; 184 ; nc III, 34, 3

VULT : n II, 14, 1
VULTURNE : 131

WAITZ, G. : 170-174 ; 176
WANSBROUGH, J. H. : 157[65] ; 161[75]
WASSELYNCK, R. : nc III, 38, 3-4
WASZINCK, J. H. : n IV, 26, 5 et 50, 2
WEBER, R. : n II, 34, 2
WESSOBRUNN : 171
WINANDY, J. : n II, 3, 5
WISQUES : 10
WORCESTER : 189[40]
WROCLAW : 171[25]
WURZBOURG : 171[25]

XYSTE : n IV, 56, 1 ; v. SIXTE
YERKES, D. : 10 ; 171[25] ; 189[40]
YVES (S.), église : n IV, 13, 1

ZACHARIE : 142 ; 165 ; 171-172 ; 174 ; 183 ; 187-188 ; n II, 31, 3 et 38, 4 ; nc III, 7, 2 ; n IV, 27, 10 ; nc IV, 27, 9
ZACHÉE : nc II, 3, 13
ZALLA : n II, 6, 1 et 31, 3
ZEILER, J. : n III, 30, 3
ZÉNON, évêque : 81[160] ; 154[55] ; n III, 19, 2.5 ; n IV, 13, 3
ZÉNON (S.), église : n III, 19, 2
ZÉNON (S.), chapelle : n IV, 122,
ZIMMERMANN, O. J. : 190[45]

V. TABLE DES MOTS LATINS ET GRECS

Seuls sont enregistrés les mots et expressions qui font l'objet d'une remarque. Les termes grecs non latinisés sont précédés de l'astérisque.

abbas : 81[160]
adhuc : n III, 29, 1
adiungere : n II, 8, 5
antistes : 81[160]
armentarius : n IV, 27, 10
aurem cordis : n IV, 15, 4
aureus : nc I, 9, 10

beatus : 81[160]
benedictio : n II, 31, 3 ; n III, 17, 4 et 33, 8 ; n IV, 57, 5
bos : 35[37]

caballus : n I, 2, 2-3
cella : L. II, n 7, 1 ; 8, 4 ; 31, 2 ; 34, 1. — n III, 16, 5.7
cellula : n III, 16, 5-6 ; nc IV, 16, 5-7
Chrysaurius : 35[37]
claustra carnis : n IV, 26, 1
colonus : n I, 1, 1-3
commodum : n I, 4, 17
coniungi : nc IV, 50, 3
conlibertus : n III, 24, 1
consparsio : n IV, 15, 2
conspectu (in — placuit) : nc II, 10, 1
conuersus : n II, 18, 1
corde... facie : n III, 6, 2
corona (oblationis) : n IV, 57, 5,
corpusculum : 184
credite mihi : n III, 33, 5
currere : n II, 25, 2
custos : 37[43] ; 43[72]. — L. III, n 24, 1 ; 29, 2 ; 30, 1. — n IV, 53, 2

defensor : n II, 20, 1
dictare : 33[28] ; n III, 10, 3
diebus nostris : n III, 11, 1
discipulus : 81[160]
discretio : n II, 36
dispensator ecclesiae : n III, 20, 1
dispensatio : n I, 9, 19
disponere, dispositio : n III, 33, 9

e : n I, 4, 21 ; n III, 23, 3
elefantiosus : n II, 26
episcopus : 81[160-161]
*epithymètikon : 102
Equitius : n I, 4, 1 ; nc I, 4, 1
exempla (animarum) : n IV, 7
expositio : 30
exterior : n II, 23, 2 ; n III, 1, 2 ; n IV, 9, 1 et 11, 2
exultare : n II, 8, 7

falcastrum : 36
familia : n IV, 37, 9
familiaris (-ritas, -riter) : L. I, n Prol. 2 ; 2, 1 ; 10, 1. — n II, 17, 1 et 31, 4 ; n 37, 1 ; n IV, 41, 4 ; nc IV, 41, 4

famulus Dei : n I, 11
filius : n I, Prol. 2 et 4, 15 ; n II, 14, 2
foris... intus : n I, 4, 18 et 5, 3
fragrantia : 175[29]
frater : 81[160] ; n I, Cap. 11 et 11. — L. II, n 7, 1 ; 13, 1.3 ; 22, 3. — n IV, 5, 1 et 53, 2
freneticus : 36[39] ; n III, 33, 7 et 35, 3 ; nc III, 35, 3 ; n IV, 16, 3
Fundanus, Fundensis : n III, 7, 1 et 12, 2

gentiles : n III, 37, 2
germanus : n IV, 9, 2

habitare secum : 49[21] ; 84 ; 106[106] ; n II, 3, 5
habitus : n II, 23, 2 ; n III, 17, 1
hi, hii : 175[29]
homelia, omelia : 175[29]
hymnus : n I, 8, 8

idem, isdem : 82 ; 175[29]
illustris : n III, 16, 7-8 ; n IV, 37, 5
impostor ; 35 ; n III, 14, 3 (cf. Addenda, t. III, p. 218)
infirmantes : 42[65] ; 45[85]
intempesta nox : n III, 4, 2
interior : n IV, 14, 2
Interorina : 35
intus : v. foris
iuuenilis : n II, 3, 14

laetitia : 97[64] ; 99[83] ; n III, 14, 10-11 et 37, 2
leuigare : n I, Cap. 9
licita : n IV, 12, 2
linea : n I, 9, 16
litus : n I, Prol. 5
locus : n I, 12, 1 ; n II, 3, 13. — (= monasterium) : n IV, 36, 4. — l. poenalis : n IV, 43, 6. — (= prouincia) : n IV, 53, 1. — l. regiminis : n II, 23, 6
*logistikon : 102
luce clarius : n IV, 34, 1
luculenter : n II, 36 ; nc II, 36

maior familiae : n IV, 37, 11
maiores : n IV, 1, 5
mansio : L. IV, n 36, 6 ; 37, 9 ; 45, 1-2
mansionarius : 37[43] ; 62[58] ; n I, Cap. 5 et 5, 2 ; n III, 24, 1
manus (métaph.) : n II, 22, 5 ; n IV, 18, 2 ; nc IV, 18,2
mare : n I, Prol. 5
matta : n II, 11, 2
miser : n III, 20, 2 et 21, 3
moeror : n I, Prol. 1
monachus : 81[160–161] ; n I, Cap. 5 et 11 ; n II, 7, 1 et 25, 1
mores : n I, 8, 1 et 9, 16. — L. II, n Prol. 1 ; 23, 6 ; 36. — n III, 17, 1
mox : 186
mulier : n IV, 28, 2
multa... pauca : n I, 2, 1
multum est quod : n I, 4, 19 et 5, 3
mundus : 102[91]

naturalis filia : nc IV, 27, 9
nimietas : n II, 25, 1
nimirum : 82
numerus : IV, 36, 7
nuper : n III, 7, 1 et 19, 5

oblationes : n III, 26, 4.6
officium : n I, 8, 1
optio : n IV, 36, 7

oraculum : n I, 8, 11
oratorium : n II, 8, 5
orbis, urbis : 175[30]
ordo : n I, 9, 16
otiosus sermo : n III, 15, 10

pallia : n II, 37, 3
papa : 81[160]
paralysis : 36[39] ; n III, 33, 7 ; n IV, 16, 3
parochia : n III, 38, 2
pater : 81[160] ; n I, 10, 11 et 12, 1 ; n II, 22, 3 ; n III, 37, 11 ; n IV, 57, 6
planus : n III, 14, 3
platea : nc, 16, 5-7
pontifex : 81[160] ; n I, 4, 15 et 6, 1
possem, possim : 175[30]
praedictus : 82[162–163]
praenotatio nominum : 115[18]
praepositus : n I, 2, 1 ; n II, 8, 5 ; n IV, 57, 11
praesul : 81[160]
presbitera : n IV, 12, 2 ; nc IV, 12, 2
priora : n III, Prol. et 4, 4
priores... minores : n II, 16, 1
procedere : n IV, 27, 2 et 33, 3
prouincia : n I, 4, 8 ; n II, 3, 13 ; n III, 15, 2 et 37, 4 ; n IV, 53, 1
psiatium : n II, 11, 2
puer : L. II, n 1, 2.4 ; 18, 1 ; 26
puerilis : n II, 3, 14
purgatorius ignis : n IV, 40, 13 et 41, 3

quadam die : n II, 32, 1
quadra : n I, 11
quid est quod loqueris : n II, 33, 2 ; n IV, 40, 4
quidnam : 186

ratio : n IV, 2, 3
refectorium : n II, 22, 1
regula : n IV, 9, 1
regularis : n II, 3, 3
religiosus : 39 ; 81[160] ; n I, 1, 4 et 2, 1 ; n II, 13, 1 et 17, 1
requies : n I, Prol. 4
reuerentia : 98[78]
reuerentissimus : n III, 35, 4
rigor : n IV, 61, 2
rixa : n I, 5, 4
rusticus (-ticitas) : 35-36 ; n I, 5, 4 et 12, 1 ; n II, 8, 10 et 32, 1 ; n III, 14, 3.5

sabanum : n III, 17, 2
saltem, saltim : 175[29]
sanctus : 81[160]
saurix, sorix : nc III, 4, 2
scabellum suppedaneum : nc I, 2, 8
Scholastica : n II, 33, 2 et 34, 2
scilicet : 82
scrinium : n I, 8, 1
secretior uita : nc I, Prol. 6
secretum : nc I, Prol. 1
senior, seniores : 124[49.52] ; n I, Prol. 10. — L. III, n Prol. ; 2, 3 ; 22, 1
sic : n III, 37, 2
silere : n II, 27, 1
simplicitas : n III, 37, 1.18 ; n IV, 14, 3
sincopis : n III, 33, 7 ; n IV, 16, 3 ; v. syncopis
solidus : n II, 27, 1 ; nc I, 9, 10
solus... multi : n III, 31, 8
sorex : nc III, 4, 2
spectabilis : IV, 32, 2
spiritus : n IV, 3, 1
stultus : 36
syncopis : 36[39] ; v. sincopis

tacere : n II, 27, 1
tempestas : n I, Prol. 5
*thymikon : 102

ualde est quod : n I, 4, 19
uanga : 36
uelim, uellem : 175[30]
uenerabilis : 82 ; 95 ; n I, 9, 1
uicem obtinere, tenere : n II, 23, 6
uidelicet : 82
uigor : n IV, 61, 2
uilis : 36[41] ; 37[42]
uirtus : 48[12] ; 94 ; 160 ; 190 ; n I, Prol. 9 ; n II, 16, 9. — L. III, n 1, 10 ; 35, 3 ; 37, 9
uita : 87[15] ; n I, 8, 7 ; n III, 21, 1 et 35, 6
unus... multi : n III, 1, 8 et 31, 8
uocatio : n IV, 27, 6
utilitas monasterii : n I, 2, 11 ; n IV, 9, 2

Vtricolanus, Vtriculensis : n III, 12, 2

xenium : n III, 21, 2

zelus : n I, 4, 6 ; n IV, 42, 1

VI. TABLE ANALYTIQUE

1. Miracles

A. *Miracles opératifs*

Éléments

Eau : jaillit du rocher II, 5, 2-3 ; III, 16, 2 — fer ramené du fond II, 6, 1-2 — homme marche à la surface II, 7, 1-3 — vaisseau porté à la surface III, 36, 1-5

Fleuve : se détourne III, 9, 2-3 — se contient III, 10, 2-3 — respecte une église III, 19, 1-3

Pluie, orage : déchaînement subit II, 33, 2-4 ; III, 15, 18 — épargne un homme de Dieu III, 12, 1-3 ; 13, 1-3 — tonnerre subit tuant les serpents III, 15, 11

Pierre, rocher : immobilisation par le diable et levée par la prière II, 9 — arrêt d'une chute I, 1, 4 — déplacement I, 7, 2 — saut III, 7, 8

Terre : rejette un défunt II, 24, 1 — tremble à la mort d'un saint III, 1, 9 ; IV, 23, 2

Feu : incendie arrêté I, 6, 1-2 — brasier inoffensif III, 18, 1-2

Objets

brisés : sonnette II, 1, 5 — vase de vin II, 3, 3-4
non brisé : fiole d'huile II, 28, 2
réparés : lampe I, 7, 3 — plateau de bois II, 1, 1-2
consolidé : corde de puits III, 16, 10
déplacé : boisseau I, 4, 20
obtenus soudain : 12 sous I, 10, 1-2 ; II, 27, 1-2

Produits végétaux

Huile : obtenue à partir d'eau I, 5, 2 ; III, 37, 2-3 — produite dans un récipient vide II, 29 — multiplée I, 7, 5-6

Vin : multiplié dans la cuve I, 9, 2-5 — multiplié dans un barillet I, 9, 14

Blé, farine : multiplication au grenier I, 9, 17 — 200 boisseaux apportés par un inconnu II, 21, 1-2

Pain : marqué à distance I, 11 — trouvé dans un four III, 37, 4-5 — multiplié III, 37, 6-7 — apporté en mer à un naufragé IV, 59, 5

Animaux

Poisson : trouvé en montagne I, 1, 1-2
Chevaux : immobilisation et relaxation I, 2, 2-3 — guérison I, 10, 9 — refus de porter une femme après avoir été monté par le pape III, 2, 1-2
Serpent : monte la garde sur commande I, 3, 2-4 — se cache dans un objet volé II, 18 ; III, 14, 9 — invasion en foule et destruction subite III, 15, 11-12 — cohabite avec le saint, puis se précipite et brûle la forêt III, 16, 4 — destruction par le signe de croix III, 35, 2
Oiseaux : merle annonçant la tentation II, 2, 2 — corbeau obéissant II, 8, 3 — oiseaux emportant les serpents III, 15, 12
Ours : amadoué III, 11, 1-3 — mis au service du saint III, 15, 2-4 — mis en fuite avec une baguette III, 26, 3
Porc : possédé du démon et tué III, 21, 3 — sort d'une église arienne réconciliée III, 30, 3
Chenilles et renard empêchés de nuire I, 9, 15.18

Églises et oratoires

Profanations punies : paysan irrespectueux I, 4, 20 — Lombards violents I, 4, 21 (cf. I, 2, 4) — femme en état d'impureté I, 10, 2 — prêtre téméraire I, 10, 3 — évêque intrus III, 29, 3 — défunts indignes IV, 53-56 (v. B. Visions de défunts)
Lieux saints glorifiés : S. Zénon de Vérone épargné par les eaux III, 19, 2-3 — S. Paul de Spolète ouvert et illuminé III, 29, 3 — Ste Agathe de Rome purgée du diable (vision de porc ; bruit de sortie) et remplie de Dieu (nuée odorante ; illuminations) III, 30, 3-6

Hommes et femmes

Guérisons : fièvre et perturbation mentale I, 4, 5-6 — cécité I, 10, 8 ; III, 2, 3 ; IV, 11, 3 — cuisse cassée I, 10, 12-15 — lèpre II, 26 ; 27, 3 — folie II, 38, 1 ; III, 35, 3-4 — claudication et mutisme III, 3, 1-2 — paralysie III, 25, 2 — faiblesse et syncopes III, 33, 7-9 — ensemble de cas non spécifiés I, 10, 19 ; III, 35, 1 ; IV, 6, 1
Exorcismes : par injonction I, 4, 7 ; III, 4, 3 ; III, 21, 3 — par la prière I, 10, 1.5 ; II, 16, 1 ; III, 33, 5 — par la prière et le signe de croix III, 6, 2 — par un coup II, 4, 3 ; II, 30, 1 — par prostration sur le corps du possédé III, 14, 2-3 — par la vertu de reliques I, 10, 19 ; IV, 42, 2 — mode non spécifié I, 10, 6

Morts passagères et retours à la vie : pour un instant IV, 32, 2-4 (cf. IV, 27, 11) — pour longtemps IV, 37, 3-4 et 5-7 — pour un temps indéterminé IV, 37, 7-12
Résurrections : enfants I, 2, 5-6; II, 11, 1-2; II, 32, 1-3 — hommes I, 10, 17-18 ; I, 12, 1-3 ; III, 17, 1-5 — cas non spécifié III, 33, 1
Délivrances : de la tentation charnelle I, 4, 1 ; II, 2, 3 — de la captivité II, 31, 1-3 ; IV, 59, 1 — des effets d'une mutilation III, 32, 1-3 — des peines de l'au-delà II, 23, 5 ; II, 24, 2 ; IV, 42, 1-4 ; IV, 57, 3-7 et 8-16
Défis à la pesanteur : marche sur les eaux II, 7, 1-3 — chute inoffensive III, 16, 6
Charismes : don de chasteté I, 4, 1 ; II, 2, 3 — mission de prêcher I, 4, 8 — don des langues IV, 27, 10-12

Miracles défensifs et punitifs

Immobilisations suivies de relaxations : chevaux des Goths I, 2, 2-3 — bras du voleur III, 22, 1-3 — bras du bourreau III, 37, 15-16
Adversaires neutralisés : soldats aveuglés I, 2, 4 — agents subjugués I, 4, 13-14 — voleurs changés en travailleurs III, 14, 16 — évêque frappé de cécité III, 29, 3
Punition par la mort : baladin assommé I, 9, 8-9 — enfant jeté au feu I, 10, 6 — prêtre précipité d'une terrasse II, 8, 6 — moines frappés de la lèpre III, 15, 7 — pécheurs décédés subitement III, 5, 4 ; III, 16, 5 ; IV, 33, 3
Châtiment par possession : pour profanation I, 4, 21 et 10, 2 — présomption I, 10, 3 — recours à la magie I, 10, 4 — faute secrète et désobéissance II, 16, 1-2 — outrage au saint III, 14, 2-3 — vol III, 26, 2 — meurtre IV, 24, 1
Autres punitions : cuisse cassée I, 10, 12-15 — perte d'un charisme III, 32, 4 — rechute d'un enfant guéri III, 33, 4 — mourant qui se déchire de ses dents IV, 27, 13 (?)
Châtiment de défunts : excommunication II, 23, 2-4 — rejet de la terre II, 24, 1 — tombeau brûlé IV, 33, 3 — cadavre projeté de la tombe IV, 55, 2-3 — cadavre brûlé IV, 56, 1-2 (v. B. Visions de défunts)

Mort et au-delà

Mort obtenue par la prière : pour soi-même I, 8, 4 — pour autrui IV, 14, 4-5
Mort évitée par miracle : empoisonnement II, 3, 3-4 ; II, 8, 3 ; III, 5, 4 — animal féroce III, 11, 1-3 — chute dans un précipice III, 16, 6 — four embrasé III, 18, 1-2 — noyade II, 7, 1-3 ; III, 36, 1-5 ; IV, 59, 2-5

Cadavres privilégiés : corps trouvés intacts III, 13, 3 ; IV, 28, 3 — corps qui se déplace dans sa tombe III, 23, 4
Miracles autour de la tombe : objet emporté I, 4, 20 — guérisons, exorcismes, possessions : I, 9, 19 ; IV, 6, 1
Miracles opérés par des reliques : résurrection I, 2, 5-6 — guérison II, 38, 1 — pluie III, 15, 18 — exorcisme IV, 42, 2

B. *Miracles cognitifs*

Faits connus à distance

Morts survenues : frère ou sœur II, 34, 1 ; IV, 9 — autres personnes II, 35, 3-4 et IV, 8 ; IV, 10 ; IV, 31, 2-4 ; IV, 32, 2-5 ; IV, 36, 3-5. 5-6.7-9
Autres faits : péril couru II, 7, 1 (?) — serpent caché II, 18 ; III, 14, 9 — vêtements cachés III, 14, 8

Révélation de fautes cachées

Mauvaises pensées : II, 20, 1-2
Mauvaises actions : de moines soumis au voyant II, 12, 1-2 ; II, 19, 1-2 — de visiteurs II, 13, 1-3 ; II, 18 ; III, 14, 9 — d'un inconnu III, 7, 2

Simulateurs démasqués

Simulations coupables : magicien déguisé en moine I, 4, 3-5 — écuyer déguisé en roi II, 14, 1-2 — roi faisant office d'échanson III, 5, 1-2 — filous jouant les mendiants III, 14, 8
Simulation louable : évêque travesti en jardinier III, 1, 3-7

Objets mauvais reconnus

Aliments empoisonnés : pain II, 8, 2 — vin III, 5, 3 (cf. II, 3, 4)
Offrande d'un pécheur : III, 26, 4-6

Visite en esprit : Benoît à Terracine II, 22, 1-3

Annonces d'événements à venir

Mort : du prophète lui-même I, 8, 2 ; II, 37, 1 ; III, 1, 5 ; III, 23, 2 ; IV, 11, 4 ; IV, 14, 4 ; IV, 17, 1 ; IV, 18, 2 ; IV, 27, 4-5.6-8.9-13 ; IV, 49, 2-3.4.6-7 — d'autres personnes I, 8, 1 ; I, 9, 8-9 ; II, 15, 1 ; III, 1, 5 ; IV, 14, 4 ; IV, 27, 4-5.6-8.9-13 ; IV, 54, 2 ; IV, 58, 1
Autres événements : contre-temps I, 4, 15-17 — circonstances de la sépulture III, 11, 4-8 ; III, 23, 2-3 ; IV, 27, 2-3 ; IV, 28, 1-2 — succession dans l'épiscopat I, 9, 13 ; III, 5, 3 ; III, 8, 1-2 —

châtiments I, 10, 13-14 ; II, 16, 2 — sort de personnes et de lieux II, 15, 1-2 et 3 ; II, 17, 1-2 — venue d'un secours II, 21, 1-2 — venue de voleurs III, 14, 6-7 — fin du monde III, 38, 1-2

Visions de bienheureux

Anges : castration d'Equitius I, 4, 8 — mort d'Étienne IV, 20, 4 — retour à la vie de Pierre IV, 37, 4

Personnages surnaturels : beau jeune homme I, 4, 8 ; I, 12, 2 — jeune homme IV, 27, 7 — hommes en habits blancs IV, 27, 4 ; IV, 37, 8 (cf. IV, 18, 1) — hommes en habits resplendissants II, 37, 3 ; IV, 27, 4 — vieillard IV, 49, 6 — sans qualification I, 10, 18 ; IV, 59, 5

Le Christ et les saints : le Seigneur II, 1, 6 — Jésus IV, 17, 2 — la Vierge Marie et sa suite IV, 18, 1-3 — Pierre III, 24, 1-2 ; III, 25, 1 ; IV, 14, 3-4 — Pierre et Paul IV, 12, 2-4 — Iuticus III, 38, 2 — Juvénal et Éleuthère IV, 13, 3-4 — le pape Félix IV, 17, 1 — Jonas, Ézéchiel et Daniel IV, 35 — Faustin IV, 54, 1-2

Visions d'âmes

Sortie du corps et montée au ciel : sous forme de colombe II, 34, 1 ; IV, 11, 4 — dans une sphère II, 35, 2-3 — sans spécification IV, 9 ; IV, 10

Situations diverses : peines temporaires II, 23, 4 ; IV, 42, 1-4 ; IV, 57, 4-7 ; IV, 57, 15 — passage du pont IV, 37, 12 — précipitation en enfer IV, 31, 2-4 — peines infernales IV, 37, 3 et 11 — sort incertain IV, 37, 12 ; IV, 53, 2

Visions d'objets

Dans l'au-delà : lieux obscurs I, 12, 2 — lettres IV, 27, 7 — bûchers IV, 32, 3-4 — tourments et flammes IV, 37, 3 — pont, fleuve, prés fleuris, maisons IV, 37, 7-16 — maison IV, 38, 1 — couronne IV, 49, 4

En ce monde : signes dans le ciel III, 38, 3 ; IV, 37, 7 — nuée remplissant l'église III, 30, 6 — voie montant de la terre au ciel II, 37, 3

Phénomènes lumineux : lumière nocturne II, 35, 2-3 ; IV, 16, 5-6 — lampes innombrables II, 37, 3 — lampes III, 31, 5 — lampes allumées d'en haut III, 29, 3 ; III, 30, 6

Autres perceptions sensorielles

Phénomènes auditifs : appels de l'au-delà I, 8, 2 ; IV, 49, 7 — cris d'un défunt IV, 56, 1 — psalmodies surnaturelles III, 31, 5 ; IV, 15, 2-4 ; IV, 16, 7 ; IV, 22, 1-2

Épanchement de parfum : dans une église III, 30, 5 — à la mort IV, 15, 5 ; IV, 16, 5-6 ; IV, 17, 2 — au tombeau IV, 28, 4-5 ; IV, 49, 5

Songes et visions nocturnes

Songes : d'une personne III, 1, 6 ; III, 38, 2 — de deux personnes II, 22, 1-3

Visions nocturnes : de bienheureux (cf. *supra*) I, 4, 1 et 8 ; III, 25, 1 ; IV, 18, 1 ; IV, 27, 4 ; IV, 49, 6 ; IV, 54, 2 — d'objet IV, 49, 4 — d'esprits IV, 55, 2 — de défunts IV, 53, 2 ; IV, 57, 15 — sans spécification I, 4, 16 ; IV, 49, 2-3.

Visions dans un demi-sommeil : le martyr Iuticus III, 38, 2 — « quelqu'un » IV, 59, 4-5

Communications sous un mode indéterminé : vision II, 1, 6 — révélation III, 23, 2 — annonce IV, 11, 3 — message pour autrui IV, 58, 1

C. *Prodiges diaboliques*

Action démoniaque : enfant jeté au feu I, 10, 6 — clochette cassée II, 1, 3 — moine détourné de l'oraison II, 4, 2 — pierre immobilisée II, 9 — feu imaginaire II, 10, 1 — meurtre d'un jeune moine II, 11, 1 — maison hantée III, 6, 2 — forêt brûlée III, 16, 4 — chaussures délacées III, 20, 1-2 — porcelet tué III, 21, 3 (cas de possession : voir A. Miracles défensifs et punitifs)

Manifestations des démons

Sous forme humaine : pèlerin I, 10, 6 — hommes affreux I, 12, 2 — enfant noir II, 4, 2 — bouche et yeux enflammés, injures II, 8, 16 — vétérinaire II, 30, 1 — un chef et sa troupe III, 7, 2-6 — Maures IV, 19, 2-4 — esprits affreux et noirs IV, 40, 6-8 — esprits affreux IV, 55, 2-3

Sous d'autres formes : merle II, 2, 2 — dragon II, 25, 1-2 ; IV, 40, 2-5 et 10-12 — cris d'animaux III, 4, 2 — serpent III, 16, 4 — porc III, 30, 3 (?) — sans spécification II, 11, 1

D. *Récits sans miracles* (*merveilles morales*)

Traits de vertus : humilité I, 2, 8-11 ; I, 5, 4-5 — charité généreuse I, 9, 16 ; II, 28, 1 ; IV, 23, 1 — amour des ennemis : II, 8, 7 (cf. III, 20, 3) — sacrifice de soi pour autrui III, 1, 1-4 ; III, 37, 10-12 — détachement III, 14, 4-5 ; IV, 20, 1-3 — courage du martyre III, 27 ; III, 28, 1 ; III, 31, 1-4 — assiduité à la prière IV, 17, 3, etc.

2. Thèmes divers

Litteraria

Anonymat des informateurs 43 ; 131-134 ; 139 ; n III, 1, 10 ; 12, 2 ; IV, 11, 1 ; 23, 1 — des personnages n I, 2, 5-6.8 ; 4, 11

Capitulation : nombre des chapitres 54-55 ; 66[82] ; 187-188 — tables et titres 165-166 ; 188-189 — forme des titres n II, Cap. 8.36 ; III, Cap. et Cap. 17 ; IV, Cap. 1. 8-18.27 — contenu des titres n I, Cap. 5.11 et 11 ; III, Cap. 35 ; IV, Cap. 12.53 et 53, 2

Clausules : 34 ; 84

Comique : n III, 14, 6 et 22, 2-3

Dialogue : style 77-80 ; 105 — caractère fictif 42[66-67] ; 78 ; n I, Prol. 10 ; III, 7, 1, etc.

Dialogues : postérieurs aux Morales n IV, 46, 7-8 et 50, 3

Digressions : 69-70 ; 75 ; 104[97] ; v. Excursus

Doublets du récit : 126-128 ; 159[68] ; n IV, 9, 2

Erreurs de Grégoire : 154[55-56] ; n II, 15, 2 ; III, 1, 1 ; 19, 2 ; 31, 2 ; 32, 1 ; IV, 13, 3 ; 55, 2 — des éditeurs 166[8] ; 168[12] ; 179-182

Excursus (dissertations) : 49 ; 104-109 ; 116 ; 123 ; 146 ; 153

Exemples : plus puissants que les énoncés n I, Prol. 9 — nourrissent l'âme n I, 12, 6 — au Livre IV 29-32 ; 53 ; 66-67 — prennent le pas sur les idées 117 — suivent habituellement les arguments n III, 38, 5 ; IV, 7 ; 30, 4 ; 31, 1 ; 33, 5 — les précèdent parfois n IV, 36, 13 ; 38, 6 — un exemple donné par Pierre 79[151]

Fiction et vérité dans les Dialogues : 124-140

Glose : n II, 11, 2

Intérieur-extérieur (antithèse favorite) : n I, Prol. 4 ; 1, 6-7 ; 4, 18 ; 5, 3 ; II, 2, 2 ; 23, 2 ; III, 1, 10 ; 17, 13 ; 37, 9 ; IV, 9, 1 ; 11, 2 ; 11, 2 ; 14, 2 ; nc I, 5, 3

Interpolation : 171[25]

Modèles : bibliques 135-138 ; 160-163 — hagiographiques 128-135 ; 160-163 ; n IV, 32, 3-4 ; 37, 6-7 ; 57, 9-12, etc.

Nombre des chapitres : v. Capitulation — des personnages 52-53

Ordre : chronologique 57-60 — géographique 57 — systématique 57-61 — a pu être modifié 57[36] ; n I, 10, 20 ; II, 27, 1-2 ; III, 33, 1

Orthographe : 168-169 ; 175-176

Périphrases : 34-36 ; n II, 6, 1 ; III, 14, 3.6 ; 35, 3 ; IV, 16, 3

Répétitions (style oral) : n II, 22, 3 et 31, 2

Triptyque (composition en) : 52-53 et 117-118 (L. I-III) ; 57-60 (L. II, 1-8 et 8-38) ; 68 (L. IV, 12-20) ; 136[107] (II, 8, 8). Cf. t. II, p. 454

(L. III, 1-6 : six évêques thaumaturges ; 7 : un évêque failli et relevé ; 8-13 : six évêques thaumaturges)
VÉRIFICATION de perceptions surnaturelles : après enquête n II, 35, 4 ; IV, 10 ; 31, 4 ; 4 ; 36, 5 — par recoupement n IV, 36, 9 ; 37, 6 ; 57, 16 — par les faits n IV, 15, 5 ; 49, 7

Personalia et realia

ANCIENS ET VIEILLARDS : n I, Prol. 10 ; 4, 21 ; 10, 11 ; 12, 4 ; III, Prol.
BARBARES : leur orgueil n II, 6, 1 ; III, 1, 3.6-7 ; 6, 2 — cruauté de Totila n II, 15, 2 ; III, 11, 1 ; 13, 2 (cf. 12, 2) — cruauté des Lombards n III, 37, 12-13 — vénération religieuse n III, 11, 3 ; 37, 15
CURIALES : n II, 11, 1 ; IV, 33, 1 ; 37, 1.6
DÉCAPITATION : III, 13, 2 ; 37, 15 ; IV, 24, 1 ; 56, 1
DÉFENSEURS : 43[72] ; n II, 20, 1 ; IV, 31, 1
ENFANT : seul témoin du miracle n I, 9, 3 ; II, 5, 2 ; IV, 13, 2 — généreux pour les pauvres n I, 9, 16 — puni pour ses parents n I, 10, 6 ; n et nc IV, 19, 4 — précocement mûr n II, Prol. 1 — consacré à Dieu n II, 3, 14 ; 33, 2 — doit éviter la légèreté n IV, 18, 1 — nécessité de l'éducation n IV, 19, 1-2 — le ciel peuplé d'enfants ? IV, 18, 4 ; 19, 1
FEMMES : rapports avec les clercs nc III, 7, 1 — avec les moines n I, 4, 4 ; II, 33, 2 ; 34, 2 ; nc III, 7, 7-8 ; 16, 5 — peuvent exorciser n III, 21, 3 — supérieure en charité n II, 33, 5
GRÉGOIRE : 25-31 ; 154, etc. — date de naissance 63[60] — famille n IV, 17, 1-3 ; 32, 1 ; 42, 1 — maison et voisins n IV, 36, 7 ; 38, 1 — encore laïc n II, Prol. 1 ; IV, 36, 7 ; 42, 1 — aspire à être moine n IV, 32, 1 — entrée au monastère n IV, 16, 1 — vie monastique I, Prol. 3 ; III, 33, 7-9 ; 38, 1 ; IV, 10 ; 11, 1, 23, 1 ; 31, 1 ; 37, 3 ; 49, 2.7 — abbé ? n III, 33, 9 ; IV, 57, 11 — à Constantinople n III, 36, 1 — à Centumcellae n IV, 28, 1 — donation à son monastère n IV, 32, 1 — maladies n III, 33, 7.9 ; IV, 57, 8 — ignore le grec 121 — idéal de sainteté 98 — aime les vieillards n I, 4, 21 ; 10, 11 — v. *Ecclesiastica*, MONASTÈRE
JUIFS : n III, 7, 9 ; nc III, 7, 2
MAGIE : 161 ; n et nc I, 4, 4.6 ; n I, 10, 4 ; II, 8, 4
MÉDECINS : IV, 13, 11 ; n IV, 57, 8 — vétérinaire II, 30, 1
NOBLES : n II, 3, 14 ; nc II, 23, 2 ; n IV, 17, 2 ; 32, 1
NOMENCLATURE SOCIALE : 80-81

PESTE : sous Narsès n IV, 27, 10 — en 590 n IV, 19, 2 ; 37, 7
PIERRE (diacre) : sa carrière 44-45 — son caractère 79-80 — connaît certaines histoires n III, 37, 18 ; IV, 59, 6 — connaît certains personnages II, 18 ; III, 38, 1 ; IV, 27, 9 ; 37, 5-7 ; 52
PROVINCES : n I, 4, 8 ; 10, 2 ; 12, 1
RÉFUGIÉS : n III, 14, 1 (cf. I, 4, 8)
RICHES : IV, 34, 1-4 ; 40, 6-9
SERVICE des esclaves : n III, 1, 2-4 ; 20, 1 ; IV, 42, 3 ; 57, 4-6
TEMPLES PAÏENS : n II, 8, 10-11 ; III, 7, 8 ; nc II, 8, 11 et III, 7, 3-8
THERMES : n IV, 42, 3-4 ; 57, 4-7
VOLEURS : n I, 3, 1-4 ; III, 14, 7 et 22, 2-3 ; nc I, 3, 2-4

Ecclesiastica

ABBÉS : anciens ermites n II, 3, 2-4 ; III, 15, 2 — laïcs n I, 4, 8 — diacre n II, 35, 1 — prêtre n I, 7, 1 — reclus n III, 16, 10 — usent du bâton n I, 2, 8 ; II, 4, 3 — sujets à la colère n I, 2, 8 ; 7, 1.3 ; II, 25, 1 — pouvoirs et gouvernement n I, 7, 5 ; II, 3, 10 ; 22, 3 ; 23, 1.3.6 ; 24, 1-2 — au travail n II, 32, 1 — habitation n II, 35, 2 — figures diverses n I, 1, 3 ; 2, 5 ; 3, 5 ; 7, 1 ; 8, 1 ; II, Prol. 2 ; III, 21, 1 ; 22, 1 ; nc III, 15, 2-5 ; n IV, 12, 1 ; 20, 1 ; 48 — à S. André n I, 4, 20 ; 7, 1 ; IV, 49, 5 ; 57, 11
CLERCS : alternent avec les moines 56-57 ; 61 ; 104 — vivant en communauté n III, 22, 1 — fautes charnelles n II, 16, 1 ; III, 7, 5 ; 32, 4 ; IV, 32, 4
CONSACRÉS : 37-39
ERMITES : n II, 1, 5 ; 3, 2 ; 8, 3 ; nc II, 8, 10 ; III, 15, 2-5 ; 31, 2-3 ; IV, 31, 2-3 — vivant en grotte n II, 1, 4 ; III, 16, 1 — rapports avec les séculiers III, 26, 1-6
ÉVÊQUES : anciens moines n I, 5, 1 ; III, 13, 1 — titulature n I, 4, 15 — peines de la charge n I, Prol. 1.5 — travaux manuels I, 9, 3 ; nc III, 1, 5-7 — se retirent à l'écart nc I, Prol. 1 — arrêtent l'incendie nc I, 6, 2 — reçoivent des avertissements par leurs clercs n IV, 54, 2 ; 58, 1-2 — obsèques et vénération nc IV, 42, 2
LAÏCS : 37-39 ; 52[28] ; n II, 1, 8 ; III, 26, 9, etc. — « religieux » n II, 13, 1 — « convertis » n II, 17, 1 ; 18 — promus évêques n III, 8, 2 — v. SÉCULIERS
MOINES : habit n II, Prol. 1 ; 1, 4.8 ; 7, 3 ; 23, 2 ; III, 14, 1 ; 15, 2 ; 17, 1 ; 21, 1 ; nc III, 17, 1 — tonsure n II, 7, 2 — travaux agricoles n I, 4, 12 ; II, 32, 1 — travail hors clôture n et nc I, 7, 5 — sorties et

voyages n I, 2, 2.4 ; 4, 10 ; II, 12, 1 ; 19, 1 ; 24, 1 — exhortations aux séculiers n I, 4, 4.8.10 ; II, 1, 8 ; 8, 11 ; 17, 1 ; 19, 1 ; III, 15, 2 ; 26, 4 — repas n II, 8, 4 ; 20, 1 ; 33, 2 — pénalités n II, 4, 3 ; 23, 3 ; 28, 2 — mauvais ou négligents : n II, 3, 3-4 ; III, 15, 5 ; nc IV, 37, 4-6 — ordonné prêtre n III, 23, 1 — désappropriation n II, 19, 1-2 ; IV, 49, 4 ; 57, 10

Monastère de Grégoire : 28[13] ; 45[83] ; 76 ; 84 ; 154 ; n III, 18, 1 ; 36, 1 ; IV, 10 ; 11, 1 ; 15, 5 ; 23, 1 ; 27, 4 ; 31, 1 ; 36, 7 ; 37, 3 ; 49, 2.5-7 ; 57, 8-16 — v. Abbés

Moniales : n I, 4, 2-3 ; II, 12, 2 ; 23, 2-4 ; 33, 2 ; 34, 2 ; III, 14, 1 ; 21, 1-3 — leur nombre à Rome n IV, 16, 1 — groupes de trois n IV, 16, 2 ; 17, 1 — gardent leurs biens ? n IV, 14, 3 — péchés de la langue n II, 23, 2 ; IV, 53, 1

Prêtres : n I, Prol. 5 ; 7, 1 ; II, 8, 1-2 — travail manuel n I, 8, 3 — chasteté n IV, 12, 1-2 — moins favorisés que les moines nc IV, 61, 2 — doivent connaître le psautier nc III, 37, 19

Prieurs de monastères : n I, 7, 1.5 ; II, 22, 1 ; IV, 57, 11

Reclus : 97[65] ; n III, 16, 1 ; IV, 10

Séculiers : n I, Prol. 6 ; 1, 4 ; 4, 8 ; II, 13, 3 — leurs conversations n III, 15, 16-17 — leurs importunités n I, Prol. 1 — v. Laïcs

Simonie : n I, 9, 13 ; 10, 10

Travail : des clercs n I, 8, 3 ; III, 17, 1 et 22, 1-3 — des moines n III, 14, 2

Liturgica

Baptême : de juif n III, 7, 9 — des enfants n IV, 19, 1 — d'adolescente n IV, 33, 1 — âge indéterminé n IV, 27, 7

Bénédiction : quand le moine sort n I, 2, 9 ; II, 7, 2 ; 24, 1 — quand il rentre n II, 12, 2, — de tout aliment n I4, 7 — eau bénite n et nc I, 10, 15 — synonyme d'oraison n III, 17, 4, — eulogies n II, 8, 2 ; 31, 3 ; IV, 57, 5

Croix (signe de) : pour guérir n I, 10, 8-9 ; III, 37, 16 — pour chasser la tentation n II, 2, 1 ; 20, 1 — préserve du poison n III, 5, 4 (cf. II, 3, 4) — protège du diable n III, 7, 6 ; nc III, 7, 3-9. 3-6.6

Eucharistie : communion à domicile n I, 10, 2 — donnée aux morts n II, 24, 2 — emportée en mer n et nc III, 36, 3 — en viatique n II, 37, 2 ; IV, 11, 4 ; 16, 7 ; 36, 2 — opère une guérison n III, 3, 2 — délivre des âmes défuntes n II, 23, 5 ; 24, 2 — donnée par un abbé laïc n II, 24, 2 — sous les deux espèces n II, 37, 2 ; III, 36, 3 ; IV, 11, 4 ; 36, 2 — v. Messe

Genoux : baisés en signe de respect n I, 4, 13 — touchés pour faire une demande n I, 4, 14 — calleux à force de prier n et nc IV, 17, 3

Iconographie : symbolisme des vêtements blancs n III, 24, 1 ; IV, 13, 3 ; 18, 1 ; 27, 4 ; 48 — de l'or n IV, 27, 8 ; 37, 15 — du noir n II, 2, 1 ; 4, 2 ; IV, 40, 7 (cf. 55, 2) — représentation de Pierre et Paul n IV, 14, 4 — couronnes n IV, 49, 4

Inhumation : dans les églises n IV, 52-56 — différée au lendemain n I, 10, 17 ; III, 17, 2 ; IV, 37, 5

Messe : 127[69.72] ; 147-149 ; 152 — pour la dédicace d'une église n III, 30, 3-4 — pour guérir un boiteux n III, 3, 2 — délivre prisonniers et naufragés n IV, 59, 1-5 — délivre les défunts n II, 23, 5 ; IV, 57, 6-7.14-16 — quotidienne n IV, 33, 3 ; 57, 16 ; 58, 1 ; 59, 4-5 ; 60, 1 — une fois par semaine ou trois fois l'an n IV, 59, 1 — au septième jour n IV, 57, 7 — au trentième jour n IV, 57, 16 — pendant une semaine n IV, 57, 7 — pendant 30 jours (trentain grégorien) 147 ; n IV, 57, 16 — pendant un an n IV, 59, 4-5 — v. Eucharistie

Pâques : jour d'une résurrection n I, 10, 17 — non célébrée n II, 1, 7 — jeûne du samedi n III, 33, 7-9 vigile pascale nc I, 5, 2 ; n IV, 33, 1 — v. Baptême

Psalmodie : perpétuelle 97[68] ; n IV, 49, 4 — céleste n III, 31, 5 ; IV, 12, 5 ; 15, 1.4 ; 16, 7 — auprès d'un agonisant n IV, 11, 4 ; 15, 4 ; 36, 2 — proférée par des morts IV, 22, 1-2

Reliques : 94[51] ; 146 — chaussure d'Honorat I, 2, 5 — grotte de Benoît n II, 38, 1 — tunique d'Euticius n III, 15, 8 — dalmatique posée sur le cercueil nc IV, 42, 2 — objets miraculeux n II, 1, 2 ; IV, 56, 2— déposition des reliques à la dédicace d'une église n I, 10, 2 ; III, 30, 3.5 — v. Tombeaux

Romaine (liturgie) : formules euchologiques n II, 32, 3 ; IV, 11, 1 — usage rituel IV, 33, 2 — usage funéraire nc IV, 42, 2

Tombeaux : de saints 94 ; n I, 4, 20-21 ; 10, 19 ; II, 38, 1-3 ; III, 21, 5 et 22, 1-3 ; 38, 2 ; IV, 6, 1 ; 28, 4-5 ; 49, 5 — de pécheurs n II, 24, 1 ; IV, 33, 3 ; 53-56 — sépulture à deux n et nc II, 34, 2 ; n III, 23, 2-4 — v. Reliques

Moralia et ascetica

Aumône : n IV, 9, 1 ; 14, 3 ; 27, 8 ; 37, 9.13.15.16 ; 38, 1.4 ; 42, 5 ; 49, 4 ; 58, 1 ; 59, 6 ; 60, 1

Chair : est pourriture n I, 4, 4 ; IV, 38, 1 — affection charnelle nc I, 10, 4 ; n IV, 19, 2

CHARITÉ : 88-89 ; 96[56-57] ; 108 ; n I, 10, 12 ; II, 28-29 ; 33, 5 ; III, 37, 18 ; IV, 23, 2 — amour des ennemis n IV, 20, 2-3 — amour et componction n III, 34, 2-4 ; IV, 49, 2

COMPONCTION : 76[141] ; 96[61-62] ; 148-149 ; n I, 9, 17 ; III, 34, 1-5 ; IV, 58, 1 ; nc IV, 61, 2 — v. LARMES

CRAINTE : inspirant la componction n III, 34, 2-4 — de la mort n IV, 48 — des péchés inconnus n IV, 43, 5 — de la damnation n IV, 47, 3 — jointe à la confiance n III, 7, 10 ; 20, 3

HUMILITÉ : 80 ; 97[65] ; 105-108 ; n et nc I, 1, 6 ; 2, 8. 10 ; n I, 5, 6 ; 8, 5 ; nc I, 9, 7 ; n II, 1, 3.5 ; 6, 1 ; 7, 3 ; 29, 2 ; n III, 12, 4 ; 14, 12 ; n et nc III, 14, 13

LARMES : nc III, 34, 4 — dans la prière n II, 1, 2 ; 17, 1 ; IV, 57, 7 ; 40, 5 — de pénitence n IV, 37, 3-4 — à la messe n IV, 58, 1 — quotidiennes n IV, 49, 2 ; 60, 1 — jointes à la bonté n IV, 62, 3 — v. COMPONCTION

MARTYRE : 84 ; 96[38] ; 109[120] ; 111-113 ; 150 ; n III, 11, 2 ; 12, 2 ; 26, 7-9 ; 27 ; 28, 1-4 ; 31, 2-3.5 ; 38, 2 ; nc III, 11, 2-3

MONDE : le mépriser 84 ; 108 ; n II, Prol. 1 ; 35, 6-7 ; III, 38, 4 ; IV, 60, 1 — sa fin approche 150[36] ; n III, 38, 3-4 ; IV, 36, 12 ; 43, 2 ; 60, 1

OBÉISSANCE : de moines n I, 1, 6 ; II, 7, 3 ; 29, 2 ; 33, 3 — de moniale n IV, 16, 2 — des éléments n III, 10, 4 — du ciel à la prière humaine n II, 33, 3 — des animaux n I, 3, 2-4 ; 9, 15 ; II, 8, 3 ; III, 15, 2-4

PAROLE : oiseuse n III, 15, 10.13-17 ; IV, 41, 4 — imprudente n III, 33, 4 — négligente n III, 20, 1 — mauvaise et sotte III, 15, 16

PATIENCE : 97[65] ; n I, 2, 8 ; 5, 6 ; IV, 16, 3 (cf. 15, 4)

PAUVRETÉ : 39-40 — de moines n III, 14, 5-6 — de moniales n IV, 16, 2 — de séculiers I, 10, 11 ; IV, 15, 2 — en esprit n II, 6, 1 — jointe à la richesse morale n IV, 16, 2 (cf. 15, 2)

PRIÈRE : avant tout n II, 1, 7 — continuelle 97[67] ; n I, 10, 1 ; III, 14, 3 ; IV, 16, 2 ; 17, 1 ; 20, 1 — prolongée n II, 4, 2 ; 27, 2 ; III, 33, 5 ; IV, 7 — avec larmes n II, 1, 2 ; 17, 1 — jointe à la simplicité n III, 15, 2 ; IV, 14, 3 — pour obtenir un miracle n I, 7, 3 ; II, 1, 2 ; 5, 2 ; 9 ; 10 ; 25, 2 ; 27, 2 ; 30, 4 ; 33, 3 ; III, 33, 5 ; nc II, 9 — pour obtenir une vision n II, 5, 2 — pour un mourant n IV, 40, 3.5.11 ; 49, 3 ; 57, 13 — à l'article de la mort n II, 37, 2 ; IV, 11, 4 — pour les défunts n IV, 42, 4 ; 60, 1 — pour les ennemis n IV, 46, 6 — interférence avec la prédestination n I, 8, 5-6 —

prière nocturne n II, 5, 2-3 ; 35, 2 — avant le repas n I, 9, 8 — sur un tapis n II, 11, 2 — demande de prière n I, 4, 14 — recommandation aux prières n I, 4, 17 ; IV, 31, 2 — oraison après les psaumes n II, 4, 1 — prière de conclusion n III, 17, 3-4

SIMPLICITÉ : 32 ; 97[66] ; n I, 9, 19 ; III, 15, 6 ; 33, 1.4 ; 35, 1 ; 37, 1.18 — jointe à l'humilité n III, 33, 1 ; IV, 27, 6.10 — jointe à la prière n III, 15, 2 ; IV, 14, 3

Theologica

AME HUMAINE : esprit couvert de chair n IV, 3, 1 ; 26, 1 — mortelle et immortelle n IV, 47, 2 — vit après la mort n et nc III, 38, 5 ; n IV, 3, 2 ; 5, 2-9 ; 6, 2-3 ; 22, 2 — portée au ciel n II, 35, 3 ; IV, 8 ; 10 ; 12, 4 — livrée au feu n IV, 30, 1 — figurée par un oiseau n II, 34, 1 ; n et nc IV, 11, 4 — fantôme humain n IV, 42, 3-4 ; 57, 4-7

ANGES : n I, 4, 1 ; 10, 18 ; 12, 2 ; II, 1, 6 ; 37, 3 ; IV, 3, 2 ; 20, 4 ; 27, 4 ; 59, 1 — épreuve, chute, fidélité n III, 14, 4 — agents de la Providence n III, 16, 7-8 ; IV, 5, 4.8 — compagnie offerte aux hommes n III, 34, 2 ; IV, 1, 2 — vêtements blancs n IV, 37, 4 — présence à la messe n IV, 60, 3

BONHEUR ÉTERNEL : commence dès la mort pour les saints n IV, 29, 1 — récompenses diverses n IV, 45, 1-2 — désiré par les justes III, 34, 2-5 ; IV, 49, 2

CHRIST : place dans les Dialogues 76-77 ; 84 ; 106-107 ; 136[111-112], etc. — possède toute grâce en plénitude nc II, 8, 9 — fondement de tout édifice n IV, 41, 5 — époux des vierges n III, 14, 1 ; 21, 1 ; IV, 14, 1-2 — exemple qui fait loi n I, 9, 7 ; III, 21, 4 ; 33, 5 — abaissé pour élever l'homme n II, 23, 6 (cf. 8, 9) — se livre pour le salut de beaucoup n III, 1, 8 ; 31, 8 — immolation imitée par la messe et la vie du prêtre n IV, 60, 3 ; 61, 1 — envoie l'Esprit n IV, 1, 4 — ouvre le livre de l'Écriture n IV, 44, 3 — se montre sous les traits d'un beau jeune homme n I, 4, 8 — apparaît à un mourant n IV, 17, 1 — secourt un naufragé n IV, 57, 4-5

DIEU : justice et bonté n IV, 11, 2; 46, 5 — patience n IV, 40, 9 — attend notre conversion n IV, 62, 3 — dispositions admirables de sa Providence n II, 21, 4 ; III, 14, 12-13 ; IV, 43, 4 — chercher Dieu seul n I, 8, 1 ; II, Prol. 1

ESPRIT SAINT : 106-107 ; 109[120]; n I, 1, 6; II, 8, 9 ; 21, 4 ; 38, 4 ; IV, 1, 3-5 ; 11, 2

FINS DERNIÈRES : 37-38 ; 48-50 ; 53 ; 64 ; 84 ; 92-93 ; 104[97] ; 149-152 — la fin du monde approche : v. *Moralia*, MONDE — connaissance qu'on a dans l'au-delà IV, 33, 5 ; 34-36 — v. BONHEUR, PEINES, PURGATOIRE, RÉSURRECTION

FOI : a pour objet l'invisible IV, 5, 5 — aidée par les signes II, 38, 3 — raisons de croire n IV, 1, 6 ; 30, 4 — faibles dans la foi n II, 38, 3 ; IV, 1, 5 — foi naturelle n et nc IV, 2, 1-2 — foi et expérience sensible n IV, 5, 6 — foi et expérience spirituelle n IV, 1, 5 — du connu à l'inconnu n IV, 33, 4 ; 35

HÉRÉSIES : Arianisme 40 ; 47, etc. ; n II, 31, 1 ; III, 2, 1 ; 28, 5 ; 29, 2-3 ; 30, 2.3.5.6.8 ; 31, 1-7 ; 32, 1 — erreur des miséricordieux 151 ; n IV, 46, 1-9 — Origénisme n et nc IV, 46, 1 — Platonisme (peines temporaires) n IV, 46, 4

PEINES ÉTERNELLES : 70-74 ; 127[71] ; 150[39-40] — commencent dès la mort 29-30 — ne cessent jamais n IV, 46, 1-9 ; 47, 1-3 ; nc IV, 46, 1 — produites par le feu n IV, 30, 1-5 ; 32, 5 — sont diverses n IV, 45, 1-2 — augmentent l'action de grâces des justes n IV, 46, 5

PRÉDESTINATION : n I, 8, 5-6

PURGATOIRE : 69[100] ; 71 ; 73 ; 75-76 ; 127 ; 141 ; 147-152 ; n II, 23, 5 ; IV, 40, 13 ; 41, 1-6 ; 42, 3-4 ; 57, 4-16

RÉSURRECTION : 90 ; 106 ; 116 ; 150 — miracles temporaires I, 2, 5-6 ; 10, 17-19 ; 12, 2-3 ; II, 11, 1-2 ; 32, 2-4 ; III, 17, 1-5 ; 33, 1 — résurrections particulières et résurrection générale n IV, 6, 1 — résurrection corporelle et spirituelle III, 17, 6-13 ; nc III, 17, 7.9-12

TABLE SYNOPTIQUE DU TROISIÈME VOLUME

CONSPECTUS SIGLORUM 7

DIALOGUES

LIVRE IV

TABLE DES CHAPITRES 8

I. *L'âme vit après la mort :*
Arguments (ch. 1-6) 18
Exemples (ch. 7) 40
Mourants dont on a vu sortir l'âme (ch. 8-11) .. 42
Mourants qui ont eu des visions (ch. 12-20) 48
Miracles qui ont suivi des décès (ch. 21-25) .. 78

II. *L'âme peut aller au ciel dès la mort* (ch. 26) 84

III. *Prédictions faites par des mourants* (ch. 27-28) 86

IV. *L'âme peut aller en enfer dès la mort :*
Argument (ch. 29-30) 98
Exemples (ch. 31-33) 104

V. *Les morts se reconnaissent dans l'au-delà* (ch. 34-36) 112

VI. *Morts par erreur et voyages dans l'au-delà* (ch. 37-39) 124

VII. *Visions terrifiantes de trois mourants* (ch. 40) 138

VIII. *Le feu du purgatoire :*
Thèse (ch. 41) 146
Exemple (ch. 42) 150
Appendice : présence du futur (ch. 43) 154

IX. *Le feu de l'enfer :*
Localisation (ch. 44) 156
Unité et diversité (ch. 45) 158
Perpétuité (ch. 46-47) 160

X. *Morts angoissées ou consolées :*
Purification par l'angoisse (ch. 48)........... 168
Consolation par un songe prémonitoire (ch. 49)... 168
Appendice : causes des songes (ch. 50-51)........ 172

XI. *A quoi sert d'être enseveli à l'église :*
Thèse (ch. 52)........................ 176
Quatre exemples (ch. 53-56)................. 178

XII. *Libération par l'eucharistie :*
Exemples :
Deux défunts délivrés (ch. 57)............. 184
La mort de Cassius (ch. 58)............... 194
Deux vivants délivrés (ch. 59)............. 196
Exhortation :
Célébrer la messe chaque jour (ch. 60)........ 200
Entretenir la componction (ch. 61)........... 202
Pardonner (ch. 62)..................... 204

NOTES COMPLÉMENTAIRES (Livre IV)............. 209

ADDENDA ET CORRIGENDA (TOMES I ET II)........... 215

INDEX
I. Index nominum......................... 221
II. Index verborum........................ 229
III. Index grammatical..................... 267

TABLES
I. Tables des citations scripturaires............. 285
II. Table des auteurs anciens.................. 291
III. Table des citations grégoriennes............. 318
IV. Table des noms propres................... 327
V. Table des mots latins et grecs............... 350
VI. Table analytique
1. Miracles............................ 354
2. Thèmes divers........................ 360

TABLE SYNOPTIQUE DU TROISIÈME VOLUME......... 369

NIHIL OBSTAT :

Le 5 novembre 1979,

fr. Bertrand PETIT,
moine de la Pierre-qui-Vire.

IMPRIMI POTEST :

Le 6 novembre 1979,

fr. Damase DUVILLIER,
abbé de la Pierre-qui-Vire.

IMPRIMATUR :

Le 27 février 1980,

Jean ALBERTI, p. s. s.
Cens. dep.

ACHEVÉ D'IMPRIMER
LE 21 MARS 1980
SUR LES PRESSES
DE PROTAT FRÈRES
A MACON

N° IMPRIMEUR : 6388. N° ÉDITEUR : 7185. DÉPÔT LÉGAL. 2e TRIMESTRE 1980.

SOURCES CHRÉTIENNES

LISTE COMPLÈTE DE TOUS LES VOLUMES PARUS

N. B. — L'ordre suivant est celui de la date de parution (nº 1 en 1942) et il n'est pas tenu compte ici du classement en séries : grecque, latine, byzantine, orientale, textes monastiques d'Occident ; et série annexe : textes para-chrétiens.

Sauf indication contraire, chaque volume comporte le texte original, grec ou latin, souvent avec un apparat critique inédit.

La mention *bis* indique une seconde édition. Quand cette seconde édition ne diffère de la première que par de menues corrections et des *Addenda et Corrigenda* ajoutés en appendice, la date est accompagnée de la mention « réimpression avec supplément ».

1. GRÉGOIRE DE NYSSE : **Vie de Moïse.** J. Daniélou (3e édition) (1968).
2 bis. CLÉMENT D'ALEXANDRIE : **Protreptique.** C. Mondésert, A. Plassart (réimpression de la 2e éd., 1976).
3 bis. ATHÉNAGORE : **Supplique au sujet des chrétiens.** *En préparation.*
4 bis. NICOLAS CABASILAS : **Explication de la divine Liturgie.** S. Salaville, R. Bornert, J. Gouillard, P. Périchon (1967).
5. DIADOQUE DE PHOTICÉ : **Œuvres spirituelles.** É. des Places (réimpr. de la 2e éd., avec suppl., 1966).
6 bis. GRÉGOIRE DE NYSSE : **La création de l'homme.** *En préparation.*
7 bis. ORIGÈNE : **Homélies sur la Genèse.** H. de Lubac, L. Doutreleau (1976).
8. NICÉTAS STÉTHATOS : **Le paradis spirituel.** M. Chalendard. *Remplacé par le nº 81.*
9 bis. MAXIME LE CONFESSEUR : **Centuries sur la charité.** *En préparation.*
10. IGNACE D'ANTIOCHE : **Lettres.** — **Lettres et Martyre** de POLYCARPE DE SMYRNE. P.-Th. Camelot (4e édition) (1969).
11 bis. HIPPOLYTE DE ROME : **La Tradition apostolique.** B. Botte (1968).
12 bis. JEAN MOSCHUS : **Le Pré spirituel.** *En préparation.*
13. JEAN CHRYSOSTOME : **Lettres à Olympias.** A.-M. Malingrey. Trad. seule (1947).
13 bis. 2e édition avec le texte grec et la **Vie anonyme d'Olympias** (1968).
14. HIPPOLYTE DE ROME : **Commentaire sur Daniel.** G. Bardy, M. Lefèvre. Trad. seule (1947).
2e édition avec le texte grec. *En préparation.*
15 bis. ATHANASE D'ALEXANDRIE : **Lettres à Sérapion.** J. Lebon. *En préparation.*
16 bis. ORIGÈNE : **Homélies sur l'Exode.** H. de Lubac, J. Fortier. *En préparation.*
17. BASILE DE CÉSARÉE : **Sur le Saint-Esprit.** B. Pruche. Trad. seule (1947).
17 bis. 2e édition avec le texte grec (1968).
18 bis. ATHANASE D'ALEXANDRIE : **Discours contre les païens.** P. Th. Camelot (1977).
19 bis. HILAIRE DE POITIERS : **Traité des Mystères.** P. Brisson (réimpression, avec supplément, 1967).

20. Théophile d'Antioche : **Trois livres à Autolycus.** G. Bardy, J. Sender. Trad. seule (1948).
2ᵉ édition avec le texte grec. *En préparation.*
21. Éthérie : **Journal de voyage.** H. Pétré (réimpression, 1975).
22 bis. Léon le Grand : **Sermons,** t. I. J. Leclercq, R. Dolle (1964).
23. Clément d'Alexandrie : **Extraits de Théodote** (réimpression, 1970).
24 bis. Ptolémée : **Lettre à Flora.** G. Quispel (1966).
25 bis. Ambroise de Milan : **Des sacrements. Des Mystères. Explication du Symbole.** B. Botte (1961).
26 bis. Basile de Césarée : **Homélies sur l'Hexaéméron.** S. Giet (réimpr. avec suppl., 1968).
27 bis. **Homélies Pascales,** t. I. P. Nautin. *En préparation.*
28 bis. Jean Chrysostome : **Sur l'incompréhensibilité de Dieu.** J. Daniélou, A.-M. Malingrey, R. Flacelière (1970).
29 bis. Origène : **Homélies sur les Nombres.** A. Méhat. *En préparation.*
30 bis. Clément d'Alexandrie : **Stromate I.** *En préparation.*
31. Eusèbe de Césarée : **Histoire ecclésiastique,** t. I. G. Bardy (réimpression, 1978).
32 bis. Grégoire le Grand : **Morales sur Job,** t. I. Livres I-II. R. Gillet, A. de Gaudemaris (1975).
33 bis. **A Diognète.** H. I. Marrou (réimpr. avec suppl., 1965).
34. Irénée de Lyon : **Contre les hérésies,** livre III. F. Sagnard. *Remplacé par les nᵒˢ 210 et 211.*
35 bis. Tertullien : **Traité du baptême.** F. Refoulé. *En préparation.*
36 bis. **Homélies Pascales,** t. II. P. Nautin. *En préparation.*
37 bis. Origène : **Homélies sur le Cantique.** O. Rousseau (1966).
38 bis. Clément d'Alexandrie : **Stromate II.** *En préparation.*
39 bis. Lactance : **De la mort des persécuteurs.** 2 vol. *En préparation.*
40. Théodoret de Cyr : **Correspondance,** t. I. Y. Azéma (1955).
41. Eusèbe de Césarée : **Histoire ecclésiastique,** t. II. G. Bardy (réimpression, 1965).
42. Jean Cassien : **Conférences,** t. I. E. Pichery (réimpression, 1966).
43. Jérôme : **Sur Jonas.** P. Antin (1956).
44. Philoxène de Mabboug : **Homélies.** E. Lemoine. Trad. seule (1956).
45. Ambroise de Milan : **Sur S. Luc,** t. I. G. Tissot (réimpr. avec suppl., 1971).
46 bis. Tertullien : **De la prescription contre les hérétiques.** *En préparation.*
47. Philon d'Alexandrie : **La migration d'Abraham.** R. Cadiou (1957).
48. **Homélies Pascales,** t. III. F. Floëri et P. Nautin (1957).
49 bis. Léon le Grand : **Sermons,** t. II. R. Dolle (1969).
50 bis. Jean Chrysostome : **Huit Catéchèses baptismales inédites.** A. Wenger (réimpr. avec suppl., 1970).
51 bis. Syméon le Nouveau Théologien : **Chapitres théologiques, gnostiques et pratiques.** J. Darrouzès. *En préparation.*
52. Ambroise de Milan : **Sur S. Luc,** t. II. G. Tissot (1958).
53 bis. Hermas : **Le Pasteur.** R. Joly (réimpr. avec suppl., 1968).
54. Jean Cassien : **Conférences,** t. II. E. Pichery (réimpression, 1966).
55. Eusèbe de Césarée : **Histoire ecclésiastique,** t. III. G. Bardy (réimpression, 1967).

56. ATHANASE D'ALEXANDRIE : **Deux apologies.** J. Szymusiak (1958).
57. THÉODORET DE CYR : **Thérapeutique des maladies helléniques.** 2 volumes, P. Canivet (1958).
58 bis. DENYS L'ARÉOPAGITE : **La hiérarchie céleste.** G. Heil, R. Roques, M. de Gandillac (réimpr. avec suppl., 1970).
59. **Trois antiques rituels du baptême.** A. Salles. Trad. seule. *Épuisé.*
60. AELRED DE RIEVAULX : **Quand Jésus eut douze ans.** A. Hoste, J. Dubois. (1958).
61 bis. GUILLAUME DE SAINT-THIERRY : **Traité de la contemplation de Dieu.** J. Hourlier (réimpression, 1977).
62. IRÉNÉE DE LYON : **Démonstration de la prédication apostolique.** L. Froidevaux. Nouvelle trad. sur l'arménien. Trad. seule (réimpr., 1971).
63. RICHARD DE SAINT-VICTOR : **La Trinité.** G. Salet (1959).
64. JEAN CASSIEN : **Conférences,** t. III. E. Pichery (réimpr., 1971).
65. GÉLASE Ier : **Lettre contre les Lupercales et dix-huit messes du sacramentaire léonien.** G. Pomarès (1960).
66. ADAM DE PERSEIGNE : **Lettres,** t. I. J. Bouvet (1960).
67. ORIGÈNE : **Entretien avec Héraclide.** J. Scherer (1960).
68. MARIUS VICTORINUS : **Traités théologiques sur la Trinité.** P. Henry, P. Hadot. Tome I. Introd., texte critique, traduction (1960).
69. **Id.** — Tome II. Commentaire et tables (1960).
70. CLÉMENT D'ALEXANDRIE : **Le Pédagogue,** t. I. H. I. Marrou, M. Harl (1960).
71. ORIGÈNE : **Homélies sur Josué.** A. Jaubert (1960).
72. AMÉDÉE DE LAUSANNE : **Huit homélies mariales.** G. Bavaud, J. Deshusses, A. Dumas (1960).
73 bis. EUSÈBE DE CÉSARÉE : **Histoire ecclésiastique,** t. IV. Introd. générale de G. Bardy et tables de P. Périchon (réimpr. avec suppl., 1971).
74 bis. LÉON LE GRAND : **Sermons,** t. III. R. Dolle (1976).
75. S. AUGUSTIN : **Commentaire de la 1re Épître de S. Jean.** P. Agaësse (réimpression, 1966).
76. AELRED DE RIEVAULX : **La vie de recluse.** Ch. Dumont (1961).
77. DEFENSOR DE LIGUGÉ : **Le livre d'étincelles,** t. I. H. Rochais (1961).
78. GRÉGOIRE DE NAREK : **Le livre de Prières.** I. Kéchichian. Trad. seule (1961).
79. JEAN CHRYSOSTOME : **Sur la Providence de Dieu.** A.-M. Malingrey (1961).
80. JEAN DAMASCÈNE : **Homélies sur la Nativité et la Dormition.** P. Voulet (1961).
81. NICÉTAS STÉTHATOS : **Opuscules et lettres.** J. Darrouzès (1961).
82. GUILLAUME DE SAINT-THIERRY : **Exposé sur le Cantique des Cantiques.** J.-M. Déchanet (1962).
83. DIDYME L'AVEUGLE : **Sur Zacharie.** Texte inédit. L. Doutreleau. Tome I. Introduction et livre I (1962).
84. **Id.** — Tome II. Livres II et III (1962).
85. **Id.** — Tome III. Livres IV et V, Index (1962).
86. DEFENSOR DE LIGUGÉ : **Le livre d'étincelles,** t. II. H. Rochais (1962).
87. ORIGÈNE : **Homélies sur S. Luc.** H. Crouzel, F. Fournier, P. Périchon (1962).
88. **Lettres des premiers Chartreux,** tome I : S. BRUNO, GUIGUES, S. ANTHELME. Par un Chartreux (1962).

89. **Lettre d'Aristée à Philocrate.** A. Pelletier (1962).
90. **Vie de sainte Mélanie.** D. Gorce (1962).
91. Anselme de Cantorbéry : **Pourquoi Dieu s'est fait homme.** R. Roques (1963).
92. Dorothée de Gaza : **Œuvres spirituelles.** L. Regnault, J. de Préville (1963).
93. Baudouin de Ford : **Le sacrement de l'autel.** J. Morson, É. de Solms, J. Leclercq. Tome I (1963).
94. **Id.** — Tome II (1963).
95. Méthode d'Olympe : **Le banquet.** H. Musurillo, V.-H. Debidour (1963).
96. Syméon le Nouveau Théologien : **Catéchèses.** B. Krivochéine, J. Paramelle. Tome I. Introduction et Catéchèses 1-5 (1963).
97. Cyrille d'Alexandrie : **Deux dialogues christologiques.** G. M. de Durand (1964).
98. Théodoret de Cyr : **Correspondance, t. II.** Y. Azéma (1964).
99. Romanos le Mélode : **Hymnes.** J. Grosdidier de Matons. Tome I. Introduction et Hymnes I-VIII (1964).
100. Irénée de Lyon : **Contre les hérésies,** livre IV. A. Rousseau, B. Hemmerdinger, Ch. Mercier, L. Doutreleau. 2 vol. (1965).
101. Quodvultdeus : **Livre des promesses et des prédictions de Dieu.** R. Braun. Tome I (1964).
102. **Id.** — Tome II (1964).
103. Jean Chrysostome : **Lettre d'exil.** A.-M. Malingrey (1964).
104. Syméon le Nouveau Théologien : **Catéchèses.** B. Krivochéine, J. Paramelle. Tome II. Catéchèses 6-22 (1964).
105. **La règle du Maître.** A. de Vogüé. Tome I. Introduction et chap. 1-10 (1964).
106. **Id.** — Tome II. Chap. 11-95 (1964).
107. **Id.** — Tome III. Concordance et Index orthographique. J.-M. Clément, J. Neufville, D. Demeslay (1965).
108. Clément d'Alexandrie : **Le Pédagogue,** tome II. Cl. Mondésert, H. I. Marrou (1965).
109. Jean Cassien : **Institutions cénobitiques.** J.-C. Guy (1965).
110. Romanos le Mélode : **Hymnes.** J. Grosdidier de Matons. Tome II. Hymnes IX-XX (1965).
111. Théodoret de Cyr : **Correspondance,** t. III. Y. Azéma (1965).
112. Constance de Lyon : **Vie de S. Germain d'Auxerre.** R. Borius (1965).
113. Syméon le Nouveau Théologien : **Catéchèses.** B. Krivochéine, J. Paramelle. Tome III. Catéchèses 23-34, Actions de grâces 1-2 (1965).
114. Romanos le Mélode : **Hymnes.** J. Grosdidier de Matons. Tome III. Hymnes XXI-XXXI (1965).
115. Manuel II Paléologue : **Entretien avec un musulman.** A. Th. Khoury (1966).
116. Augustin d'Hippone : **Sermons pour la Pâque.** S. Poque (1966).
117. Jean Chrysostome : **A Théodore.** J. Dumortier (1966).
118. Anselme de Havelberg : **Dialogues,** livre I. G. Salet (1966).
119. Grégoire de Nysse : **Traité de la Virginité.** M. Aubineau (1966).
120. Origène: **Commentaire sur S. Jean.** C. Blanc. Tome I. Livres I-V (1966).
121. Éphrem de Nisibe : **Commentaire de l'Évangile concordant ou Diatessaron.** L. Leloir. Trad. seule (1966).

122. Syméon le Nouveau Théologien : **Traités théologiques et éthiques.** J. Darrouzès. Tome I. Téol. 1-3, Éth. 1-3 (1966).
123. Méliton de Sardes : **Sur la Pâque (et fragments).** O. Perler (1966).
124. **Expositio totius mundi et gentium.** J. Rougé (1966).
125. Jean Chrysostome : **La Virginité.** H. Musurillo, B. Grillet (1966).
126. Cyrille de Jérusalem : **Catéchèses mystagogiques.** A. Piédagnel, P. Paris (1966).
127. Gertrude d'Helfta : **Œuvres spirituelles.** Tome I. **Les Exercices.** J. Hourlier, A. Schmitt (1967).
128. Romanos le Mélode : **Hymnes.** J. Grosdidier de Matons. Tome IV Hymnes XXXII-XLV (1967).
129. Syméon le Nouveau Théologien : **Traités théologiques et éthiques.** J. Darrouzès. Tome II. Éth. 4-15 (1967).
130. Isaac de l'Étoile : **Sermons.** A. Hoste. G. Salet. Tome I. Introduction et Sermons 1-17 (1967).
131. Rupert de Deutz : **Les œuvres du Saint-Esprit.** J. Gribomont, É. de Solms. Tome I. Livres I et II (1967).
132. Origène : **Contre Celse.** M. Borret. Tome I. Livres I et II (1967).
133. Sulpice Sévère : **Vie de S. Martin.** J. Fontaine. Tome I. Introduction, texte et traduction (1967).
134. **Id.** — Tome II. Commentaire (1968).
135. **Id.** — Tome III. Commentaire (suite), Index (1969).
136. Origène : **Contre Celse.** M. Borret. Tome II. Livres III et IV (1968).
137. Éphrem de Nisibe : **Hymnes sur le Paradis.** F. Graffin, R. Lavenant. Trad. seule (1968).
138. Jean Chrysostome : **A une jeune veuve. Sur le mariage unique.** B. Grillet, G. H. Ettlinger (1968).
139. Gertrude d'Helfta : **Œuvres spirituelles.** Tome II. **Le Héraut.** Livres I et II. P. Doyère (1968).
140. Rufin d'Aquilée : **Les bénédictions des Patriarches.** M. Simonetti, H. Rochais, P. Antin (1968).
141. Cosmas Indicopleustès : **Topographie chrétienne.** Tome I. Introduction et livres I-IV. W. Wolska-Conus (1968).
142. **Vie des Pères du Jura.** F. Martine (1968).
143. Gertrude d'Helfta : **Œuvres spirituelles.** Tome III. **Le Héraut.** Livre III. P. Doyère (1968).
144. **Apocalypse syriaque de Baruch.** Tome I. Introduction et traduction. P. Bogaert (1969).
145. **Id.** — Tome II. Commentaire et tables (1969).
146. **Deux homélies anoméennes pour l'octave de Pâques.** J. Liebaert (1969).
147. Origène : **Contre Celse.** M. Borret. Tome III. Livres V et VI (1969).
148. Grégoire le Thaumaturge : **Remerciement à Origène. — La lettre d'Origène à Grégoire.** H. Crouzel (1969).
149. Grégoire de Nazianze : **La passion du Christ.** A. Tuilier (1969).
150. Origène : **Contre Celse.** M. Borret. Tome IV. Livres VII et VIII (1969)
151. Jean Scot : **Homélie sur le Prologue de Jean.** É. Jeauneau (1969).
152. Irénée de Lyon : **Contre les hérésies,** livre V. A. Rousseau, L. Doutreleau, C. Mercier. Tome I. Introduction, notes justificatives et tables (1969).
153. **Id.** — Tome II. Texte et traduction (1969).

154. Chromace d'Aquilée : **Sermons.** Tome I. Sermons 1-17 A. J. Lemarié (1969).
155. Hugues de Saint-Victor : **Six opuscules spirituels.** R. Baron (1969).
156. Syméon le Nouveau Théologien : **Hymnes.** J. Koder, J. Paramelle. Tome I. Hymnes I-XV (1969).
157. Origène : **Commentaire sur S. Jean.** C. Blanc. Tome II. Livres VI et X (1970).
158. Clément d'Alexandrie : **Le Pédagogue.** Livre III. Cl. Mondésert, H. I. Marrou et Ch. Matray (1970).
159. Cosmas Indicopleustès : **Topographie chrétienne.** Tome II. Livre V. W. Wolska-Conus (1970).
160. Basile de Césarée : **Sur l'origine de l'homme.** A. Smets et M. Van Esbroeck (1970).
161. **Quatorze homélies du IXe siècle d'un auteur inconnu de l'Italie du Nord.** P. Mercier (1970).
162. Origène : **Commentaire sur l'Évangile selon Matthieu.** Tome I. Livres X et XI. R. Girod (1970).
163. Guigues II le Chartreux : **Lettre sur la vie contemplative** (ou **Échelle des Moines). Douze méditations.** E. Colledge, J. Walsh (1970).
164. Chromace d'Aquilée : **Sermons.** Tome II. Sermons 18-41. J. Lemarié (1971).
165. Rupert de Deutz : **Les œuvres du Saint-Esprit.** Tome II. Livres III et IV. J. Gribomont, É. de Solms (1970).
166. Guerric d'Igny : **Sermons,** Tome I. J. Morson, H. Costello, P. Deseille (1970).
167. Clément de Rome : **Épître aux Corinthiens.** A. Jaubert (1971).
168. Richard Rolle : **Le chant d'amour (Melos amoris).** F. Vandenbroucke et les Moniales de Wisques. Tome I (1971).
169. **Id.** — Tome II (1971).
170. Évagre le Pontique : **Traité pratique.** A. et C. Guillaumont. Tome I. Introduction (1971).
171. **Id.** — Tome II. Texte, traduction, commentaire et tables (1971).
172. **Épître de Barnabé.** R. A. Kraft, P. Prigent (1971).
173. Tertullien : **La toilette des femmes.** M. Turcan (1971).
174. Syméon le Nouveau Théologien : **Hymnes.** J. Koder, L. Neyrand. Tome II. Hymnes XVI-XL (1971).
175. Césaire d'Arles : **Sermons au peuple.** Tome I. Sermons 1-20. M.-J. Delage (1971).
176. Salvien de Marseille : **Œuvres.** Tome I. G. Lagarrigue (1971).
177. Callinicos : **Vie d'Hypatios.** G. J. M. Bartelink (1971).
178. Grégoire de Nysse : **Vie de sainte Macrine.** P. Maraval (1971).
179. Ambroise de Milan : **La Pénitence.** R. Gryson (1971).
180. Jean Scot : **Commentaire sur l'évangile de Jean.** É. Jeauneau (1972).
181. **La Règle de S. Benoît.** Tome I. Introduction et chapitres I-VII. A. de Vogüé et J. Neufville (1972).
182. **Id.** — Tome II. Chapitres VIII-LXXIII, Tables et concordance. A. de Vogüé et J. Neufville (1972).
183. **Id.** — Tome III. Étude de la tradition manuscrite. J. Neufville (1972).
184. **Id.** — Tome IV. Commentaire (Parties I-III). A. de Vogüé (1971).
185. **Id.** — Tome V. Commentaire (Parties IV-VI). A. de Vogüé (1971).

186. **Id.** — Tome VI. Commentaire (Parties VII-IX), Index. A. de Vogüé (1971).
187. Hésychius de Jérusalem, Basile de Séleucie, Jean de Béryte, Pseudo-Chrysostome, Léonce de Constantinople : **Homélies pascales.** M. Aubineau (1972).
188. Jean Chrysostome : **Sur la vaine gloire et l'éducation des enfants.** A.-M. Malingrey (1972).
189. **La chaîne palestinienne sur le psaume 118.** Tome I. Introduction, texte critique et traduction. M. Harl (1972).
190. **Id.** — Tome II. Catalogue des fragments, notes et index. M. Harl (1972).
191. Pierre Damien : **Lettre sur la toute-puissance divine.** A. Cantin (1972).
192. Julien de Vézelay : **Sermons.** Tome I. Introduction et Sermons 1-16. D. Vorreux (1972).
194. **Actes de la Conférence de Carthage en 411.** Tome I. Introduction. S. Lancel (1972).
195. **Id.** — Tome II. Texte et traduction de la Capitulation et des Actes de la première séance. S. Lancel (1972).
196. Syméon le Nouveau Théologien : **Hymnes.** J. Koder, J. Paramelle, L. Neyrand. Tome III. Hymnes XLI-LVIII, Index (1973).
197. Cosmas Indicopleustès : **Topographie chrétienne,** t. III. Livres VI-XII, Index. W. Wolska-Conus (1973).
198. **Livre** (cathare) **des deux principes.** Ch. Thouzellier (1973).
199. Athanase d'Alexandrie : **Sur l'incarnation du Verbe.** C. Kannengiesser (1973).
200. Léon le Grand : **Sermons,** tome IV. Sermons 65-98, Éloge de S. Léon, Index. R. Dolle (1973).
201. **Évangile de Pierre.** M.-G. Mara (1973).
202. Guerric d'Igny : **Sermons.** Tome II. J. Morson, H. Costello, P. Deseille (1973).
203. Nersès Šnorhali : **Jésus, Fils unique du Père.** I. Kéchichian. Trad. seule (1973).
204. Lactance : **Institutions divines,** livre V. Tome I. Introd., texte et trad. P. Monat (1973).
205. **Id.** — Tome II. Commentaire et index. P. Monat (1973).
206. Eusèbe de Césarée : **Préparation évangélique,** livre I. J. Sirinelli, É. des Places (1974).
207. Isaac de l'Étoile : **Sermons.** A. Hoste, G. Salet, G. Raciti. Tome II. Sermons 18-39 (1974).
208. Grégoire de Nazianze : **Lettres théologiques.** P. Gallay (1974).
209. Paulin de Pella : **Poème d'action de grâces** et **Prière.** C. Moussy (1974)
210. Irénée de Lyon : **Contre les hérésies,** livre III. A. Rousseau, L. Doutreleau. Tome I. Introduction, notes justificatives et tables (1974).
211. **Id.** — Tome II. Texte et traduction (1974).
212. Grégoire le Grand : **Morales sur Job.** Livres XI-XIV. A. Bocognano (1974).
213. Lactance : **L'ouvrage du Dieu créateur.** Tome I. Introduction, texte critique et traduction. M. Perrin (1974).
214. **Id.** — Tome II. Commentaire et index. M. Perrin (1974).
215. Eusèbe de Césarée : **Préparation évangélique,** livre VII. G. Schroeder, É. des Places (1975).

216. Tertullien : **La chair du Christ.** Tome I. Introduction, texte critique et traduction. J. P. Mahé (1975).
217. **Id.** — Tome II. Commentaire et Index. J. P. Mahé (1975).
218. Hydace : **Chronique.** Tome I. Introduction, texte critique et traduction. A. Tranoy (1975).
219. **Id.** — Tome II. Commentaire et index. A. Tranoy (1975).
220. Salvien de Marseille : **Œuvres,** t. II. G. Lagarrigue (1975).
221. Grégoire le Grand : **Morales sur Job.** Livres XV-XVI. A. Bocognano (1975).
222. Origène : **Commentaire sur S. Jean.** Tome III. Livre XIII. C. Blanc (1975).
223. Guillaume de Saint-Thierry : **Lettre aux Frères du Mont-Dieu (Lettre d'or).** J. Déchanet (1975).
224. **Actes de la Conférence de Carthage en 411.** Tome III. Texte et traduction des Actes de la 2e et de la 3e séance. S. Lancel (1975).
225. Dhuoda : **Manuel pour mon fils.** P. Riché, B. de Vregille et C. Mondésert (1975).
226. Origène : **Philocalie 21-27 (Sur le libre arbitre).** É. Junod (1976).
227. Origène : **Contre Celse.** M. Borret. Tome V. Introduction et index (1976).
228. Eusèbe de Césarée : **Préparation évangélique.** Livres II-III. É. des Places (1976).
229. Pseudo-Philon : **Les Antiquités Bibliques.** D. J. Harrington, C. Perrot, P. Bogaert, J. Cazeaux. Tome I. Introduction critique, texte et traduction (1976).
230. **Id.** — Tome II. Introduction littéraire, commentaire et index (1976).
231. Cyrille d'Alexandrie : **Dialogues sur la Trinité.** Tome I. Dial. I et II. G. M. de Durand (1976).
232. Origène : **Homélies sur Jérémie.** P. Nautin et P. Husson. Tome I. Introduction et homélies I-XI.
233. Didyme l'Aveugle : **Sur la Genèse,** t. I (sur Genèse I-IV). P. Nautin et L. Doutreleau.
234. Théodoret de Cyr : **Histoire des moines de Syrie.** Tome I. Introduction et **Histoire philothée** I-XIII. P. Canivet et A. Leroy-Molinghen (1977).
235. Hilaire d'Arles : **Vie de S. Honorat.** M.-D. Valentin (1977).
236. **Rituel cathare.** Ch. Thouzellier (1977).
237. Cyrille d'Alexandrie : **Dialogues sur la Trinité.** Tome II. Dial. III-V. G. M. de Durand. (1977).
238. Origène : **Homélies sur Jérémie.** Tome II. Homélies XII-XX et homélies latines, index. P. Nautin et P. Husson (1977).
239. Ambroise de Milan : **Apologie de David.** P. Hadot et M. Cordier (1977).
240. Pierre de Celle : **L'école du cloître.** G. de Martel (1977).
241. **Conciles gaulois du IVe siècle.** J. Gaudemet (1977).
242. S. Jérôme : **Commentaire sur S. Matthieu.** Tome I. Livres I et II. É. Bonnard (1978).
243. Césaire d'Arles : **Sermons au peuple.** Tome II. Sermons 21-55. M.-J. Delage (1978).
244. Didyme l'Aveugle : **Sur la Genèse.** Tome II (sur Genèse V-XVII). Index. P. Nautin et L. Doutreleau (1978).

245. **Targum du Pentateuque.** Tome I : **Genèse.** R. Le Déaut et J. Robert. Trad. seule (1978).
246. Cyrille d'Alexandrie : **Dialogues sur la Trinité.** Tome III. Dial. VI-VII, index. G. M. de Durand (1978).
247. Grégoire de Nazianze : **Discours** 1-3. J. Bernardi (1978).
248. **La doctrine des douze apôtres.** W. Rordorf et A. Tuilier (1978).
249. S. Patrick : **Confession et Lettre à Coroticus.** R. P. C. Hanson et C. Blanc (1978).
250. Grégoire de Nazianze : **Discours** 27-31 (Discours théologiques). P. Gallay (1978).
251. Grégoire le grand : **Dialogues.** Tome I. A. de Vogüé (1978).
252. Origène : **Traité des principes.** Livres I et II. Tome I. Introduction, texte critique et traduction. H. Crouzel et M. Simonetti (1978).
253. **Id.** — Tome II. Commentaire et fragments. H. Crouzel et M. Simonetti (1978).
254. Hilaire de Poitiers : **Sur Matthieu.** Tome I. Introduction et chap. 1-13. J. Doignon (1978).
255. Gertrude d'Helfta : **Œuvres spirituelles.** Tome IV. **Le Héraut.** Livre IV. J.-M. Clément, B. de Vregille et les Moniales de Wisques (1978).
256. **Targum du Pentateuque.** Tome II. **Exode et Lévitique.** R. Le Déaut et J. Robert. Trad. seule (1979).
257. Théodoret de Cyr : **Histoire des moines de Syrie.** Tome II. **Histoire Philothée** (XIV-XXX), **Traité sur la Charité** (XXXI) et Index. P. Canivet et A. Leroy-Molinghen (1979).
258. Hilaire de Poitiers : **Sur Matthieu,** t. II. Chap. 14-33, appendice et index. J. Doignon (1979).
259. S. Jérôme : **Commentaire sur S. Matthieu.** Tome II. Livres III et IV, index. É. Bonnard (1979).
260. Grégoire le Grand : **Dialogues.** Tome II. Livres I-III, A. de Vogüé et P. Antin (1979).
261. **Targum du Pentateuque.** Tome III. **Nombres.** R. Le Déaut et J. Robert. Trad. seule (1979).
262. Eusèbe de Césarée : **Préparation évangélique,** livres IV, 1 - V, 17. O. Zink et É. des Places (1979).
263. Irénée de Lyon : **Contre les hérésies,** livre I. A. Rousseau, L. Doutreleau. Tome I. Introduction, notes justificatives et tables (1979).
264. **Id.** — Tome II. Texte et traduction (1979).
265. Grégoire le Grand : **Dialogues.** Tome III. Livre IV, tables et index. A. de Vogüé et P. Antin (1980).
266. Eusèbe de Césarée : **Préparation évangélique,** livres V, 18 - VI. É. des Places (1980).
267. **Scolies ariennes sur le Concile d'Aquilée.** R. Gryson (1980).

Hors série :

Directives pour la préparation des manuscrits (de « Sources Chrétiennes »). A demander au Secrétariat de « Sources Chrétiennes », 29, rue du Plat, 69002 Lyon.

La Règle de S. Benoît. VII. Commentaire doctrinal et spirituel. A. de Vogüé (1977).

SOUS PRESSE

JEAN CHRYSOSTOME : **Le sacerdoce.** A.-M. Malingrey.

ORIGÈNE : **Traité des principes.** Livres III et IV. H. Crouzel et M. Simonetti (2 volumes).

PSEUDO-MACAIRE : **Œuvres spirituelles,** t. I. V. Desprez.

GRÉGOIRE DE NAZIANZE : **Discours 20-23.** J. Mossay.

Lettres des premiers Chartreux, tome II : les Chartreux de Portes. Par un Chartreux.

TERTULLIEN : **A son épouse.** C. Munier.

TERTULLIEN : **Contre les Valentiniens.** J.-C. Fredouille (2 volumes).

Targum du Pentateuque. Tome IV. **Deutéronome.** R. Le Déaut.

CLÉMENT D'ALEXANDRIE : **Stromate** V. A. Le Boulluec.

JEAN CHRYSOSTOME : **Homélies sur Ozias.** J. Dumortier.

PROCHAINES PUBLICATIONS

IRÉNÉE DE LYON : **Contre les hérésies,** livre II. A. Rousseau et L. Doutreleau.

THÉODORET DE CYR : **Commentaire sur Isaïe.** J.-N. Guinot.

ROMANOS LE MÉLODE : **Hymnes,** t. V. J. Grosdidier de Matons.

SOURCES CHRÉTIENNES
(1-266)

Actes de la Conférence de Carthage : *194*, *195*, *224*.

Adam de Perseigne.
Lettres, I : *66*.

Aelred de Rievaulx.
Quand Jésus eut douze ans : *60*.
La vie de recluse : *76*.

Ambroise de Milan.
Apologie de David : *239*.
Des sacrements : *25*.
Des mystères : *25*.
Explication du Symbole : *25*.
La Pénitence : *179*.
Sur saint Luc : *45* et *52*.

Amédée de Lausanne.
Huit homélies mariales : *72*.

Anselme de Cantorbéry.
Pourquoi Dieu s'est fait homme : *91*.

Anselme de Havelberg.
Dialogues, I : *118*.

Apocalypse de Baruch : *144* et *145*.

Aristée (lettre d') : *89*.

Athanase d'Alexandrie.
Deux apologies : *56*.
Discours contre les païens : *18*.
Lettres à Sérapion : *15*.
Sur l'Incarnation du Verbe : *199*.

Athénagore.
Supplique au sujet des chrétiens : *3*.

Augustin.
Commentaire de la première Épître de saint Jean : *75*.
Sermons pour la Pâque : *116*.

Barnabé (Épître de) : *172*.

Basile de Césarée.
Homélies sur l'Hexaéméron : *26*.
Sur l'origine de l'homme : *160*.
Traité du Saint-Esprit : *17*.

Basile de Séleucie.
Homélie pascale : *187*.

Baudouin de Ford.
Le sacrement de l'autel : *93* et *94*.

Benoît (Règle de S.) : *181-186*.

Callinicos.
Vie d'Hypatios *177*.

Cassien, *voir* Jean Cassien.

Césaire d'Arles.
Sermons au peuple : *175*, *243*.

La Chaîne palestinienne sur le psaume 118 : *189* et *190*.

Chartreux.
Lettres des premiers Chartreux, t. I : *88*.

Chromace d'Aquilée.
Sermons : *154* et *164*.

Clément d'Alexandrie.
Le Pédagogue : *70*, *108* et *158*.
Protreptique : *2*.
Stromate I : *30*.
Stromate II : *38*.
Extraits de Théodote : *23*.

Clément de Rome.
Épître aux Corinthiens : *167*.

Conciles gaulois du IVe siècle : *241*.

Constance de Lyon.
Vie de S. Germain d'Auxerre : *112*.

Cosmas Indicopleustès.
Topographie chrétienne : *141*, *159* et *197*.

Cyrille d'Alexandrie.
Deux dialogues christologiques : *97*.
Dialogues sur la Trinité, *231*, *237* et *246*.

Cyrille de Jérusalem.
Catéchèses mystagogiques : *126*.

Defensor de Ligugé.
Livre d'étincelles : *77* et *86*.

Denys l'Aréopagite.
La hiérarchie céleste : *58*.

Dhuoda.
Manuel pour mon fils : *225*.

Diadoque de Photicé.
Œuvres spirituelles : *5*.

Didyme l'Aveugle.
Sur la Genèse : *233* et *244*.
Sur Zacharie : *83-85*.

A Diognète : *33*.

La Doctrine des douze apôtres : *248*.

Dorothée de Gaza.
Œuvres spirituelles : *92*.

Éphrem de Nisibe.
Commentaire de l'Évangile concordant ou Diatessaron : *121.*
Hymnes sur le Paradis : *137.*
Éthérie.
Journal de voyage : *21.*
Eusèbe de Césarée.
Histoire ecclésiastique, I-IV : *31.*
— V-VII : *41.*
— VIII-X : *55.*
— Introduction et Index : *73.*
Préparation évangélique, I : *206.*
— II-III : *228.*
— IV-V, 17 : *262.*
— V, 18-VI : *266.*
— VII : *215.*
Évagre le Pontique.
Traité pratique : *170* et *171.*
Évangile de Pierre : *201.*
Expositio totius mundi : *124.*
Gélase Ier.
Lettre contre les lupercales et dix-huit messes : *65.*
Gertrude d'Helfta.
Les Exercices : *127.*
Le Héraut, I-II : *139.*
— III : *143.*
— IV : *255.*
Grégoire de Narek.
Le livre de Prières : *78.*
Grégoire de Nazianze.
Discours, 1-3 : *247.*
— 27-31 : *250.*
Lettres théologiques : *208.*
La Passion du Christ : *149.*
Grégoire de Nysse.
La création de l'homme : *6.*
Traité de la Virginité : *119.*
Vie de Moïse : *1.*
Vie de sainte Macrine : *178.*
Grégoire le Grand.
Dialogues : *251, 260* et *265.*
Morales sur Job, I-II : *32.*
— XI-XIV : *212.*
— XV-XVI : *221.*
Grégoire le Thaumaturge.
Remerciement à Origène : *148.*
Guerric d'Igny.
Sermons : *166* et *202.*
Guigues II le Chartreux.
Lettre sur la vie contemplative *163.*
Douze méditations : *163.*
Guillaume de Saint-Thierry.
Exposé sur le Cantique : *82.*
Lettre d'or : *223.*
Traité de la contemplation de Dieu : *61.*
Hermas.
Le Pasteur : *53.*
Hésychius de Jérusalem.
Homélies pascales : *187.*
Hilaire d'Arles.
Vie de S. Honorat : *235.*
Hilaire de Poitiers.
Sur Matthieu : *254* et *258.*
Traité des Mystères : *19.*
Hippolyte de Rome.
Commentaire sur Daniel : *14.*
La Tradition apostolique : *11.*
Deux homélies anoméennes pour l'octave de Paques : *146.*
Homélies pascales : *27, 36, 48.*
Quatorze homélies du IXe siècle : *161.*
Hugues de Saint-Victor.
Six opuscules spirituels : *155.*
Hydace.
Chronique : *218* et *219.*
Ignace d'Antioche.
Lettres : *10.*
Irénée de Lyon.
Contre les hérésies, I : *263* et *264.*
— III : *210* et *211.*
— IV : *100.*
— V : *152* et *153.*
Démonstration de la prédication apostolique : *62.*
Isaac de l'Étoile.
Sermons 1-17 : *130.*
— 18-39 : *207.*
Jean de Béryte.
Homélie pascale : *187.*
Jean Cassien.
Conférences, I-VII : *42.*
— VIII-XVII : *54.*
— XVIII-XXIV : *64.*
Institutions : *109.*
Jean Chrysostome.
A une jeune veuve : *138.*

A Théodore : *117*.
Huit catéchèses baptismales : *50*.
Lettre d'exil : *103*.
Lettres à Olympias : *13*.
Sur l'incompréhensibilité de Dieu : *28*.
Sur la Providence de Dieu : *79*.
Sur la vaine gloire et l'éducation des enfants : *188*.
Sur le mariage unique : *138*.
La Virginité : *125*.
PSEUDO-CHRYSOSTOME.
Homélie pascale : *187*.
JEAN DAMASCÈNE.
Homélies sur la Nativité et la Dormition : *80*.
JEAN MOSCHUS.
Le Pré spirituel : *12*.
JEAN SCOT.
Commentaire sur l'évangile de Jean : *180*.
Homélie sur le prologue de Jean : *151*.
JÉRÔME.
Commentaire sur S. Matthieu : *242* et *259*.
Sur Jonas : *43*.
JULIEN DE VÉZELAY.
Sermons : *192* et *193*.
LACTANCE.
De la mort des persécuteurs : *39*. (2 vol.).
Institutions divines, V : *204* et *205*.
L'ouvrage du Dieu créateur : *213* et *214*.
LÉON LE GRAND.
Sermons, 1-19 : *22*.
— 20-37 : *49*.
— 38-64 : *74*.
— 65-98 : *200*.
LÉONCE DE CONSTANTINOPLE.
Homélies pascales : *187*.
LIVRE CATHARE DES DEUX PRINCIPES : *198*.
MANUEL II PALÉOLOGUE.
Entretien avec un musulman : *115*.
MARIUS VICTORINUS.
Traités théologiques sur la Trinité : *68* et *69*.
MAXIME LE CONFESSEUR.
Centuries sur la Charité : *9*.
MÉLANIE : *voir* VIE.
MÉLITON DE SARDES.
Sur la Pâque : *123*.
MÉTHODE D'OLYMPE.
Le banquet : *95*.
NERSÈS ŠNORHALI.
Jésus, Fils unique du Père : *203*.
NICÉTAS STÉTHATOS.
Opuscules et lettres : *81*.
NICOLAS CABASILAS.
Explication de la divine liturgie : *4*.
ORIGÈNE.
Commentaire sur S. Jean, I-V : *120*.
— VI-X : *157*.
— XIII : *222*.
Commentaire sur S. Matthieu, X XI : *162*.
Contre Celse : *132*, *136*, *147*, *150* et *227*.
Entretien avec Héraclide : *67*.
Homélies sur la Genèse : *7*.
Homélies sur l'Exode : *16*.
Homélies sur les Nombres : *29*.
Homélies sur Josué : *71*.
Homélies sur le Cantique : *37*.
Homélies sur Jérémie : *232* et *238*.
Homélies sur saint Luc : *87*.
Lettre à Grégoire : *148*.
Philocalie 21-27 : *226*.
Traité des Principes, l. I-II : *252* et *253*.
PATRICK.
Confession : *249*.
Lettre à Coroticus : *249*.
PAULIN DE PELLA.
Poème d'action de grâces : *209*.
Prière : *209*.
PHILON D'ALEXANDRIE.
La migration d'Abraham : *47*.
PSEUDO-PHILON.
Les Antiquités Bibliques : *229* et *230*.
PHILOXÈNE DE MABBOUG.
Homélies : *44*.
PIERRE DAMIEN.
Lettre sur la toute-puissance divine : *191*.
PIERRE DE CELLE.
L'école du cloître : *240*.
POLYCARPE DE SMYRNE.
Lettres et Martyre : *10*.

PTOLÉMÉE.
Lettre à Flora : *24*.
QUODVULTDEUS.
Livre des promesses : *101* et *102*.
LA RÈGLE DU MAÎTRE : *105-107*.
RICHARD DE SAINT-VICTOR.
La Trinité : *63*.
RICHARD ROLLE.
Le chant d'amour : *168* et *169*.
RITUELS.
Rituel cathare : *236*.
Trois antiques rituels du Baptême : *59*.
ROMANOS LE MÉLODE.
Hymnes : *99*, *110*, *114*, *128*.
RUFIN D'AQUILÉE.
Les bénédictions des Patriarches: *140*.
RUPERT DE DEUTZ.
Les œuvres du Saint-Esprit.
Livres I-II : *131*.
— III-IV : *165*.
SALVIEN DE MARSEILLE.
Œuvres : *176* et *220*.
SULPICE SÉVÈRE.
Vie de S. Martin : *133-135*.
SYMÉON LE NOUVEAU THÉOLOGIEN.
Catéchèses : *96*, *104* et *113*.
Chapitres théologiques gnostiques et pratiques : *51*.
Hymnes : *156*, *174* et *196*.
Traités théologiques et éthiques *122* et *129*.
TARGUM DU PENTATEUQUE : *245*, *256*, *261*.
TERTULLIEN.
La chair du Christ : *216* et *217*.
De la prescription contre les hérétiques : *46*.
La toilette des femmes : *173*.
Traité du baptême : *35*.
THÉODORET DE CYR.
Correspondance, lettres I-LII : *40*
— lettres 1-95 : *98*
— lettres 96-147 : *111*
Histoire des moines de Syrie : *234* et *257*.
Thérapeutique des maladies helléniques : *57* (*2* vol.).
THÉODOTE.
Extraits (*Clément d'Alex.*) : *23*.
THÉOPHILE D'ANTIOCHE.
Trois livres à Autolycus : *20*.
VIE D'OLYMPIAS : *13*.
VIE DE SAINTE MÉLANIE : *90*.
VIE DES PÈRES DU JURA : *142*.

Également aux Éditions du Cerf :

LES ŒUVRES DE PHILON D'ALEXANDRIE

publiées sous la direction de
R. Arnaldez, C. Mondésert, J. Pouilloux
Texte grec et traduction française

1. **Introduction générale. De opificio mundi.** R. Arnaldez (1961).
2. **Legum allegoriae.** C. Mondésert (1962).
3. **De cherubim.** J. Gorez (1963).
4. **De sacrificiis Abelis et Caini.** A. Méasson (1966).
5. **Quod deterius potiori insidiari soleat.** I. Feuer (1965).
6. **De posteritate Caini.** R. Arnaldez (1972).

7-8. **De gigantibus. Quod Deus sit immutabilis.** A. Mosès (1963).

9. **De agricultura.** J. Pouilloux (1961).
10. **De plantatione.** J. Pouilloux (1963).

11-12. **De ebrietate. De sobrietate.** J. Gorez (1962).

13. **De confusione linguarum.** J.-G. Kahn (1963).
14. **De migratione Abrahami.** J. Cazeaux (1965).
15. **Quis rerum divinarum heres sit.** M. Harl (1966).
16. **De congressu eruditionis gratia.** M. Alexandre (1967).
17. **De fuga et inventione.** E. Starobinski-Safran (1970).
18. **De mutatione nominum.** R. Arnaldez (1964).
19. **De somniis.** P. Savinel (1962).

21. **De Iosepho.** J. Laporte (1964).

20. **De Abrahamo.** J. Gorez (1966).

22. **De vita Mosis.** R. Arnaldez, C. Mondésert, J. Pouilloux, P. Savinel (1967).
23. **De Decalogo.** V. Nikiprowetzky (1965).
24. **De specialibus legibus.** Livres I-II. S. Daniel (1975).
25. **De specialibus legibus.** Livres III-IV. A. Mosès (1970).
26. **De virtutibus.** R. Arnaldez, A.-M. Vérilhac, M.-R. Servel et P. Delobre (1962).
27. **De praemiis et poenis. De exsecrationibus.** A. Beckaert (1961).
28. **Quod omnis probus liber sit,** M. Petit (1974).
29. **De vita contemplativa.** F. Daumas et P. Miquel (1964).
30. **De aeternitate mundi.** R. Arnaldez et J. Pouilloux (1969).
31. **In Flaccum.** A. Pelletier (1967).
32. **Legatio ad Caium.** A. Pelletier (1972).
33. **Quaestiones in Genesim et in Exodum. Fragments grecs.** F. Petit (1978).

34 A. **Quaestiones in Genesim,** I-II (e vers. armen.) (1979).

34 B. **Quaestiones in Genesim,** III-IV (e vers. armen.) (en préparation).

34 C. **Quaestiones in Exodum,** I-II (e vers. armen.) (en préparation).

35. **De Providentia,** I-II. M. Hadas-Lebel (1973).